Costa Rica

7ᵉ édition

Guides de voyage

ULYSSE

Le plaisir de mieux voyager

Nos bureaux

Canada: Les Guides de voyage Ulysse, 4176, rue Saint-Denis, Montréal (Québec) H2W 2M5, ☎(514) 843-9447 ou 1-877-542-7247, fax: (514) 843-9448, info@ulysse.ca, www.guidesulysse.com

Europe: Les Guides de voyage Ulysse SARL, 127, rue Amelot, 75011 Paris, France, ☎01 43 38 89 50, fax: 01 43 38 89 52, voyage@ulysse.ca, www.guidesulysse.com

États-Unis: Ulysses Travel Guides, 305 Madison Avenue, Suite 1166, New York, NY 10165, ☎1-877-542-7247, info@ulysses.ca, www.ulyssesguides.com

Nos distributeurs

Canada: Les Guides de voyage Ulysse, 4176, rue Saint-Denis, Montréal (Québec), H2W 2M5, ☎(514) 843-9882, poste 2232, ☎1-800-748-9171, fax: (514) 843-9448, www.guidesulysse.com, info@ulysse.ca

États-Unis: Distribooks, 8120 N. Ridgeway, Skokie, IL 60076-2911, ☎(847) 676-1596, fax: (847) 676-1195

Belgique: Presses de Belgique, 117, boulevard de l'Europe, 1301 Wavre, ☎(010) 42 03 30, fax: (010) 42 03 52

France: Vivendi, 3, allée de la Seine, 94854 Ivry-sur-Seine Cedex, ☎01 49 59 10 10, fax: 01 49 59 10 72

Suisse: Havas Services Suisse, ☎(26) 460 80 60, fax: (26) 460 80 68

Pour tout autre pays, contactez les Guides de voyage Ulysse (Montréal).

Catalogage avant publication de la Bibliothèque nationale du Canada

Vedette principale au titre :

    Costa Rica

    (Guide de voyage Ulysse)
    Comprend un index.

    ISBN 2-89464-498-1
    ISSN 1483-3115

    1. Costa Rica - Guides. I. Collection.

F1543.5.C67   917.28604'5   C98-301773-5

© Guides de voyage Ulysse inc.
Tous droits réservés
Bibliothèque nationale du Québec
Dépôt légal - Troisième trimestre 2003
ISBN 2-89464-498-1

Imprimé au Canada

Vivían en valles verdiazules,
con cielo transparentes
y aires olorosos a cedro.
Entre esplendores de selvas
y augustas soledades.

Cary Sagot Salazar de Carmiol, *Cuando Lala enloquecia*

Ils vivaient dans des vallées vertes et
bleues où le ciel était transparent
et où l'air avait des odeurs de cèdre.
Entre les splendeurs de la forêt
et une imposante solitude.

Recherche et rédaction
Stéphane G. Marceau
Francis Giguère
Yves Séguin
Collaboration à la mise à jour
Olivier Girard
Marc Rigole

Directeur de production
André Duchesne

Correcteur
Pierre Daveluy

Adjointe à l'édition et cartographe
Isabelle Lalonde

Infographie
André Duchesne

Photographes
1re de couverture
Philip Coblentz
(BrandXpictures)
Pages intérieures
Claude Hervé-Bazin
Stéphane G. Marceau
Roger Michel
Didier Raffin

Illustrateurs
Myriam Gagné
Josée Perreault
Lorette Pierson
Richard Serrao
Marie-Annick Viatour
Laura Zuckerman

Directeur artistique
Patrick Farei (Atoll)

Remerciements
Les Guides de voyage Ulysse reconnaissent l'aide financière du gouvernement du Canada par l'entremise du Programme d'aide au développement de l'industrie de l'édition (PADIÉ) pour ses activités d'édition.

Les Guides de voyage Ulysse tiennent également à remercier le gouvernement du Québec – Programme de crédit d'impôt pour l'édition de livres – Gestion SODEC.

Écrivez-nous

Tous les moyens possibles ont été pris pour que les renseignements contenus dans ce guide soient exacts au moment de mettre sous presse. Toutefois, des erreurs peuvent toujours se glisser, des omissions sont toujours possibles, des adresses peuvent disparaître, etc.; la responsabilité de l'éditeur ou des auteurs ne pourrait s'engager en cas de perte ou de dommage qui serait causé par une erreur ou une omission.

Nous apprécions au plus haut point vos commentaires, précisions et suggestions, qui permettent l'amélioration constante de nos publications. Il nous fera plaisir d'offrir un de nos guides aux auteurs des meilleures contributions. Écrivez-nous à l'adresse qui suit, et indiquez le titre qu'il vous plairait de recevoir (voir la liste à la fin du présent ouvrage).

Les Guides de voyage Ulysse
4176, rue Saint-Denis
Montréal (Québec)
Canada H2W 2M5
www.guidesulysse.com
texte@ulysse.ca

Sommaire

Liste des cartes

Légende des cartes

✈	Aéroport	ⓘ	Information touristique	----	Route non pavée
✉	Bureau de poste	▲	Montagne	·········	Sentier
Ⓐ	Camping	🚗	Navette maritime	🚶	Sentier pédestre
🏰	Cathédrale	♀	Parc national	⚽	Terrain de football (soccer)
✝	Église	⊘	Plage	⛴	Traversier (ferry)
🚌	Gare d'autocars	🔆	Point de vue	▲	Volcan
✚	Hôpital	✦	Réserve faunique		

Tableau des symboles

≡	Air conditionné
⊛	Baignoire à remous
⊙	Centre de conditionnement physique
🚢	Coup de cœur Ulysse pour les qualités particulières d'un établissement
ℂ	Cuisinette
ec	Eau chaude
♯	Moustiquaire
pc	Pension complète
pdj	Petit déjeuner inclus dans le prix de la chambre
≈	Piscine
ℝ	Réfrigérateur
ℜ	Restaurant
bc	Salle de bain commune
bp	Salle de bain privée (installations sanitaires complètes dans la chambre)
△	Sauna
⇄	Télécopieur
☎	Téléphone
tv	Télévision
tvc	Télévision par câble ou satellite
tlj	Tous les jours
⊗	Ventilateur

Classification des attraits

★	Intéressant
★★	Vaut le détour
★★★	À ne pas manquer

Classification de l'hébergement

Les tarifs mentionnés dans ce guide s'appliquent, sauf indication contraire, à une chambre standard pour deux personnes en haute saison.

$	moins de 15$US
$$	entre 15$US et 25$US
$$$	entre 25$US et 50$US
$$$$	entre 50$US et 75$US
$$$$$	entre 75$US et 120$US
$$$$$$	plus de 120$US

Classification des restaurants

Les tarifs mentionnés dans ce guide s'appliquent, sauf indication contraire, à un dîner pour une personne, excluant le service et les boissons.

$	moins de 5$US
$$	entre 5$US et 10$US
$$$	entre 10$US et 20$US
$$$$	entre 20$US et 40$US
$$$$$	plus de 40$US

Tous les prix mentionnés dans ce guide sont en dollars US.

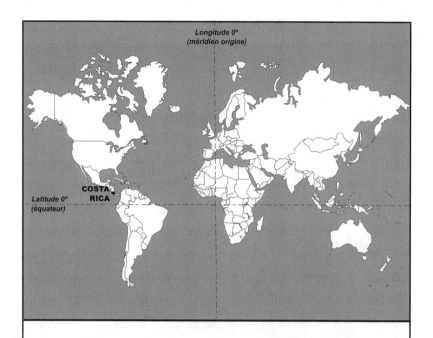

Longitude 0°
(méridien origine)

Latitude 0°
(équateur)

COSTA
RICA

*Situation
géographique
dans le monde*

Costa Rica
Capitale: San José
Superficie: 50 700 km²
Population: 4 100 000 hab.
Langue: espagnol
Monnaie: colon

Golfe du
Mexique

Océan
Atlantique

Mexique

Cuba

Republique
dominicaine

Haïti

Puerto Rico

Jamaïque

Belize

Guatemala Honduras

El Salvador Nicaragua

Mer des
Caraïbes

COSTA RICA

Panama

Venezuela

Océan
Pacifique

Colombie

Équateur Pérou

Brésil

©ULYSSE

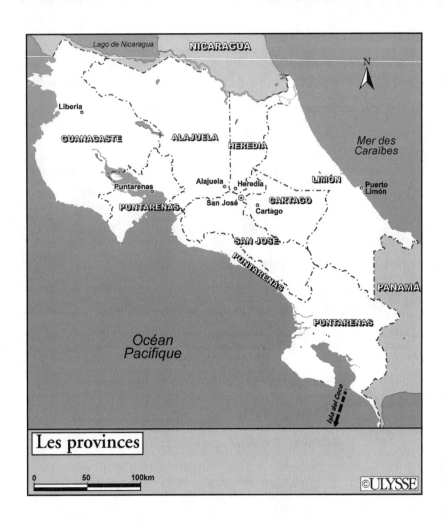

Les provinces

0 50 100km

©ULYSSE

Portrait

Comment brosser
sur papier le portrait de ce pays débordant de mille et une richesses?

Le meilleur moyen n'est-il pas de commencer par écrire son nom qui parle de lui- même: Costa Rica, côte riche...

Côte d'abord, parce que ce pays d'Amérique centrale est bordé de deux longues côtes sinueuses dont l'une baigne à l'est dans la fougueuse mer des Caraïbes, avec ses coraux, et l'autre, à l'ouest, dans le calme et vaste océan Pacifique. Des bords de mer qui déroulent des kilomètres de plages idylliques.

Riche sous tant d'aspects encore, depuis ses côtes jusqu'au cœur de la Vallée centrale. Situé au centre des Amériques, le territoire costaricien a le privilège d'accueillir une bonne partie de la faune et de la flore qui couvre le reste du continent, au nord comme au sud. Ses multiples écosystèmes abritent ainsi une vie aussi variée que la nature le permet, c'est-à-dire sans limites! Ses montagnes et ses rivières, ses vallées et ses plaines, ses forêts tropicales sèches ou humides sont reconnues pour receler l'une des plus grandes diversités fauniques et floristiques du monde. Des fleurs qui embaument l'air, une végétation luxuriante, des oiseaux aux chants aussi jolis que leur plumage, des papillons multicolores, des espèces peu connues: le Costa Rica est riche d'envoûtantes beautés naturelles qui ne cessent de fasciner. Mais riche aussi de ses habitants, les *Ticos*, chaleureux et accueillants, et de leur culture, partie prenante de la latinité des Amériques.

Abordez donc cette riche côte et attardez-vous un instant ou un long moment, pour sûr vous serez charmé...

Géographie

Le Costa Rica forme un pays de 50 700 km², sans être pour autant le plus petit pays d'Amérique centrale, El Salvador (21 040 km²) et le Belize (22 960 km²) le devançant à ce chapitre. Par comparaison, la superficie du Costa Rica ressemble à celle des États du Vermont et du New Hampshire réunis (49 079 km²), de la région Midi-Pyrénées (45 602 km²), du Danemark (43 070 km²) ou de la Suisse (41 288 km²). D'ailleurs, grâce à de hauts plateaux, une politique stable et l'abolition de son armée (1949), le Costa Rica fut baptisé du nom plutôt flatteur de «Suisse de l'Amérique centrale». Concrètement, le Costa Rica fait 380 km de longueur maximale sur 270 km de largeur maximale. Sa portion la plus étroite entre la mer des Caraïbes (Atlantique) et le Pacifique fait 120 km. Avec de nombreuses baies, des anses et deux péninsules (Nicoya et Osa), la côte Pacifique s'étend sur 1 016 km. Celle de l'Atlantique, beaucoup plus petite, se déploie sur 212 km seulement.

Le Costa Rica voisine avec, au nord, le Nicaragua et, au sud, le Panamá. La route Interaméricaine, qui traverse le pays du nord au sud, soit de la frontière nicaraguayenne (Peñas Blancas) à la frontière panaméenne (Paso Canoas), s'étire sur 534 km. Le Costa Rica se situe entre le 8ᵉ degré et le 11ᵉ degré de latitude Nord, et entre le 82ᵉ degré et le 86ᵉ degré de longitude Ouest. Enfin, sise à 450 km au large de la côte Pacifique (5°30' N. et 87°05' O.), l'Isla del Coco (25 km²), qui est également un parc national, appartient au Costa Rica.

Le Costa Rica se divise en sept provinces: San José, Heredia, Alajuela, Cartago, Limón, Puntarenas et Guanacaste. Chaque province porte le nom de sa capitale, à l'exception du Guanacaste, dont la capitale est Liberia. À noter que les villes de San José, Heredia, Alajuela et Cartago nichent toutes au cœur de la Vallée centrale. La division des provinces se fait donc, pour quatre d'entre elles, à partir du centre du pays vers leur région respective.

San José est la plus grosse ville du pays et sa capitale. À près de 1 150 m d'altitude, la ville est située exactement au centre du pays, au cœur de la Vallée centrale, ce qui, pour une capitale, n'est pas négligeable! Elle abrite quelque 340 000 habitants; l'agglomération de la capitale, quant à elle, se chiffre à plus de 1 500 000.

Échanges agricoles

Saviez-vous qu'avant l'arrivée des Espagnols en Amérique la canne à sucre et le café n'y poussaient pas? D'un autre côté, la pomme de terre, le cacao, le maïs, la tomate, la vanille, les piments forts, l'arachide, le tabac et le coton sont toutes des cultures qui n'existaient, au départ, qu'en Amérique. Vive les échanges!

Mers et montagnes

Que l'on soit dans n'importe quelle région du pays, l'eau chaude et envoûtante de la mer (Caraïbes ou Pacifique) est souvent à moins d'une heure de route, et rarement à plus de trois. Il est donc facile et agréable de planifier une journée en fonction d'une escapade matinale dans les montagnes (volcan, randonnée pédestre, rafting, ornithologie, etc.), ponctuée d'une sortie à la mer en après-midi (baignade, plongée-tuba, surf, pêche, etc.).

Les montagnes divisent le Costa Rica en deux régions distinctes, soit celle des Caraïbes (Atlantique) et celle du Pacifique. Les versants est, descendant vers l'Atlantique, se révèlent moins abrupts que ceux de l'ouest, dévalant vers le Pacifique. Les sommets culminent entre 1 487 m et 3 819 m d'altitude. On peut alors y observer la végétation typique des basses, moyennes et hautes montagnes.

Ces montagnes, qui s'étirent du nord-ouest au sud-est du pays, soit du Nicaragua au Panamá, se composent de quatre chaînes: la cordillère de Guanacaste, la cordillère de Tilarán, la Cordillère centrale et la cordillère de Talamanca. Au nord, la **cordillère de Guanacaste** est formée de roches volcaniques jeunes. On y constate la présence de plusieurs «montagnes de feu» dont les volcans Orosi (1 487 m), Rincón de la Vieja (1 895 m), Santa María (1 916 m) et Miravalles (2 028 m). Un peu plus au sud, près du lac Arenal, la **cordillère de Tilarán** abrite le volcan Arenal (1 633 m), l'un des volcans les plus actifs au monde et peut-être l'attraction nocturne la plus courue dans le pays car, une fois la nuit venue, il est facile d'admirer ses coulées de lave rouge et d'entendre ses grondements imposants en toute quiétude.

Au centre du pays, la **Cordillère centrale** renferme les plus hauts et les plus accessibles volcans du pays. Les volcans Poás (2 704 m), Barva (2 906 m), Irazú (3 432 m) et Turrialba (3 328 m), situés à moins de 60 km de San José, offrent aux visiteurs un dépaysement complet en leur dévoilant des points de vue extraordinaires non loin de la capitale. La Cordillère centrale entoure, en partie, une haute vallée dénommée Vallée centrale, à une altitude variant entre 800 m et 1 600 m.

S'étendant sur 3 500 km² de terres fertiles, cette vallée, jouissant d'un climat tempéré moins chaud et moins humide que les côtes, est vite devenue l'endroit où il fait bon vivre. Ainsi, près des deux tiers de la population costaricienne vit dans cette région montagneuse, où s'agglomèrent les plus grandes villes du pays dont la capitale San José

(340 000 habitants), située à 1 150 m d'altitude.

Au sud du pays, la **cordillère de Talamanca** renferme, pour sa part, un massif plissé composé de roches calcaires et magmatiques. C'est dans cette région que se dressent le plus haut sommet du Costa Rica, le Cerro Chirripó (3 819 m), ainsi qu'une quinzaine de sommets culminant à plus de 3 000 m d'altitude. Parmi ces derniers figurent les monts Urán (3 600 m), Terbi (3 720 m), Ami (3 295 m), Ena (3 126 m), Cabécar (3 030 m), Eli (3 097 m) et Dúrika (3 280 m).

Bien que le Costa Rica soit un pays de montagnes et de volcans fort impressionnants, on y trouve également des régions de faible altitude. Le plus vaste territoire de plaines est situé du côté nord-est du pays et longe la mer des Caraïbes. Ces immenses plaines, souvent marécageuses, s'étendent de la frontière nicaraguayenne à la ville de Limón et couvrent 20% de la superficie du pays.

Du côté du Pacifique, les montagnes s'avancent beaucoup plus près de la côte, formant tour à tour caps, falaises, baies et criques. On y distingue aussi deux grands golfes: au nord, le golfe de Nicoya avec la péninsule du même nom; au sud, le Golfo Dulce avec la péninsule d'Osa. Ces deux golfes baignent la province de Puntarenas, là où se trouvent de nombreuses destinations touristiques

très prisées dont les plus connues demeurent Jacó, Quepos et Montezuma.

Par ailleurs, le Costa Rica compte très peu de grandes surfaces naturelles d'eau douce. Outre de petits lacs tels ceux de Cachi (San José), d'Astillero (Heredia) ou de Caño Negro (Alajuela), le seul lac en importance dans le pays est celui d'Arenal (Guanacaste). Cette magnifique étendue d'eau limpide de 39 km de longueur sur 5 km de largeur se trouve tout juste à l'ouest du célèbre volcan Arenal. Très apprécié des baigneurs et des pêcheurs (notamment pour la perche arc-en-ciel, appelée *guapote*), le lac Arenal constitue également un petit paradis pour les véliplanchistes venus de partout pour se mesurer à ses vents.

Pays de montagnes, voire de hautes montagnes, le Costa Rica recèle en revanche une multitude de cours d'eau, tantôt dévalant vers le Pacifique, tantôt zigzaguant vers la mer des Caraïbes. Au Costa Rica, on dénombre une quinzaine de rivières importantes. Les plus populaires sont la Tempisque, la Sarapiquí, la Reventazón et la Pacuare, les deux dernières jouissant d'une réputation internationale pour la pratique du rafting et du kayak.

Origines géologiques

L'Amérique centrale fit son apparition il y a trois millions d'années seulement. Un million d'années avant la formation du territoire du Costa Rica, la mer régnait encore sur cette région comprise entre l'Amérique du Nord et l'Amérique du Sud. Cependant, on y trouvait une chaîne d'îles volcaniques du côté du Pacifique. D'ailleurs, des roches et des sédiments d'origine volcanique, datant d'environ 100 millions d'années, ont été découverts dans la péninsule de Nicoya.

L'apparition relativement soudaine de l'Amérique latine, il y a trois millions d'années, est due aux forces tectoniques engendrées alors que la plaque des Cocos s'enfonça, et s'enfonce toujours, dans la plaque des Caraïbes, à raison de 10 cm par année. Les résultats produits par ces frictions firent soulever le sous-sol et provoquèrent de nombreuses éruptions volcaniques. Un véritable «pont de terre entre deux continents» prenait alors forme. On évalue à une centaine le nombre de formations volcaniques qui constituaient alors le profil géologique du Costa Rica. Au fil des siècles, la majorité de ces volcans furent aplanis, si bien qu'aujourd'hui on compte une dizaine de massifs volcaniques. Les volcans sont regroupés dans le nord-ouest ainsi que dans le centre du pays.

La chaîne volcanique appartient à la ceinture de feu du Pacifique. On y observe une soixantaine de volcans, endormis ou éteints, dont sept sont actifs ou l'ont été récem-

ment. Parmi les volcans les plus actifs, le volcan Poás (2 704 m), le volcan Rincón de la Vieja (1 895 m) et surtout le volcan Arenal (1 633 m) s'imposent désormais comme des attractions touristiques majeures.

Les forces tectoniques engendrées par l'action combinée des plaques des Cocos et des Caraïbes provoquent également de nombreux tremblements de terre. Si la plupart des secousses sismiques ont peu d'impact sur la vie quotidienne des Costariciens, certains tremblements de terre, tel celui d'avril 1991 (7,4 sur l'échelle de Richter, voir), demeurent des exemples de la menace toujours possible d'une catastrophe naturelle.

Climat

Le Costa Rica possède un climat dit «tropical». On y distingue deux saisons, soit la saison sèche et la saison pluvieuse, ou saison verte. Selon la région et l'altitude, plusieurs variantes atmosphériques sont observées. Le pays jouit aussi de nombreux microclimats. Ainsi, la côte Caraïbe reçoit beaucoup d'eau en toute saison. Du côté du Pacifique, la saison sèche est plus démarquée. Dans la province du Guanacaste et dans la péninsule de Nicoya, située au nord-ouest du pays, la saison sèche se caractérise par un climat extrêmement aride, et il peut s'écouler plusieurs semaines sans qu'il tombe une seule goutte de pluie. À l'opposé, dans

les montagnes, lors de la saison humide, il peut pleuvoir deux jours sur trois! La Vallée centrale, qui englobe la capitale San José, possède, quant à elle, un climat particulier appelé «printemps perpétuel», avec des températures quasi constantes oscillant entre 22°C et 25°C.

La saison des pluies s'étend de mai à novembre. Les Costariciens appellent cette saison humide *invierno* (hiver). À ne pas confondre avec l'hiver nord-américain ou européen qui, lui, correspond au froid et à la neige. Il est coutume au Costa Rica de parler de la «saison verte», car effectivement tout pousse et rivalise de beauté en ce temps de l'année. D'ailleurs, bon nombre de visiteurs, après quelques séjours dans le pays, préfèrent désormais visiter le Costa Rica lors de la saison des pluies en raison de l'incroyable éclosion de la flore, du peu de touristes rencontrés et des prix nettement compétitifs. En ce qui concerne la saison sèche, celle-ci s'étend de décembre à avril et est appelée *verano* (été). Mars et avril constituent les mois où il fait généralement le plus chaud.

Au Costa Rica, les courbes des températures demeurent relativement constantes. Les écarts de température sont liés à l'altitude. Sur les côtes, le mercure grimpe régulièrement à plus de 35°C. Du côté de la mer des Caraïbes, le taux d'humidité peut être très élevé, alors que du côté du Pacifique, principalement dans la province du

Guanacaste, située au nord-ouest du pays, le temps s'avère parfois très sec et aride. Dans certains coins de cette province, il peut même ne pas tomber une seule goutte de pluie entre les mois de janvier et de mai!

Plus on s'élève en altitude et plus les températures deviennent fraîches, de l'ordre de 1°C par 150 m d'élévation. Au sommet des hautes montagnes, et plus particulièrement au sommet du mont Chirripó (3 819 m), les températures peuvent atteindre le point de congélation. La température la plus froide, enregistrée au mont Chirripó, fut de –9°C.

Depuis quelques années, les conditions climatiques apparaissent parfois irrégulières et imprévisibles. Mais comme le Costa Rica est un petit pays aux nombreux climats, il existe toujours une région qui semble faite expressément pour le confort des visiteurs. Ainsi, les personnes n'appréciant pas les températures très chaudes et humides préféreront demeurer dans la Vallée centrale, où il pleut moins souvent qu'en certaines autres régions du pays et où la température est presque toujours fraîche et confortable.

Faune et flore

Il y a environ trois millions d'années, les deux sous-continents américains

(Amérique du Nord et Amérique du Sud) furent réunis par une étroite bande de terre, créant ainsi un véritable pont biologique, appelé «pont de terre entre deux continents» par les scientifiques. Ainsi, grâce à cette union, la faune et la flore spécifiques à chacun des sous-continents purent s'étendre et s'épanouir davantage. Comme le Costa Rica constitue l'un des lieux de passage obligé entre les Amériques, et qu'il possède des climats diversifiés, ce pays représente donc un véritable «biodôme» grandeur nature offrant de multiples zones de peuplement.

La faune

Par sa situation géographique particulière, due au phénomène naturel que constitue le «pont de terre», le Costa Rica est considéré comme le pays ayant la faune la plus variée au monde. La biodiversité, ou la variété d'espèces animales, se mesure au nombre d'espèces

Coatis

que l'on trouve par 10 000 km². Ainsi, selon le *World Resources Institute* (1995), avec ses 615 espèces (oiseaux et mammifères) recensées par 10 000 km², le Costa Rica remporte tous les honneurs planétaires. Un

immense pays comme les États-Unis (104 espèces) a donc six fois moins de variétés d'espèces animales par territoire délimité que le Costa Rica. Cette richesse de la nature propose aux visiteurs des conditions d'observation tout à fait exceptionnelles sans avoir à effectuer de longs déplacements.

Le visiteur attentif aura l'occasion, plus que nulle part ailleurs, d'observer une faune grouillante de vie et bien adaptée à son milieu. Ainsi, on peut voir sur ce minuscule coin de la planète quelque 15 000 espèces de papillons, 850 espèces d'oiseaux (véritable paradis ornithologique), 208 espèces de mammifères, 220 espèces de reptiles, 34 000 espèces d'insectes, 130 espèces de poissons d'eau douce et 160 espèces d'amphibiens. De ce nombre, plusieurs espèces semblent être spécifiques au Costa Rica, soit 41 espèces d'amphibiens, 24 espèces de reptiles, 16 espèces de poissons d'eau douce, six espèces d'oiseaux et cinq espèces de mammifères.

Parmi les animaux susceptibles d'être observés au Costa Rica figurent les singes (capucins à face blanche, hurleurs et araignées), les paresseux, les agoutis, les coatis, les cerfs de Virginie, les iguanes, les lézards, les crapauds, les petites grenouilles venimeuses aux couleurs éclatantes, les crocodiles et les caïmans. Les mammifères tels que les coyotes, les fourmiliers, les tapirs et les grands félins (jaguars, pumas, ocelots) demeurent très discrets; toutefois, on peut apercevoir des traces de leur passage à l'occasion. Le pays compte également plusieurs espèces de serpents, dont des vipères, des boas ainsi que le redoutable «fer-de-lance», que les Costariciens appellent *terciopelo*.

Quetzal

Les plages, quant à elles, reçoivent la visite de quatre espèces de tortues marines, soit la tortue luth, la plus grande tortue marine du monde, la tortue de Ridley, la tortue Hawksbill et la tortue verte du Pacifique. Lorsqu'on assiste à la ponte nocturne d'une tortue luth à Playa Grande, au Parque Nacional Marino Las Baulas (Guanacaste), on vit une expérience tout aussi émouvante qu'enrichissante.

Tout comme les touristes venus chercher un paradis de verdure accueillant et un soleil cajoleur, plusieurs espèces d'oiseaux de l'Amérique du Nord hivernent au Costa Rica, entre autres les hirondelles, les parulines, les bruants, les grives, les grivettes des bois et les fauvettes. On recense, chaque année, de nombreuses espèces d'oiseaux au Costa Rica. Le visiteur sera, à coup sûr, ébloui par les couleurs et les formes fascinantes des différentes espèces de toucans et de perroquets. Le toucan à carène et le

majestueux ara écarlate comptent assurément parmi les plus beaux oiseaux du monde, et il est relativement facile de les observer dans certaines régions du pays. Mais l'oiseau qui retient le plus l'attention des visiteurs, plusieurs ornithologues de la planète faisant expressément le voyage au Costa Rica pour l'observer, est le fabuleux quetzal. Cet oiseau d'assez grande taille (jusqu'à 35 cm), qui arbore une longue traîne émeraude pouvant mesurer jusqu'à 60 cm, fréquente les hautes forêts tropicales humides, telle la région de Monteverde.

La flore

Selon un système de classification des types de végétation mis au point par le biologiste L.H. Holdridge en 1947, on distingue 116 zones de vie sur Terre. Les observations sont basées sur les analyses des différents types de climats, des fluctuations de température, des précipitations ainsi que des changements saisonniers. En raison de la grande diversité des conditions climatiques et du relief très accidenté du Costa Rica, on a relevé 12 zones de vie ainsi que huit zones de transition. Lagunes, marais, zones herbacées, mangroves, plaines, forêts tropicales sèches, forêts tropicales humides

et plaines subalpines de haute altitude (dénommées *páramos*) découpent ainsi le paysage selon l'altitude atteinte et la région visitée. Les hautes chaînes de montagnes du pays servent de limites météorologiques ainsi que de lignes de partage des eaux entre l'Atlantique et le Pacifique.

Bien que le Costa Rica ne représente que 0,0003% (3/10000e) de la surface de la Terre, on y compte 5% de toutes les espèces végétales et animales existantes. S'y côtoient donc quelque 10 000 espèces de plantes, plus de 1 000 espèces d'arbres ainsi que 1 400 espèces d'orchidées, dont la fleur nationale, la *guaria morada*, une orchidée Cattleya de couleur lilas.

La forêt tropicale sèche

Désormais, la forêt tropicale sèche demeure très peu répandue en Amérique centrale. On considère que seulement 2% de sa superficie initiale subsiste toujours. C'est au Costa Rica, et plus spécifiquement dans la province du Guanacaste, dans le nord-ouest du pays, que l'on en trouve la meilleure représentation.

La province du Guanacaste se caractérise aujourd'hui par ses immenses zones défrichées et ses multiples pâturages. Mais avant la venue des défricheurs, cette région comprenait des forêts clairsemées et des savanes. En raison de la déforestation, qui fut la cause majeure de l'appauvrissement du sol, ce dernier demeurant incapable de retenir l'eau, les saisons sèches et humides y sont extrêmement démarquées. Ainsi la saison sèche, qui s'étend de décembre à avril, provoque-t-elle un véritable climat désertique où les précipitations sont quasi inexistantes. Ce manque croissant d'eau, qui s'échelonne sur plusieurs mois, oblige les arbres à s'adapter à cette rigueur climatique en se dépossédant de leurs feuilles.

En revanche, l'arrivée de la saison des pluies permet une floraison spectaculaire, abondante et multicolore. Les herbages reprennent leur ton de vert, les fleurs rivalisent de couleurs éclatantes, les feuilles des arbres se parent de teintes de blanc, jaune, rouge ou rose. Même le majestueux arbre dénommé *guanacaste* (*Enterolobium cyclocarpum*), espèce emblématique du Costa Rica et nom donné à la province du nord-ouest, exhibe ses fleurs aux couleurs teintées de blanc et de vert.

La forêt tropicale humide

La forêt tropicale humide est, quant à elle, beaucoup plus répandue au Costa Rica. On en trouve autant du côté de l'Atlantique (mer des Caraïbes) que du côté du Pacifique, mais également au centre du pays. On l'appelle «humide» car il y tombe au moins 2 000 mm de pluie par année, et souvent

jusqu'à 6 000 mm de pluie, notamment dans la province de Limón, du côté de l'Atlantique. Le taux d'humidité y demeure très élevé, et la température annuelle reste quasi constante, avec une moyenne d'environ 24°C.

L'eau joue donc un rôle très important dans l'écosystème d'une forêt tropicale humide. D'ailleurs, on considère que ce type de forêt recycle environ 75% de son eau par évaporation. Mais la forêt tropicale humide ne fait pas que récupérer

Árbol de Guanacaste

son eau, elle reprend également les divers éléments nutritifs, végétaux et animaux, qui viennent se déposer au sol. Les termites et les champignons qui occupent le sol s'affairent à décomposer, en un rien de temps, ces divers éléments nutritifs afin qu'ils puissent de nouveau enrichir le sol, dans lequel un vaste réseau de racines se déploie.

Il ne faut pas oublier que l'altitude demeure une composante très importante dans le développement de la forêt. Ainsi, la forêt tropicale humide (*rain forest* en anglais), telle qu'on la connaît en Amérique du Sud, se situe à

moins de 1 000 m d'altitude au Costa Rica. À plus haute altitude, jusqu'à 3 000 m, la forêt abrite une quantité inouïe de mousses, lichens, lianes, arbustes et arbres entourés d'une brume presque permanente. Enfin, à plus haute altitude encore, on découvre un type de végétation spécifique aux hautes plaines humides et froides, le *páramo*. Ce type de végétation se caractérise par une flore adaptée aux rigueurs climatiques et par de petits arbustes rabougris. Le *páramo* andéen atteint ici sa limite nord. Le visiteur pourra observer ce type de végétation en dépassant la limite supérieure des arbres des hautes montagnes de la cordillère de Talamanca, et plus précisément autour des monts (*cerros*) Chirripó (3 819 m) et de la Muerte (3 491 m).

La déforestation

À l'arrivée des conquistadors espagnols au XVIe siècle, le Costa Rica jouissait d'un territoire presque entièrement recouvert de riches forêts naturelles. Seules de petites parties étaient déboisées par les Amérindiens afin de cultiver, entre autres, le maïs et le manioc. Avec la venue des colons espagnols, le défrichage des zones forestières devint une réalité de plus en plus grandissante. D'année en année, on avait sans cesse besoin d'espace pour la culture, principalement celles des bananes et du café, et pour les pâturages.

Cette déforestation se fit d'abord modérément puis, à partir du milieu du XXe siècle, de façon beaucoup plus draconienne. Ainsi, en 1950, le Costa Rica était boisé à près de 75%. En 1978, cette proportion atteignait près de 35%, pour continuer à dégringoler jusqu'à 26% en 1985. En 1993, ce pourcentage se situait sous la barre des 20%. Suivant cette tendance, il est facile d'en arriver à la conclusion que, d'ici quelques années, il ne restera plus de forêt libre, c'est-à-dire non protégée. D'où l'importance de la protection des forêts existantes ainsi que d'une politique de reboisement exemplaire. Exemplaire à défaut d'être efficace, car la déforestation des forêts tropicales humides crée un tel désastre écologique qu'il faudra compter des dizaines, voire des centaines d'années avant que toutes les espèces végétales et animales s'y trouvent de nouveau réunies.

La déforestation ne fait pas qu'éliminer les plus beaux paysages naturels du Costa Rica, elle cause également des problèmes graves. Ainsi, l'érosion des sols a créé de véritables déserts dans la province du Guanacaste, où la température moyenne a grimpé d'environ 10°C. Lors de la saison sèche, les ressources d'eau potable sont ainsi fortement diminuées. Il devient alors difficile de répondre à la demande en hydroélectricité. Certains cours d'eau se sédimentarisent, ce qui entraîne la

perte d'une grande partie de la flore et de la faune riveraines. À l'opposé, lors de la saison des pluies, les inondations causent des dégâts substantiels.

Environnement et conservation

À partir des années 1960, afin de faire face à cette déforestation massive, des hommes et des femmes, dont certains venus d'Europe et des États-Unis, ont mis de l'avant l'idée nouvelle de protéger les ressources naturelles. À l'époque, le modèle de base était le réseau de parcs naturels des États-Unis pris en charge par l'État. Mais comme le Costa Rica est un minuscule pays, dont la population a doublé en l'espace de 20 ans (1950-1970) et s'est dispersée sur le territoire, le fait de vouloir protéger des forêts était plutôt perçu comme un frein à la prospérité des agriculteurs et des éleveurs. Il fallait donc réussir à protéger un maximum de forêts tout en essayant de faire participer, mais surtout travailler, les habitants de la région. La clé du succès résidait dans la conviction que le tourisme rapporterait plus de revenus, tout en gardant la nature intacte, qu'une exploitation agricole du site. Cette gestion à long terme des ressources, qui demande la participation massive des populations, se dénomme «développement durable», le but étant de concilier l'écologie et l'économie sociale.

Depuis les années 1970, la protection de la nature est

donc devenue une priorité nationale. Près de 25% du territoire est désormais protégé (parcs et réserves), ce qui correspond au pourcentage de territoire non défriché ou non utilisé. Le Costa Rica se situe ainsi au premier rang mondial pour la protection de son territoire et figure parmi les principaux instigateurs d'une récente forme d'activité touristique dénommée «écotourisme».

Histoire

La période précolombienne

Lorsqu'on imagine les peuplements précolombiens en Amérique centrale, on pense le plus souvent aux pyramides mayas de la péninsule du Yucatán, ou encore à la pompe entourant le souverain aztèque dans sa capitale de Tenochtitlán (México). Les empires édifiés par ces civilisations avaient toutefois leurs assises territoriales bien loin au nord du Costa Rica. Cela ne veut cependant pas dire que ce pays n'a connu aucune autre civilisation que celle importée par les Espagnols. Loin de là.

On s'accorde généralement à penser que la colonisation du sol costaricien par l'homme s'est faite voilà plus de 10 000 ans. Venant du Nicaragua ou du Panamá, des nations amérindiennes, fort différentes les unes des autres, se sont implantées à tour de rôle sur les territoires qui forment le pays. Toutes avaient leur religion, leur développement économique et leur structure politique propres. Sur le littoral est, les chasseurs nomades dominaient. À l'intérieur du pays et sur la côte ouest, ce sont des populations sédentaires qui ont occupé le territoire. Elles pratiquaient l'agriculture et jouissaient de connaissances techniques plus poussées, surtout les peuplades du centre du pays. Beaucoup de poteries, d'objets en métal et de pièces d'or ont d'ailleurs survécu jusqu'à nos jours pour en témoigner. Pour ne citer que ceux-là, il y avait des orfèvres au Costa Rica 1 000 ans avant que les Espagnols ne flairent l'odeur de l'or.

Jamais ces différents Amérindiens n'ont été très nombreux, et il n'y en avait guère plus de 20 000 à l'arrivée des Européens. La nature du terrain tantôt accidenté, tantôt marécageux, ne faisait pas du Costa Rica un pays propice à un peuplement très dense. Cela explique aussi que les populations au nord comme au sud de cette partie de l'isthme d'Amérique centrale ne se soient pratiquement jamais mélangées.

Hormis cela, il y a fort peu de choses qui puissent être dites à propos des premiers occupants du pays. Aucune des populations anciennes n'a en effet laissé derrière elle un témoignage écrit de son passage, et aucune ne semble avoir pu soumettre ses voisines pour jeter les

bases d'un empire. Retracer le mode de vie de ces hommes et de ces femmes est donc un travail plus archéologique qu'historique, une affaire de conjecture plutôt que de chronique.

Le site archéologique le plus intéressant du pays se trouve à une cinquantaine de kilomètres de San José, au **Monumento Nacional Guayabo** (voir p 130). On y a en effet retrouvé les vestiges d'une ancienne cité autochtone qui fut jadis forte d'environ 10 000 âmes. Déjà peuplée plusieurs siècles avant la naissance du Christ, la ville que l'on s'emploie à faire ressortir de terre a d'abord abrité une ou plusieurs petites bandes de nomades, les Corobici, puis la société plus organisée des Nahuatl. Ces derniers étaient venus se réfugier au Costa Rica en provenance du Mexique.

Au sud-ouest, principalement dans l'Isla del Caño et dans la région de **Palmar** (voir p 368), on trouve le casse-tête préféré des archéologues costariciens, éparpillé sur le sol. Il s'agit de simples boules de granit. Elles sont de tailles diverses et presque parfaitement sphériques. Bien que certains affirment qu'elles sont l'œuvre des Chibcha (une nation amérindienne ayant vécu dans la partie sud de la côte Pacifique costaricienne), personne ne sait réellement hors de tout doute de qui elles proviennent, ni à quoi elles peuvent bien avoir servi.

Dans le nord-ouest du pays, plus particulièrement dans la péninsule de Nicoya, les vestiges identifiés permettent de conclure que la population locale entretenait un négoce avec les civilisations plus au nord, et ce, bien avant notre ère. Sans doute l'existence de ce commerce a-t-il ultérieurement induit le peuplement du secteur par le groupe autochtone le plus important du Costa Rica, les Chorotega. Ces Amérindiens sont probablement ceux dont la culture fait le plus penser à celle des Aztèques ou des Mayas. Il n'y a là rien d'étonnant puisque les Chorotega ont fui le sud du Mexique aux alentours de 1325 (incidemment, le mot *chorotega* désigne des fuyards). Occupés principalement à la culture des légumineuses, du maïs et de la courge, les Chorotega ont aussi trouvé le temps de développer une écriture et un calendrier. En outre, une organisation sociale complexe réglait la nation Chorotega, où les castes de prêtres et de nobles dominaient les autres. Tout en bas de l'échelle sociale, des esclaves arrachés aux tribus voisines pouvaient être affectés aux plus difficiles travaux ou, pire encore, être immolés sur l'autel. Enfin, leur art est parmi les plus intéressants du pays, particulièrement ses œuvres stylisées en jade. Une des grandes chances du Costa Rica est d'en avoir préservé bon nombre, presque toutes exposées au **Museo del Jade** (voir p 83), à San José.

Principales dates marquantes

18 septembre 1502

Arrivée de Christophe Colomb, lors de son quatrième voyage, dans la baie de Cariari, sur la côte Caraïbe.

1524

Fondation de la première colonie sur le territoire, à Villa Bruselas, dans le Golfo de Nicoya.

1540

Création de la Gobernación de Cartago, à l'origine de la colonisation.

1564

Fondation de la ville de Cartago par Vásquez de Coronado.

15 septembre 1821

La Provincia de Guatemala, de laquelle fait partie le Costa Rica, déclare son indépendance face à l'Espagne.

29 octobre 1821

Le Costa Rica renouvelle officiellement son indépendance après avoir reçu la nouvelle un mois en retard.

1824

Constitution de Las Provincias Unidas de Centro América, qui comprennent, en plus du Costa Rica, le Guatemala, le Honduras, El Salvador et le Nicaragua.

14 novembre 1838

Le président Braulio Carillo déclare le Costa Rica libre et indépendant, mais le pays continue de faire partie de la República Federal de Centroamérica.

31 août 1848

Déclaration d'indépendance totale: fondation de la República de Costa Rica.

1856-1857

Guerre à la frontière entre le Nicaragua et le Costa Rica contre un envahisseur étasunien, William Walker, qui se termine par la victoire des pays centraméricains grâce à un héros costaricien, Juan Santamaría.

7 novembre 1889

Naissance de la démocratie. Après 50 ans de corruption dans le système électoral et 10 constitutions, la population se soulève pour exiger le suffrage universel.

1885-1948	Consolidation de l'État providence; série de mesures libérales (séparation de l'Église et de l'État, réforme du système et éducation obligatoire pour tous les enfants, réforme du code du travail, etc.).
1948	Guerre civile entraînée encore une fois par le mécontentement face à la corruption. José Figueres Ferrer prend le pouvoir après la crise, nationalise les banques ainsi que l'hydro-électricité et abolit l'armée. Vote d'une nouvelle constitution qui entre en vigueur en 1949, et qui l'est encore aujourd'hui.
1987	Oscar Arias Sánchez, président de 1986 à 1990, obtient le prix Nobel de la paix pour ses efforts visant à ramener la paix dans les pays voisins d'Amérique centrale.

Après Christophe Colomb

En 1492, Christophe Colomb mouille dans les îles de la mer des Caraïbes. Parti chercher les richesses de l'Orient pour le compte de Leurs Majestés très catholiques Ferdinand et Isabelle, Colomb vient de découvrir l'Amérique, sans le savoir. Il obtient de ses royaux commanditaires de pouvoir achever l'exploration des rivages de ses «Indes». En 1502, le navigateur en est à sa quatrième expédition lorsqu'une tempête endommage ses gréements et le pousse à faire escale dans la baie de Cariari près de l'actuel Puerto Limón.

Ça y est! L'Amérique centrale et le Costa Rica sont «découverts». L'expression a de quoi faire sourire, vu la présence millénaire des Au-

tochtones mais, dans l'Espagne de l'époque, l'opinion de quelques indigènes infidèles comptent pour bien peu. Colomb est sûrement impressionné par la végétation puisqu'il baptise cette contrée «Huerta», mot espagnol qui désigne un jardin. Les Autochtones lui font bon accueil et lui procurent des objets faits de ce métal jaune qui excite tellement les convoitises en Europe.

Ferdinand d'Espagne se montre résolu à échanger aux indigènes de ses nouvelles possessions l'éclat de l'or contre les lumières de la foi. En 1506, il nomme un gouverneur, Diego de Nicuesa, qu'il charge de coloniser la région. Le malheureux joue de malchance, puisqu'il est contraint de débarquer au Panamá et de remonter vers le nord à pied. Son expédition tourne vite au calvaire. Les fièvres tropi-

cales déciment ses troupes, ils avancent à travers un terrain impossible, le climat est pourri, et le moral, lui, est en chute libre. Pour comble de malchance, les Autochtones ne se montrent pas du tout enclins à faciliter son entreprise. Les Espagnols ne tardent pas à découvrir la redoutable efficacité des attaques surprises menées par les indigènes. Des efforts de Nicuesa, l'Espagne ne retirera rien de valable, si ce n'est la conscience que cette région de l'Amérique centrale ne s'ouvrira pas facilement à la conquête.

Malgré tout, en 1522, Gil González Davila tente lui aussi d'établir une colonie dans la région. Il se montre un peu plus heureux que Nicuesa, du moins au début, puisqu'il réussit à se procurer de l'or. Convaincu d'avoir trouvé un pays de cocagne, il rebaptise le pays. La Huerta devient

Costa Rica, la «côte riche». Le projet de colonisation échoue cependant, la maladie et les privations emportant un grand nombre des hommes de Davila.

Les conquistadors espagnols semblent ensuite se désintéresser du Costa Rica. En fait, ils étanchent leur soif de conquête dans les autres possessions de l'Empire, lesquelles ont mieux tenu leurs promesses d'eldorados. Le Pérou et le Mexique attisent les convoitises. Il faudra attendre la seconde moitié du XVIe siècle pour que le projet de coloniser le Costa Rica refasse surface, Philippe II voulant notamment évangéliser les indigènes. Il semble bien, cependant, que Dieu n'ait pas attendu après le roi pour ramener à lui ses brebis égarées. La petite vérole et la tuberculose avaient fait leur œuvre de mort au sein de populations que rien ne protégeait contre les souches virales apportées par les Européens. Beaucoup des survivants avaient sagement choisi de s'exiler en gagnant des vallées reculées. En fait, quand le nouveau gouverneur du Costa Rica, Juan Vásquez de Coronado, arrive sur place en 1562, seuls demeurent les Chorotega qui se sont établis dans la péninsule de Nicoya.

Coronado

Le nouveau gouverneur Coronado fait preuve de plus d'initiative que ses prédécesseurs. Il explore l'intérieur du pays où il découvre la Vallée centrale. Le climat plus doux et les terres volcaniques y sont garantes de bonnes récoltes. C'est là, en 1563, qu'il décide de bâtir une ville, Cartago.

Caravelle

L'absence d'indigènes a des conséquences fâcheuses, et pas seulement pour les prêtres qui accompagnent Coronado. Le modèle qui a alors cours en Amérique hispanique s'appelle l'*encomienda*. Il privilégie le recours au servage pour rentabiliser les concessions de terres, faites le plus souvent au bénéfice des hommes d'armes. Or, sans Amérindiens et loin des marchés d'esclaves, le gouverneur et ses colons doivent se résoudre à travailler eux-mêmes leurs terres. Ils pratiquent une agriculture de subsistance qui tranche avec les plantations des colonies voisines.

La colonie de Coronado est aussi très isolée géographiquement. Alors que les autres régions d'Amérique centrale exploitent leur littoral et ont accès aux plans d'eau pour commercer et voyager, les colons vivent à l'intérieur du pays, à plusieurs heures, voire à plusieurs jours de la côte. Montagnes et forêts font obstacle aux échanges avec le monde. Cet isolement ira jusqu'à contraindre les colons à se servir, pendant un temps, de fèves de cacao en guise de monnaie. De plus, on s'aperçoit que, contrairement à d'autres régions des Amériques, le territoire recèle très peu de métaux précieux et de minerais d'intérêt pour le commerce.

Il n'est donc pas étonnant que la colonie tarde à croître. En fait, il faudra plus de 250 ans pour que sa population atteigne les 70 000 habitants. En Espagne, on ne tarde pas à se désintéresser de cette poignée de colons jetés au milieu de la jungle. Coupés du monde, les premiers Costariciens développeront leur propre type de société, plus égalitaire que celles des autres colonies espagnoles. Cela peut notamment s'expliquer par l'absence de classes sociales, tout le monde dans la Vallée centrale ou presque vivant du même travail de la terre. Alors que les autres régions d'Amérique centrale et d'Amérique du Sud accèdent petit à petit au statut d'intendances (*intendencias*) du royaume d'Espagne, le Costa Rica reste sous la férule de la capitainerie générale du Guatemala et de l'évêché de León, au Nicaragua. Cartago sera même, pendant un siècle et demi, la seule ville de la Vallée centrale!

Graduellement, toutefois, on fondera d'autres paroisses. Heredia naît en 1717 sous le nom de Cubujuquie. Vingt ans plus tard, c'est au tour de San José de sortir de terre. Alajuela, elle, n'a été fondée qu'en 1782.

Les régions côtières du Costa Rica ont en revanche connu un développement quelque peu différent. Sur le littoral ouest, le Guanacaste a pu tirer parti de ses voies de communication avec le Nicaragua. Cela a permis une implantation agraire conforme à ce que l'Espagne avait organisé plus au nord avec de vastes plantations. D'ailleurs, cette région relevait directement de l'administration coloniale du Nicaragua. Sur la côte longeant la mer des Caraïbes, les colons se sont lancés dans la culture du cacao puis dans celle du tabac. Ces cultures très rentables auraient sans doute pu faire la prospérité de la région. Mais voilà, il fallait pouvoir exporter les récoltes, ce qui est devenu impossible en 1665, lorsque l'Espagne a frappé d'interdit tous les ports de la côte dans l'espoir d'endiguer le développement d'une autre industrie, celle du piratage. La métropole obtint ainsi exactement le contraire de ce qu'elle avait désiré puisque, en l'absence de trafics licites, les boucaniers se sont multipliés, tout comme les contrebandiers.

Le XIXᵉ siècle

Peu peuplées, difficiles d'accès et dépourvues de richesse, les terres du Costa Rica n'ont jamais vraiment été au cœur des préoccupations des autorités coloniales, qu'elles soient du Guatemala, de México ou de Madrid. Le vrai pouvoir reposait surtout entre les mains des aristocrates qui présidaient aux destinées des villes du pays. Cette relative indifférence n'était pas pour déplaire aux colons, qui n'ont jamais vraiment fait de leur accession à l'indépendance une revendication réelle. Aussi a-t-on dû être surpris dans les rues de San José lorsque la nouvelle a couru que les colonies espagnoles d'Amérique centrale étaient libérées du «joug» de la métropole à compter du 15 septembre 1821. L'isolement des villes du Costa Rica était encore tel que la nouvelle y est parvenue un mois après, à dos de mule.

Le premier réflexe à Heredia et à Cartago est de se fondre au nouvel empire du Mexique. Mais voilà qu'en 1823 les autres anciennes colonies d'Amérique centrale optent pour la création d'une fédération ayant pour capitale Ciudad Guatemala. Du coup, on remet en question l'adhésion à l'Empire. À San José et à Alajuela, un parti républicain réclame que l'on se joigne à la nouvelle fédération. Le débat s'envenime et dégénère en guerre civile en 1823. Les républicains

remportent la victoire à Ochomogo. Les villes du Costa Rica joignent donc la fédération, dans laquelle elles demeurent pleinement responsables de leurs propres affaires. Les républicains choisissent l'une de leurs villes, San José, pour capitale de la nouvelle province, mettant ainsi un terme au rôle dévolu à Cartago depuis deux siècles et demi. Un an plus tard, le Guanacaste décide de se séparer du Nicaragua pour se joindre au Costa Rica.

Premier chef élu de la nouvelle province, Juan Mora Fernández aura devant lui une dizaine d'années de paix pour doter le Costa Rica des outils nécessaires au fonctionnement de l'État. Pour stimuler l'économie locale, il mise sur la culture du café et réussit à attirer sur la production locale l'attention des acheteurs de l'étranger, particulièrement ceux de la Grande-Bretagne. En 1835, cependant, une insurrection éclate qui oppose San José aux autres villes de la province. La capitale l'emporte avec un nouveau dictateur à sa tête, Braulio Carillo. C'est lui, en 1838, qui fait du Costa Rica un pays souverain. Carillo ne jouira pas longtemps de son statut de chef d'État puisqu'il est chassé du pouvoir en 1842 par un général hondurien, Francisco Morazán. Ce dernier sera encore moins heureux que son prédécesseur: ses ambitions militaires lui vaudront d'être déposé puis exécuté moins d'un an plus tard.

L'épopée de William Walker

De tous les personnages qui ont bouleversé l'histoire de l'Amérique centrale, peu ont attiré autant l'attention que William Walker. Doué pour les études, Walker fréquente les facultés aussi bien aux États-Unis qu'en Europe. Il fut tour à tour avocat, médecin et chercheur d'or. Vers 1850, il trouve sa vocation: mercenaire. Il n'est pas inutile de se rappeler qu'à cette époque les dissensions entre esclavagistes et abolitionnistes déchirent le peuple américain. Walker, quant à lui, a choisi le premier camp. Il s'emploiera à conquérir des territoires où il entend légaliser la pratique de l'esclavage, question de renforcer la position des États de l'Union où cette pratique est tolérée.

Pour son premier coup d'éclat, Walker s'empare du sud de la Baja California au Mexique, où il s'autoproclame président. Il y demeure un an, mais doit bientôt rentrer aux États-Unis, où il est arrêté pour avoir violé la neutralité entre ce pays et le Mexique. L'homme ne manque pas de ressources et parvient à se faire acquitter.

Il retrouve ses commanditaires, cette fois pour un projet encore plus audacieux. Il s'agit de conquérir l'Amérique centrale, de creuser un canal qui permettrait de franchir le sud du Nicaragua de l'Atlantique au Pacifique. Éventuellement, on annexerait les territoires conquis aux États-Unis. Les perspectives ouvertes par un canal lui valent la bienveillante sympathie du président Buchanan et les capitaux de Cornelius Vanderbilt.

En 1855, Walker débarque au Nicaragua avec une cinquantaine d'hom-mes. L'affaire s'engage mal, et il doit attendre d'importants renforts de Californie avant de parvenir à soumettre le Nicaragua et de s'en proclamer le président. Au Costa Rica, le pré-sident Mora réalise vite le danger que représentent ces envahisseurs pour la jeune république qu'il dirige. Et il n'est pas le seul puisque son appel aux armes réunit, en l'espace d'une semaine, 9 000 hommes de toutes conditions. Ceux-ci sont armés de vieux fusils, de machettes, voire de piques. Et ce ne sont surtout pas des soldats. Cette milice se met en marche et, deux semaines plus tard, parvient au Guanacaste, où elle repousse 300 Américains installés dans l'hacienda Santa Rosa. Ensuite, les Costariciens poursuivent Walker à travers le Nicaragua. Coincé, Walker finit par trouver asile à bord d'un navire de guerre étasunien.

Il ne devait pas en rester là, puisqu'en 1860 il tente la conquête du Honduras. Cette fois, sa chance l'abandonne. Les Honduriens mettront un terme à sa carrière. À sa vie aussi. La mémoire de William Walker est encore aujourd'hui honnie dans toute l'Amérique centrale. Et pour cause! Son ambition démesurée aura causé près de 20 000 morts.

Entre-temps, le café costaricien a réussi sa percée. La réponse des marchés a été bonne, exceptionnellement bonne. L'exportation de la récolte rend vite nécessaire l'aménagement des ports du pays, tant sur le Pacifique que sur la mer des Caraïbes. Le grain de café devient le *grano de oro*, ou «grain d'or», et les plantations se multiplient au cœur du territoire. Le développement devient alors une réalité, et le Costa Rica peut enfin envisager de se doter des infrastructures d'une société plus moderne. Les barons du café, les *cafetaleros*, ne tardent pas à vouloir affirmer leur domination sur la politique nationale en remplaçant le premier président élu du pays, José María Castro, par un des leurs, Juan Rafael Mora.

On considère généralement que c'est sous le second mandat du président Mora que le Costa Rica a complètement affirmé son identité nationale. Il aura fallu, pour ce faire, une crise très singulière, crise causée par l'ambition démesurée d'un aventurier américain qui a voulu conquérir l'Amérique centrale: **William Walker** (voir encadré). Mora n'est guère plus chanceux que Morazán. La population lui en veut parce que le choléra la décime (un Costaricien sur 10 en meurt). Qu'à cela ne tienne! Il trafique les urnes pour se maintenir au pouvoir. Les barons du café l'abandonnent quand il tente d'ébranler leur monopole sur les finances du pays. Il est

chassé du pouvoir. Il échoue dans sa tentative pour le reprendre, ce qui lui vaut d'être exécuté.

Les barons du café ne tardent pas à rivaliser entre eux pour le pouvoir politique. En avril 1870, le général Tomás Guardia prend le pouvoir. Son gouvernement dictatorial dure 12 ans. Son passage à la tête du pays est salué comme un bienfait pour le Costa Rica. Guardia réussit en effet à juguler le pouvoir des planteurs de café et à utiliser une partie des profits générés par cette industrie pour le bien commun. L'équation entre la paix et la prospérité fait son chemin dans les esprits. Guardia innove aussi en matière sociale. Le Costa Rica lui doit notamment l'abolition de la peine de mort et l'éducation primaire obligatoire pour tous.

Guardia lance par ailleurs un grand projet. Il veut un chemin de fer pour désenclaver la Vallée centrale et en finir avec le transport à dos de mulet jusqu'à la mer des Caraïbes. Installer des rails est cependant hors de la portée des finances du pays, et l'on s'emploie à trouver les capitaux à l'étranger.

Un Américain, Henry Meigg, réunit les fonds nécessaires et ouvre le chantier. On doit bientôt faire immigrer des Chinois, des Italiens et des Jamaïquains pour suppléer au manque de main-d'œuvre locale. Malgré tout, le projet n'aboutit pas: le climat, la topographie, la faune et la flore sont autant

de barrières entre les côtes et la Vallée centrale. En outre, l'État se retrouve lourdement endetté. C'est alors qu'entre en scène le neveu de Meigg, Minor C. Keith, qui propose une solution originale. Il assume la dette contractée et termine la construction du chemin de fer en échange de concessions de terre le long de la voie, ouverte en 1890. L'astuce? Elle tient en un mot: «bananes». Keith se sert des terres concédées pour planter des bananiers, et ses bananes sont très rapidement devenues la deuxième exportation en valeur du Costa Rica.

Minor C. Keith devait fonder une société légendaire pour le rôle économique et politique qu'elle jouera dans toute l'Amérique centrale, la United Fruit Company. Elle et quelques autres très grandes compagnies réussissent vite à accaparer tout le marché de la culture des bananes, en excluant du même coup les petits producteurs locaux.

Le XXe siècle

En 1889, un événement singulier mérite l'attention. Bernardo Soto refuse de reconnaître l'élection qui le remplace à la présidence par Joaquín Rodríguez. La population envahit les rues pour protester, et Soto doit se résoudre à céder la place. La démocratie vient de parler haut et fort, celle-là même qu'a forgée l'éducation populaire.

La vertu démocratique ne sera cependant pas la

qualité de Rodríguez ou de ses successeurs immédiats, Rafael Iglesias et González Vísquez. Dissoudre à répétition les législatures, désigner son successeur, exiler ses rivaux, autant de manœuvres qui assurent un long règne au *Presidente*.

Le premier «test» a lieu en 1913, alors que des élections au suffrage direct ne permettent à aucun des candidats d'obtenir la majorité. L'assemblée législative désigne alors Alfredo González Flores au poste de président, malgré le fait qu'il n'a même pas été candidat à l'élection. Cette désignation est peu à peu contestée par le général Federico Tinoco Granados, qui finit par lui ravir le pouvoir en 1917. Sa dictature le rend vite impopulaire, et même les États-Unis refusent de le reconnaître. L'armée et la marine finissent par le chasser en 1919.

La démocratie reprend alors ses droits. En 1940, Rafael Calderón Guardia accède à la présidence. Il fait voter un nouveau code du travail, améliore le système social et suscite une certaine diversification de l'industrie au pays à la faveur de la guerre. Mais il s'accroche au pouvoir. Tout au plus consent-il à laisser le titre de président à un homme de paille, Teodoro Picado, au moyen d'une élection probablement frauduleuse. En 1948, le parti de Calderón perd les élections, mais crie à la fraude électorale. Un incendie consumera opportunément les

bulletins de vote, effaçant les preuves qui auraient pu confirmer la validité de l'élection. Picado annule donc le scrutin.

C'est le début d'une courte mais meurtrière guerre civile, qui fera quelques milliers de morts. Pour José Figueres Ferrer, plus tard surnommé «Don Pepe» par ses concitoyens, c'est l'occasion attendue. En effet, il y a longtemps qu'il se prépare à contrer la mainmise de Calderón sur le gouvernement. Don Pepe sort gagnant du conflit armé et profite de son passage à la tête du pays pour améliorer le régime démocratique et adopter de nouvelles mesures sociales: nationalisation des banques, droit de vote pour tous, taxes sur les entreprises, etc. Fatigué de voir l'armée intervenir dans les affaires politiques, il l'abolit. Les casernes militaires sont transformées en musées des beaux-arts, et le budget alloué à l'armée est transféré à l'Éducation nationale! Entre-temps, il redonne le pouvoir au vrai président élu, Otilio Ulate. En bon démocrate, il attend de se présenter lui-même aux élections de 1953. Il y est élu, tout comme il le sera à nouveau pour un autre mandat de 1970 à 1974. Lorsqu'il décède, en 1990, les Costariciens le saluent comme un héros national.

La guerre civile de 1948 a permis de consolider la démocratie costaricienne après des décennies d'abus. C'est tellement vrai que Calderón lui-même est admis à se représenter

à la tête du pays en 1962. Il perd, ce qui prouve que l'électorat aussi a acquis une certaine maturité.

Plus stable, l'État costaricien peut se permettre d'intervenir de façon sans cesse croissante dans la vie économique et sociale du pays. En cela, le Costa Rica imite tout simplement bien des pays qui adoptent le modèle de l'État providence. Dans les années 1960 et 1970, le pays se développe bien, mais il a emprunté aux marchés internationaux pour investir dans des infrastructures et des programmes de toutes sortes.

À la fin des années 1970, le second choc pétrolier fait très mal à l'économie locale, d'autant plus que les prix du café et des bananes s'effondrent par la suite. L'agriculture, l'activité économique la plus importante, est en crise au moment où l'État est lui-même paralysé par son endettement et sa propre taille, hors de proportion avec les ressources disponibles.

Parallèlement, la paix dans la région est loin d'être une chose assurée. Les voisins du Costa Rica, le Nicaragua, le Guatemala et El Salvador, sont tous instables politiquement. Les réfugiés affluent après chaque renversement, et certaines factions se permettent d'user librement du territoire costaricien pour s'entraîner ou s'approvisionner. La ligne neutre adoptée par le président Luis Alberto Monge devient très ténue et, en 1985, le Costa Rica gèle même ses relations diplomatiques avec le Nicaragua.

L'année suivante, Oscar Arias Sánchez, un spécialiste des sciences politiques, accède à la présidence du pays. Il se met tout de suite à la tâche de trouver une solution aux problèmes régionaux et nationaux que vit l'ensemble des pays de cette partie de l'Amérique. En février 1987, il propose un plan de paix à ses voisins qui sera finalement accepté et mis tant bien que mal en application à partir du mois d'août 1987. Oscar Arias reçoit peu de temps après le prix Nobel de la paix pour cette initiative.

Sur le plan économique, le Costa Rica se relève mal de la récession. Arias suspend le paiement, pour un temps, de la dette, qui frôle les cinq milliards de dollars US et s'engage auprès de ses créanciers dans une restructuration du remboursement de celle-ci. À l'arrivée du XXIe siècle, malgré une économie encore précaire, le Costa Rica demeure une démocratie bien établie. Au printemps de l'an 2000, la population l'a bien démontré en protestant en masse par des grèves et des manifestations contre un projet du gouvernement visant à privatiser la compagnie nationale d'électricité, l'ICE, projet qui a finalement dû être abrogé. Ce fut l'occasion pour les Costariciens d'exprimer leur grogne face à la situation économique des plus difficiles qui les afflige depuis quelques

années. Cette mobilisation d'une large partie de la population, phénomène qui se raréfie sur la planète, souligne que la démocratie demeure l'une des plus grandes valeurs de ce peuple.

Politique

Relativement petit, le territoire costaricien est néanmoins divisé en sept «provinces» (San José, Alajuela, Cartago, Heredia, Limón, Puntarenas et Guanacaste). Celles-ci sont à leur tour divisées en cantons, puis en districts. À noter que les provinces ne disposent que de pouvoirs très limités, qui n'incluent pas la levée de taxes. Un gouverneur nommé par le président dirige chacune de ces provinces. On peut donc parler du Costa Rica comme d'une fédération fortement centralisée.

Le système politique est dit présidentiel. L'électorat élit, pour des mandats de quatre ans, un président de la république, deux vice-présidents et la députation de 57 membres qui forment l'Assemblée législative. Afin d'éviter les situations potentiellement explosives comme celles de 1948 et la mainmise de certains groupes sur le pouvoir, le président ne peut pas se représenter pour un second mandat immédiatement. De nos jours, les différences idéologiques entre les deux grands partis du pays qui alternativement occupent le pouvoir, soit le **PLN** (Partido de Liberación Nacional), plutôt social-démocrate, et le **PUSC**

(Partido Unidad Social Cristiana), se résument plutôt à des nuances.

La Constitution costaricienne respecte le principe de la séparation des pouvoirs entre l'exécutif, le législatif et le judiciaire. Comme dans beaucoup de démocraties occidentales, les frictions sont nombreuses entre les branches exécutive et législative de l'État. La Constitution réserve l'adoption des lois et le contrôle des budgets à l'Assemblée législative, tout comme elle lui confère la faculté de renverser les décisions présidentielles par un vote des deux tiers. Il s'ensuit que bien des présidents doivent recourir au décret pour gouverner efficacement. Dans tous les cas, le système a l'avantage de forcer les parties en présence à rechercher des solutions négociées.

C'est également l'Assemblée législative qui nomme les 24 juges de la Cour suprême du Costa Rica. Ils sont en poste pour un mandat de huit ans, automatiquement renouvelé à son échéance à moins d'un vote négatif de l'Assemblée. À leur tour, ces juges nomment les magistrats des cours inférieures.

Au Costa Rica, un travailleur sur quatre œuvre au service de l'État. Et les fonctionnaires ont la réputation d'être remarquablement versés dans l'art de générer les tracasseries administratives. Faire la queue devant une série de guichets peut irriter bien des touristes. Pour résoudre le problème, il y a moyen de retenir les services d'un *despachante*, un habitué de la fonction publique locale qui attendra en lieu et place de son client et dans les bonnes files. Il faut encore noter que la corruption demeure un problème bien réel, même si la situation s'améliore d'année en année. Ce fossé entre riches et pauvres tend toutefois à se creuser de plus en plus depuis quelques années comme presque partout dans le monde.

Depuis ses débuts, le Costa Rica semble s'être attaché à l'idéal démocratique, encore que son histoire soit ponctuée de nombreux soubresauts. Son avantage principal sur les républiques voisines lui vient probablement des clivages moins marqués entre les différentes strates sociales. Alors que les grandes exploitations des autres colonies espagnoles intrônisaient des seigneurs et condamnaient de pauvres bougres à l'esclavage, les Costariciens ont connu une société où tous devaient mettre la main à la pâte.

Il faut noter que, dès l'accession du pays à l'indépendance en 1838, on a aboli l'esclavage et instauré une démocratie. Cinquante ans plus tard, des élections honnêtes et libres peuvent être tenues. Il faudra bien des années encore pour que les républiques voisines puissent se vanter d'un pareil acquis. Grâce aux élections qui ont lieu obligatoirement tous les quatre ans en

février, deux principaux partis politiques prennent le pouvoir tour à tour: le PUSC, aux couleurs rouge et bleue, et le PLN, aux couleurs blanche et verte. Suivent plusieurs partis d'opposition dont le plus important est la Fuerza Democrática. En février 1998, le PUSC, avec à sa tête Manuel Rodríguez, a remporté les élections. En avril 2002, Abel Pacheco, du PUSC encore une fois, a été élu président du Costa Rica.

Économie

Le système politique, la société et l'histoire ont fait du Costa Rica l'un des pays de l'Amérique latine où la répartition de la richesse collective est la mieux assumée et la plus réussie. Le régime de sécurité sociale du Costa Rica est le plus développé

d'Amérique centrale. Les efforts de l'État pour soutenir et protéger sa population portent fruit.

Chaque région du Costa Rica se caractérise grosso modo par l'exploitation d'une activité économique qui lui est propre: l'industrie du café se concentre dans la Vallée centrale, celle des bananes du côté de la mer des Caraïbes, l'élevage pour la viande de boucherie (qui occupe une certaine place parmi les produits costariciens d'exportation) dans la province du Guanacaste, alors que la production de l'huile de palme se fait dans la zone sud de la côte Pacifique. La production de certains biens de consommation comme les vêtements, ainsi que les plantes ornementales et les fleurs coupées, sont davantage le propre de la zone urbanisée de la Vallée centrale.

L'industrie de la fleur

Il est probable que les plantes d'accompagnement, comme les petites fougères et les petites fleurs d'appoint que vous offrez avec les fleurs coupées en Amérique du Nord et en Europe, proviennent du Costa Rica. En effet, lorsque l'altitude ne permet plus la culture du café sur le flanc des montagnes, c'est souvent vers la culture de ce type de végétation que l'on se tourne. Ces immenses cultures, effectuées en serres recouvertes de bâches vertes et noires pour protéger les plants, peuvent entre autres être vues sur le chemin menant au volcan Poás par exemple.

L'industrie du café n'est pas l'apanage de quelques grands exploitants; elle relève surtout de l'activité de nombreux petits agriculteurs. En fait, les exploitations familiales comptent pour plus de la moitié des fermes produisant du café. Cela tranche avec la situation qui prévaut encore dans le secteur de l'industrie bananière, partagée entre quelques grandes sociétés transnationales. Encore aujourd'hui, plus de 40% des exportations du Costa Rica proviennent de la culture des bananes et du café.

La diversité limitée et la nature de ses exportations exposent le Costa Rica à des fluctuations importantes dans ses recettes en devises étrangères. Les marchés sont en effet très volatiles dans les secteurs, névralgiques pour le pays, de la banane et du café. C'est un marché d'acheteurs où les fournisseurs n'ont que très peu d'influence sur les cours. Voilà pourquoi la dette nationale du Costa Rica a approché les cinq milliards de dollars US à la fin des années 1980: une fortune en regard de sa capacité de remboursement.

Le pays tente depuis quelques décennies de diversifier son économie. Or, s'il regorge de richesses minières, le sous-sol costaricien le cache bien. Seuls de petits gisements ont été mis au jour. Les rêves d'or entretenus par Christophe Colomb semblent appelés à demeurer des chimères.

La ressource forestière a, quant à elle, fait l'objet d'une surexploitation alarmante. Il ne reste plus aujourd'hui que le tiers du territoire sous couvert forestier, l'espace libéré ayant été livré aux pâturages et à l'agriculture pour l'essentiel. La déforestation influe même maintenant de façon importante sur le climat du pays. Au Guanacaste, par exemple, la saison sèche tend à s'allonger.

Pourtant, le Costa Rica recèle un magnifique potentiel à l'intérieur même de ses écosystèmes naturels. Plus de 5% de la diversité biologique mondiale s'y trouve. Une prise de conscience de cet état de fait a conduit nombre de responsables à reconnaître et à protéger de multiples espaces verts et bleus sur tout le territoire, et ce, particulièrement ces 20 dernières années. Forêts, marécages, zones de nidification d'espèces menacées, fonds de coraux marins et autres écosystèmes sont maintenant jalousement préservés.

Ces actions trouvent déjà leur récompense dans le tourisme d'exploration, d'aventure et de découverte. Le Costa Rica occupe dans ce créneau une situation très enviable.

Parallèlement, le tourisme de détente se développe aussi largement. Le littoral du Costa Rica s'étend sur quelque 1 200 km. Selon les critères chers aux pays nordiques, l'eau y est délicieusement chaude, autant dans le Pacifique que dans la mer des Caraïbes. Rien d'étonnant donc à ce que le tourisme soit en nette progression partout dans le pays. En 1999, le nombre de visiteurs a atteint un million.

De plus, parce que tardive par rapport à certains pays voisins, cette activité touristique profite de l'expérience acquise à grands frais ailleurs. D'ailleurs, des dizaines de milliers de Nord-Américains vivant maintenant au Costa Rica contribuent au développement en douce de ce marché axé sur le développement des ressources du climat. L'ICT (Instituto Costaricense de Turismo) s'emploie à évaluer le tourisme écologique dans une perspective de développement durable.

Même au niveau de ses liens économiques avec l'étranger, le Costa Rica tente de corriger la situation. À ce jour, les Costariciens n'ont qu'un seul vrai partenaire économique, les États-Unis, avec qui ils transigent l'essentiel de leurs produits, tant à l'importation qu'à l'exportation. Ils dépendent donc d'un seul et même interlocuteur pour leur marché et peuvent subir ainsi ses caprices. En 1995, un accord de libre-échange a été conclu entre le Mexique et le Costa Rica pour pallier cet état de fait. De plus, le Costa Rica tient à l'heure actuelle des pourparlers avec le Canada, avec les autres pays d'Amérique centrale et même avec les pays au sein de l'OEA, afin de permettre la libre circulation des biens et des services. Cette ouverture des frontières ne se fera pas sans heurts et sans

Dollarisation de l'économie

Tout comme le Panamá l'a fait en 1934, le Costa Rica pourrait bien, au cours des prochaines années, adopter comme monnaie le dollar américain. Le pays perdrait alors la possibilité d'utiliser la dévaluation ou réévaluation de sa monnaie comme outil économique, mais se mettrait à l'abri des spéculations, toujours possibles dans le cas des masses monétaires peu importantes. La Banque centrale du Costa Rica étudie donc cette proposition.

soubresauts. Il s'agit certes d'un débat à suivre.

Enfin, le gouvernement costaricien commence à mettre en valeur une autre ressource inestimable au pays: le savoir-faire de sa population. Le Costa Rica jouit depuis belle lurette d'un système d'éducation qui contribue à former au pays une main-d'œuvre éduquée et hautement qualifiée pour le marché du travail. Formés mais moins exigeants monétairement que leurs confrères nord-américains ou européens, les Costariciens deviennent de plus en plus intéressants aux yeux de grandes entreprises œuvrant par exemple dans le domaine des nouvelles technologies de l'information qui bouleversent l'économie mondiale. La société Intel, pour ne nommer que celle-là, est l'une de celles qui entendent profiter de ce potentiel. On tente également de développer d'autres marchés, celui du recyclage entre autres: on expérimente actuellement la transformation de feuilles de palmier et de bananier en papier et carton.

Tous ces efforts devraient un jour être récompensés, mais cela presse: le Costa Rica doit équilibrer au plus vite sa balance commerciale (exportations vs importations), qui demeure encore aujourd'hui largement déficitaire, menaçant à terme l'ensemble du système de protection sociale qu'il a si patiemment développé depuis plus d'un siècle.

Population

On évalue la population du Costa Rica à environ 4 100 000 habitants, dont près de la moitié vit en milieu urbain. La fragmentation de la population costaricienne demeure très particulière en Amérique centrale: 80% de descendants d'Européens (en majorité d'Espagnols), 15% de Métis (descendants d'Européens et Amérindiens), 3% d'Afro-Caraïbes et 2% d'Asiatiques. Quant à la population autochtone, descendante des premières nations du Costa Rica, les quelque 15 000 Amérindiens répartis en communautés composent moins de 1% de la population. Les communautés, au nombre de 22, restent éloignées des grands centres, à l'écart et marginalisées. La population afrocaraïbe se regroupe, quant à elle, presque entièrement dans la province de Limón, du côté de la mer des Caraïbes.

Pays assez fortement peuplé avec 69 habitants par kilomètre carré, le Costa Rica occupe le troisième rang des pays d'Amérique centrale à plus forte concentration d'habitants, après El Salvador (275,5 hab./ km^2) et le Guatemala (100,4 hab./km^2). Par comparaison, le Canada (2,98 hab./km^2) et les États-Unis (28,8 hab./km^2) affichent des taux beaucoup plus bas, alors que la France (106,6 hab./km^2) obtient un taux plus élevé. Environ 60% de la population vit sur le plateau central (Valle Central ou Meseta Central), là où se trouvent les plus grandes villes du pays (San José, Cartago, Heredia et Alajuela).

La religion la plus pratiquée demeure le catholicisme (95%), suivie de loin par le protestantisme (1%). La langue maternelle de la majorité est l'espagnol. Enfin, l'espérance de vie des Costariciennes et des Costariciens est de 76,3 ans, soit l'une des plus élevées au monde.

L'instruction primaire publique est gratuite et obligatoire. Grâce à ce parti pris en faveur de l'éducation, moins de 10% de la population est analphabète aujourd'hui, un score enviable même en regard des pays industrialisés du Nord. Quoique la religion catholique soit encore religion d'État au Costa Rica – des fonds sont encore alloués au fonctionnement de cette Église –, la tolérance religieuse fait partie de la Constitution depuis 1873.

Ticos et Ticas

Les Costariciens s'appellent eux-mêmes et sont appelés par le reste des Latino-Américains *Ticos* et *Ticas*. Ce surnom affectueux vient du fait que, dans leur parler, les *Ticos* ajoutent souvent la terminaison *tico* ou *tica* à la fin d'un mot pour en marquer le diminutif. Par exemple, *chico* (petit) deviendra *chiquitico* (encore plus petit)!

Aménagement et architecture

Le Costa Rica témoigne d'un aménagement en devenir. Pour le touriste venu du nord, il est agréable de constater le contact aisé que procurent les bâtiments costariciens (hôtels, maisons, cliniques, espaces commerciaux, immeubles de bureaux) avec l'extérieur. L'architecture et la structure de ces bâtiments offrent en effet régulièrement de grandes ouvertures vers le ciel ou sur l'environnement immédiat. Les habitations résidentielles urbaines, surtout les plus traditionnelles, sont souvent de type «enceinte fermée» avec un petit atrium vers lequel s'orientent parfois les pièces de séjour.

Quant à l'aménagement général des villes, il est relativement facile à comprendre, du moins pour les parties anciennes. Autour d'une place centrale située au cœur de la cité et consacrée habituellement à la verdure et aux activités de socialisation, gravitent généralement l'église, les édifices gouvernementaux ainsi que les principaux commerces. La trame de rues est plutôt orthogonale et régulière (pâtés de maisons de 100 m), ce qui est utile pour s'orienter; en effet, certains repères, comme les numéros civiques, n'existent pas beaucoup.

L'aménagement paysager de la place centrale est typique: structure architecturale au centre du

parc pour la prestation d'«activités-spectacles», jardin à la française autour (assez géométrique avec distinction formelle des espaces), rayonnant de cet espace vers le quadrilatère de rues en périphérie, le tout équipé de nombreux bancs, d'espaces à la surface minéralisée pour la détente ou la promenade et d'espaces verts pour la contemplation et le repos. Certaines rues sur le pourtour de ce parc peuvent être fermées à la circulation automobile pour prolonger les activités du parc. Tout cela contribue à donner de l'ambiance à la ville. D'ailleurs, les centres-villes demeurent encore vivants au Costa Rica, mais la venue de centres commerciaux de type nord-américain en périphérie des grandes villes bouscule un peu les anciennes habitudes de vie.

Mis à part San José, dont l'importance démographique et économique justifie la présence de quelques grands édifices dans la ville, la plupart des villes du Costa Rica sont de petite envergure. Grâce au régime social du pays, on ne retrouve pas de véritables bidonvilles au Costa Rica. Mais nombreux sont les endroits où la simplicité et même la frugalité sont les principes retenus dans les styles architecturaux et l'aménagement du territoire en général. À cela s'ajoute le fait que le Costa Rica a subi de nombreux tremblements de terre ayant détruit une très grande partie du patrimoine bâti du pays (c'est le cas de Cartago). Mais il y a

Salutations

¡Buenos días! se dit le matin.

¡Buenas tardes! remplace le *¡buenos días!* à partir de midi et jusqu'au coucher du soleil.

¡Buenas noches! s'emploie le reste du temps!

En cas de doute, vous pouvez dire seulement *¡buenas!*, mais sachez qu'il est plus familier.

¡Hola!, qui correspond au «bonjour», est, bien entendu, toujours le bienvenu.

En quittant, *¡adios!* est l'équivalent du «Au revoir!» et non pas du «Adieu!», rassurez-vous!

¡Hasta luego!, qui veut dire «À bientôt!», s'utilise aussi beaucoup, même pour saluer des inconnus en les quittant.

Vous serez sans doute aussi gratifié parfois de *¡Que le vaya bien!* ou *¡Que Díos le acompañe!* Ces formules sont en fait des souhaits pour bénir votre route!

Finalement, la bise, une seule sur la joue droite, s'utilise ainsi qu'entre femmes et entre hommes et femmes très fréquemment, sauf peut-être dans des relations d'affaires, et encore.

de belles découvertes à faire!

En région, le pays, de jungle qu'il était, est passé à un environnement de pâturages importants et de culture assez extensive. Il ne faut donc pas s'attendre à voir une forêt touffue et envahissante en sortant de l'aéroport de Liberia, par exemple! Au Guanacaste, ce n'est en effet qu'après un certain bout de chemin que l'on entre en contact avec la nature merveilleuse des tropiques. Mais l'attente en vaut largement le coup!

Comme bon nombre de pays dans le monde, le Costa Rica s'urbanise grandement. Le parc automobile n'a de cesse de s'accroître. Le gouvernement tente de répondre à ces nouvelles réalités avec les capacités qu'il possède. Pour l'instant, le réseau autoroutier est encore embryonnaire et concentré autour de la capitale, alors que le reste des routes du pays est de qualité variable, allant d'une route à deux voies relativement bien entretenue (c'est le cas de l'Interaméricaine en général) jusqu'au chemin de terre qui, reliant un hôtel, un parc ou un village de quelconque envergure, est souvent impraticable durant la saison des pluies. Vous devrez même vous attendre quelquefois à traverser, à gué ou sur des ponts étonnam-ment étroits (parfois à voie unique), certains cours d'eau. La proximité de la ville n'est pas garante de la qualité d'une route. La voirie urbaine n'est pas garante de qualité non plus; vous remarquerez que certaines rues de plusieurs villes costaricien-nes réservent des surprises!

Culture

Les Costariciens sont reconnus pour être des amateurs d'art et de culture. Les nombreux centres culturels et musées du pays, notamment à San José, comme le **Museo Nacional** (voir p 83), le **Museo de Arte Costarricense** (voir p 80) et le sous-sol de la **Plaza de la Cultura** (voir p 85), témoignent de cet engouement. De plus, le Costa Rica est partie prenante d'un environnement latino-américain riche en productions artistiques et culturelles de toutes sortes. Ces productions, associées aux réalisations locales, multiplient les occasions de connaître le

Costa Rica et l'Amérique latine, pour peu que vous y séjourniez quelque temps. Le ministère de la Culture costaricien contribue (malgré ses restrictions budgétaires) à l'essor des activités culturelles du pays en finançant la plupart des formes d'expression artistique (théâtre, musique, opéra, danse, littérature, poésie, sculpture, peinture, cinéma, etc.)

Côté musique, vous entendrez au Costa Rica tous les rythmes chauds et fougueux du répertoire latino-américain: salsa, merengue, cumbia, reggae, ainsi que le rock latino. Vous pourrez aussi bien sûr, comme la plupart des *Ticos*, vous dégourdir sur ces danses entraînantes! D'autre part, depuis le célèbre ténor costaricien Melico Salazar du XIXe siècle, la vie musicale classique au Costa Rica ne cesse de se dynamiser. D'ailleurs, l'Orchestre symphonique national et l'Orchestre national des jeunes ont été fortement encouragés à s'ouvrir depuis les années 1970.

Plusieurs poètes et écrivains ont écrit et contribué à offrir au lecteur des textes riches. Quelques auteurs ont su se démarquer, notamment Roberto Brenes Mesén, Carmen Naranjo et Eunice Odio en poésie; Carlos Gagini, Quince Duncan et José León Sánchez en prose; Manuel González

Zeledón et Pio Víquez dans le domaine du *costumbrismo* (petites histoires basées sur des légendes locales), ainsi que Carmen Lyra pour les contes pour enfants. En outre, nombre de penseurs et intellectuels costariciens sont parvenus à faire entendre leur voix. En furetant dans les librairies du pays, vous aurez certainement l'occasion de mettre la main sur les ouvrages de quelques-uns de ces auteurs.

Vous pourrez également parfaire vos connaissances sur la littérature poétique du Costa Rica en vous procurant l'ouvrage *Poésie costaricienne du XXe siècle*, publié aux éditions Patiño, en français et en espagnol.

En matière de peinture et de sculpture, d'aucuns affirment que l'isolement relatif qu'a vécu le Costa Rica dans le développement de l'Amérique latine, au cours des siècles, a contribué à créer une forme d'art exclusif au pays. Certains artistes, dont Luisa González de Saenz, Enrique Echandi et Juan Rafael Chacón, ont marqué la vie artistique du pays.

La langue

L'espagnol parlé au Costa Rica est l'espagnol d'Amérique latine, avec des accents et des expressions propres au pays. Vous vous ferez tout de même comprendre si vous avez appris cette langue dans la plus pure tradition

Expressions

Quelques termes utiles...

Pura vida: il s'agit là de l'expression *tica* par excellence; de connotation on ne peut plus positive, elle s'emploie pour dire que tout va bien et s'apparente à nos «Super!» et «Formidable!».

Tico, Tica: forme abrégée de *Costarricense*, qui est l'appellation courante des Costariciens et des Costariciennes.

Tuanis: c'est là la seconde expression la plus souvent entendue, et on l'emploie pour exprimer l'appréciation, la joie, etc.; à titre d'exemple, si l'on dit d'un endroit qu'il est *tuanis*, c'est qu'il est fort recommandable.

Mae (ou *Maje*): signifie «homme»; les jeunes gens l'emploient constamment.

Jale: signifie «Allons-y!».

Upe: ce qu'on dirait en entrant dans un lieu apparemment désert; équivalent de «Il y a quelqu'un?».

Tucán: tout comme les Canadiens ont leur «huard», soit une pièce de 1$ à l'effigie de cet oiseau, les *Ticos* désignent parfois leurs pièces de 5 000 colons du nom de *tucán*.

Vos: au Costa Rica, *vos* s'emploie le plus souvent lorsqu'on s'adresse à quelqu'un; il désigne la deuxième personne du singulier («tu»), et le verbe qui l'accompagne doit être conjugué en conséquence.

espagnole. Des écoles de langues ont vu le jour dans le pays pour enseigner cette belle langue quelque peu chantante. Si l'on ne parle pas la langue du pays, l'anglais peut être utile, surtout dans les lieux touristiques. Le français est aussi parlé par un certain nombre de gens, surtout qu'il est obligatoirement enseigné comme langue seconde, avec l'anglais, dans les écoles secondaires. Dans ce guide, nous avons tâché d'indiquer les endroits où l'on peut être compris dans la langue de Molière.

Pour ceux qui voudront plutôt communiquer avec leurs hôtes dans la langue de Cervantès, consultez le lexique à la fin du guide.

Renseignements généraux

L e présent chapitre a pour but de vous aider à planifier votre voyage, aussi bien avant votre départ qu'une fois sur place.

Il renferme une foule de renseignements précieux pour les visiteurs venant de l'extérieur quant aux procédures d'entrée au pays et aux autres formalités. Il contient aussi plusieurs indications générales concernant les divers sujets qui vous toucheront lors de vos déplacements. Nous vous souhaitons un bon voyage au Costa Rica!

Formalités d'entrée

Pour la plupart des citoyens de l'Europe de l'Ouest, ainsi que pour les citoyens du Canada et des États-Unis, un passeport valide suffit, aucun visa n'étant exigé. Le Costa Rica leur accorde dès l'entrée un droit de séjour allant de 30 à 90 jours. Pour les autres citoyens, il est conseillé de s'informer auprès du consulat le plus proche. Étant donné que les conditions d'accès au pays peuvent changer rapidement, il est prudent de les vérifier avant votre départ.

Un passeport ou une carte de tourisme valide pourra vous être demandé lors de certains de vos déplacements. De plus, il est recommandé de conserver une photocopie des pages principales de son passeport et d'en noter le numéro et la date d'émission. Dans l'éventualité où ce document serait perdu ou volé, il sera alors plus facile de le remplacer. Lorsqu'un tel incident survient, il faut s'adresser à l'ambassade ou au consulat de son pays (pour les adresses, voir plus loin) pour faire émettre à nouveau un document équivalent.

Taxe de départ

Sachez que vous aurez à débourser quelque 17$US pour sortir du pays par avion. Gardez-vous donc jusqu'à la fin de votre voyage quelques billets pour ce genre de dépenses; il vous faut absolument payer cette taxe avant de quitter le pays.

Ambassades et consulats

Au Costa Rica (à San José)

Belgique
Los Yoses, 4a entrada, 25m sur,
San José (adresse postale:
Apartado Postal 3725, 1000
San José, Costa Rica)
☎224-1855, 225-6255 ou
225-6633
⇄225-0351

Canada
Oficentro Ejecutivo La Sabana -
detras de la Contraloría,
Sabana Sur, San José
(adresse postale: Apartado 351-
1007 Centro Colón, San José)
☎296-4149
⇄296-4270
sanjose.gc.ca

Québec

Antenne du Québec à San José (Ministère des relations internationales du Québec)
Barrio La California
Avenida Central
Boîte postale 883-2050
Contiguo Pizza Hut
San José, Costa Rica
☎280-0903
⇄253-4587
qc.sanjose@mri.gouv.qc.ca

France
En Curridabat Del Indoor Club -
200 Sur 50 Oeste - BP 10177 -
1000 San José
☎234-4167
⇄234-4195

Suisse
Centro Colón
☎233-0052

À l'étranger

Belgique
489 avenue Louise, boîte 13
1050 Bruxelles
☎640-5541
⇄648-3192

Canada
325 Dalhousie,
bureau 407
Ottawa, Ontario, K1N 7G2
☎(613) 562-2855
⇄(613) 562-2582
1425, boul. René-Lévesque
Ouest
Montréal, Québec
☎(514) 393-1057
⇄(514) 393-1624

France
78 avenue Émile-Zola
75015 Paris
☎01.45.78.96.96
⇄01.45.78.99.66

Suisse
Schwartzentorstrasse 11
3007 Berne
☎(31) 372-7887
⇄(31) 972-7334

L'accès au Costa Rica

Par avion

Aéroports

Il existe deux aéroports internationaux au Costa Rica: l'Aeropuerto Internacional Juan Santamaría et l'Aeropuerto Daniel Oduber.

Aeropuerto Internacional Juan Santamaría

L'Aeropuerto Internacional Juan Santamaría (☎441-4737 ou 443-2942) est l'aéroport principal. Il se trouve au centre du pays, tout près de la capitale, et accueille les vols des principales compagnies aériennes internationales.

L'aéroport a subi, en l'an 2000, une énorme cure de rajeunissement visant à le mettre à l'heure des grands mouvements mondiaux. Ses bâtiments administratifs autant que ses terminaux d'entrée et de sortie ont été entièrement refaits. De petit aéroport agréable, l'Aeropuerto Juan Santamaría est passé à un véritable centre pour le trafic aérien international. Bien entendu, tous les services requis sont présents sous son toit: restaurants, bureau de change, agence de location de voitures, etc.

L'aéroport est situé le long de l'autoroute General Cañas qui se dirige directement vers la capitale du pays, San José, à une vingtaine de kilomètres au sud-est. Puisqu'il est bien intégré à un réseau de transport routier, vous pouvez également, au départ de l'aéroport, vous rendre facilement aux plages de la côte Pacifique centrale, à l'ouest, ou, via l'Interaméricaine, dans la province du Guanacaste. Des taxis vous y attendent continuellement; un voyage jusqu'à San José devrait coûter autour de 10$US, et les navettes d'hôtel sont là aux heures convenues. Pour 50¢, vous pouvez aussi prendre un autocar s'arrêtant fréquemment en face de l'aéroport et qui peut vous emmener en ville. Vous ne devriez pas attendre trop longtemps pour effectuer l'ensemble des démarches vous permettant de fouler librement le sol du Costa Rica une fois l'avion posé (douanes, immigration et bagages).

Aeropuerto Daniel Oduber

L'Aeropuerto Daniel Oduber *(tlj 6h à 21h;* ☎*667-0199 ou 667-0032,* ⇌*667-0000)*, de moindre importance, est situé dans le Guanacaste, au nord-ouest du pays, près de Liberia, la capitale régionale, plus précisément à 17 km au sud de Liberia, sur le chemin de Santa Cruz. Les avions qui y atterrissent sont essentiellement destinés au transport de tourisme. L'aéroport offre tous les services que son statut exige (douanes, contrôle de drogues, transactions bancaires, etc.) Un certain nombre de compagnies aériennes proposent le service de transit à partir de l'aéroport de Juan Santamaría, dans la Vallée centrale. De même, certains vols nolisés en partance de l'Amérique du Nord atterrissent maintenant à l'aéroport Daniel Oduber, ce qui raccourcit le temps de transport des vacanciers nord-américains désireux de se rendre aux plages de la région.

Autres aéroports

Le Costa Rica possède un bon nombre d'autres endroits proposant des pistes d'atterrissage, essentiellement pour les vols domestiques. L'aéroport **Tobias Bolaños** *(*☎*232-2820)*, situé à Pavas, en banlieue ouest de San José, est l'un de ceux-là, mais sachez que d'autres ont essaimé à travers le pays, soit à proximité de villes de desserte régionale (aéroport de Golfito, dans le sud du pays, par exemple) ou près de stations balnéaires d'importance (c'est le cas de Playa Carrillo, près de Playa Sámara, dans le Guanacaste). Ces aérodromes vous seront indiqués dans les chapitres des régions correspondantes.

Compagnies aériennes

À une faible distance de l'intersection de la Calle 1 et de l'Avenida 1, à San José, se trouve la billetterie de la compagnie nationale aérienne **Lacsa** *(Calle1, Av. 5, Edificio Numar,* ☎*257-9444 ou 296-0909,* ⇌*232-3372)*, qui dessert les grandes destinations mondiales.

Air France
Av. 1, Calle 4/6
☎**280-0069**
⇌**280-9707**

Principales compagnies pour les vols domestiques

Deux grandes compagnies aériennes pour les vols domestiques se partagent le ciel costaricien: **Sansa** *(Calle 24, Av. Ctl/1,* ☎*221-9414,* ⇌*255-2176)*, entreprise d'État, et **Travelair** *(Terminal Internacional, aéroport Tobias Bolaños,* ☎*220-3054,* ⇌*220-0413)*, compagnie privée. Alors que la première utilise l'aéroport international, la seconde se sert de l'aéroport Tobias Bolaños, en banlieue ouest de la capitale. Ces deux compagnies proposent généralement des tarifs intéressants pour voyager à travers le pays rapidement. **Aero Costa Sol** *(aéroport Juan Santamaría,* ☎*441-0922 ou 441-1444,* ⇌*441-2671)* et **Aerotour** *(aéroport Tobias Bolaños,* ☎*323-1248,* ⇌*232-9192)* font aussi du transport aérien interrégional.

Les bagages

Le poids maximal des bagages que vous pouvez emporter varie d'une compagnie aérienne à l'autre. Ce poids sera minimal sur les vols nolisés. Des frais devront être déboursés pour le poids excédentaire. Souvenez-vous que vous avez normalement droit à seulement un bagage à main assez petit pour se glisser sous le siège devant vous.

Prenez soin de bien fermer toutes les attaches de vos sacs et valises et de solidement emballer tous les paquets, car ils pourraient s'abîmer dans les mécanismes des chariots au moment de l'entrée ou de la sortie de la soute à bagages. Certaines compagnies aériennes et certains aéroports fournissent des sacs de plastique résistants pour envelopper les sacs à dos, boîtes ou autres.

Avant de monter dans l'avion, on peut vous demander si vous avez laissé vos bagages sans surveillance et si vous les avez préparés vous-même. Cela afin d'éviter que quelqu'un en ait profité pour y introduire des marchandises illégales, que vous

Renseignements généraux

apporteriez avec vous à votre insu.

On vous demandera aussi de ne pas apporter dans l'avion des objets dangereux tels que couteaux ou canifs, que vous pouvez cependant mettre dans vos valises qui sont rangées dans la soute à bagages. Pour les amateurs de plein air, notez que les bonbonnes de gaz ne sont pas les bienvenues à bord et qu'il faut désouffler les pneus des vélos qui voyagent en avion! Si vous transportez des objets un peu inusités, informez-vous donc auprès de la compagnie aérienne avant de faire vos valises.

Par bateau

Le Costa Rica possède un port d'importance sur chacun de ses littoraux océaniques. Du côté du Pacifique, le port de Caldera est situé à 8 km au sud de Puntarenas. Du côté de la mer des Caraïbes, c'est le port de Limón qui sert au transport maritime. Les propriétaires de yachts peuvent également accoster au pays dans différentes marinas le long des côtes.

Vos déplacements

En voiture

Se véhiculer en automobile procure évidemment plus de liberté que de s'en tenir aux horaires des autocars. De plus, les autocars ne peuvent pas toujours vous transporter exactement là où vous désirez aller.

Le réseau routier au Costa Rica est bien développé, même s'il y a peu d'autoroutes, si ce n'est en périphérie de la capitale. Même lorsque l'on parle de route nationale dans le pays, il faut savoir que ce sont essentiellement des routes à deux voies, qui traversent parfois certains cours d'eau sur des ponts à voie unique. D'autre part, les routes de ce réseau ne sont pas toujours revêtues, surtout dans les villages, dans les parcs ou près des plages. Il vous faudra donc conduire avec prudence.

Qui plus est, il vous faudra calculer largement votre temps de déplacement. Si, en Amérique du Nord, on calcule entre 1 heure et 1 heure 30 min pour effectuer 100 km sur une grande route, vous en compterez le double au Costa Rica. Et ce, bien sûr, que vous vous déplaciez en voiture ou en autocar. Cela est dû à l'état des routes (voir plus bas), au danger qu'elles représentent parfois (particulièrement en montagne) ainsi qu'aux autres véhicules, comme les poids lourds qui obstruent souvent la seule voie disponible. Le pays est traversé du nord au sud par la route interaméricaine (Carretera Interamericana), aussi appelée Panaméricaine. L'**Interaméricaine**, qui traverse le pays du côté ouest d'abord, puis plus au centre à partir de San José, est très utilisée et généralement bien entretenue.

L'état des routes est très variable. Ce peut être l'ensemble d'une route qui ne paie pas de mine ou seulement un tronçon, une route asphaltée comme une route de gravier, etc. De plus, avec les trombes d'eau de la saison des pluies et la qualité générale du revêtement et du nivellement effectué, les conditions peuvent changer rapidement.

Plusieurs routes deviennent alors impraticables. Retenez donc que lorsqu'une route est en mauvais état, c'est qu'elle est en très mauvais état. Des trous profonds, des bosses et des obstacles peuvent obstruer même les routes revêtues. Les voitures de tourisme ne peuvent pas passer partout.

L'entrée des sites touristiques ou publics n'est pas toujours visible de la route; il vous faudra tenir les yeux ouverts. De plus, des routes très difficiles, des entrées non indiquées ou des accès insignifiants peuvent mener à un hôtel de grand renom ou à un parc étonnamment fréquenté.

Retenez également que les routes sont le lieu de circulation de bien d'autres choses que les véhicules motorisés: bœufs, moutons seuls ou en troupeau, cavaliers, cyclistes etc. Les gens marchent également beaucoup en bordure des grandes routes. De même, attendez-vous à voir arrêter certains véhicules devant vous: les autocars sont notamment autorisés à stopper pour

Tableau des distances (km)

par le chemin le plus court

	Ciudad Quesada	Golfito	Jacó	Liberia	Nicoya	Paso Canoas (frontière du sud)	Peñas Blancas (frontière du nord)	Puerto Limón	Puerto Viejo de Sarapiquí	Puntarenas	Quepos	San Isidro de El General
Golfito	385											
Jacó	146	272										
Liberia	186	465	193									
Nicoya	212	442	162	83								
Paso Canoas (frontière du sud)	389	53	284	470	452							
Peñas Blancas (frontière du nord)	221	524	263	77	160	536						
Puerto Limón	181	447	243	345	331	448	425					
Puerto Viejo de Sarapiquí	57	393	184	272	264	402	383	126				
Puntarenas	111	334	79	136	118	355	211	246	173			
Quepos	119	195	78	265	243	209	334	337	254	154		
San Isidro de El General	213	186	251	351	336	186	428	264	205	249	329	
San José	76	309	114	220	202	321	306	130	67	118	192	130

Exemple: la distance entre Liberia et Puntarenas est de 136 km.

© ULYSSE

prendre des passagers, même sur les autoroutes. Il faut également se souvenir de faire attention si l'on veut s'arrêter soi-même sur ces routes (pour admirer le paysage ou se reposer quelques instants): elles n'ont pour la plupart pas d'accotements, ni d'aires de repos.

Évitez, si possible, de conduire la nuit. Les routes sont peu éclairées, et la signalisation est quelque peu déficiente pour qui veut trouver son chemin.

Il est parfois difficile dans certains villages de trouver de l'essence; prévoyez faire le plein quand vous le pouvez pour éviter les situations fâcheuses!

Code de la route

Vous remarquerez qu'il est fréquent sur les routes de voir le panneau *Puente angosto adelante* (pont étroit plus loin), alors attention! Surveillez de même les panneaux d'arrêt: *Ceda el paso* (cédez le passage) et *No hay paso* (interdit de passage). Pour vous diriger correctement dans les rues des villes, sachez que le sens de la circulation est souvent indiqué par des flèches au sol, signes universels et faciles à comprendre.

Le mot *escuela* (école) est fréquemment peint sur les routes des villages et accompagne souvent un panneau qui vous somme de ralentir (*despacio*).

Il faut faire bien attention de ne pas toujours se fier au système de signalisation routière, car cela peut réserver des surprises. Un panneau peut ne se retrouver que dans un sens de la route ou ne se présenter qu'à la dernière minute au conducteur. Les nombreux trous dans la chaussée (même sur l'Interaméricaine) ne sont pas nécessairement très bien signalés non plus.

Il est rare qu'un panneau spécifique vous indiquera le nom de la ville traversée; fiez-vous alors aux panneaux bleus de l'ICE qui, tout en indiquant la présence de téléphones publics ou de réseaux de communication particuliers dans la région, indiqueront le nom de cette localité.

Stationnement

Pour éviter les problèmes, veillez à stationner dans des endroits éclairés ou très fréquentés. Mais, à San José, cherchez à circuler en taxi (très abordable) ou à stationner votre véhicule dans les *parqueos públicos* (stationnements publics) qui pullulent dans la ville. Mais attention, certains sont ouverts 24 heures sur 24, d'autres pas. De plus, les prix peuvent varier quelque peu d'un endroit à l'autre.

Vous remarquerez que plusieurs hôtels et restaurants, particulièrement à San José, possèdent des stationnements surveillés. N'oubliez pas de donner au gardien un pourboire pour son geste (environ 200 colons).

Lorsque vous stationnez votre véhicule pour un moment, veillez à bien verrouiller toutes les portes, bien sûr, mais aussi à ne rien laisser à la vue à l'intérieur. Une veste ou un manteau, par exemple, pourrait donner envie à un voleur d'aller vérifier qu'un porte-feuille se trouve dans l'une des poches. Les vols dans les voitures demeurent fréquents, donc soyez vigilant.

Location de voitures

Vous pouvez facilement louer un véhicule au Costa Rica, et ce, dès votre arrivée à l'aéroport. Sachez que l'âge minimal pour conduire a été fixé à 18 ans. Cependant, vous devrez être âgé d'au moins 21 ans pour louer une voiture dans la plupart des agences de location de voitures. Bon nombre de ces agences de location exigeront en sus un dépôt de 1 500$ (généralement à partir d'une carte de crédit). Notez aussi que le gouvernement impose, lors d'une location d'une voiture, l'achat d'une assurance quotidienne minimale. Ainsi, même si vous êtes détenteur d'une carte de crédit Or, qui vous assure automatiquement, il vous faudra défrayer en sus les frais de cette assurance.

Pour choisir le type de véhicule qui vous convient, demandez-vous d'abord si vous allez voyager longtemps, par exemple plus de deux semaines, et dans des régions éloignées plus difficilement accessibles. En ce cas, une voiture avec de bons amortisseurs, un bon dégagement et une bonne traction au sol (quatre roues motrices idéalement) est tout indiqué. Si votre séjour ne comporte que de courts déplacements de ville en ville en empruntant toujours des routes revêtues, le recours à une automobile à traction simple peut suffire.

Si vous désirez changer de voiture en cours de route pour effectuer certaines parties du voyage avec un véhicule à quatre roues motrices afin de visiter des régions plus sauvages, vous n'avez pas à revenir nécessairement à San José pour ce faire, mais il vous faudra payer pour vous faire livrer le véhicule où vous désirez commencer à l'utiliser. L'agence de location pourra vous facturer de 45$US à 110$US selon la région où vous désirez changer de voiture.

Finalement, notez que, dans le pare-brise avant de votre véhicule, il devrait y avoir un autocollant stipulant le numéro d'enregistrement du véhicule. En cas d'infraction au code de la route, les policiers sont tenus d'émettre une contravention en indiquant ce numéro-là, et jamais votre nom à vous. Vous pourrez vous entendre avec l'agence de location pour le règlement de cette contravention. Cette mesure vise à enrayer la corruption dont étaient parfois victimes les touristes.

En train

Sachez qu'on ne se déplace plus en train au Costa Rica depuis 1991. Des tremblements de terre et des problèmes financiers ont fini par avoir raison de ce moyen de locomotion interrégional au pays.

En autocar

Le réseau costaricien de transports en commun est efficace, lent parfois, bien développé et très utilisé. Depuis les villes, des autocars desservent les moindres petits villages, et les départs sont multiples. Ce sont généralement des véhicules assez confortables, bien qu'ils puissent parfois être pleins à craquer!

Pour obtenir la liste des trajets, procurez-vous l'édition anglaise annuelle du *Costa Rica Today*.

En général, vous n'avez pas besoin de vous procurer des billets à l'avance; vous pouvez vous rendre directement à la gare routière de la ville où vous êtes ou, à San José, au terminus d'autocars d'où partent ceux qui vous conduiront où vous le désirez. Voici cependant la liste des compagnies d'autocars qui desservent les villes les plus importantes du pays à partir de la capitale:

Autotransportes Blanco
Calle 12, Av. 9
☎*771-2550*
à destination de Puerto Jiménez

Autotransportes Ciudad Quesada
terminus Coca Cola
☎*255-4318*
à destination de Ciudad Quesada

Autotransportes Mepe
Calle Ctl, Av. 9/11
☎*221-0524*
à destination de Bribrí, Cahuita et Sixaola

Coopelimón
Av. 3, Calle 19/27
☎*223-7811*
à destination de Puerto Limón

Empresa Alfaro
Calle 14, Av. 3/5
☎*222-2666*
à destination de Nicoya, Santa Cruz et Filadelfia de même que Sámara et Tamarindo

Empresarios Unidos de Puntarenas
Calle 16, Av. 12
☎*222-0064*
à destination de Puntarenas

Pulmitan
Calle 24, Av. 5
☎*256-9552*
à destination de Playa del Coco et Liberia

Sacsa
Calle 24, Av. 5
☎*233-5350*
à destination de Cartago

Tracopa
Calle 14, Av. 3/5
☎*222-2666*
à destination de Ciudad Neily, Palmar Norte, Golfito et San Vito

Tracopa Empresa Alfaro
Calle 14, Av. 3/5
☎*222-2666*
à destination de San Vito

Tralapa
Calle 20, Av. 3
☎*221-7202*
à destination de Playa Flamingo

Transportes La Cañera
Calle 16, Av. 1/3
☎*222-3006*
à destination de Cañas

Transportes Morales
terminus Coca Cola
☎*223-5567*
à destination de Quepos et Manuel Antonio

Transportes Musoc
Calle 16, Av. 1/3
☎*222-2422*
à destination de San Isidro de El General

Transtusa
Av. 6, Calle 13
☎*556-0073 ou 591-4145*
à destination de Turrialba

Tuasa
Av. 2, Calle 12
☎*222-5325*
à destination d'Alajuela

Tuasur
Calle 16, Av. 1/3
☎*222-3006*
à destination de San Isidro de El General

À pied

L'organisation spatiale des villes du Costa Rica est relativement aisée à comprendre: presque chaque agglomération possède son propre parc central, localisé en plein centre de la ville et autour duquel gravitent bon nombre des services publics et commerciaux de la localité: églises, hôtels, banques, restaurants, boutiques, etc. Cela est d'autant plus vrai que le concept des grands centres commerciaux en périphérie des villes n'est pas encore très répandu

dans le pays. Les pâtés de maisons font fréquemment 100 m d'une rue à l'autre, ce qui devrait vous permettre de comprendre certaines adresses référant à cette distance.

En ville, il faut faire quelque peu attention lorsque l'on circule à pied, car les infrastructures ne sont pas pleinement faites pour le piéton. Les trottoirs sont en bon ou mauvais état, et les feux de circulation sont souvent difficiles à voir pour le piéton.

En taxi

Les taxis sont très faciles à identifier: ils sont tous rouges! On les retrouve en assez grand nombre, même dans les petits villages; cependant, ces voitures sont en bon ou mauvais état. Les taxis sont assez faciles à trouver dans la rue, même le soir. Il est d'ailleurs généralement préférable de héler un taxi: un taxi appelé au téléphone peut parfois mettre du temps à arriver. Il existe des stations de taxis, particulièrement proches des lieux très fréquentés comme les parcs et les places publiques et même certains hôtels et bars.

Les taxis ne coûtent pas très cher. À l'intérieur de San José, un déplacement en taxi ne devrait pas vous coûter plus de 5$, tandis que, pour aller de la capitale à l'aéroport, il en coûte une dizaine de dollars.

Renseignements touristiques

De gros efforts sont déployés pour améliorer l'infrastructure touristique du Costa Rica. L'**Instituto Costarricense de Turismo** (**ICT**) *(Apartado postal 777-1000, San José, ☎223-1733 ou 800-343-6332 depuis le Canada, ≈223-5452, www. tourism-costarica.com)* dépense beaucoup d'énergie à consolider l'accueil et l'information aux touristes. Le gouvernement a ainsi ouvert des bureaux de renseignements touristiques dans les régions les plus achalandées du pays. Pour le moment, l'accueil touristique public laisse parfois à désirer. Vous aurez peut-être du mal à obtenir des renseignements objectifs. D'autant plus que les agences privées profitent un peu de cette lacune en mettant sur pied ce qu'ils appellent des bureaux d'information touristique, mais par lesquels ils vous dirigeront immanquablement vers leurs établissements ou organismes. Méfiez-vous de ces bureaux, mais n'hésitez tout de même pas à les utiliser. Aussi, certaines associations plus sérieuses regroupent maintenant, comme c'est le cas dans le nord du pays, plusieurs entreprises pourvoyeuses de services touristiques et font ainsi une publicité plus large. Cela dit, si vous avez des questions, la meilleure façon d'obtenir des réponses et de tisser des liens demeure encore de demander aux gens! Par ailleurs, beaucoup d'organismes, publics et privés, publient des dépliants d'information sur toutes sortes d'activités et de sites touristiques d'intérêt au Costa Rica. Les bureaux d'accueil de votre hôtel en posséderont souvent un bon nombre qu'il pourra être intéressant de consulter. Enfin, plusieurs responsables d'hôtels connaissent le pays mieux que quiconque; n'oubliez pas de les interroger.

Agences de tourisme

Si vous désirez prendre part à une excursion organisée pour visiter un parc national, une région ou une ville, de bonnes **agences de tourisme** proposent des tours guidés à travers le pays.

Voici quelques suggestion d'agences présentant des tours guidés ou des activités de plein air dont les bureaux sont situés à San José ou dans les environs. Notez que, pour la plupart d'entre elles, il n'est pas nécessaire de s'y rendre directement; il suffit simplement de téléphoner. De plus, la grande majorité des hôtels de San José reçoivent les brochures publicitaires de ces agences et peuvent effectuer les réservations pour vous.

Aventuras Naturales *(Av. Central, Calle 33/35,* ☎*225-3939,* ⬚*253-6934)* propose du rafting sur le Río Pacuare et sur le Río Reventazón.

L'agence **Calypso Tours** *(Av. 2, Calle 1/3, dans l'édifice Las Arcadas, Oficina 11,* ☎*256-2727,* ⬚*233-*

0401) organise depuis 1975 des excursions en bateau (Calypso ou Manta Raya), très populaires, dans le golfe de Nicoya et particulièrement à l'Isla Tortuga.

Au cœur de San José, une visite à l'agence **Costa Rica Expeditions** *(tlj 5h30 à 21h; Calle Central, Av. 3,* ☎*257-0766 ou 222-0333,* ⬚*257-1665)* vous permettra de découvrir que le Costa Rica est devenu l'une des destinations mondiales résolument tournée vers l'écotourisme et le tourisme d'aventure. Cette agence fait figure de pionnier dans ce domaine au Costa Rica, et le service, de même que l'accueil, sont des plus professionnels. Que ce soit pour une excursion d'une demi-journée, d'une journée ou de plusieurs jours (randonnée pédestre, rafting, excursions dans la canopée, équitation, ornithologie, tourisme et autres) aux quatre coins du pays, vous serez accompagné par des guides naturalistes expérimentés et fort compétents. Boutique de souvenir sur place.

L'agence **Costa Rica Sun Tours** *(Av. 7, Calle 5/7,* ☎*296-7757,* ⬚*296-4307),* qui gère également l'Arenal Observatory Lodge et le Tiskita Lodge, propose une foule de tours guidés dans la Vallée centrale et en région.

Ecole Travel *(Calle 7, Av. 0/1,* ☎*223-2240,* ⬚*223-4128)* propose des tours guidés (Isla Tortuga, Manuel Antonio, Monteverde, Arenal, Corcovado,

Tortuguero, etc.) pour ceux voyageant avec un petit budget.

Les agences **Ecoscape Nature Tours** *(*☎*297-0664,* ⬚*297-0549)* et **Marbella Travel & Tours** *(*☎*259-0055,* ⬚*259-0065)* vous feront visiter, en une journée, les parcs du volcan Poás et Braulio Carrillo, de même que le Río Sarapiquí, les Cataratas La Paz et le Selva Verde Lodge.

Expediciones Tropicales *(Calle 3B, Av. 11/13,* ☎*257-4171,* ⬚*233-5284)* se spécialise dans les tours guidés des principaux volcans (Irazú, Poás, Barva, Orosi) de la Vallée centrale.

Geotur *(*☎/⬚*227-4029)* guide les visiteurs dans le Parque Nacional Braulio Carrillo ainsi que dans la Reserva Biológica Carara.

Horizontes *(Calle 28, Av. 1/3,* ☎*222-2022,* ⬚*255-4513)* propose également du rafting sur le Río Pacuare et sur le Río Reventazón, en plus de ses tours guidés pour la famille.

Imagenes Tropicales *(*☎/⬚*273-2536)* est la filiale costaricaine de l'entreprise française **Images du Monde Voyage** *(14 rue Lahire, 75013 Paris,* ☎*01.44.24.87.88,* ⬚*01.45.86.27.73).* Elle propose donc, en français, une foule de services tels que la réservation d'hôtels, la location de voitures, le transport avec chauffeur et les tours guidés, en plus d'organiser des forfaits qui incluent tous ces services, dont des voyages en petits groupes sur des thèmes tous plus intéressants les uns que les autres: l'ornithologie, le café, le cacao et le chocolat, les volcans, les fleurs, l'astronomie, etc. Elle possède aussi un site Internet *(www.imagenes-tropicales.com)* très bien fait pour vous aider à planifier votre voyage. Une bonne adresse à retenir pour les francophones!

L'**Agencia de Viajes La Cruz** *(☎679-9276, ≈226-5581)* est dirigée par un excellent guide touristique, Ricardo Bolaños. L'agence peut organiser des voyages un peu partout dans le pays, mais se spécialise dans la région du Guanacaste, particulièrement dans le nord de celle-ci. Possibilités de visites des parcs et réserves de cette région (Rincón de la Vieja, Santa Rosa, etc.) de même que d'excursions en mer pour pratiquer la plongée-tuba ainsi que des sorties aux plages inaccessibles. Ricardo, qui parle l'anglais, est intarissable si vous lui posez des questions!

L'agence **Maguines Travel Service** *(☎/≈283-4510)*, dirigée par Manfred Gutiérrez, organise, pour la clientèle gay, des forfaits personnalisés de courte ou longue durée dans différentes régions du pays (réservations d'hôtels, de voitures et d'activités en tous genres).

Ríos Tropicales *(Calle 38, Av. Cll 1/2, ☎233-6455, ≈255-4354)* se spécialise dans le rafting, le kayak de rivière et le kayak de mer.

Les agences **Swiss Travel Service** *(☎282-4896, ≈282-*

4890) et **Fantasy Tours** *(☎220-2126, ≈220-2393)* organisent une multitude de tours guidés (San José, volcans, rafting, Isla Tortuga, etc.) dans la Vallée centrale et en région.

Tikal Express *(Calle 7, Av. 9/2, ☎223-2811, ≈223-1916)* se spécialise dans l'écotourisme et propose des tours guidés dans plusieurs régions du pays.

Vesa Tours *(☎387-8372, ≈232-600 ou 220-2779)* existe depuis 1985. Cette entreprise propose une foule d'excursions telles que des sorties en plein air à la découverte des beautés naturelles du pays ou des visites culturelles et historiques. Mentionnons entre autres une visite guidée de San José, un tour guidé qui vous entraîne à la découverte de la culture du café, des visites de centres de production d'artisanat, diverses activités de plein air comme le rafting et l'équitation, ainsi que les incontournables excursions dans les parcs nationaux. Les services sont proposés par un personnel consciencieux et expérimenté.

Climat et habillement

Climat

Les multiples microclimats que l'on retrouve sur son territoire sont sans contredit l'une des richesses du Costa Rica (voir aussi p 14). En effet, les microclimats sont nombreux et profitent tous à une faune

et une flore riches et diversifiées. Cependant, on peut simplifier le climat costaricien en disant que la côte Caraïbe ainsi que le sud de la côte Pacifique ont un climat tropical humide, c'est-à-dire très chaud et assez pluvieux; le centre du pays offre plutôt un climat tempéré, avec, comme il se doit, une diminution des températures lorsqu'on monte en altitude; un climat chaud et sec, c'est-à-dire très peu pluvieux pendant la saison sèche, prévaut dans le Guanacaste et dans la péninsule de Nicoya.

Il existe deux saisons au pays: la saison sèche, qui s'étend de décembre à avril, et la saison des pluies, dite «verte», qui dure de mai à novembre et pendant laquelle la pluie peut être fréquente, particulièrement à partir de septembre.

Habillement

Étant donné les multiples climats du Costa Rica, il vous faut faire votre valise en fonction des endroits que vous projetez visiter. En montagne et sur les volcans, un coupe-vent est de rigueur, et un ensemble de vêtements chauds est tout indiqué si vous faites de la randonnée durant plusieurs jours dans ces régions. À l'opposé, près de la mer, il fait très chaud; munissez-vous donc de vêtements de coton légers, d'un chapeau et de crème solaire. Entre les deux, c'est-à-dire dans la Vallée centrale, qui est à une altitude plus ou moins élevée, c'est l'«éternel printemps», avec des températures que vous trouverez cependant assez fraîches le soir venu, surtout si vous arrivez de la côte. Pendant la saison des pluies, il vous faut un «bon» parapluie car les ondées peuvent survenir à tout moment et sont généralement de forte intensité.

Santé

Voyager n'est pas dangereux pour la santé! Une bonne hygiène et un peu de bon sens vous garderont en bonne forme: dormez bien, buvez beaucoup d'eau embouteillée, faites attention à ce que vous mangez et prenez garde au soleil et aux insectes. Rappelez-vous de laisser à votre organisme du temps pour s'adapter à un nouvel environnement, que ce soit par rapport au décalage horaire, au soleil et à la chaleur ou encore à l'altitude.

Cependant, la nourriture et le climat peuvent être la cause de divers malaises. Une certaine vigilance s'impose quant à la fraîcheur des aliments (en l'occurrence la viande et le poisson) et à la propreté des lieux où la nourriture est apprêtée. Une bonne hygiène (entre autres, se laver fréquemment les mains) vous aidera à éviter bon nombre de ces désagréments. Il est aussi recommandé de ne jamais marcher pieds nus à l'extérieur, car parasites et insectes minuscules pourraient traverser la peau et causer divers problèmes,

notamment des dermites (infection à champignons). N'oubliez pas non plus d'être prudent sur et au bord des routes.

Les soins de santé coûtent relativement moins cher au Costa Rica que dans la plupart des pays d'Amérique du Nord et d'Europe, et les cliniques médicales privées sont nombreuses, de même que les pharmacies. Rien ne vaut un contact avec vos représentants consulaires pour obtenir une bonne adresse en ce domaine. Vous pouvez également consulter le *Costa Rica Guide* publié chaque année par le *Tico Times*; les responsables de ce guide vous recommanderont souvent des cliniques de toutes sortes pour soigner la plupart de vos problèmes de santé.

L'eau

Qu'on boit

Les malaises que vous risquez le plus de ressentir sont causés par une eau mal traitée, susceptible de contenir des bactéries provoquant certains problèmes, comme des troubles digestifs, de la diarrhée, de la fièvre. L'eau en bouteille, que vous pouvez acheter un peu partout, est la meilleure solution pour éviter les ennuis. Lorsque vous achetez l'une de ces bouteilles, tant au magasin qu'au restaurant, vérifiez toujours qu'elle est bien scellée. Souvenez-vous que pour éviter la déshydratation en pays chaud, vous devez boire au moins

2 litres d'eau par jour et jusqu'à 6 litres de boissons (non alcoolisées bien sûr). Bref, il ne faut pas attendre d'avoir soif pour boire parce qu'alors vous êtes déjà déshydraté.

Les fruits et les légumes nettoyés à l'eau courante (ceux qui ne sont donc pas pelés avant d'être consommés) peuvent causer les mêmes désagréments, ainsi que les glaces, sorbets et glaçons. Évitez-les si vous n'êtes pas certain de leur provenance.

Où l'on se baigne

Évitez de vous baigner dans les plans d'eau douce, sauf si vous êtes certain de sa pureté. L'eau de mer est moins à risque, mais l'eau douce peut contenir des micro-organismes dangereux pour la santé. Les bains de boue et de sable sont aussi à éviter pour les mêmes raisons. Qui plus est, dans plusieurs pays, dont le Costa Rica, le sable des plages (même au bord de la mer) cache des larves qui peuvent en profiter pour s'introduire sous la peau; aussi vaut-il mieux s'étendre sur une serviette.

Le soleil et la chaleur

Aussi attirants que puissent être les chauds rayons du soleil, ils peuvent être la cause de bien des petits ennuis. Pour profiter au maximum de ses bienfaits sans souffrir, veillez à toujours opter pour une crème solaire qui vous protège bien (indice de protection 15 pour les

Renseignements généraux

adultes et 25 pour les enfants) et à l'appliquer de 20 à 30 min avant de vous exposer. Toutefois, malgré une bonne protection, une trop longue période d'exposition, au cours des premières journées surtout, peut causer une insolation, provoquant étourdissement, vomissement, fièvre, etc. N'abusez donc pas du soleil. Un parasol, un chapeau et des lunettes de soleil de qualité sont autant d'accessoires qui vous aideront à contrer les effets néfastes du soleil tout en profitant de la plage. Cependant, souvenez-vous que le sable et l'eau peuvent réfléchir les rayons et causer des coups de soleil même si vous êtes à l'ombre!

Portez des vêtements amples et clairs en évitant qu'ils soient faits de fibres synthétiques, les tissus idéaux étant le coton et le lin.

Quelques douches par jour vous aideront à éviter les coups de chaleur. Ne faites pas d'effort inutile pendant les heures les plus chaudes de la journée. Et surtout, buvez, buvez et buvez de l'eau! Si votre nourriture est déjà salée, il est inutile d'y ajouter excessivement du sel pour éviter la déshydratation.

«Turista»

Dans l'éventualité où vous auriez la diarrhée, diverses méthodes peuvent être utilisées pour la traiter. Tentez de calmer vos intestins en ne mangeant rien de solide et en buvant de l'eau en bouteille ou des boissons gazeuses jusqu'à ce que la diarrhée cesse. Recommencez à manger petit à petit en évitant les produits laitiers, le café et l'alcool et en leur préférant des aliments faciles à digérer (riz, pain, pâtes, bananes, etc.). La déshydratation pouvant être dangereuse, il faut boire beaucoup. Pour remédier à une déshydratation sévère, il est bon d'absorber une solution contenant un litre d'eau, de deux à trois cuillerées à thé de sel et une de sucre. Vous trouverez également des préparations toutes faites dans la plupart des pharmacies. Par la suite, réadaptez tranquillement vos intestins en mangeant des aliments faciles à digérer. Des médicaments, tel l'Imodium, peuvent aider à contrôler certains problèmes intestinaux. Dans les cas où les symptômes sont plus graves (forte fièvre, diarrhée importante...), un antibiotique peut être nécessaire. Il est alors préférable de consulter un médecin.

Les insectes

L'omniprésence des insectes, particulièrement pendant la saison des pluies et dans les régions boisées, aura vite fait d'ennuyer plus d'un vacancier. Pour vous protéger, vous aurez besoin d'un bon insectifuge. Les produits répulsifs contenant du DEET sont les plus efficaces. La concentration de DEET varie d'un produit à l'autre; plus la concentration est élevée, plus la protection est durable. Dans de rares cas, l'application d'insectifuges à forte teneur (plus de 35%) en DEET a été associée à des convulsions chez de jeunes enfants; il importe donc d'appliquer ce produit avec modération, seulement sur les surfaces exposées, et de se laver pour en faire disparaître toute trace dès qu'on regagne l'intérieur. Le DEET à 35% procure une protection de quatre à six heures, alors que celui à 95% protège pendant une période de 10 à 12 heures. De nouvelles formulations de DEET, dont la concentration est moins élevée mais qui offrent une protection plus durable, sont en vente dans les commerces. On offre aussi des protecteurs solaires doublés d'insectifuges, vous pourrez ainsi vous protéger du soleil et des moustique toute la journée.

Les insectes sont en général plus actifs au crépuscule. Ceux porteurs de la malaria sont à craindre la nuit durant. Cependant, un insecte diurne est maintenant à craindre, même sous certaines latitudes tempérées, puisqu'il est porteur de la fièvre rouge (dengue), malheureusement de plus en plus prolifique.

Dans le but de minimiser les risques d'être piqué, couvrez-vous bien en évitant les vêtements aux couleurs vives, et évitez de vous parfumer. Lors de promenades dans les montagnes et dans les régions forestières, des chaussures et chaussettes protégeant les pieds et les jambes seront certainement très utiles. Des spirales insectifuges vous permettront de passer des soirées plus agréables. Avant de vous coucher, enduisez votre peau d'insectifuge, ainsi que la tête et le pied de votre lit. Choisissez de dormir sous une moustiquaire ou louer une chambre climatisée.

Comme il est impossible d'éviter complètement les moustiques, vous devriez apporter une pommade pour calmer les irritations causées par les piqûres.

Les serpents et autres rencontres inattendues

La richesse et la diversité de la faune entraînent aussi, il va sans dire, la présence d'espèces qui peuvent nous sembler moins conviviales à prime abord, telles que les serpents et insectes venimeux. Inutile d'être alarmiste outre-mesure, vous n'en verrez peut-être aucun durant votre séjour. Cependant, il importe de garder l'œil ouvert. Prenez toujours garde de regarder où vous mettez les pieds. Dans la forêt, vérifiez les lieux avant de vous appuyer ou de vous asseoir quelque part. Lors d'excursions de randonnée pédestre, soyez prudent en écartant les feuilles sur votre passage; lors de baignade en rivière, surveillez aussi bien les rives que la surface de l'eau.

Certaines personnes, croyant être plus rapides

qu'un serpent, s'amusent à les taquiner ou à les déplacer pour les observer: inutile de préciser qu'il s'agit d'une grave erreur. Encore une fois, la présence de serpents ne devrait pas vous empêcher de découvrir un coin de pays; les serpents, comme la plupart des animaux, ne cherchent pas la présence de l'humain et fuient sur son passage.

Le décalage horaire et le mal des transports

L'inconfort dû à un décalage horaire important est inévitable. Quelques trucs peuvent aider à le diminuer, mais rappelez-vous que le meilleur moyen de passer à travers est de donner à son corps le temps de s'adapter. Vous pouvez même commencer à vous ajuster à votre nouvel horaire petit à petit avant votre départ et à bord de l'avion. Mangez bien et buvez beaucoup d'eau. Il est fortement conseillé de vous forcer dès votre arrivée à vivre à l'heure du pays. Restez éveillé si c'est le matin et allez dormir si c'est le soir. Votre organisme s'habituera ainsi plus rapidement.

Pour minimiser le mal des transports, évitez autant que possible les secousses et gardez les yeux sur l'horizon (par exemple, asseyez-vous au milieu d'un bateau ou à l'avant d'une voiture ou d'un autobus). Mangez peu et des repas légers, aussi bien avant le départ que pendant le voyage. Différents accessoires et médica-

ments peuvent aider à réduire les symptômes comme la nausée. Un bon conseil: essayez de relaxer et de penser à autre chose!

Les maladies

Il est recommandé, avant de partir, de consulter un médecin (ou de vous rendre dans une clinique des voyageurs) qui vous conseillera sur les précautions à prendre selon le ou les pays que vous désirez visiter. Il est à noter qu'il est bien plus simple de se protéger de ces maladies que de les guérir. Il est donc utile de prendre les médicaments, les vaccins et les précautions nécessaires afin d'éviter des ennuis médicaux susceptibles de s'aggraver. Il n'est pas nécessaire de subir un examen médical à votre retour; cependant, si vous tombez malade dans les semaines qui suivent, n'oubliez pas de mentionner à votre médecin que vous avez voyagé.

La brève description des principales maladies qui suit n'est présentée qu'à titre informatif.

La malaria

La malaria (ou paludisme) est causée par un parasite sanguin dénommé *Plasmodium sp.* Ce parasite est transmis par un moustique (l'anophèle) qui est actif à partir de la tombée du jour jusqu'à l'aube. Au Costa Rica, pratiquement aucun cas de malaria n'a été rapporté depuis des années. Les risques sont donc très faibles. On sug-

Renseignements généraux

gère quand même les mesures de protection contre les piqûres de moustiques.

La maladie se caractérise par de fortes poussées de fièvre, des frissons, une fatigue extrême, des maux de tête ainsi que des douleurs abdominales et musculaires. L'infection peut parfois être grave quand elle est causée par l'espèce *P. falciparum*. La maladie peut survenir lors du séjour à l'étranger ou dans les 12 semaines après le retour. Exceptionnellement, elle se manifestera plusieurs mois plus tard. Il importe alors de consulter un médecin.

L'hépatite A

Cette infection est surtout transmise par des aliments ou de l'eau que vous ingérez et qui ont été en contact avec des matières fécales. Les principaux symptômes sont la fièvre, parfois la jaunisse, la perte d'appétit et la fatigue. Cette maladie peut se déclarer entre 15 et 50 jours après la contamination. Il existe une bonne protection contre la maladie: un vaccin administré par injection avant le départ. En plus du traitement recommandé, il est conseillé de se laver les mains avant chaque repas et de s'assurer de l'hygiène des lieux et des aliments consommés.

L'hépatite B

Tout comme l'hépatite A, l'hépatite B touche le foie, mais elle se transmet par contact direct ou par échange de liquides corpo-

rels. Ses symptômes s'apparentent à ceux de la grippe et se comparent à ceux de l'hépatite A. Un vaccin existe aussi, mais sachez qu'il est administré sur une certaine période, de sorte que vous devriez prendre les dispositions nécessaires auprès de votre médecin plusieurs semaines à l'avance.

La fièvre typhoïde

Cette maladie est causée par l'ingestion d'eau ou d'aliments ayant été en contact (direct ou non) avec les selles d'une personne contaminée. Les symptômes les plus communs en sont une forte fièvre, la perte d'appétit, les maux de tête, la constipation et, à l'occasion, la diarrhée ainsi que l'apparition de rougeurs sur le corps. Ils apparaissent de une à trois semaines après l'infection initiale. L'indication thérapeutique du vaccin (qui existe sous deux formes différentes, soit intramusculaire ou en pilule) dépendra de votre itinéraire. Encore une fois, il est toujours plus prudent de vous rendre dans une clinique quelques semaines avant votre départ afin de bien planifier la série d'injections du vaccin.

La diphtérie et le tétanos

Ces deux maladies, contre lesquelles la plupart des gens ont été vaccinés dans leur enfance, ont des conséquences graves. Donc, avant de partir, vérifiez si vous êtes bel et bien protégé contre elles; un rappel s'impose parfois. La diphtérie est une infec-

tion bactérienne qui se transmet par les sécrétions provenant du nez ou de la gorge, ou encore par une lésion de la peau d'une personne infectée. Elle se manifeste par un mal de gorge, une fièvre élevée, des malaises généraux et parfois des infections de la peau. Le tétanos est causé par une bactérie. Elle pénètre dans l'organisme lorsque vous vous blessez et que cette blessure entre en contact avec de la terre ou de la poussière contaminée.

Les autres maladies

Il serait sage d'être prudent quant aux maladies vénériennes et au sida. Emportez des préservatifs: ils ne sont pas toujours faciles à trouver.

La trousse de santé

Une petite trousse de santé permet d'éviter bien des désagréments. Il est bon de la préparer avec soin avant de quitter la maison. Il peut être malaisé de trouver certains médicaments dans les petites villes. Veillez à emporter une quantité suffisante de tous les médicaments que vous prenez habituellement, ainsi qu'une ordonnance valide pour le cas ou vous les perdriez. De même, emportez l'ordonnance pour vos lunettes ou vos verres de contact. Les autres médicaments tels que ceux contre la malaria et l'Imodium (ou un équivalent) devraient également être achetés avant le départ.

De plus, vous pourriez emporter:

- pansements adhésifs
- désinfectants
- analgésiques
- antihistaminiques
- comprimés contre les maux d'estomac et le mal des transports
- serviettes sanitaires et tampons

Vous pourriez aussi inclure du liquide pour verres de contact et une paire de lunettes supplémentaire si vous en portez.

Pour ceux qui doivent voyager avec des accessoires tels que des seringues, assurez-vous de bien emporter vos ordonnances ou un certificat médical justifiant leur utilisation. Cela vous évitera d'avoir à vous justifier devant les douaniers et vous aidera à les remplacer en cas de pertes.

Pour les femmes, par grande chaleur, pour éviter les infections vaginales, maintenez une bonne hygiène corporelle et portez des sous-vêtements de coton. Il demeure sans doute plus simple d'apporter le type de serviettes et tampons hygiéniques que vous utilisez. Apportez donc aussi (si cela vous convient) des préservatifs. Sachez aussi que les changements dus à un voyage entraînent souvent des perturbations du cycle menstruel.

Sécurité

En général, en appliquant les règles de sécurité nor-males, vous ne devriez pas être plus incommodé en pays étranger que chez vous. Cependant, évitez toute ostentation. Les bijoux et accessoires luxueux, les habits voyants, etc., sont autant de détails qui vous feront «repérer». Évitez de vous promener seul dans des quartiers inconnus ou dans des lieux sombres après la tombée de la nuit (souvenez-vous que le soleil se couche autour de 18h!). Les ceintures ou pochettes que l'on glisse sous ses vêtements pour garder les cartes et papiers importants, de même que la majorité de son argent, peuvent se révéler salvatrices. Gardez toujours de petites coupures dans vos poches, et, au moment d'effectuer un achat, évitez de montrer trop d'argent. Et enfin, sachez que, dans le monde, la plus grande cause d'accidents impliquant des touristes demeure les accidents de la route...

Le Costa Rica a aboli son armée au cours des années 1940. Par contre, la police a des effectifs assez puissants et est bien présente, particulièrement sur les routes à l'extérieur des villes. De plus, il existe une sorte de milice privée, particulièrement présente près des frontières avec le Panamá et le Nicaragua, afin de contrer le trafic de la drogue et l'entrée d'immigrants illégaux dans le pays. Leur emblème étant constitué de carabines qui se croisent, il est préférable de ne pas badiner avec eux!

Le vol de voitures et dans les voitures étant très fréquent, particulièrement en ville, tous les établissements dignes de ce nom ont leur gardien de stationnement, souvent armé d'un gourdin.

Cela dit, le pays est assez sûr. La côte Caraïbe est une région plus criminalisée; on fait mention de vols, mais ces faits ne devraient pas vous empêcher de visiter cette belle région en prenant les précautions nécessaires!

Services financiers

Monnaie

La monnaie du pays est le colon.

Dans ce guide, nous avons choisi d'indiquer les prix en dollars US de façon à éviter les changements brusques dus aux fluctuations du colon. De plus, vous remarquerez que plusieurs hôteliers et restaurateurs ont aussi choisi d'afficher leurs prix en dollars américains.

Banques

Le Banco de Costa Rica et le Banco Nacional semblent être les deux établissements financiers les plus importants du pays. Chaque ville possède au moins une succursale des deux entreprises. Les banques se sont mises à l'horaire nord-américain et sont ouvertes du lundi au vendredi de 9h à 15h.

Taux de change

100 colons	=	0,37$CA	1$CA	= 268,86 colons
100 colons	=	0,23€ (euro)	1€ (euro)	= 424,44 colons
100 colons	=	0,26$US	1$US	= 390,15 colons
100 colons	=	0,35FS	1FS	= 282,33 colons

N.B. Ces taux sont sujets à changement.

Carte de crédit

La carte de crédit est acceptée un peu partout, tant pour les achats de marchandise que pour la note d'hôtel ou l'addition au restaurant. Dans l'ordre, les plus fréquemment utilisées sont Visa (carte bleue), MasterCard et Americain Express. L'avantage principal de la carte de crédit réside surtout dans l'absence de manipulation d'argent, mais également dans le fait qu'elle vous permettra (par exemple lors de la location d'une voiture) de constituer une garantie et d'éviter ainsi un dépôt important d'argent. De plus, le taux de change est généralement plus avantageux.

La carte de crédit représente aussi un bon moyen d'éviter les frais de change. Ainsi, les personnes pour lesquelles il est possible de faire un retrait directement de leur carte de crédit peuvent surpayer leur carte et faire des retraits à partir de celle-ci. Cette procédure vous évite de transporter de grandes quantités d'argent liquide ou des chèques de voyage.

Les retraits peuvent se faire directement d'un guichet automatique si vous possédez un numéro d'identification personnel pour votre carte.

Guichets automatiques

Plusieurs banques offrent le service de guichets automatiques pour le retrait d'argent, de même que les petits guichets de rue A Toda Hora (ATH). La plupart font partie des réseaux Cirrus et Plus, permettant aux visiteurs de retirer de l'argent directement dans leur compte personnel. Vous pouvez alors vous servir de votre carte comme vous le faites normalement, des colons vous seront remis et l'on prélèvera la somme équivalente dans votre compte. Et ce, sans prendre plus de temps que si vous étiez à votre propre banque! Cela dit, le réseau peut parfois éprouver des problèmes de communication qui vous empêcheront d'obtenir de l'argent. Si votre transaction est refusée au guichet d'une banque, essayez-en une autre, il se pourrait que vous y soyez plus chanceux. Toutefois, veillez à ne pas vous retrouver les mains vides.

Chèques de voyage

Il est toujours plus prudent de garder une partie de son argent en chèques de voyage. Ceux-ci sont parfois acceptés dans les restaurants, les hôtels ainsi que certaines boutiques. En outre, ils sont facilement encaissables dans les banques et les bureaux de change du pays. Nous vous conseillons de garder une copie des numéros de vos chèques dans un endroit à part, car, si vous les perdez, la compagnie émettrice pourra vous les remplacer plus facilement et plus rapidement. Cependant, ne comptez pas seulement sur eux, et ayez toujours des espèces sur vous.

Télé-communications

Le réseau de télécommunications du Costa Rica est en constante modernisation. Depuis quelques années, on a instauré le numéro de téléphone à sept chiffres pour de plus grandes possibilités. L'indicatif international du pays est le **506**; il n'y a pas d'indicatifs régionaux.

Ainsi, pour appeler au Costa Rica, vous devez d'abord composer le numéro qui vous permet de faire un appel à l'étranger, par exemple depuis la France et la Belgique le 00 et depuis le Québec le 011, ensuite le 506, suivi du numéro à sept chiffres de votre correspondant costaricien.

Vous retrouverez deux types de téléphones publics dans le pays. Celui fonctionnant encore selon le système analogique (à cadran circulaire), pour lequel il vous faut des pièces de monnaie de 5, 10 ou 20 colons, et celui fonctionnant selon le système numérique (à bouton-poussoir), pour lequel il vous est nécessaire d'acheter une carte d'appels. Sachez que, dans ce dernier cas, la fenêtre explicative des démarches à suivre pour faire un appel (située sur le téléphone) peut être présentée en français si vous activez les boutons nécessaires sur l'appareil.

Les cartes d'appels sont de deux types, soient les cartes à puce de différentes valeurs qui fonctionnent très bien; ou les cartes qui vous donnent un numéro d'identification

qu'il vous faut composer pour avoir la communication. Ce second système est nettement moins efficace.

Pour appeler à l'étranger depuis le Costa Rica, composez le **00**, suivi de l'indicatif international du pays où vous téléphonez, l'indicatif régional s'il y a lieu, et enfin le numéro de votre correspondant.

Par exemple, pour appeler en **Belgique**, faites le 00-32, puis l'indicatif régional (Anvers 3, Bruxelles 2, Gand 91, Liège 41) et le numéro de votre correspondant.

Pour le **Canada**, composez le 00-1, l'indicatif régional, puis le numéro de téléphone de votre correspondant. Le service Canada Direct (**☎**0-800-015-1161) permet d'entrer en contact directement et gratuitement avec un téléphoniste au Canada. Toutefois, dans un téléphone public, il vous faudra d'abord utiliser une carte d'appels ou une pièce de monnaie pour obtenir une ligne préalable à l'obtention d'une communication.

Pour appeler en **France**, composez le 00, suivi du 33, puis du numéro de votre correspondant. Pour parler directement à un téléphoniste en France, faites le **☎**0 800 99 05 06.

Pour la **Suisse**, faites le 00-41, puis l'indicatif régional (Berne 31, Genève 22, Lausanne 21, Zurich 1) et le numéro de votre correspondant.

Internet

En ce moment, c'est une compagnie nationale, Racsa, qui possède le monopole des communications par Internet au Costa Rica. Vous remarquez donc que toutes les adresses de messagerie électronique basées au pays se terminent par @racsa.co.cr. L'Internet fonctionne très bien au Costa Rica, et vous verrez que la plupart des entreprises se sont mises à l'heure des communications sur le Web. Vous pourrez donc facilement communiquer avec elles et même réserver votre chambre d'hôtel par leur entremise. De plus, sur place, vous accéderez, sans trop de problème à votre messagerie. La plupart des villes d'importance renferment des cybercafés aux heures d'ouverture prolongées et aux tarifs abordables. Si vous n'en trouvez pas, demandez à la réception si vous pouvez utiliser l'ordinateur de l'hôtel.

Renseignements généraux

Numéros de téléphone importants

Dans n'importe quelle région du pays, vous pouvez composer simplement le ☎**911** pour toute urgence. Le ☎**128** est utilisé pour obtenir une ambulance de la Croix-Rouge et le ☎**118** pour appeler les pompiers.

Quelques sites Internet intéressants

www.visitcostarica.com   Site de l'Instituto Costarricense de Turismo (agence gouvernementale du tourisme).

www.tourism.co.cr   Site de Canatur, autre organisme de tourisme.

www.costarica.com   Autre site général sur le pays.

www.nacion.co.cr   Pour ceux qui peuvent lire l'espagnol, car c'est le site d'un des quotidiens nationaux importants.

www.ticotimes.net   Pour ceux qui peuvent lire l'anglais, car c'est le site d'un journal local publié en anglais.

Il en existe beaucoup d'autres qui peuvent vous donner des renseignements et des idées, donc n'hésitez pas à naviguer dans Internet!

Poste

Outre les cases postales (*apartados postales*), le pays fonctionne avec un système d'adresses basé sur l'orientation géographique à partir d'éléments repères tels qu'une intersection, un édifice important, une place centrale ou un parc public. Ainsi, l'adresse postale d'un hôtel pourrait se lire comme suit: 100 m au sud et 300 m à l'ouest du parc central. Le gouvernement vient toutefois de confirmer un énorme investissement qui vise à introduire dans toutes les régions du pays le système d'adresses le plus utilisé internationalement, c'est-à-dire avec des numéros civiques. Ces numéros ne sont pas encore en vigueur, mais vous commencerez peut-être à en voir quelques-uns au cours de votre voyage. Ce que vous verrez pour sûr, généralement dans les villes, ce sont des adresses comme Calle 4, Avenida 3/4 ou Avenida 4, Calle 2. Ce qui signifie que l'endroit que vous cherchez est situé dans la 4ᵉ Rue entre les 3ᵉ et 4ᵉ avenues ou sur la 4ᵉ Avenue près de la 2ᵉ Rue, ou encore des adresses postales référant à un casier postal (*apartado postal*). Pour les petites villes décrites dans ce guide, nous avons intentionnellement omis de donner l'adresse utilisée traditionnellement pour conserver un texte clair et concis. Cependant, si vous devez écrire à quelqu'un au Costa Rica, vous pouvez indiquer tout simplement le nom de l'endroit, le nom de la ville et le nom de la région, suivi bien sûr du nom du pays!

Le tarif pour poster une lettre n'est vraiment pas élevé: envoyer une lettre en Europe, par exemple, ne devrait vous coûter que 0,32$, et une carte postale 0,05$ de moins.

Médias

Les journaux

La Nación, qui propose un calendrier des activités culturelles au pays (arts, spectacles et cinéma), **La República**, **El Día** et **La Prensa Libre** sont les journaux nationaux publiés en espagnol.

Le *Tico Times* a été conçu par et pour les résidants anglophones du Costa Rica. Traitant de politique un peu comme *La Nación* et *La Prensa Libre*, il est évidemment de langue anglaise. Il présente un calendrier des activités culturelles entre autres ainsi qu'un horaire des films à l'affiche.

Alianza Francesa
lun-ven 10h à 12h et 15h à 18h30, sam 10h à 12h
Calle 5, Av. 7
La **médiathèque** de l'Alianza Francesa permet d'aller feuilleter les journaux francophones d'Europe.

Les magazines

Costa Rica Today est un magazine qui s'adresse essentiellement aux touristes. Vendu en kiosque, il est distribué gratuitement dans les hôtels et les aéroports. Il propose aussi un calendrier d'activités. Les textes sont en espagnol et en anglais.

Le magazine *Guide* est également conçu pour les touristes et est distribué dans les aéroports.

En marge des magazines touristiques, le Costa Rica produit un certain nombre de périodiques d'intérêt costaricien: femmes, affaires, etc. Le magazine *Gente 10* est un magazine gay édité au Costa Rica et présenté un peu partout dans le pays.

Radio

En matière de radio, il y en a pour tous les goûts, surtout si vous demeurez dans la Vallée centrale. En région, puisque vous êtes au-delà des montagnes enserrant la Vallée, vous éprouverez plus de difficultés à syntoniser une bande FM si vous n'êtes pas câblé (ce qui est le cas en automobile par exemple).

Pour de la musique des années 1960 jusqu'à nos jours, syntonisez **Radio 2** au 99,5 FM; on s'y exprime en anglais et en espagnol.

Pour de la musique classique, optez pour **Radio Universidad** au 96,7 FM.

Pour de la musique latine (latino-américaine ou espagnole) et nord-américaine, n'hésitez pas à écouter **Estereo Azul**, au 99,9 FM.

Hébergement

Vous trouverez au Costa Rica plusieurs types d'hébergement. Certains établissements vous proposent un confort haut de gamme comprenant de multiples services, tandis que d'autres vous proposent de loger plus modestement tout en faisant la connaissance des gens du pays.

Les prix mentionnés dans ce guide s'appliquent à une chambre pour deux personnes en haute saison, selon le barème suivant.

$	moins de 15$US
$$	entre 15$US et 25$US
$$$	entre 25$US et 50$US
$$$$	entre 50$US et 75$US
$$$$$	entre 75$US et 120$US
$$$$$$	plus de 120$US

Dans les hôtels, à la taxe de **13%** incluse dans tous les prix, il faut en ajouter une d'environ **3%**, soit la taxe de tourisme (son taux peut varier).

Bateau Ulysse

Le pictogramme du bateau Ulysse est attribué à nos établissements favoris. Bien que chacun des établissements inscrits dans ce guide s'y retrouve en raison de ses qualités ou particularités, en plus de son rapport qualité/prix, de temps en temps un établissement se distingue parmi d'autres. Ainsi il mérite qu'on lui attribue un bateau Ulysse. Les bateaux Ulysse peuvent se retrouver dans n'importe quelle catégorie d'établissements: supérieure, moyenne-élevée, petit budget. Quoi qu'il en soit, dans chacun de ces établissements, vous en aurez pour votre argent. Repérez-les en premier!

Les différents types

Hôtels

Les hôtels peuvent être aussi de plusieurs types. Il y a les petits hôtels économiques qui n'offrent que peu de chose en dehors d'une chambre et d'un lit. Les salles de bain sont souvent communes et quelquefois même peuvent ne pas disposer d'eau chaude. Dans ce type d'hôtel, on peut obtenir un lit pour moins de 15$.

À l'autre extrémité de l'échelle, les grands hôtels de luxe n'ont pas de limite. Conçus à la fois pour le touriste fortuné, les gens d'affaires ou la personnalité de passage au pays, ils sont souvent de grande dimension (mais pas toujours), situés sur de grands terrains et offrent de nombreux services d'appoint (casino, grands restaurants, bars, piscines, réfrigérateurs dans les chambres, etc.).

Étant donné la croissance rapide du tourisme, les établissements d'hébergement situés entre ces deux catégories étaient assez peu nombreux jusqu'à tout récemment. Cependant, cette situation tend à s'améliorer, et l'on trouve de plus en plus tout un éventail d'établissements proposant divers services dans une gamme de prix moyenne.

Les patios et autres espaces extérieurs rattachés à la chambre ne sont pas nécessairement privés. La plupart des établissements ont cependant un petit coffre-fort pour vos objets de valeur. De manière générale, la salle de bain est équipée d'une douche seulement.

Le mot **cabina** désigne autant une maisonnette

CST

Pour les hôtels du pays, ces trois lettres, CST, veulent dire beaucoup. En effet, elles forment l'acronyme d'un programme mis sur pied par le gouvernement afin d'encourager l'industrie touristique à assumer un développement durable et respectueux de l'environnement. Ainsi, pour pouvoir afficher ces précieuses lettres, les établissements doivent faire la preuve que leur développement économique est en équilibre avec leur environnement naturel, social et culturel. Ils doivent poser des gestes concrets afin d'encourager cet équilibre et préserver les richesses du pays. Pour connaître les hôtels reconnus par ce programme, composez le ☎*255-0841* ou ☎*800-343-6332*, ou visitez le site Internet ***www.turismo-sostenible.co.cr***.

indépendante qu'une chambre dans un hôtel traditionnel. Il ne s'agit donc généralement que d'une chambre, avec parfois une salle de bain privée. On y trouve plus rarement une cuisinette et un petit salon. Le mot *habitación* est aussi employé à cet effet.

Les hôtels de catégories moyenne et élevée renferment souvent des salles de bain privées avec eau chaude (parfois uniquement dans la douche toutefois) mais dans lesquelles les baignoires sont plus rares (douche seulement). Ils offrent aussi, généralement, des services tels que l'air conditionné ou au moins un ventilateur de plafond ou sur pied, un coffret de sûreté soit dans la chambre, soit à la réception, un service pour organiser des excursions, un service de buanderie et un service de stationnement sécuritaire.

Aparthoteles

Les résidences hôtelières ou *aparthoteles* sont un concept intéressant pour qui désire avoir l'impression de vivre un peu comme chez soi, puisqu'il s'agit en fait d'appartements bien équipés. On peut même y retrouver quelquefois une buanderie.

Lodges

Un type d'hébergement qui a la cote au Costa Rica est le *lodge*. En revanche, ce nom désigne parfois tout autre chose. Assurez-vous bien de quoi il est question en réservant. En général, on emploie le mot *lodge* pour désigner un établissement au charme rustique dans lequel on est en contact direct avec la nature. Ainsi, au milieu d'une vaste propriété au bord de la mer, d'une rivière ou au cœur de la jungle, on a construit des bâtiments pouvant recevoir les visiteurs en leur proposant le gîte (taux de confort variable) et tous les repas en pension complète (formule variable). Cette option offre aux hôtes la possibilité de jouir de la propriété et de multiples activités de plein air. D'ailleurs, un *lodge* a souvent une activité dont il fait sa spécialité (ornithologie, rafting, équitation, etc.)

Gîtes touristiques

La formule du gîte touristique (*cama con desayuno* en espagnol ou *bed and breakfast* et B&B en anglais) est assez populaire au Costa Rica. Avec le propriétaire ainsi dans la maison, vous comprendrez que l'atmosphère est généralement plus chaleureuse qu'à l'hôtel! Mais le plaisir d'être dans un gîte touristique dépend beaucoup de la beauté du décor et de la qualité de l'accueil qui peuvent varier d'un établissement à l'autre. Les propriétaires vous proposeront souvent de vous aider sans formalisme à planifier vos déplacements ou à résoudre certains problèmes que vous pourriez éprouver durant votre séjour.

Le gîte touristique est la formule idéale pour qui désire se plonger au maximum dans l'environnement du pays qu'il visite, avec tout ce que cela peut impliquer. Quoique l'hospitalité des Costariciens soit proverbiale, les commodités de l'hébergement varient d'un endroit à l'autre. Sachez que vous aurez également à vivre quelque peu avec les habitudes de vie de vos hôtes: télévision, radio, etc. Dans ce contexte, il est bon de savoir que les Costariciens se couchent généralement tôt. Tentez de vous renseigner sur ces petits riens qui pourraient, pour vous, faire la différence entre une expérience correcte et un séjour de rêve. En marge des adresses mentionnées dans notre guide, les écoles de langues, certaines églises, les annonces classées des journaux ainsi que les babillards de l'université du Costa Rica sont d'autres sources à considérer pour vous renseigner ou trouver des offres de gîte intéressantes.

Camping

Il est possible de camper dans plusieurs parcs du pays. Il s'agit d'une forme de camping rustique, sous la tente, mais on trouve souvent les installations sanitaires de base à proximité. Référez-vous à la description des parcs ou à la section «Hébergement» de chacun des chapitres pour plus de renseignements. Notez qu'il existe peu de terrains de camping à proprement parler. Beaucoup d'hôtels permettent aux voyageurs de camper sur leur terrain; renseignez-vous à l'office de tourisme des villes et villages. Sinon, le camping est fréquemment pratiqué par les Costariciens eux-mêmes un peu partout sur les plages. En ce cas, il s'agit de planter sa tente n'importe où sous les arbres (bien sûr, aucun service n'est offert; aussi, soyez respectueux de l'environnement).

En général, les parcs nationaux sont également en mesure d'offrir un certain type d'hébergement aux visiteurs désireux de vivre une expérience particulière en pleine nature; il faut cependant ne pas oublier de réserver à l'avance.

Restaurants et cuisine

Divers types de cuisine se retrouvent au Costa Rica. Les multiples vagues d'immigration ont entraîné une belle variété. Vous remarquerez, par exemple, plusieurs restaurants chinois. Il faut savoir cependant que, à l'exception des grandes villes de la Vallée centrale, les restaurants haut de gamme ou de cuisine spécifique autre que costaricienne en sont encore à se développer dans le pays. Vous pouvez évidemment trouver de véritables petites perles en région, mais elles ne sont pas encore légion, surtout si vous demeurez dans des secteurs nouvellement développés pour le tourisme. En ce cas, les restaurants d'hôtel sauront pallier cette absence.

Le petit déjeuner et le déjeuner sont généralement les repas les plus importants et les plus consistants de la journée. Certains petits restaurants ferment leurs portes très tôt le soir. Notez que ce guide utilise la nomenclature internationale: petit déjeuner, déjeuner et dîner.

Le Costa Rica ne fait pas exception en matière de restauration de chaînes internationales. Les Pizza Hut, MacDonald's et compagnie s'étendent sur le territoire costaricien. Pour les amateurs de ces chaînes, sachez cependant qu'elles sont encore assez confinées à la Vallée centrale, essentiellement dans les grandes villes. Mais on y trouve aussi des concepts locaux de restauration rapide. Les restaurants **Pop's** et **Wall's**, spécialisés dans la crème glacée, ou les restaurants **AS**, qui se spécialisent dans les repas minute (ouverts 24 heures sur 24 en plus!), en sont un exemple. Il y a aussi des chaînes dans le domaine des restaurants proposant des repas plus élaborés, comme les **Rosti Pollos**, où l'on sert du poulet à la manière costaricienne, soit au comptoir ou dans une salle à manger.

Une autre chaîne bonne à connaître: les boulangeries-pâtisseries **Musmanni**. Vous y trouve-rez différentes sortes de pains et de gâteries, ainsi que des en-cas comme des chaussons et des pizzas. Bien sûr, il ne faut pas s'attendre à de la cuisine au beurre, mais leurs produits restent généralement très respectables. De plus, vous trouverez une succursale pratiquement dans chaque village du pays!

Il est à noter que la plupart des restaurants affichent leur menu en espagnol et en anglais. Vous devez prendre acte de l'addition au restaurant, qui comprend généralement le pourboire (*propina*) de **10%** et une taxe de **13%**.

Il faut également se souvenir que les fumeurs et les non-fumeurs doivent encore se partager les mêmes aires dans les restaurants au Costa Rica. Certains restaurants végétariens interdisent la cigarette, mais pas tous.

Les prix, en dollars américains, mentionnés dans ce guide s'appliquent à un repas, sans boisson, pour une personne, selon le barème suivant.

$	moins de 5$US
$$	entre 5$US et 10$US
$$$	entre 10$US et 20$US
$$$$	entre 20$US et 40$US
$$$$$	plus de 40$US

Bateau Ulysse

Le pictogramme du bateau Ulysse est attribué à nos établissements favoris (voir aussi p 53).

Les différents types

Le **soda** est un petit restaurant de quartier qui propose généralement un menu simple de cuisine locale et de restauration rapide (hamburgers, sandwichs, etc.). On y mange surtout le midi un menu du jour: *comida corrida*, *plato del día* ou *ejecutivo*.

La **pulpería** est l'équivalent du dépanneur québécois! C'est une maisonnette exiguë que l'on trouve dans le moindre petit hameau et qui propose toute une gamme de produits de base: conserves, boissons, produits de toilette, pain, lait et parfois des sandwichs et autres mets préparés.

En marge de leur raison d'être, les **panaderías** (boulangeries) et **pastelarías** (pâtisseries) servent quelquefois de petits repas ou des sandwichs et des rafraîchissements.

Les **cafés** sont ce qu'ils sont partout ailleurs dans le monde: de petits endroits où l'on peut se reposer, papoter, lire ou prendre un repas léger avec un café (ou autre boisson) dans un décor qui inspire la relaxation.

Les **restaurants végétariens** sont assez populaires au pays, particulièrement à San José. C'est une bénédiction avec tous les fruits et légumes dont dispose le Costa Rica! Qui plus est, les repas y sont en général pas chers.

Cuisine costaricienne

Contrairement à ce que la cuisine mexicaine peut laisser croire, la cuisine latino-américaine n'est pas toute pimentée! Au Costa Rica, les mets sont en général très peu épicés. Les piments forts sont faciles à trouver, mais rarement ajoutés aux plats. La coriandre fraîche, par contre, est de tous les menus!

Sachez d'abord que la *tortilla* est littéralement le pain de l'Amérique latine. Ce sont des galettes frites, minces et rondes, faites à base de farine de maïs et cuites dans la poêle. Traditionnellement façonnées à la main et cuites au four à bois, elles sont aujourd'hui préparées dans des fabriques. On trouve aussi de plus en plus de *tortillas* faites à partir de farine blanche.

Le mets national est le *gallo pinto*. Il s'agit d'un mélange de riz et de fèves rouges ou noires que l'on accompagne parfois d'œufs, de viande ou de légumes. Il peut être servi à l'un ou l'autre des trois repas ou aux trois! Le tout ne va pas, bien entendu, sans les tortillas, ces galettes de maïs.

Le *casado* est le plat traditionnel que servait autrefois la femme à son mari, d'où son nom qui signifie «marié». Vous le retrouverez également dans les restaurants de cuisine *tica*. Il s'agit d'une assiette bien remplie combinant différents mets. On y dispose du riz ainsi que des haricots noirs ou rouges, accompagnés de viande, par exemple de *picadillo*, un plat de légumes et de viande hachée, et une ou deux sortes de salades (chou, pommes de terre, etc.).

Le *ceviche* constitue un plat de poisson blanc ou de fruits de mer, mariné dans du jus de citron et assaisonné d'oignon et de coriandre.

Le poulet (*pollo*) est un grand favori au pays. On le retrouve apprêté de toutes les manières, et de nombreux restaurants en font leur raison d'être.

Les *tamales* sont de petits pâtés à base de farine de maïs et farcis de viande et de légumes; on les prépare traditionnellement à l'occasion de Noël.

Pour accompagner une boisson, spécialement alcoolisée, on vous servira ce que l'on appelle des *bocas*, soit des amuse-gueule. Entre autres, vous aurez peut-être droit à l'un des favoris des *Ticos*, les *chicharrones*, à savoir de la couenne de porc frite.

Le gâteau *tres leches* (aux trois laits) est renversant de tendresse, d'onctuosité et de sucre doux. Autre dessert très apprécié: l'*arroz con leche* (pouding au riz).

Les jus de fruits fraîchement pressés (*frescos* et *jugos*), mélangés avec du lait ou de l'eau, sont très populaires, et on en prépare un peu partout. Faites de fruits frais poussés au soleil, ses boissons sont réellement un régal!

Vins, bières et alcools

Le Costa Rica n'est pas un pays producteur de vin. Ce n'est pas non plus un grand importateur, mais vous trouverez du rouge et du blanc (*vino tinto*, *vino blanco*) assez facilement. Les grands restaurants, surtout de cuisine française, disposent, bien sûr, de bonnes caves à vins.

L'alcool national est un alcool de canne à sucre: le *guaro*. On fabrique aussi de bons rhums et des liqueurs de café délicieuses.

Bières

La première chose qui risque de vous frapper, c'est que la bière est souvent servie avec des cubes de glace. Manière de la rendre encore plus rafraîchissante lors des grandes chaleurs! Quelques bières sont brassées au pays puisque les *Ticos* sont généralement des amateurs. Il s'agit de bières américaines, blondes et légères.

Sorties

C'est bien sûr la région de la Vallée centrale, incluant San José, qui offre le plus de possibilités de sorties. Les bars, les discothèques, les théâtres, les cinémas et autres divertissements n'y manquent pas. Dans les autres régions du pays, vous trouverez aussi sans aucun doute de quoi vous divertir. Si les cinémas et théâtres ne sont pas légion, les bars et les endroits où danser, quant à eux, sont rarement absents! Dans les bars, on sert parfois des amuse-gueule appelés **bocas** (voir p 57) pour accompagner votre consommation.

Sachez que l'on peut également jouer facilement aux jeux de hasard au Costa Rica: les casinos d'hôtel et les casinos particuliers se trouvent en bon nombre, surtout à San José.

Jours fériés et jours de fête

Au Costa Rica, les fêtes sont nombreuses, puisque aux fêtes civiles les Costariciens ajoutent un certain nombre de fêtes religieuses. De plus, il existe certaines fêtes à caractère régional célébrées uniquement dans certaines parties du pays.

Jours fériés

Jour de l'An
1er janvier

Semaine sainte
variable

Fête de Juan Santamaría
11 avril

Fête international des travailleurs
1er mai

Fête de l'entrée du Guanacaste au sein du pays
25 juillet

Procession de la Semaine sainte

La Semaine sainte est une période sacrée en Amérique latine, parfois plus célébrée que la fête de Noël. Au Costa Rica, des messes, des processions et diverses mises en scène animent les villes et villages tout au long de cette semaine qui précède Pâques. Posté sur un banc d'un *parque central*, vous pourriez être surpris par un défilé multicolore où les statues sont portées à bout de bras. La Vierge Marie, Marie Madeleine, Véronique et la Samaritaine sont incarnées par des participantes aux costumes colorés et tiennent les premiers rôles de ces célébrations. Célébrations qui, parfois, prennent des tournures inusitées. San Joaquín de Las Flores, dans la province de Heredia, est, entre autres, reconnu pour ses mises en scène du Chemin de croix et de la Crucifixion on ne peut plus réalistes, des hommes se prêtant véritablement au supplice…

Mais dans la plupart des paroisses, ces mises en scène demeurent plus sobres et des plus intéressantes à regarder. C'est le Vendredi saint qui se révèle le plus animé. Dès 9h, le Chemin de croix et la Crucifixion ont lieu un peu partout. À 15h, on souligne le décès du fils de Dieu et à 16h on l'enterre. Le dimanche matin sera, rassurez-vous, beaucoup plus joyeux, alors qu'on célèbre dans l'allégresse la Résurrection.

Fêtes des Mères
15 août

Jour de l'Indépendance
15 septembre

Toussaint
2 novembre

Noël
25 décembre

Principaux festivals

Janvier
Fiesta Patronales
(Alajuela)

Fiestas de Santa Cruz (Santa Cruz)

Février
Foire agricole (San Isidro de El General)

Mars
Foire du livre (San José)
Festival Internacional Los Artes (San José)

Avril
Fête de Juan Santamaría (Alajuela)
Festival de Música del Caribe Sur (Puerto Viejo, côte Caraïbe)

Mai
Défilés de charrettes à bœufs (Escazú et San Isidro de El General)

Juillet
Fête du Guanacaste (Liberia et Santa Cruz): danses folkloriques, musique, rodéos

Août
Festival Internacional de Música (partout au pays)
Fête de la Vierge de Los Angeles (2 août) (Cartago): procession religieuse

Septembre
Jour de l'Indépendance (partout au pays, 15 sept): défilés, fêtes et célébrations de toutes sortes, feux d'artifice

Octobre
Carnaval de Puerto Limón: défilés, danses
Día de la Raza (12 oct): commémoration de l'arrivée de Christophe Colomb sur le continent américain

Novembre
Toussaint (2 nov): processions religieuses, pèlerinages

Festival Internacional de Teatro (San José): pièces de théâtre, théâtre de rue et autres divertissements

Décembre
Fiesta de Los Negritos (Boruca, 8 déc): danses costumées
Inmaculada Concepción (partout au pays, 8 déc): feux d'artifice
Fiesta de la Yeguita (Nicoya, 12 déc): processions, feux d'artifice, concerts
Las Posadas (partout au pays, 15 déc)
Fiestas de Fin de Año (San José, 26 déc): défilé de chevaux et autres défilés

Achats

On peut à peu près trouver de tout au Costa Rica, particulièrement dans la Vallée centrale. Les commerces de détail, les grands magasins et les boutiques spécialisées ont essaimé un peu partout dans les zones urbaines. Au contraire des restaurants, il n'existe pas ou peu de grandes chaînes internationales dans le pays, du moins dans le domaine des grands magasins.

Ces dernières années, des centres commerciaux ont vu le jour dans la région de la capitale et logent un certain nombre de chaînes de magasins spécialisés connus en Amérique du Nord. Dans toutes les villes, vous trouverez des *pulperías* (voir p 56) qui sauront vous dépanner.

Vous constaterez que certains Costariciens vendent fruits, breloques et vêtements sur le bord de la route, même si cela est proscrit officiellement au Costa Rica, du moins le long des grandes routes. Notez que le marchandage n'est pas coutume au Costa Rica.

Voici quelques magasins types que vous êtes susceptible de retrouver au Costa Rica.

Mas X Menos (Plus pour Moins) est un supermarché de type *drugstore* américain, une grande surface populaire au Costa Rica. Il en existe plusieurs succursales au pays, particulièrement dans la Vallée centrale (par exemple, sur Paseo Colón, au coin de la Calle 26, à San José).

L'**Automercado** est également un magasin général de type *drugstore* américain au concept s'apparentant à celui de Mas X Menos. Il en existe par exemple un à San José, dans la Calle 3 entre l'Avenida 3 et l'Avenida 5.

La Gloria est un type de grand magasin avec un certain nombre de succursales en région. Celui du centre-ville de San José est un peu vieillot, mais d'autres présentent un design nettement plus moderne.

Chaque agglomération qui se respecte possède son propre **marché central** (*mercado central*). C'est l'endroit idéal pour les bains de foule, pour tâter le pouls de la population de la région visitée et constater son quotidien et ses habitudes alimentaires.

Renseignements généraux

Il faut savoir qu'il est interdit d'acheter des objets fabriqués à partir d'animaux en voie d'extinction de même que des vestiges de l'époque précolombienne. Les objets de cette nature que l'on pourrait tenter de vous vendre sont de toute façon souvent des faux.

Il existe une taxe de vente de **13%** incluse dans les prix affichés.

Quoi rapporter?

Les **vêtements d'été** (robes, t-shirts, chemises) et les **accessoires** (écharpes, chapeaux) sont souvent très charmants avec leurs vives couleurs ou leurs imprimés.

Les **reproductions d'œuvres précolombiennes** font aussi de beaux cadeaux à s'offrir.

Les **sculptures et autres objets en bois** peuvent constituer des souvenirs d'intérêt. Toutes les dimensions ainsi que tous les types sont possibles, et les manufactures de même que les détaillants sont nombreux à vous les proposer. Sarchí, dans la Vallée centrale, est une petite ville où logent plusieurs artisans.

Le **café costaricien**, moulu ou en grains, en liqueur (Café Rica) ou en essence, est pratiquement incontournable. On en retrouvera évidemment partout, mais certaines boutiques de souvenirs spécialisées, localisées entre autres à San José, vous permettront d'avoir toutes les

variétés possibles du produit sous un même toit.

Il existe un certain nombre de boutiques de **cigares** d'importation à San José.

Le **papier** fait à partir de feuilles de bananier, de caféier et de tabac, est de plus en plus répandu et se révèle des plus jolis. Du papier à lettres, des calepins et des cahiers plus ou moins stylisés sont fabriqués à partir de ce papier qui revêt différentes couleurs.

Souvenirs

Rapporter des souvenirs et des cadeaux fait aussi partie du plaisir du voyage. Mais soyez attentif à ce que vous achetez. Assurez-vous d'abord, si vous le pouvez, de la façon dont a été produit l'objet pour éviter d'encourager toute forme d'abus. Dans certains pays, il est encore possible de se procurer des objets fabriqués à partir d'espèces animales ou végétales en voie d'extinction, même si plusieurs ententes internationales interdisent ce type de commerce.

Retenez que les objets en ivoire, en corail, en écaille de tortue et en peau de serpent comptent parmi ceux qu'il serait préférable de ne pas acheter.

De plus, des restrictions visant l'importation de produits de provenance animale ou végétale existent afin d'éviter la propagation d'épidémies. Les fruits, les légumes, les plantes, les animaux, etc.,

ne peuvent pas traverser les frontières sans autorisation spéciale.

Voyager en famille

Il est peut être aisé de voyager avec des enfants, aussi petits soient-ils. Bien sûr, quelques précautions et une bonne préparation rendront le séjour plus agréable.

En avion

Une bonne poussette, avec dossier inclinable, permettra d'amener bébé partout, et il pourra même faire un somme. Dans l'aéroport, il sera plus facile de le transporter, surtout qu'il est possible de conserver la poussette jusqu'aux portes de l'avion.

Les personnes avec un enfant ont l'avantage de pouvoir monter dans l'avion les premiers, évitant ainsi les longues lignes d'attente. En outre, si vous avez un bébé de moins de deux ans, au moment de la réservation du billet d'avion, pensez à demander les sièges à l'avant de l'appareil, qui disposent de plus d'espace et qui sont mieux adaptés aux longs vols, surtout avec un bébé sur les genoux. Certains avions possèdent même de petits lits de bébé.

Quant aux bébés, avant de partir, il faudra leur préparer la nourriture nécessaire pour le vol et prévoir un repas de plus, au cas où l'avion aurait du retard. Prévoyez également des couches et des serviettes humides pour la durée du vol. Quelques jouets pourront également être d'une grande utilité!

Pour les plus grands, qui risquent de trouver le temps long une fois passée l'excitation du départ, des livres et des activités (dessin, coloriage, jeux) seront d'un grand secours.

Au moment du décollage et de l'atterrissage, la pression peut être incommodante; si c'était le cas, certains affirment que la tétée d'un biberon pourra aider les bébés. Pour les plus vieux, la gomme à mâcher aura le même effet de soulagement.

Les établissements hôteliers

Nombre d'établissements hôteliers sont équipés pour recevoir adéquatement les enfants. Généralement, pour garder un tout-petit dans sa chambre, il n'y a pas de frais supplémentaires. Plusieurs hôtels et gîtes disposent de lits de bébé; demandez le vôtre au moment de faire la réservation de la chambre. Il se peut que vous ayez à payer un supplément pour les enfants, lequel est rarement élevé.

La voiture

La grande majorité des agences de location de voitures disposent de sièges de sécurité pour enfant. Ces sièges ne se louent pas plus d'une quinzaine de dollars pour une semaine. N'oubliez pas d'en faire la demande

lors de la réservation de la voiture.

Le soleil

Faut-il préciser que la peau fragile de bébé a besoin d'une protection bien particulière, et ce, même s'il est préférable de ne jamais l'exposer aux chauds rayons du soleil. Avant d'aller à la plage, enduisez-le d'une crème solaire assurant un écran total (protection 25 pour les enfants, 35 pour les bébés). Dans les cas où l'on craindrait une trop longue exposition, il existe sur le marché des crèmes offrant une protection allant jusqu'à 60.

À tout âge, un chapeau couvrant bien la tête est nécessaire tout au long de la journée.

La baignade

L'attrait des vagues est très fort pour les enfants qui peuvent s'y amuser pendant des heures. Il faut toutefois faire preuve de beaucoup de prudence et exercer une surveillance constante: un accident est bien vite arrivé. Le mieux qu'on puisse faire, c'est qu'un adulte accompagne les enfants dans l'eau, surtout les plus jeunes, et qu'il se tienne plus loin dans la mer de manière à ce que les enfants s'ébattent entre lui et la plage. Il pourra ainsi intervenir rapidement en cas de pépin.

Pour les tout-petits, il existe des couches prévues pour aller dans l'eau (*Little Swimmers*, de marque Huggies); elles

s'avèrent bien pratiques si l'on désire baigner bébé dans une piscine.

Femmes voyageant seules

Les femmes voyageant seules ne devraient pas éprouver de difficultés en prenant les précautions d'usage. Bien entendu, la plupart des hommes de culture latine ont une attitude particulière face à la gente féminine; vous vous ferez fort probablement interpeller ou siffler en circulant dans la rue. Mais il n'y a généralement pas de menace à y voir.

Une bonne façon d'éviter les ennuis est d'observer comment se comportent et s'habillent les femmes du pays que vous visitez. Adoptez une attitude modeste. Souvenez-vous que dans beaucoup de cultures, le voyageur solitaire est assez rare, d'autant plus s'il s'agit d'une femme. Ne vous surprenez donc pas des regards interrogateurs.

L'autre culture

Le choc culturel

Vous allez visiter un nouveau pays, faire connaissance avec des gens, goûter des saveurs nouvelles, sentir des odeurs inconnues, voir des choses surprenantes, bref, découvrir une culture qui n'est pas la vôtre. Cette rencontre vous apportera beaucoup, mais elle pourrait aussi vous secouer plus que vous ne le pensez. Le choc culturel peut frapper n'importe qui et n'importe où, même, parfois, pas si loin de chez soi!

Raison de plus alors si vous vous rendez en pays étranger pour demeurer sensible aux symptômes du choc culturel. Face à la façon de fonctionner différente de la culture que vous abordez, vos repères habituels se révéleront sans doute inutiles. La langue et le langage vous seront peut-être inaccessibles, les croyances vous sembleront peut-être insondables, les habitudes incompréhensibles, les gens inabordables et certaines choses vous paraîtront peut-être inacceptables au premier abord. Pas de panique, l'être humain peut faire preuve d'une grande adaptation. Mais il faut pour cela lui en donner les moyens.

N'oubliez pas que la diversité culturelle est une richesse! N'essayez pas nécessairement de retrouver vos repères habituels, mais tâchez plutôt de vous mettre dans la peau des gens qui vous entourent et de comprendre leur façon de vivre. Si vous demeurez courtois, modeste et sensible, les gens pourront sans doute vous être d'une grande aide. Le respect est une simple clé qui peut embellir beaucoup de situations. Souvenez-vous qu'il ne s'agit pas seulement de tolérer ce qui vous semble différent. Respecter veut dire beaucoup plus que cela. Qui sait, essayer de comprendre le pourquoi et le comment de tel ou tel aspect culturel pourrait bien devenir l'un de vos plus grands plaisirs de voyage!

Le tourisme responsable

L'aventure du voyage risque d'être fort enrichissante pour vous. En sera-t-il autant pour vos hôtes? La question de savoir si le tourisme est bon ou mauvais pour la terre qui l'accueille soulève bien des débats. On peut facilement lister plusieurs avantages (développement d'une région, mise en valeur d'une culture, échanges, etc.), mais aussi plusieurs inconvénients (aggravation de la criminalité, accroissement des inégalités, destruction de l'environnement, etc.) à l'industrie touristique. Une chose est sûre: votre passage ne restera pas sans conséquence, même si vous voyagez seul.

Bien sûr, cela est évident quand on parle d'environnement. Vous devriez être aussi attentif à ne pas polluer en voyage qu'à la maison. On nous le répète assez: nous vivons tous sur la même planète! Mais lorsqu'il s'agit des aspects sociaux, culturels ou même économiques, il est difficile parfois d'évaluer notre impact. Sachez rester sensible à la réalité qui vous entoure. Interrogez-vous sur les répercussions possibles avant de commettre une action. Souvenez-vous que l'on risque d'avoir de vous une perception fort différente de celle que vous désirez projeter.

Bref, il appartient à chaque voyageur, peu importe le type de voyage qu'il choisit, de développer une conscience sociale, de se sentir responsable par rapport aux gestes qu'il fait en pays étranger. Une bonne dose de bon sens, suffisamment d'altruisme et une touche de modestie devraient être des outils utiles pour vous mener à un tourisme responsable. C'est aussi ça, le plaisir de mieux voyager!...

Lois et coutumes à l'étranger

Il n'est pas nécessaire d'apprendre par cœur le code des lois du pays que vous allez visiter. Cependant, sachez que, sur le territoire d'un État, vous êtes assujetti à ses lois même si vous n'êtes pas citoyen de cet État. Ainsi, ne tenez jamais pour acquis que quelque chose qui est permis par la loi chez vous l'est automatiquement ailleurs. De plus, n'oubliez jamais de tenir compte des différences culturelles. Certains gestes ou attitudes qui vous semblent insignifiants pourraient, dans d'autres pays, vous attirer des ennuis. Rester sensible aux coutumes de vos hôtes est sans doute le meilleur atout pour éviter les problèmes.

Décalage horaire

Le Costa Rica a six heures de moins que le méridien origine. Ce qui veut dire qu'à l'heure normale au Québec le Costa Rica a une heure de moins. Il a sept heures de moins que

La Semaine sainte

Au Costa Rica, la Semaine sainte correspond souvent aux derniers jours de la belle saison. De plus, durant cette semaine qui précède la fête de Pâques, la plupart des travailleurs sont en congé. Ainsi, si plusieurs d'entre eux en profitent pour resserrer leurs liens spirituels, plus d'un décide plutôt de prendre la poudre d'escampette et de mettre à profit ces derniers congés ensoleillés pour jouir des plages. Donc, il vous faut absolument retenir, si vous voyagez pendant cette semaine, que la plupart des commerces et bureaux de tout le pays sont fermés et que les plages et hôtels côtiers sont bondés! Cela dit, vous pourrez en profiter pour admirer les belles processions qui défilent durant cette période!

Personnes à mobilité réduite

Le monde du tourisme s'ouvre de plus en plus aux personnes à mobilité réduite. Le Costa Rica ne fait pas exception; cependant, en dehors des stations touristiques, l'aménagement de l'espace ne tient pas vraiment compte de cette clientèle.

Un organisme sans but lucratif a d'ailleurs vu le jour, FAUNA (Fundación para el Acceso Universal a la Naturaleza – Fondation pour l'accès universel à la nature), qui se consacre spécifiquement à rendre les beautés du pays accessibles à tous. Pour de plus amples renseignements, écrivez à la responsable, Monic Chabot *(chabote@ racsa.co.cr)*.

les pays d'Europe de l'Ouest. À noter que le Costa Rica n'adopte jamais d'heure dite d'été durant l'année (heure avancée par rapport à l'heure normale).

Heures d'ouverture

Les banques ouvrent du lundi au vendredi de 9h à 15h. Les bureaux gouvernementaux sont ouverts du lundi au vendredi de 8h à 16h, alors que les bureaux privés restent normalement ouverts jusqu'à 18h.

Les commerces sont pour la plupart ouverts du lundi au samedi de 9h à 18h et restent fermés le dimanche.

Vie gay

Plus que tout autre pays de la région, le Costa Rica a une réputation de belle ouverture. Un certain nombre d'hôtels et de commerces à clientèle gay ou mixte ont essaimé un peu partout au pays. Il est donc de plus en plus facile pour les homosexuels de l'étranger de venir vivre des vacances taillées sur mesure pour eux. Vous pouvez vous procurer le magazine gay **Gente 10**, proposé un peu partout au pays.

Divers

Services religieux

Le catholicisme est la religion officielle du pays; cependant, la liberté de culte est reconnue au Costa Rica. Demandez au personnel de votre hôtel la liste des lieux de culte, et consultez les journaux pour connaître l'horaire des offices. Évidemment, plus vous vous éloignerez de la Vallée centrale, plus les occasions de voir célébrer une messe autre que catholique se feront rares. Sur la côte Caraïbe, il y a une certaine présence de temples protestants.

Renseignements généraux

Électricité

Le courant régulier est de 110 volts, 60 cycles, comme en Amérique du Nord. Il n'y a pas toujours de mise à terre (le troisième trou) dans les fiches du pays, alors apportez les adaptateurs appropriés pour votre voyage.

Associations d'intérêt

Voici une petite liste d'associations et de mouvements sociaux d'intérêt qui ont un bureau au Costa Rica.

Club ornithologique du Costa Rica
☎267-7197

Club d'œnologie du Costa Rica
☎228-9666

Club canadien du Costa Rica
☎282-5580

Alianza Francesa
lun-ven 10h à 12h et 15h à 18h30, sam 10h à 12h
Calle 5, Av. 7

Poids et mesures

Le système international SI prévaut au Costa Rica; tout le système des poids et mesures est donc métrique.

Plein air

L e Costa Rica

est un véritable paradis pour tout amateur d'activités de plein air.

V ous pourrez y pratiquer presque toutes les activités possibles ou imaginables, car ce pays est résolument moderne en ce qui a trait au plein air. Les nombreux guides et agences que nous avons côtoyés étaient, pour la grande majorité, très professionnels, ponctuels, tournés vers la sécurité, respectueux de la flore et de la faune, et attentifs aux remarques et conseils des clients. Les Costariciens et Costariciennes sont des gens fiers, honnêtes et courtois, et l'on sent dès le premier contact qu'ils ont à cœur de vous faire apprécier l'activité à laquelle vous vous êtes inscrit.

D ans chacun des chapitres du guide, nous vous suggérons des activités de plein air, des agences ainsi que des lieux (notamment les parcs nationaux) où les mots «nature» et «aventure» vont de pair. Voici un survol des principales activités de plein air que vous pourrez pratiquer

lors de votre séjour au Costa Rica, où l'expression favorite, *Pura vida*, traduite littéralement par «pure vie», prend tout son sens.

Parcs

Le Costa Rica compte 23 parcs nationaux, correspondant à environ 12% de la superficie totale du pays. À cela, il faut ajouter neuf réserves écologiques, 30 réserves nationales de faune, 12 réserves forestières, 30 zones protégées et 12 marécages. Ainsi, le

pourcentage de territoires protégés atteint 25%. De plus, le pays renferme un nombre sans cesse grandissant de réserves privées qui viennent gonfler ce pourcentage, le plus haut de la planète.

Depuis la fin de 1995, le réseau des parcs nationaux a été complètement restructuré, de façon à décentraliser les ressources propres à chacune des régions. Les parcs sont gérés par le **SINAC** (Sistema Nacional de Areas de Conservación) et relèvent du **MINAE** (Ministerio de Ambiente y Energía). Le pays a été divisé en 11 régions, correspondant à 11 aires de conservation (*areas de conservación*) regroupant les différents parcs. Ainsi, on trouve normalement un bureau d'information dans une ville d'importance de chacune de ces régions.

Le touriste parcourant les différents parcs nationaux du Costa Rica se rendra compte qu'il y a des différences considérables entre ceux-ci. Il ne faut donc pas s'attendre à obtenir les mêmes services d'un parc à l'autre, comme c'est habituellement le cas pour les parcs nationaux au Canada ou aux États-Unis, où des normes en matière d'aménagement sont établies. L'accueil, le logement, les terrains de camping, les aires de pique-nique, les cartes et les réseaux de sentiers pédestres, par exemple, varient passablement d'un parc à l'autre, tout comme le chemin d'accès, qui, très

souvent, n'est pas revêtu ou uniquement praticable en véhicule à quatre roues motrices.

Bien sûr, chaque parc national possède ses caractéristiques propres, ses attraits particuliers et ses beautés naturelles uniques, mais, malgré cela, il y a des parcs qui se démarquent des autres et qu'il faut prévilégier, lorsque viendra le temps pour vous de choisir le ou les parcs que vous visiterez lors de votre séjour. Dans le guide, les parcs sont considérés comme des attraits touristiques, et nous leur avons octroyé une classification (★, ★★ ou ★★★) selon notre appréciation. Ainsi, les parcs **Rincón de la Vieja**, **Chirripó**, **Tortuguero**, **Corcovado** et **Irazú** sont des incontournables où vous êtes assuré d'être émerveillé par la beauté

des lieux, de même que par la flore et la faune qu'ils abritent.

La fréquentation des parcs nationaux varie également beaucoup d'un lieu à l'autre. Ainsi, en 1996, alors que le Parque Nacional Barra Honda ne recevait que 1 265 visiteurs (21e rang), le Parque Nacional Volcán Poás accueillait près de 175 000 personnes (1er rang). Au total, cette année-là, les différents parcs nationaux furent fréquentés par 658 657 visiteurs, dont 389 883 résidants et 268 774 étrangers. À eux seuls, les parcs du volcan Poás, Manuel Antonio et du volcan Irazú comptent pour plus de la moitié du total des visiteurs.

Afin d'éviter des problèmes environnementaux à la faune et à la flore de certains parcs et réserves, on instaura également une limite du nombre de visiteurs. Ainsi, les parcs du volcan Poás, Manuel Antonio, du volcan Irazú. Tortuguero et Carara, se virent imposer un nombre maximal de visiteurs dans le site ou dans certains sentiers.

Bandera Azul Ecológica

L'Instituto Costarricense de Turismo (ICT) a mis sur pied un programme original de contrôle de l'état des plages du pays, pour éviter le plus possible les effets néfastes d'un développement touristique effréné. La distinction «Bandera Azul Ecológica» est octroyée aux communautés côtières qui travaillent à sauvegar-

der l'environnement en préservant les conditions sanitaires nécessaires. Mais plus que cela, le «drapeau bleu» signifie que des groupes y font un travail de sensibilisation auprès du reste de la communauté afin que tous contribuent à garder les plages propres et sécuritaires.

Les droits d'accès pour chacun des parcs nationaux sont de **6$** par personne pour les étrangers et de 0,85$ pour les résidants. Ces droits d'accès ont été durement contestés en 1994, alors qu'ils sont passés de moins de 2$ par personne à 15$ par personne! À ce prix, les visiteurs étrangers désertèrent les parcs nationaux, et l'on enregistra de fortes baisses de fréquentation.

Parcs et réserves naturelles

0   50   100km

©ULYSSE

1. Estación Biológica La Selva
2. Jardín Botánico Las Cusingas
3. Parque Internacional La Amistad
4. Parque Nacional Arenal
5. Parque Nacional Barra Honda
6. Parque Nacional Braulio Carrillo
7. Parque Nacional Cahuita
8. Parque Nacional Chirripó
9. Parque Nacional Corcovado
10. Parque Nacional Guanacaste
11. Parque Nacional Isla del Coco
12. Parque Nacional Juan Castro Blanco
13. Parque Nacional Manuel Antonio
14. Parque Nacional Marino Ballena
15. Parque Nacional Marino Las Baulas de
    Guanacaste
16. Parque Nacional Palo Verde
17. Parque Nacional Rincón de la Vieja
18. Parque Nacional Santa Rosa
19. Parque Nacional Tortuguero
20. Parque Nacional Volcán Irazú
21. Parque Nacional Volcán Poás
22. Refugio Nacional Bahía Junquillal
23. Refugio Nacional de Fauna Silvestre Barra
    del Colorado
24. Refugio Nacional de Fauna Silvestre Curú

25. Refugio Nacional de Fauna Silvestre Golfito
26. Refugio Nacional de Fauna Silvestre Isla
    Bolaños
27. Refugio Nacional de Fauna Silvestre
    Ostional
28. Refugio Nacional de Fauna Silvestre Tapantí
29. Refugio Nacional de Vida Silvestre Caño
    Negro
30. Refugio Nacional de Vida Silvestre
    Gandoca-Manzanillo
31. Refugio Silvestre Peñas Blancas
32. Reserva Biológica Bosque Nuboso
    Monteverde
33. Reserva Biológica Carara
34. Reserva Biológica de Nosara
35. Reserva Biológica Hitoy-Cerere
36. Reserva Biológica Isla del Caño
37. Reserva Biológica Isla Guayabo
38. Reserva Biológica Isla Negrito
39. Reserva Biológica Isla Pájaros
40. Reserva Biológica Lomas Barbudal
41. Reserva Biológica Oro Verde
42. Reserva del Bosque Nuboso del Colegio de
    Santa Elena
43. Reserva Natural Absoluta Cabo Blanco
44. Wilson Botanical Gardens

En avril 1996, le gouvernement décida de ramener ces droits à 6$. De plus, le gouvernement étudie en ce moment la possibilité de varier les droits d'entrée dans les parcs en fonction de leur importance respective.

Voici quelques prix pour différents services obtenus dans les divers parcs nationaux du pays:

● Coucher dans un des refuges ou dans une maison de gardiens (2$ par personne par nuitée)

● Coucher dans les chambres de type dortoir du Parque Nacional Santa Rosa (20$ par personne par nuitée)

● Camper dans un terrain de camping (2$ par personne par jour)

● Utiliser une salle de conférences (15$ par jour)

● Utiliser les raccords pour un ordinateur (2$ par jour)

● Utiliser un laboratoire (2$ par jour)

● Obtenir un permis pour pratiquer la plongée sous-marine dans les zones réservées (5$ par personne par jour)

● Stationner (voiture 0,45$, minibus 0,65$, autocar 1,05$ par jour) lorsque cela n'est pas gratuit.

● Louer les services d'un guide du service des parcs nationaux (5$ l'heure).

Ressac

Il apparaît nécessaire de porter une vive attention aux vagues et à leur puissant contre-courant (ressac) qui font chaque année des centaines de victimes sur les côtes du pays. S'il vous arrivait d'être pris dans un ressac puissant, souvenez-vous qu'il ne sert à rien de vous débattre. Le courant est plus fort que vous. Laissez-vous plutôt emporter vers le large malgré vos réticences. Vous sortirez ainsi du courant sans perdre vos forces. Une fois revenu dans un endroit calme, recommencez à vous diriger vers la côte, mais en nageant en diagonale. Si vous allez droit sur la côte, vous serez confronté une fois de plus à la force du ressac. En nageant en diagonale, il vous sera plus facile d'arriver à franchir le ressac.

Information: dans le guide, nous avons inscrit le numéro de téléphone du centre d'accueil ou du bureau administratif des parcs pour chacune des régions.

Pour des renseignements généraux sur tous les parcs nationaux, composez sans frais, de partout au Costa Rica, le ☎192. À San José, vous pouvez joindre les bureaux du **Sistema Nacional de Areas de Conservación** ou **SINAC** (☎283-8004, ≈283-7343).

La **Fundación de Parques Nacionales** ou **FPN** (Av. 15, Calle 23/25, près de l'église Santa Terisita, ☎257-2239, ≈222-4732) est l'endroit par excellence où se rendre pour obtenir de l'information et des conseils concernant les parcs nationaux. Les employés sont très sympathiques, dévoués, et certains d'entre eux parlent l'anglais (entre autres Alexia).

Activités de plein air

Baignade

Le Costa Rica compte des dizaines de plages paradisiaques où il fait bon se baigner dans l'eau salée et chaude, parfois presque trop chaude, de l'océan Pacifique ou de la mer des Caraïbes. Certaines plages du pays sont réputées mondialement pour la pratique du surf, et les vagues qu'on y trouve sont souvent fortes et brutales. Ainsi, rappelez-vous qu'habituellement les plages de surf ne sont pas synonymes de baignade en famille.

Si vous êtes à la plage avec des enfants, nous vous recommandons fortement de toujours les accompagner dans l'eau, ou du moins de garder constamment un œil sur eux. À certains endroits, les vagues viennent se briser presque sur la plage, et il arrive parfois que des enfants, et même des adultes, soient projetés violemment au sol par une vague soudaine.

Rafting

Si vous n'avez jamais pratiqué le rafting, sachez que le Costa Rica est reconnu comme étant l'un des pays possédant les plus belles rivières du monde pour la pratique de ce sport. Comme il y a des sections de rivière qui sont très planes et d'autres très accidentées, vous avez l'embarras du choix et pouvez opter pour une petite promenade d'observation de la nature ou pour une descente folle et exigeante.

Le **Río Pacuare** est tout simplement considéré

comme la rivière la plus formidable et la plus belle sous les tropiques. Parcourant une forêt sauvage, où l'on rencontre de multiples cascades d'eau, le Río Pacuare se resserre dans un étroit et splendide canyon propice à la baignade. La descente est jugée modérée (classes III et IV), mais les débutants ayant une forme physique adéquate et un goût de l'aventure s'y régaleront. À noter que ce canyon est menacé, car on prévoit y construire un barrage hydroélectrique, ce qui mettra assurément fin au rafting!

Une autre rivière retient également la faveur des adeptes de cette activité aquatique. Il s'agit du **Río Reventazón**, qui coule parallèlement au Río Pacuare, tout juste au nord-ouest de ce dernier. On y trouve une section facile (classes II et III), où les débutants s'initieront sans crainte, ainsi que des sections très difficiles (classes IV et V), qui sauront tenir en haleine les plus mordus.

Parmi les autres rivières où la descente est excellente, mentionnons le **Río Corobicí**, le **Río Sarapiquí**, le **Río Peñas Blancas** et le **Río Chirripó**. Le Río Corobicí, situé dans la province du Guanacaste, offre une longue section très facile et constitue un véritable paradis pour les ornithologues qui auront tout le temps d'observer des dizaines d'espèces d'oiseaux, en plus des iguanes, des singes et des caïmans qu'on y trouve.

Équitation

Vous serez étonné de constater qu'il y a beaucoup de chevaux au Costa Rica, particulièrement dans la province du Guanacaste, que l'on surnomme le Far West costaricien. Or, étant donné que les voitures coûtent passablement cher, que les routes sont souvent non revêtues et défoncées, et que les distances entre les villes ou les villages sont relativement courtes, nombre de Costariciens utilisent le cheval comme mode de transport, notamment à la campagne et en montagne.

Il est donc facile, partout dans le pays, de trouver un endroit où on loue des chevaux. Il faut par contre être vigilant car, si les Costariciens sont d'excellents cavaliers, les touristes de passage en sont souvent à leur première expérience. Il faut se renseigner (habituellement à son hôtel) afin d'être certain d'obtenir des chevaux dociles et habitués à ce genre de travail.

De plus, sachez que les Costariciens n'utilisent pas de mors dans la gueule du cheval, cette sorte de levier servant à le diriger. Certains touristes nous ont indiqué que l'absence de cette pièce leur avait laissé croire qu'ils n'avaient pas la maîtrise absolue de l'animal. Enfin, souvenez-vous qu'il fait souvent excessivement chaud (autour de 35°C) le long des plages et des côtes, et que les chevaux peuvent, tout comme vous, être accablés de chaleur. Si vous partez en excursion pour plusieurs heures, demandez au responsable les règles à suivre (moments de repos, eau, etc.) et ménagez votre monture.

Golf

Comme partout en Amérique du Nord et en Europe, le golf fait sans cesse de nouveaux adeptes au Costa Rica. Alors qu'il y a seulement quelques années on ne trouvait presque pas de terrains de golf dans le pays, quatre nouveaux terrains ont vu le jour entre 1996 et 1998, et plusieurs autres devraient en faire de même au cours des prochaines années. Si certains terrains sont situés dans la Vallée centrale et près de San José, d'autres ont admirablement été construits près de la mer. C'est notamment le cas pour les terrains de **Playa Tambor**, **Playa Grande** et **Playa Conchal**.

Afin d'obtenir de l'information sur les terrains de golf du pays et de connaître l'emplacement des nouveaux terrains, communiquez avec **Costa Rica Golf Adventures** (☎/≈446-5547).

Kayak

Les amoureux du kayak de rivière s'en donneront à cœur joie sur les nombreuses rivières du Costa Rica. Parmi celles-ci, le **Río Pacuare** et le **Río Reventazón**, près de la ville de Siquirres (province de Limón), le **Río Corobicí**, près de Cañas (Guanacaste), le **Río Sarapiquí**, près de Puerto Viejo (Heredia), le **Río Peñas Blancas** et le **Río Chirripó**, près de San Isidro de El General (Puntarenas), se prêtent à merveille à la pratique de cette activité. Cependant, comme ces rivières demeurent des hauts lieux du rafting, vous y trouverez parfois une multitude d'adeptes à toute heure du jour.

Le kayak de mer gagne de plus en plus en popularité au Costa Rica. Il faut bien dire que le pays est baigné par deux océans (Atlantique et Pacifique) et qu'avec ses 1 228 km de côtes le Costa Rica a un potentiel énorme et encore peu exploité. La **péninsule de Nicoya** (sur la côte Pacifique nord) et la **péninsule d'Osa** (sur la côte Pacifique sud) offrent des eaux plus calmes où les kayakistes peuvent découvrir ce sport merveilleux, pour un

contact étroit et intime avec la mer.

Observation de la faune

La consigne est toute simple: ouvrez l'œil et tendez l'oreille en silence! Le Costa Rica est un véritable paradis faunique qui saura vous charmer et vous faire apprécier la nature et l'importance de la préserver. Les singes, les tortues de mer, les coatis, les agoutis, les paresseux, les cerfs de Virginie, les iguanes, les lézards, les caïmans, les crocodiles, les grenouilles et les papillons comptent parmi les animaux les plus fréquemment observés au pays, et particulièrement dans les parcs nationaux et les réserves.

Bien que l'on trouve des milliers d'espèces de mammifères, de papillons, de reptiles, d'insectes, de poissons et d'amphibiens au Costa Rica, plusieurs voyageurs ont exprimé le regret de n'avoir presque rien observé lors de leur séjour dans un des lieux sauvages du pays. Il faut mentionner qu'un très grand nombre de ces animaux, ayant développé

l'art du camouflage, se tiennent à l'écart de l'être humain ou ne sortent qu'une fois la nuit tombée. C'est pourquoi **nous vous recommandons fortement de louer les services d'un guide naturaliste** qui saura vous montrer des dizaines d'animaux (il en connaît bien les lieux préférés) et répondre à toutes vos questions.

Observation des oiseaux

Avec ses 850 espèces d'oiseaux, le Costa Rica est sans contredit l'un des hauts lieux ornithologiques de la planète. On vient de partout dans le monde pour observer le fameux **quetzal** (*Pharomachrus mocinno*), que l'on trouve encore assez facilement dans la réserve de **Monteverde**, ainsi que le spectaculaire et coloré **ara écarlate** (*Ara macao*), qui en est réduit presque exclusivement à la réserve de **Carara** et à la **péninsule d'Osa** (notamment dans le Parque Nacional Corcovado).

Tout comme pour la faune, nous vous recommandons de louer les services d'un guide naturaliste afin de maximiser vos chances d'observer le plus grand nombre d'espèces d'oiseaux lors d'une sortie. La forêt est tellement dense, les arbres étant recouverts de mousses, de lianes et de plantes épiphytes de toutes sortes, qu'il peut être extrêmement difficile à l'œil non averti de

repérer certains oiseaux. Et surtout, n'oubliez pas vos jumelles!

Pêche sportive

Avec ses nombreuses rivières de montagne et ses quelques lacs, dont le lac Arenal, le plus grand du pays, vous pourrez pratiquer la pêche sportive en eau douce et tenter de capturer quelques truites arc-en-ciel ou perches arc-en-ciel.

Mais avec l'océan Pacifique d'un côté et la mer des Caraïbes de l'autre, le Costa Rica a acquis une réputation internationale en ce qui a trait à la pêche sportive en haute mer. Vous pourrez capturer entre autres des espadons, des tarpons, des brochets, des marlins, des requins, des voiliers, des maquereaux, des thons et des dorades. La pêche au **tarpon**, dont la saison s'étend habituellement entre les mois de janvier et de mai sur la côte Caraïbe, est réputée être excellente près de Tortuguero. Ce poisson énorme, qui pèse plus de 35 kg en moyenne, est extrêmement combatif et livre une bataille tout aussi épuisante que mémorable.

Planche à voile

Les véliplanchistes du monde entier se donnent rendez-vous au superbe

lac Arenal, situé tout juste à l'ouest du volcan Arenal (1 633 m), l'un des volcans les plus actifs de la planète. Mesurant 39 km de longueur sur 5 km de largeur, le lac Arenal est le plus grand lac du Costa Rica. D'excellents vents y sont propices à la planche à voile, et l'endroit est considéré comme le meilleur plan d'eau douce pour la planche à voile en Amérique centrale.

Plongée sous-marine et plongée-tuba

Avec la côte du Pacifique, qui s'étend sur 1 016 km, et celle de l'Atlantique, beaucoup plus petite, qui s'étire sur 212 km, le Costa Rica possède de nombreuses plages et falaises d'où vous pourrez pratiquer la plongée sous-marine et la plongée-tuba. Le sud de la côte Atlantique, entre Cahuita et Manzanillo, abrite de superbes récifs de corail. Certaines îles du Pacifique, dont l'Isla del Caño, l'Isla del Coco, l'Isla Ballena et l'Isla Tortuga, de même que d'innombrables baies de la péninsule de Nicoya (Guanascaste), se prêtent magnifiquement bien à la plongée sous-marine et à la plongée-tuba. Plusieurs agences donnent des cours d'initiation ou de perfectionnement et proposent des sorties en mer.

Randonnée pédestre

La randonnée pédestre constitue le meilleur moyen de découvrir les parcs, les réserves et les territoires sauvages du Costa Rica. Comme le pays est petit et que plusieurs chaînes de montagnes le traversent en entier du nord au sud, les randonnées en montagne sont particulièrement spectaculaires et vivifiantes. Vous y verrez des volcans imposants (Rincón de la Vieja, Arenal, Irazú, Poás, etc.) ainsi que des montagnes qui dépassent les 3 000 m d'altitude (Chirripó, Urán, etc.). Certains parcs permettent d'effectuer d'agréables randonnées en bordure de mer (Corcovado, Manuel Antonio, Cabo Blanco, Santa Rosa, Cahuita, Gandoca-Manzanillo, etc.), où la difficulté ne réside pas dans l'effort déployé pour grimper un sentier abrupt, mais dans la façon de s'y prendre pour que la chaleur, parfois suffocante, et l'humidité ne viennent à bout de notre ardeur à marcher. Heureusement, il y a presque toujours une plage pour se rafraîchir quelque peu.

De tous les parcs et réserves que nous avons visités, une grande majorité d'entre eux offraient un petit réseau de sentiers pédestres, mais peu proposaient un large éventail de parcours. Ainsi, nous en sommes venus à la conclusion que les parcs **Chirripó**, **Rincón de la**

Vieja, **Corcovado** et **Monteverde**, constituaient les plus merveilleux sites où pratiquer la randonnée pédestre.

Saut à l'élastique (*bungie*)

Le saut à l'élastique, communément appelé *bungie*, a fait son apparition au Costa Rica il y a quelques années seulement. Si vous désirez vous lancer dans le vide du haut d'un pont, solidement harnaché aux pieds, il n'y a qu'une seule entreprise dans le pays qui propose ce genre d'activité (*Tropical Bungee, ☎/≠248-2212*). Les sauts sont effectués du haut du pont qui enjambe le **Río Colorado**, à environ une heure de voiture de San José, et il en coûte 50$ pour le premier saut, 25$ pour les sauts suivants.

Surf

Le Costa Rica offre de nombreuses plages pour la pratique du surf, tant du côté du Pacifique que du côté de la mer des Caraïbes. Si certaines plages demeurent propices à l'apprentissage de ce sport, d'autres sont destinées aux inconditionnels qui viennent des quatre coins de la planète pour y assouvir leur soif de vagues démesurées.

Parmi les plages les plus populaires où vous aurez la chance d'admirer de véritables prodiges du surf, mentionnons celles de **Salsa Brava**, **Naranjo** (Witch's Rock), **Tamarindo**, **Mal País**, **Hermosa**, **Dominical**, **Matapalo** et **Pavones**. La plage de Pavones est d'ailleurs considérée comme l'un des endroits présentant les plus longues vagues du monde.

Vélo

Les petites routes du Costa Rica se prêtent bien à la randonnée à vélo. Paradoxalement, les nombreux trous qu'on y trouve rendent la circulation automobile moins rapide et, par le fait même, permettent aux cyclistes de faire des randonnées plus sécuritaires. Notez que bon nombre de ces routes ne sont pas revêtues; il faut donc privilégier le vélo de montagne. En revanche, dès que l'on sort de la Vallée centrale, il peut faire très chaud, et cette chaleur accablante empêche souvent le randonneur de bonne volonté d'effectuer de longues randonnées. Ceux qui recherchent un défi de taille pour leurs mollets peuvent s'attaquer à la montée du **volcan Irazú** (3 432 m), situé à environ 30 km au nord de la ville de Cartago (Vallée centrale).

Excursions
dans la canopée

Les excursions dans la canopée sont une activité qui se développe considérablement au Costa Rica. Elles consistent à grimper au sommet d'un ou de plusieurs grands arbres. À la cime de ces derniers, qui dominent la canopée, des plates-formes sont solidement fixées. Certaines agences de tourisme proposent au visiteur de se déplacer d'une plate-forme à l'autre grâce à un système de câbles et poulies. Pour les moins téméraires, d'autres agences organisent un tour qui consiste à demeurer sur une plate-forme ou à se déplacer sur des ponts suspendus ou dans des sièges électriques, pour observer tranquillement la faune et la flore environnantes (singes, perroquets, toucans, orchidées, etc.). On pratique cette activité dans presque toutes les régions du pays.

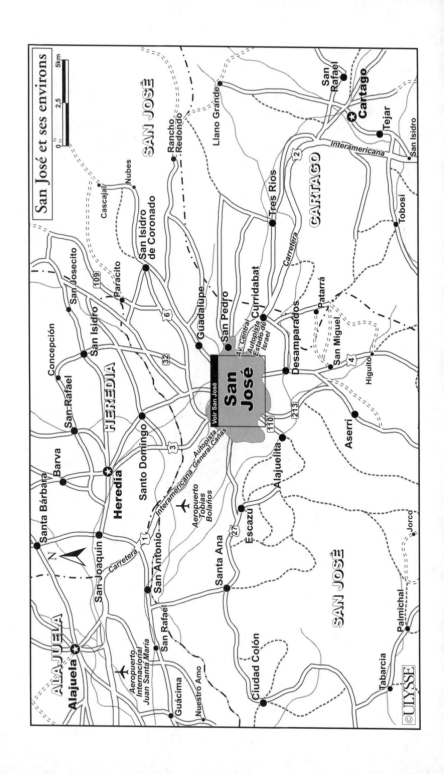

San José et ses environs

San José

La première chose
qui frappe dans la capitale de ce beau pays qu'est le Costa Rica, c'est le sentiment d'être assez loin de la nature...

En effet, à première vue, **San José ★★** semble bruyante et enfumée, et son apparence n'est pas spectaculaire. C'est que San José doit être vécue sur une certaine période. Bien sûr, la ville n'a pas tout à fait le charme des anciennes villes coloniales, non plus l'apparence d'une mégalopole nord-américaine au profil si caractéristique. Mais San José est des plus vivantes. C'est en effet à San José que vous pourrez sortir tous les soirs; à San José encore que vous vous sentirez en sécurité dans une rue piétonne noire de monde tout en savourant une glace délectable; à San José enfin que vous pourrez goûter aux vifs plaisirs de l'activité culturelle du pays de même que succomber aux délices de sa cuisine internationale.

San José n'est la capitale du Costa Rica que depuis le XIXᵉ siècle, ravissant en cela la place à Cartago, plus vieille et plus historique, à la suite d'une

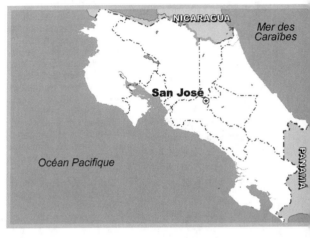

courte guerre civile qui devait décider de l'indépendance du pays. Depuis le début du XXᵉ siècle, elle n'aura de cesse de croître jusqu'à constituer à elle seule, avec son million d'habitants, banlieue comprise, près du tiers de la population costaricienne d'aujourd'hui. San José est donc une ville qui grandit vite – elle est la seule ville de cette dimension dans tout le pays –, avec tout ce que cela suppose d'activités quelquefois débridées.

Géographiquement, le statut de capitale est parfaitement approprié à San José. La ville est en effet au cœur de tout. D'abord de la Vallée centrale, au centre de laquelle elle a étendu son espace urbain – au milieu, d'ailleurs, des autres grandes villes de la région –, puis du pays au centre duquel elle est située. De plus, un peu comme Paris, l'importance de San José est unique au Costa Rica, qu'elle a contribué à organiser économiquement (San José constitue le cœur économique du pays), structurellement (le réseau de transport public du pays est le mieux développé autour de San José, à partir de laquelle d'ailleurs il rayonne) et culturellement (la plupart des activités artistiques et culturelles de ce coin d'Amérique centrale prennent place dans la capitale).

Si l'on ajoute à cela le fait que les parcs de la Vallée ne se trouvent qu'à quelques minutes du centre de San José, on comprendra alors toute la valeur d'une visite de cette ville au cours d'un séjour au pays de la «côte riche».

Pour s'y retrouver sans mal

Pour le bénéfice des touristes, le plan de San José n'est pas très difficile à comprendre. L'essentiel du quadrillage de voies est en effet orthogonal – constitué par des *calles* (rues) dans l'axe nord-sud et par des *avenidas* (avenues) dans l'axe est-ouest –, et la grande majorité des rues et avenues de la ville ont été désignées par une numérotation ordonnée à partir du centre-ville. Ainsi l'Avenida Central croise la Calle Central au centre de la capitale et

sert de point de départ à l'agencement du réseau.

Cela est d'autant plus utile que la numérotation des habitations n'existe pratiquement pas. Il vous faudra donc vous fier au croisement des rues et avenues indiquées dans les adresses qui vous sont données pour trouver l'endroit où vous désirez aller. Les *Ticos* ajoutent souvent une référence à un lieu très connu (par exemple, Calle 5 et Avenida 7, derrière le Holiday Inn) pour aider au repérage.

Le Paseo Colón et l'Avenida 2 sont les grandes rues de pénétration au cœur de la capitale par l'ouest (c'est-à-dire par l'autoroute de l'aéroport). Retenez également que l'Avenida Central est piétonne au centre-ville.

Sachez que le secteur dit de **Coca Cola** est le secteur qui avoisine le marché central de San José, secteur bruyant et animé mais pauvre et moins recommandable le soir venu. À l'inverse, le **Barrio Amón**, au centre-nord de la ville, est le quartier historique par excellence de la ville – désigné comme tel par les autorités – où sont localisés quelques-uns des plus beaux petits hôtels de la capitale de même que beaucoup d'activités culturelles et d'établissements nocturnes. Il est difficile d'y trouver des rues absolument tranquilles cependant. Le quartier d'**Aranjuez**, plus calme et lui aussi près du cœur de la ville, commence également à voir un certain

nombre de ses résidences transformées en hôtels.

Escazú (à l'ouest de la ville), l'une des agglomérations cossues de la banlieue de San José, est un secteur quelque peu détaché physiquement de la capitale, qui profite des premiers contreforts des montagnes de la Vallée pour loger ses habitants, dont moult riches propriétaires. Un certain nombre de restaurants et d'hôtels de bonne qualité y logent à proximité de la nature. **Pavas** (où est située l'ambassade des États-Unis) abrite quelques hôtels et restaurants, mais **Sabana** en possède beaucoup plus et tire son avantage de cet immense parc récréatif qu'est le parc La Sabana. **Rohrmoser**, également un quartier cossu de la capitale, vous assure d'une grande tranquillité, mais il y a peu d'hôtels dans le secteur.

Du côté est, **San Pedro** et **Los Yoses** sont également des secteurs assez chics de San José, le premier renfermant l'Université de Costa Rica et quelques bons hôtels tranquilles, le second logeant quelques ambassades, restaurants et lieux d'hébergement intéressants. Enfin, **Tournón**, immédiatement au nord du centre-ville, abrite le fameux petit centre commercial El Pueblo et quelques hôtels.

Le long de l'autoroute General Cañas, en direction de l'aéroport international localisé à l'extérieur de San José, vous verrez s'échelonner toute une série d'hôtels de grande dimension tirant profit de vastes terrains et de la voie rapide. C'est dans cette région que se retrouve notamment le secteur de **Cariari**.

Sachez qu'il y a de la prostitution à San José, comme dans toutes les grandes villes du monde. La partie sud du parc Morazán et le secteur de Coca Cola en sont affectés, de même que la section de la Calle 7 entre l'Avenida 1 et l'Avenida 3.

Enfin, si vous désirez prendre un bain de foule, allez vous promener sur l'**Avenida Central** dans sa portion fermée à la circulation automobile, au centre-ville; elle est souvent noire de monde et d'activités.

Autobus et autocars

San José est le point de départ et d'arrivée de la plupart des circuits interurbains, régionaux et internationaux d'autocars au Costa Rica.

Un très grand nombre des départs s'effectue dans le secteur dit de Coca Cola, situé immédiatement à l'ouest du cœur de la ville et du Mercado Central. Les arrêts sont situés le long des artères entourant en quelque sorte le **Terminus Coca Cola**, situé sur l'Avenida 1 entre la Calle 16 et la Calle 18. Par exemple, sur le quadrilatère immédiatement à l'ouest du terminus, vous trouverez les autocars partant pour **Escazú** de

même que pour **Nicoya** et les plages environnantes du Guanacaste. Immédiatement à l'est, ce sont les autocars en partance pour **San Isidro de El General**, **San Ramón**, **Liberia** et **Playa del Coco** que vous trouverez. Les personnes qui désirent se rendre au **Volcán Poás**, à **Alajuela** ou encore à **Heredia** prendront leur car un peu plus au sud, sur l'Avenida 2, dans l'axe de l'Hospital San Juan de Dios. Les cars pour Alajuela, fréquents, passent également par l'**aéroport** international, si vous n'utilisez pas de navette d'hôtel. Le long de la Calle 12 en direction nord, ce sont les autocars pour **Tilarán**, **Monteverde**, **Puerto Jiménez**, **Guápiles**, **Puerto Viejo de Sarapiquí**, **San Vito**, **Playa Sámara**, **Playa Tamarindo**, **Playa Panamá** et **Playa Hermosa** que vous pourriez prendre. Le terminus Coca Cola lui-même offre les départs pour **Quepos**, **Manuel Antonio** et **Playa Jacó** de même que ceux à destination de **Ciudad Quesada** (**San Carlos**).

Ailleurs dans la ville (mais toujours au centre-ville), ce sont les départs pour **Irazú** (*Av. 2, près du Teatro Nacional*), **Cahuita** (*Calle Ctl, Av. 9/11*), **Puerto Limón** (*Av. 3, Calle 19, à l'est du Parque Nacional*), **Turrialba** (*Calle 13, Av. 6*) et **Puntarenas** (*Calle 16, Av. 10*) que vous trouverez.

Un peu plus au sud, la compagnie **Tracopa** (*Av. 18, Calle 4, ☎221-4214*) propose plusieurs départs

par jour pour le sud du pays: **Ciudad Neily**, **Golfito**, **Palmar Norte** et **San Vito**.

Quant à l'est du pays, la compagnie **Sacsa** (*Calle 5, Av. 18, ☎233-5350*) propose des départs quotidiens pour **Cartago**. Un déplacement à l'intérieur de la Vallée ne vous coûtera guère que quelques dollars, et ce, pour les destinations vraiment éloignées.

Pour une liste de coordonnées des autres principales compagnies d'autocars, voir p 41.

Quant aux **autobus urbains**, rendez-vous à l'ICT pour obtenir une liste à jour des lieux de départ, notamment pour les agglomérations de banlieue. Les arrêts sont nombreux et les passages fréquents; vous n'aurez cependant pas besoin de vous en servir pour visiter le centre-ville, où tout est facilement accessible à pied.

Taxis

Vous n'aurez pas de difficulté à trouver un taxi à San José. Les stations y sont nombreuses (par exemple, sur l'Avenida 2, près de l'édifice du Ministerio de l'Economía), et les voitures, toutes rouges avec un logo jaune sur les portes avant, circulent partout et à toute heure (voir aussi p 42).

San José

Renseignements pratiques

Renseignements touristiques

Comme nous l'avons dit précédemment, le service à la clientèle de l'**Instituto Costarricense de Turismo (ICT)** n'a pas encore atteint un taux d'efficacité très adéquat pour répondre aux questions des voyageurs. Sur la Plaza de la Cultura, un petit bureau de renseignements ouvre parfois ses portes, mais il faut généralement se rendre au siège de l'institut (*Av. 4, Calle 5/7, ☎223-1733 ou 800-012-3456*) pour obtenir les renseignements touristiques recherchés. Cependant, les hôtels de la capitale ainsi que plusieurs entreprises privées pourront vous donner les renseignements désirés. D'autre part, comme nous l'avons dit aussi, le gouvernement du pays travail constamment à l'amélioration des services aux voyageurs étrangers.

Banques et bureaux de change

Les succursales bancaires ne manquent pas à San José, particulièrement dans le cœur de la ville. Bon nombre d'entre elles comportent des guichets automatiques qui sont de vraies bénédictions pour éviter les longues files d'attente à l'entrée de la plupart des institutions financières. Évitez de faire des transactions monétaires au noir dans la rue. Les taux de change et les frais administratifs bancaires au Costa Rica ne valent pas la peine que vous risquiez de faire affaire avec de parfaits inconnus sur le trottoir.

Santé

Hospital San Juan de Dios
Av. 2, Calle 14
☎257-6282
L'Hospital San Juan de Dios est un très grand hôpital général à San José et se trouve au cœur de la ville.

Hospital San José
☎231-0433
L'Hospital San José est situé en dehors de la ville, sur l'Autopista Fenández, près de Multi Plaza.

Poste, télécopie, télégraphie et Internet

Le bureau de poste principal de San José est le **Correo Central**, situé sur la Calle 2 entre l'Avenida 1 et l'Avenida 3. Il est ouvert du lundi au vendredi de 8h à minuit et le samedi de 8h à midi. Les boîtes dans lesquelles doivent être déposées les lettres et cartes postales que vous désirez expédier se trouvent à l'entrée sur votre gauche.

Radiográfica
Av. 5, Calle Ctl/1
Vous pouvez expédier ou recevoir des messages par télécopieur à Radiográfica. En plus des cabines télé-phoniques de la rue, vous pouvez également y faire des appels téléphoniques interurbains.

Les grands hôtels offrent de plus en plus le service de connexion à Internet. L'Internet étant largement utilisé au pays, la capitale peut se targuer de posséder plusieurs cybercafés. Leur tarif est sensiblement le même et se situe autour de 2$ l'heure. Certains proposant toutefois différents forfaits. Leurs installations par contre peuvent varier beaucoup, certains alignant une série d'ordinateurs sans plus de cérémonie, d'autres faisant office de véritables petits cafés agréables à fréquenter même lorsqu'on n'a pas de message à envoyer! Parmi eux, le **CyberCafe** (*☎233-3310*), qui se trouve au sous-sol du Centro Las Arcadas, tout près de la Plaza de la Cultura, offre une ambiance conviviale et agréable.

Journaux, magazines, livres

La petite tabagie attenante au **Supermercado Yaohan** (*face à l'hôtel Coroboci*) propose bon nombre de journaux à grand tirage et périodiques en tous genres du monde occidental: *El País, Le Monde, Le Figaro, The Wall Street Journal, USA Today*. L'établissement présente également une bonne section d'ouvrages sur le Costa Rica.

Quelques grands hôtels proposent aussi une certaine sélection de journaux, de même que la

San José

0   1   2km

● ATTRAITS

1. Parque La Sabana
2. Museo de Arte Costarricense
3. Universidad de Costa Rica

○ HÉBERGEMENT

1. Aparthotel El Sesteo
2. Aparthotel La Sabana
3. Aparthotel Los Yoses
4. Aparthotel María
5. Alexandra
6. Ara Macao
7. Bergerac (R)
8. Best Western Irazú
9. Casa Las Orquídeas
10. Colours
11. Cristina
12. D'Galah
13. Don Fadrique
14. Don Paco Inn
15. Hampton Inn
16. Herradura (R)
17. Hotel Americano
18. Jacques et Helena

18. Kalexma
19. La Granja
20. Marriot
21. Melia Corobicí (R)
22. Melia Cariari
23. Palma Real
24. Parque del Lago
25. Pico Blanco Inn
26. Pine Tree Inn
27. Posada El Quijote
28. Radisson
29. Residencias de Golf
30. Rincón del Valle
31. San José Palacio
32. Tennis Club
33. Toruma
34. Villa Tournón

(R) établissement avec restaurant décrit

● RESTAURANTS

1. Antonio's
2. El Chicote
3. La Masía del Triquel
4. Las Tunas

5. Lukas
6. Pastelería Giacomín
7. Supermercado Yaohan

© ULYSSE

Librería Lehmann *(Av. Ctl, Calle 1/3,* ☎*223-1212).*

Alianza Francesa
lun-ven 10h à 12h et 15h à 18h30, sam 10h à 12h
Calle 5, Av. 7
Vous pouvez également aller à la médiathèque de l'Alianza Francesa pour feuilleter les journaux francophones d'Europe.

Attraits touristiques

Le trajet proposé pour visiter San José commence à l'extrémité ouest de la ville, à la frange du parc métropolitain La Sabana, continue en direction du centre de la ville par son côté nord, puis se prolonge vers l'est en passant par le quartier d'Amón, pour revenir par la suite au cœur de la ville. La visite se termine par une promenade du côté sud dans le secteur du Paseo de los Estudiantes.

Le **Parque La Sabana** ★ occupe une place spéciale dans le cœur des *Josefinos*. D'abord, sa très grande superficie en fait un parc récréatif métropolitain pour la capitale. Ensuite, ses nombreuses installations sportives (piscine olympique, sentiers pédestres et pistes de jogging, courts de tennis, terrains de volley-ball, de basket-ball, de football et de base-ball, palestre, stade et autres), s'ajoutant aux nombreuses aires de repos et de détente sous les arbres de grande ramure ou au bord du lac artificiel,

sont uniques dans la région urbaine de San José. Qui plus est, le Museo de Arte Costarricense s'est installé sur le Paseo Colón qui entre dans la ville. Enfin, l'histoire de son aménagement à partir du terrain d'un ancien aéroport de la ville frappe l'imagination. L'importance de ce parc est telle qu'il donne son nom à tout le secteur à l'intérieur duquel il est localisé.

Le **Museo de Arte Costarricense** ★★ *(2$; mar-dim 10h à 17h; Calle 42, face au Paseo Colón dans le parc La Sabana,* ☎*222-7155)* expose les œuvres des meilleurs artistes du pays. Le Salón Dorado du musée présente parfois des concerts de musique de chambre.

L'**Hospital San Juan de Dios** *(Calle 14, en face de l'Avenida 2)*, créé en 1855, est un grand centre hospitalier au cœur de San José. Il ferme en quelque sorte le côté ouest du centre-ville de la capitale, dont la visite s'effectue aisément à pied, et est d'autant plus intéressant que même les sections plus récentes se marient bien avec l'architecture plus ancienne et plus manuéline de l'ancienne partie.

Un panneau situé sur la place extérieure devant l'**Iglesia de la Merced** *(Av. 2, Calle 10/12)* explique les origines de cette église de style gothique éclectique datée de 1894. Malheureusement, un grillage empêche d'accéder à l'ensemble du vaste terrain

de verdure, assez rare au centre-ville.

Le **Mercado Central** ★★ *(Av. 1/Ctl, Calle 6/8)* est un marché couvert relativement dense où les voies de circulation piétonne, étroites et grouillantes de gens, sont enserrées par de nombreux petits commerces: *sodas*, comptoirs de vêtements et d'accessoires, magasins d'alimentation et de fleurs, etc. L'animation y est permanente, et c'est assurément un excellent moyen de se mêler au quotidien des Costariciens. À l'entrée sud-est du marché *(Av. 1, Calle 6)*, des panneaux honorent la mémoire de personnalités politiques costariciennes.

En face du Mercado Central, il y a aussi le **Mercado de Carnes** (littéralement le marché des viandes), qui abrite toute une série de petits comptoirs de charcuterie et de boucherie.

Dans l'axe de la Calle 4 vers le nord depuis l'Avenida 5, vous avez une très belle perspective sur l'ancien pénitencier de San José, qui loge dorénavant le centre culturel et muséal du Costa Rica: le **Centro Costarricense de la Ciencia y la Cultura** ★★★. Cette forteresse, avec ses remparts crénelés et ses tours qui flanquent l'entrée, offre un joli spectacle aux passants la nuit, alors que l'ensemble de l'édifice est éclairé. Le **Museo de los Niños** *(mer-ven 10h à 12h et 14h à 17h, sam-dim 10h à 13h et 14h à 17h;* ☎*258-4929)*, unique en Amérique centrale, vaut le déplacement

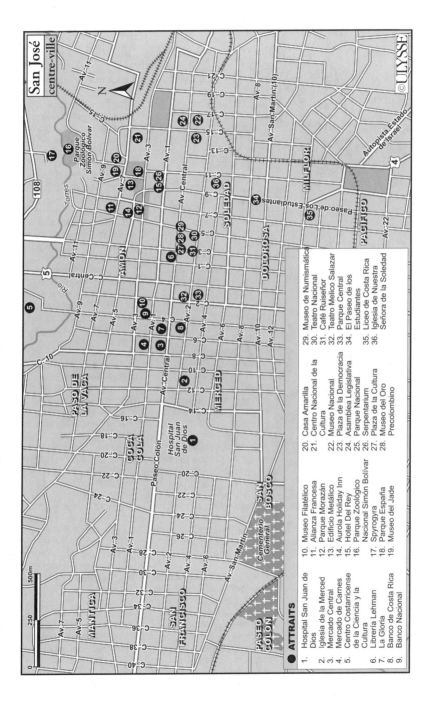

San José
centre-ville

© ULYSSE

● ATTRAITS

1. Hospital San Juan de Dios
2. Iglesia de la Merced
3. Mercado Central
4. Mercado de Carnes
5. Centro Costarricense de la Ciencia y la Cultura
6. Librería Lehman
7. La Gloria
8. Banco de Costa Rica
9. Banco Nacional
10. Museo Filatélico
11. Alianza Francesa
12. Parque Morazán
13. Edificio Metálico
14. Aurola Holiday Inn
15. Hotel Del Rey
16. Parque Zoológico Nacional Simón Bolívar
17. Spyrogyra
18. Parque España
19. Museo del Jade
20. Casa Amarilla
21. Centro Nacional de la Cultura
22. Museo Nacional
23. Plaza de la Democracia
24. Asamblea Legislativa
25. Parque Nacional
26. Serpentarium
27. Plaza de la Cultura
28. Museo del Oro Precolombino
29. Museo de Numismática
30. Teatro Nacional
31. Café Ruiseñor
32. Teatro Melico Salazar
33. Parque Central
34. El Paseo de los Estudiantes
35. Liceo de Costa Rica
36. Iglesia de Nuestra Señora de la Soledad

Parque Morazán

même si vous n'êtes plus un enfant; ses nombreuses expositions thématiques qui couvrent toutes sortes de domaines du savoir sont en effet très instructives, d'autant plus que leur présentation est interactive et imagée.

La **Librería Lehmann** *(Av. Ctl, Calle 1/3)* est aménagée dans un édifice de style Beaux-Arts qui pourrait être avantageusement mis en valeur.

La succursale du centre-ville du magasin à rayons **La Gloria** *(Av. Ctl, Calle 4/6)* vaut la peine d'être visitée pour le style des années 1960 que le magasin arbore encore.

L'édifice principal du **Banco de Costa Rica** *(Av. 2, Calle 4/6)* est un exemple intéressant d'architecture monumentale internationale des années 1960 et 1970 comme seule une entreprise de la stature de cette banque a pu faire construire pour souligner son importance dans le paysage urbain de San José. Sa devanture de marbre noir donne de la noblesse à l'édifice. Un ascenseur emmène les visiteurs au huitième étage pour une vue intéressante sur la ville, étant donné que les édifices en hauteur ne sont pas légion à San José.

Outre qu'il soit le plus haut édifice de la ville, le principal intérêt du **Banco Nacional** *(Av. 1, Calle 2/4)* est que l'on peut quelquefois y voir une exposition d'œuvres d'art.

Au premier étage du splendide **Correo Central** (bureau de poste central), les amateurs de philatélie peuvent visiter le **Museo Filatélico** *(lun-ven 9h à 14h; Calle 2, Av. 1/3, ☎223-6918)* pour admirer les timbres commémoratifs du Costa Rica.

L'édifice de l'**Alianza Francesa** ★ *(Calle 5, Av. 7)* est l'un des beaux bâtiments de style colonial encore très bien conservés à San José. Il vaut d'autant plus la peine d'être vu que vous pouvez pénétrer dans l'édifice pour tirer profit de la médiathèque (voir p 53, 80) et des salles d'exposition de l'association.

Le **Parque Morazán** *(Av. 3, Calle 5/9)* est un parc de détente – bien qu'il soit entouré de voies à grande circulation – assez bien aménagé où trône un très joli kiosque à musique pour des concerts comme il s'en donne dans beaucoup de parcs urbains au Costa Rica.

L'**Edificio Metálico** ★ *(Av. 5, Calle 9)*, qui fait face au Parque Morazán et qui loge maintenant une école, présente une architecture très intéressante et tout à fait unique avec sa couleur verte et son revêtement d'acier dont les éléments sont importés de France.

L'**Aurora Holiday Inn** *(angle nord-ouest du Parque Morazán)* est ce que l'on appelle un «bâtiment repère» dans le paysage de la capitale. Son architecture «miroitante» et son volume imposant en regard des bâtiments voisins font en sorte qu'il sert régulièrement de référence géographique pour qui doit se guider dans le quartier. C'est un peu la même chose pour l'**Hotel Del Rey**, avec son revêtement rose bonbon à quelques pas de là, de l'autre côté du Parque Morazán.

Ne vous attendez pas à trouver un zoo immense dans le **Parque Zoológico Nacional Simón Bolívar** *(mar-ven 8h à 16h, sam-dim 9h à 17h; Av. 11, Calle 7, Parque Bolívar, ☎233-6701)*, non plus un lieu de découvertes sensationnelles, mais une petite promenade peut y être agréable et instructive.

Partageant le même espace du côté nord que le Parque Bolívar, **Spyrogyra** *(5$; tlj 8h à 15h; 100 m à l'est et 150 m au sud d'El Pueblo, immédiatement au nord du centre-ville, près de l'autoroute de Guapiles, à 10 min de marche; ☎222-2937)* est un jardin de papillons où l'on peut voir également des colibris dans un décor naturel. Il existe d'autres jardins de papillons dans le pays (dans la Vallée de même qu'à Monteverde), mais celui-ci constitue une excellente introduction à l'histoire naturelle du pays, à deux pas du centre-ville.

Le **Parque España** *(Av. 3/7, Calle 9/11)* est un autre beau parc pour se détendre. L'aménagement paysager, avec sa végétation mature, incite à l'arrêt et à la contemplation du décor, peut-être plus naturel que dans nombre d'autres parcs de la ville.

Le **Museo del Jade** *(lun-sam 8h à 16h30; au 2e étage de l'Instituto Nacional de Seguros, Calle 9, Av. 7, ☎287-6034 ou 223-5800)*, en plus de présenter une belle exposition d'œuvres d'art faites de cette magnifique pierre verte qu'est le jade, offre une belle vue sur la ville.

La **Casa Amarilla** ★ *(Av. 7, Calle 11)* est un des nobles édifices de la capitale. Abritant maintenant le ministère des Relations extérieures, elle aurait été léguée par le riche et célèbre philanthrope éta-

synien Andrew Carnegie à l'État costaricien.

Le **Centro Nacional de la Cultura** ★ ★ *(tlj 10h à 17h)*, qui s'est installé dans un des complexes industriels les plus anciens de la capitale (la vieille usine nationale de fabrication de boissons alcoolisées datant de 1856), loge le ministère de la Culture, de la Jeunesse et des Sports du pays, le Musée d'art contemporain et de design, la Maison de la culture hispano-américaine, le Collège du Costa Rica, les salles de répétition et de présentation des spectacles de la compagnie nationale de danse, etc. Ne cherchez cependant pas, dans ce très beau domaine recyclé, les boissons alcoolisées qui ont fait jadis la raison d'être de la distillerie étatique à cet endroit; quoique la distillation fasse toujours partie des activités de l'État costaricien, la nouvelle distillerie d'État a été relocalisée à Grecia.

Le **Museo Nacional** ★ ★ *(mar-sam 8h30 à 16h30, dim 9h à 16h30; Av. 2, Calle 17, ☎257-1433)*, aménagé dans l'ancienne forteresse Buenavista

rénovée (forteresse qui a vu la révolution de 1948), présente, parmi ses nombreuses expositions, des objets d'or et de céramique de l'ère précolombienne de même que des pièces d'art religieux. L'histoire du pays y est aussi présentée.

Attenante à ce musée, la **Plaza de la Democracia** *(Calle 15, Av. Ctl/2)* a été aménagée à la fin des années 1980 à l'occasion d'une rencontre internationale importante tenue par le Costa Rica. Elle est parcourue d'un grand nombre d'escaliers qui semblent l'agrandir encore. Au centre trône une statue de Don Pepe, José Figueres Ferrer, l'un des présidents du pays qui a su ravir le cœur des Costariciens: c'est lui qui a aboli l'armée.

L'**Asamblea Legislativa** ★, l'assemblée législative du Costa Rica, réunit

Museo Nacional

l'ensemble de son administration dans 11 édifices, tous érigés dans les environs du Museo Nacional. Ne vous surprenez donc pas d'apercevoir, lors de votre visite du quartier, un grand nombre d'hommes et de femmes en complets et tailleurs passant d'un édifice à l'autre avec leurs dossiers sous le bras! Le conseil législatif lui-même se rassemble dans une salle de l'**Edificio Central**.

Plaza de la Libertad Electoral

Cette salle ne présente pas un grand intérêt, sauf si vous désirez assister aux débats *(lun-jeu 16h à 19h)*. Mais dans la pièce voisine, le **Salón de Expresidentes de la República**, vous pourrez voir le portrait de chacun des présidents qui ont dirigé le pays depuis 1833. De plus, au rez-de-chaussée, on peut admirer la **Rotonda de la Patria**, ornée de plaques commémorant les lois les plus importantes, ainsi qu'une cour intérieure, **El jardín de la Madre Patria: España**. Cette dernière, d'inspiration mudéjare et décorée de mosaïques provenant d'Italie, évoque le palais de l'Alhambra de Grenade en Espagne, l'ancienne mère patrie.

Un autre bâtiment qui vaut la peine qu'on y jette un coup d'œil, le **Castillo Azul**, date de 1911. De couleur bleue, il doit cependant son nom à la couleur du parti du premier président qui l'utilisa comme *Casa presidential*. Elle est munie d'une longue galerie et d'une tourelle, comme un château!

À côté, la **Casa Rosada**, qui abrite depuis 1991 des bureaux de députés, et qui fut construite à la fin du XIXe siècle, évoque l'architecture classique des maisons coloniales du Valle Central, avec son jardin intérieur et ses larges corridors.

En face se dresse l'**Antiguo Colegio de Nuestra Señora Sión**, construit en 1888. Il fut d'abord habité par les sœurs de cette communauté religieuse qui y ouvrirent un collège très couru par l'élite. Des visites guidées des bâtiments sont possibles en contactant le département des relations publiques au ☎243-2547.

Derrière les bâtiments de l'assemblée législative se trouve l'immeuble qui abrite le Tribunal Supremo de Elecciones, le tribunal suprême des élections. Il s'agit d'un grand édifice «miroitant» recouvert de stuc rose. Devant trône une placette baptisée **Plaza de la Libertad Electoral**. Elle est entourée d'un demi-cercle de colonnes vaguement néoclassiques, probablement pour rappeler la Grèce. Cet ensemble rappelle que le Costa Rica est fier d'être une démocratie depuis plus d'un siècle.

Un peu plus au nord, vous rencontrerez le grand **Parque Nacional ★**, auquel la Ville a donné un second souffle. En effet, elle a procédé, en grande pompe, à son inauguration au mois de décembre 2000. Le parc a fait l'objet d'un réaménagement majeur qui lui a redonné ses allures d'antan. Munis des plans d'origine datant de 1895, les architectes ont redessiné les contours de ce grand parc où il fait bon déambuler tranquillement. Au centre trône le **Monumento Nacional**, et, au détour des sentiers, on découvre une fontaine et un petit pont, un kiosque à musique ainsi que des bancs et de jolis lampadaires.

Le **Serpentarium** *(lun-ven 9h à 18h, sam-dim 10h à 17h; Av. 1, Calle 9/11, ☎225-4210)* est un incontournable pour quiconque désire connaître la faune reptilienne du Costa Rica. Vous verrez en prime des spécimens fauniques vivants provenant d'autres pays, comme le cobra. Il y a même les fameux piranhas, que l'on nourrit les lundis, mercredis et vendredis à 17h.

La **Plaza de la Cultura** ★★ *(Av. Ctl, Calle 3/5)* est peut-être la plus centrale des places du centre-ville de San José, si cela est possible. Toujours très animée, elle est souvent le lieu de réunion des jeunes, des étudiants, des amoureux et des gens d'affaires; bref, de tout le monde quoi! Le design tout en gradins n'est pas dénué d'intérêt, et de nombreux commerces la bordent. C'est le cas notamment du café du Gran Hotel Costa Rica et du Café Ruiseñor du Théâtre national. Avec de tels voisins (et la voie piétonne de l'Avenida Central), il n'est pas étonnant que la place soit si fréquentée à toute heure du jour.

Le sous-sol de la Plaza de la Cultura loge toute une série de services muséaux sous l'égide de la Fondation des musées du Banco Central du Costa Rica (*☎243-4202)*. Le **Museo del Oro Precolombino** ★★★ *(mar-dim 10h à 16h30)* présente, en une exposition fascinante, tout ce que l'on a pu faire avec le métal précieux qu'est l'or à l'époque précolombienne ainsi qu'après la Conquête. Il exhibe mille et un objets en or, en insistant davantage sur leur origine. L'idée est de brosser un tableau des sociétés et des

individus qui ont créé et utilisé ces pièces. Pour monter l'exposition, on a même demandé la participation de divers peuples amérindiens car leurs ancêtres connaissaient bien l'or. Le **Museo de Numismática** ★ *(mar-dim 10h à 16h30)* raconte, quant à lui, la petite et grande histoire du papier-monnaie costaricien. Par ailleurs, n'hésitez pas à demander quel est le thème de l'exposition d'arts visuels en cours dans les salles d'exposition temporaire du complexe.

L'architecture du **Teatro Nacional** ★★★ *(lun-sam 9h à 16h30; Plaza de la Cultura, Calle 3, Av. 2, ☎221-1329)* imite celle du théâtre de l'Opéra de Paris. Ce théâtre national est le siège de l'**Orquesta Sinfónica Nacional y Juvenil** (Orchestre national et Orchestre des jeunes). Construit en réaction au fait que la prima donna

Teatro Nacional

Andelina Patti avait refusé de se présenter au Costa Rica faute d'installations appropriées pour les opéras, il a été inauguré en 1897. Vous remarquerez que le Teatro Nacional, classé monument historique en 1965, a fait l'objet de travaux de rénovation et de restauration ces dernières années afin de souligner son centenaire. À l'intérieur, vous serez frappé par l'ornementation des murs et des plafonds à caissons, couverts d'or, de marbre et même de miroirs.

Le **Café Ruiseñor** *(à l'intérieur du Teatro Nacional)* présente très souvent des expositions temporaires.

Le **Teatro Melico Salazar** ★★ *(Av. 2, Calle Ctl, en face du Parque Central, ☎222-2653)*, une salle de spectacle, se révèle être le lieu historique de la fondation du Costa Rica indépendant. Des groupes célèbres s'y produisent lorsqu'ils sont en tournée en Amérique centrale. Cette salle a été dénommée ainsi en l'honneur du ténor costaricien de réputation internationale Melico Salazar.

Le **Parque Central** *(Calle Ctl/2, Av. 2/4)* est relativement soigné, mais mériterait plus le dénominateur de place puisqu'un pavage recouvre une grande partie de sa surface. D'un beau design général

San José

Les écoliers

L'école, obligatoire et gratuite pour tous les enfants du pays, occupe une place importante dans la vie des Costariciens qui y accordent beaucoup de valeur. Les écoliers vont à l'école toute l'année, sauf pendant les grandes vacances, entre la fin du mois de décembre et le début du mois de février, sans oublier, bien sûr, les autres congés éparpillés dans l'année. Pour fréquenter l'école, les enfants doivent porter un uniforme. Dans les écoles publiques (les couleurs changent dans les écoles pri-vées), les filles portent une blouse blanche et une jupe bleue, tandis que les garçons mettent une chemise ou un t-shirt blanc et un pantalon bleu. Ainsi, si vous vous attablez dans un *soda* près d'une école à l'heure de la sortie des classes, vous aurez sans doute la chance d'assister au déferlement des enfants venus s'acheter des jus et des bonbons dans un joyeux tumulte, et vous aurez sûrement droit à quelques regards curieux et à beaucoup de sourires sincères.

(avec ses terrasses), le parc est effectivement central dans la ville, et sa grande rotonde avec colonnes classiques à volutes lui donne beaucoup de caractère. Prenez garde si vous désirez vous tenir sous la coupole: les bords intérieurs servent de perchoir aux pigeons des environs.

La Calle 9 est également dénommée **El Paseo de los Estudiantes** (le chemin des étudiants) parce que cette rue aboutit, au sud, au **Liceo de Costa Rica**, l'un des lycées les plus importants et les plus anciens du pays. On y verra, durant l'année scolaire, de nombreux étudiants aller et venir, portant le costume obligatoire de l'institution. Certains des bâtiments du Liceo sont de valeur architecturale et historique.

L'**Iglesia de Nuestra Señora de la Soledad** (*Calle 9, Av. 6*), sur le Paseo de los Estudiantes, est très bien entretenue et a été rénovée. Ses vitraux sont de belle facture et très colorés. L'intérieur est d'une blancheur magique et agréable, et l'architecture dans son ensemble se remarque lorsque l'on se promène dans le quartier.

La petite place du Paseo de los Estudiantes, face à l'Iglesia de la Soledad, à l'angle de la Calle 9 et au nord de l'Avenida 6, est joliment ornementée de plantes et arbustes. Les plaques commémoratives qui l'ornent honorent entre autres la mémoire de Carlos Gardel, digne représentant de la culture argentine, mort dans des circonstances tragiques.

Un petit Parthénon classique tout blanc et très joli se trouve sur la Calle 19, à l'angle nord-est du terrain qu'occupe le **Museo de Criminología**. Illuminé le soir, il est le site du discours de fondation de l'Université de Costa Rica par Oscar Arias en 1941.

Enfin, plus à l'est, dans le quartier de San Pedro, le très grand campus de l'**Universidad de Costa Rica** ★ demeure idéal pour une belle petite promenade tranquille. S'y trouve entre autres une belle allée bordée d'arbres s'étendant sur près de 2 km.

Hébergement

Hotel Asia
$
bc/bp
Calle 11, Av. Ctl/1
☎*223-3893*
⇆*283-7957*
L'Hotel Asia propose des chambres réduites à leur plus simple expression, c'est-à-dire avec un seul lit et une salle de bain à partager (une seule chambre possède sa propre salle de bain), le tout sans fenêtre. L'hôtel est cependant bien tenu.

Boruca
$
ec, bc
Calle 14, Av. 1/3
☎*223-0016 ou 221-0563*
⇆*257-5063*
L'hôtel Boruca a ceci de particulier que ses chambres sont petites (vraiment petites!), sans décor et sans fenêtres, mais propres. Vous risquez de partager un peu de votre séjour avec certains occupants de la maison; l'hôtel est plutôt familial. Près de nombreux arrêts d'autobus.

Centro Americano
$
ec, bp, ℜ
Av. 2, Calle 6/8
☎*221-3362*
⇆*221-3714*
L'accueil de l'hôtel Centro Americano se trouve au fond de l'édifice, le long d'un corridor. Les chambres donnent sur de petits espaces intérieurs qui offrent beaucoup de tranquillité malgré le fait que l'hôtel est situé sur une des rues les plus passantes de San José; on demande d'ailleurs le silence après 21h. L'hôtel peut accueillir les personnes à mobilité réduite. Le décor est sans charme particulier, mais le tout est propre.

Hotel Johnson
$
ec, bp, ℜ
Calle 8, Av. 2/Ctl
☎*223-7633 ou 223-7827*
⇆*222-3683*
L'Hotel Johnson est étonnamment sympathique, propre et abordable, idéal si vous désirez demeurer dans le quartier populaire du marché central. À ce compte, on passe pardessus le style un peu vieillot de l'établissement. Quoiqu'il soit toujours assez fréquenté, il est en même temps reconnu depuis longtemps pour son calme, ce qui est surprenant pour le quartier.

Hotel Marlyn
$
bc/bp
Calle 4, Av. 7/9
☎*233-3212*
L'Hotel Marlyn possède de petites chambres propres avec lit seulement. C'est un hôtel très fréquenté par les touristes à petit budget. Le personnel est sympathique.

Bienvenido
$-$$
bp, ec
Calle 10, Av. 1/3
☎*233-2161*
⇆*221-1872*
L'hôtel Bienvenido est d'autant plus correct (propreté, accueil) qu'il n'est vraiment pas cher pour les chambres aérées et assez tranquilles qu'il propose.

Bonne localisation près du Mercado Central en plus.

Casa Ridgway
$$
ec, bc
Av. 6bis, Calle 15
☎/⇆*233-6168*
La Casa Ridgway est une auberge de jeunesse dans toute sa quintessence. Située tout juste à côté du Centro de Amigos para la Paz, l'auberge incite aux échanges et à la convivialité. Possibilité de loger dans des dortoirs ou des chambres privées et accès à la cuisine et à la bibliothèque. Prix spéciaux pour groupe de huit personnes et plus.

Cocori
$$
ec, bp
Calle 16, Av. 3
☎*233-0081*
⇆*233-2188*
Le Cocori est un hôtel sans prétention mais très recommandable avec ses chambres propres et confortables, dans un édifice au design simple mais correct, à proximité du terminus Coca Cola et de l'Hospital San Juan de Dios (un quartier qui n'est malheureusement pas le plus beau).

D'Galah
$$
ℂ
en face des jardins du campus de l'Universidad de Costa Rica, San Pedro
☎/⇆*234-1743 ou 253-7539*
L'hôtel D'Galah appelle au calme en raison de sa situation face à l'université et ses grands terrains de verdure.

San José

La Granja
$$
rabais pour les détenteurs
d'une carte de l'IYHF
ec, ℂ, ℜ
Av. Ctl, 50 m au sud de l'Antiguo Higuerón, San Pedro
☎/⇄*225-1073 ou 280-6239*
La Granja est tenue par une famille amicale.
L'endroit est correct et ne compte que huit chambres.

Jacques et Helena
$$ pdj
ec
Urbanización Carmiol, Calle 8, Casa 811, Sabanilla
☎*224-6596*
Le gîte touristique Jacques et Helena, très recommandable, est situé dans un quartier tranquille à quelque 10 min du centreville.

🏊 Toruma
$$
bc, ℂ
Av. Ctl, Calle 31/33
☎/⇄*224-4085*
Toruma est l'auberge de jeunesse la plus connue de San José. Il s'agit même, en quelque sorte, du centre du réseau costaricien d'auberges de jeunesse. Elle loge dans une vaste demeure victorienne rescapée du XIXᵉ siècle, qui, bien que dépouillée, vous donnera un aperçu de la richesse de ses anciens habitants. Les chambres sont distribuées le long de larges corridors et abritent des lits superposés. L'atmosphère, il va sans dire, est des plus conviviales, et les grandes pièces communes de même que la petite cour vous permettront

sûrement de faire des rencontres intéressantes. Accès à la cuisine et à la laverie.

Aparthotel El Sesteo
$$$
ec, bp, tvc, ℂ, ℜ, ≈
dans le prolongement de l'autoroute General Cañas, vers le côté sud du parc La Sabana
☎*296-1805*
⇄*296-1865*
www.sesteo.com
Le principal avantage de l'Aparthotel El Sesteo est que l'établissement se trouve à quelques pas seulement du parc La Sabana et de la route menant à l'aéroport international. L'aménagement des lieux (espaces communs et chambres) est très simple, mais la cour intérieure, où sont situés la piscine, le bassin à remous et le jardin, est assez jolie et est isolée des environs. L'édifice enserre cependant quelque peu les appartements autour de cette cour intérieure, ce qui peut être gênant avec des voisins et des enfants bruyants.

Aparthotel La Sabana
$$$ pdj
ec, bp, tvc, ≈, △, ℜ, ℂ
Sabana Norte, 50 m à l'ouest et 150 m au nord du Burger King
☎*220-2422*
⇄*231-7386*
www.apartotel-lasabana.com
Comme l'Aparthotel El Sesteo, l'Aparthotel La Sabana se trouve à quelques pas seulement du parc La Sabana et de la route menant à l'aéroport international. Laverie.

Ara Macao
$$$ pdj
ℂ, bp
50 m au sud de l'Avenida Central, face au restaurant Pizza Hut, dans le Barrio California, juste avant Los Yoses
☎*233-2742*
L'Ara Macao est une résidence hôtelière proposant de beaux appartements avec balcon. Les pièces de séjour communes sont sympathiques: la petite salle à manger protégée de la pluie dans un atrium central et le patio où il est possible de faire des grillades tout en regardant les petites tortues se promener dans la fontaine ou les grenouilles s'ébattre dans l'aquarium. Tranquille.

Aranjuez
$$$ pdj
ec, bp, tvc, ℜ
Calle 19, Av. 11/13
☎*256-1825*
⇄*223-3528*
www.hotelaranjuez.com
L'Aranjuez est situé dans le quartier très tranquille d'Aranjuez. Une belle surprise que cet hôtel: alors que la façade n'annonce rien de spécial, l'intérieur du bâtiment révèle beaucoup d'espace. Les chambres sont vastes et propres, de même que les salles de bain; les pièces de séjour communes sont larges, et les jardins, de bonnes dimensions. De plus, les hôtes ont le souci de l'écologie (recyclage, chauffage solaire, etc.) Possibilité de rabais à la semaine ou au mois. Les enfants de moins de 10 ans y sont hébergés gratuitement. On y parle le français.

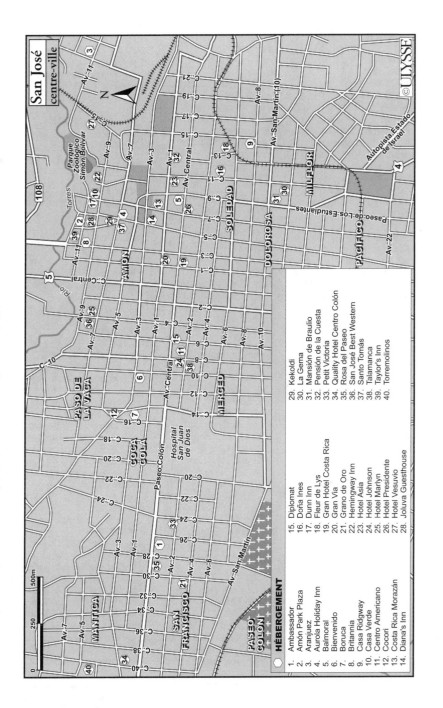

San José
centre-ville

N

500m
250
0

Parque
Zoológico
Simón Bolívar

108

Torres

Río

PASEO DE
LA VACA

COCA
COLA

Hospital
San Juan
de Dios

Paseo Colón

MANTICA

SAN
FRANCISCO

PASEO
COLON

MERCED

AMON

SOLEDAD

DOLOROSA

MILFLOR

PACIFICO

Paseo de Los Estudiantes

Autopista Estado
de Israel

© ULYSSE

HÉBERGEMENT

1. Ambassador
2. Amón Park Plaza
3. Aranjuez
4. Aurola Holiday Inn
5. Balmoral
6. Bienvenido
7. Boruca
8. Britannia
9. Casa Ridgway
10. Casa Verde
11. Centro Americano
12. Cocori
13. Costa Rica Morazán
14. Diana's Inn

15. Diplomat
16. Doña Ines
17. Dunn Inn
18. Fleur de Lys
19. Gran Hotel Costa Rica
20. Gran Via
21. Grano de Oro
22. Hemingway Inn
23. Hotel Asia
24. Hotel Johnson
25. Hotel Marlyn
26. Hotel Presidente
27. Hotel Vesuvio
28. Joluva Guesthouse

29. Kekoldi
30. La Gema
31. Mansión de Braulio
32. Pensión de la Cuesta
33. Petit Victoria
34. Quality Hotel Centro Colón
35. Rosa del Paseo
36. San José Best Western
37. Santo Tomás
38. Talamanca
39. Taylor's Inn
40. Torremolinos

Diana's Inn
$$$
ec, bp, tv, ≡
Calle 5, Av. 3
☎*223-6542*
⇆*233-0495*
Ne vous fiez pas à l'entrée du Diana's Inn. À l'étage, les chambres ont un décor simple, mais elles sont propres. Les espaces communs sont assez jolis et clairs. En plus, vous êtes carrément en face du parc Morazán, donc au cœur de la ville.

Diplomat
$$$
bp
Calle 6, Av. Ctl/2
☎*221-8744 ou 221-8133*
⇆*233-7474*
L'hôtel Diplomat renferme des chambres propres pourvues d'un confort simple. Certaines fenêtres donnent sur une cage de circulation d'air, ce qui permet la tranquillité pendant votre sommeil. Les aires communes sont propres.

Doña Ines
$$$
ec, bp, tv
Calle 11, Av. 2/6
☎*222-7443 ou 222-7553*
⇆*223-5426*
L'hôtel Doña Ines est de facture italienne tant dans son aménagement intérieur, quelque peu en volute exubérante, qu'au niveau de son accueil par le maître des lieux, Italien de son état. Le tout est très propre.

Dunn Inn
$$$ pdj
ec, bp, tvc, ⊗
Calle 5, Av. 11
☎*222-3232 ou 222-3426*
⇆*221-4596*
www.dunninn.com
Le Dunn Inn a beaucoup de charme. Le décor intérieur invite à la détente, particulièrement dans le «restaurant-atrium».

La Gema
$$$
ec, bp, tv
Av. 12, Calle 9/11
☎*257-2524*
⇆*222-1074*
L'hôtel La Gema est un petit hôtel simple avec des chambres plutôt petites qui ne sont pas toutes aérées. Une table de billard attend les clients.

Gran Hotel Costa Rica
$$$
ec, bp, tvc, ℜ
Calle 3, Av. Ctl/2
☎*221-4000*
⇆*221-3501*
Il est difficile de trouver un hôtel de ce style plus au cœur du centre-ville que le Gran Hotel Costa Rica. L'un des piliers de l'hébergement à San José. Son charme est quelque peu vieillissant, mais l'endroit est propre et encore très fréquenté. Casino.

Gran Via
$$$
ec, bp
Av. Ctl, Calle 1/3
☎*222-7737*
⇆*222-7205*
Le Gran Via est l'un des vieux hôtels de la capitale avec sa trentaine d'années de service. Son aménagement le trahit, mais les chambres sont propres. De même, sa localisation sur la voie piétonne du centre-ville est enviable et vous permet de choisir une chambre qui possède un balcon, d'autant plus que le prix est similaire avec ou sans balcon.

Joluva Guesthouse
$$$ pdj
ec, bp, tvc
Calle 3bis, Av. 9/11, n° 936
☎*223-7961*
⇆*257-7668*
www.joluva.com
La Joluva Guesthouse est un petit hôtel confortable, ouvert à la clientèle gay, mais dont l'accueil n'est pas toujours extra.

Kalexma
$$$ pdj
ec, bc/bp, ℂ
50 m au sud du pont Juan Pablo II
☎*232-0115*
⇆*231-0638*
www.kalexma.com
Le Kalexma est un gîte touristique plutôt simple (même sans charme) dans un quartier tranquille à une plus ou moins grande distance du centre-ville, mais près de l'autoroute General Cañas menant à l'aéroport.

Kekoldi
$$$ pdj
ec, bp, ⊗
Calle 3bis, Av. 9
☎*248-0804*
⇆*248-0767*
www.kekoldi.com
Ce qui frappe dans l'hôtel Kekoldi, c'est son aspect pastel très naïf, à la fois reposant et gai (l'artiste Helen Eltis en est l'instigatrice). Ce sympathique petit hôtel propose de grandes chambres avec de très grands lits (on s'y perd) et de jolies petites pièces de séjour communes. Localisé à deux pas de tout ce qui est d'intérêt au

centre-ville. Si vous êtes sensible au bruit de la circulation environnante, choisissez une chambre qui ne donne pas sur la rue.

Pensión de la Cuesta
$$$ pdj
ec, C
Av. 1, Calle 11/15
☎*256-7946*
₌*255-2896*
La Pensión de la Cuesta est très correcte pour son prix. Localisées dans un bâtiment de style colonial, ses chambres sont un peu sombres, mais l'animation générale de l'établissement sait égayer, particulièrement grâce aux pièces de séjour communes où se rencontrent les occupants. Accès à la cuisine.

Pico Blanco Inn
$$$
ℜ
San Antonio de Escazú
☎*228-1908*
₌*289-5189*
Le Pico Blanco Inn est un petit hôtel de montagne (l'accès en est assez difficile) propre et sympathique. La vue sur la vallée est époustouflante d'ici, et l'on entend les perroquets habitant les environs.

Pine Tree Inn
$$$ pdj
ec, bp, tvc, ≈
sur une rue résidentielle, en face du restaurant Quiubo, dans le secteur Urbanización Trejos Montalegre, Escazú, à côté de l'Aparthotel María Alexandra
☎*289-7405*
₌*228-2180*
Le Pine Tree Inn propose une quinzaine de chambres pourvues d'un bon confort dans un quartier très tranquille d'Escazú. Gymnase et racquetball à proximité.

Talamanca
$$$ pdj
ec, bp, tvc, ⊗
Av. 2, Calle 8/10
☎*233-5033*
₌*233-5420*
L'hôtel Talamanca est un établissement de facture moderne au style un brin trop standard mais très propre. Son bar, au dernier étage, offre une vue intéressante sur la ville.

Tennis Club
$$$
ec, bp, ≡, tvc, ≈, ℜ, △, ☺
dans la partie sud de La Sabana, à côté de l'édifice pyramidal de la Controlaría General de la República
☎*232-1266*
₌*232-3867*
Le principal avantage de l'hôtel Tennis Club réside dans les multiples activités offertes avec la location d'une chambre par l'un des plus vieux clubs sportifs de San José: tennis, quilles, gymnase, piscine et terrains de jeu s'offrent à vous 24 heures sur 24. Les chambres, quant à elles, manquent un peu de charme, et la literie laisse à désirer.

Hotel Vesuvio
$$$ pdj
ec, bp, tvc, ⊗, ℜ
Av. 11, Calle 13/15, Barrio Otoya
☎*221-7586 ou 256-1616*
₌*221-8325*
www.hotelvesuvio.com
L'Hotel Vesuvio est propre et moderne tout en étant relativement petit. Le décor des espaces communs manque peut-être un peu de chaleur, mais l'établissement est situé tout près du zoo, dans un quartier tranquille et assez joli architecturalement parlant.

Costa Rica Morazán
$$$
ec, bp, ≡, tv, ℜ
Calle 7, Av. 1
☎*222-4622*
₌*233-3329*
L'hôtel Costa Rica Morazán est un hôtel au design datant des années 1970 dont les chambres sont plutôt petites. Par chance, elles sont toutes équipées de systèmes d'air conditionné, ce qui est nécessaire dans ce quartier assez passant où vous devrez dormir les fenêtres fermées. Les personnes âgées de plus de 60 ans obtiennent des rabais.

Sabana B&B
$$$-$$$$ pdj
bp, ec, tv, ⊗
☎*232-2876 ou 296-3751*
₌*232-2876*
L'hôtel Sabana B&B doit son nom au quartier de Sabana Norte, où il est situé. Tenu par une famille costaricienne, il propose la formule de «gîte touristique» dans un environnement convivial.

Los Yoses City Inn
$$$$ pdj
bp, ec
100 m au sud et 100 m à l'ouest de l'Automercado Los Yoses, Los Yoses
☎*283-0101*
₌*225-3516*
Le Los Yoses City Inn est un gîte touristique qui loge dans une véritable maison de banlieue, arborant même des airs nord-américains. Propriété du couple qui possède l'**Arenal Country Inn** (voir p 210) à La Fortuna, il se révèle être un pied-à-terre agréable dans ce quartier de San José un peu plus calme que d'autres. Les chambres, aménagées du sous-sol au dernier étage,

San José

puisque les propriétaires n'habitent pas sur place, demeurent confortables et sont toutes décorées selon leur nom qui désigne une région du pays. Le petit déjeuner se prend autour d'une grande table invitante. L'endroit est bien tenu et l'accueil des plus gentils.

Aparthotel Los Yoses
$$$$
ec, bp, ⊗, ≡, tv, ≈
sur la rue principale, 150 m à l'ouest de la Fuente de la Hispanidad, Los Yoses
☎*225-0033 ou 225-0044*
⇌*225-5595*
www.apartotel.com
L'Aparthotel Los Yoses renferme de grands appartements propres, tout équipés, et assez bien aménagés avec chacun un espace attenant pour laver manuellement et sécher son linge. Stationnement et possibilité de gardiennage.

Aurola Holiday Inn
$$$$
ec, bp, tvc, ≈, ℜ, △, ☺
Av. 5, Calle 5, en face du parc Morazán
☎*222-2424*
⇌*222-2621*
www.hotel-holidayinn.com
Une institution à San José, ne serait-ce que par sa stature dans le ciel du centre-ville. Sauna, gymnase, casino, boutique et kiosque à journaux. Il est difficile de trouver un grand hôtel de ce genre mieux situé au cœur de la ville.

Balmoral
$$$$
ec, bp, tvc, ≡, △
Av. Ctl, Calle 7/9
☎*222-5022 ou 800-961-4865*
⇌*221-7826*
www.balmoral.co.cr
Le Balmoral est l'un de ces hôtels à l'architecture moderne classique comme on les a connus il y a quelques années. Tout est très propre cependant, et le service est aimable.

Bergerac
$$$$ pdj
ec, bp, tvc, ⊗, ℜ
Calle 35, 50 m au sud de l'Avenida Central
☎*234-7850*
⇌*225-9103*
www.bergerac.co.cr
Le Bergerac est d'un bel aménagement distingué. Les chambres sont décorées avec goût, comme le reste de l'hôtel d'ailleurs. Les jardins, très exubérants, appellent à la détente, au farniente exquis. L'administration est française, et l'accueil en témoigne. Pour le restaurant, voir p 103.

Casa Las Orquideas
$$$$ pdj
ec, bp, tv, ⊗, ℜ
Av. Ctl, Calle 33/37, à 75 m à l'ouest de l'Automercado Los Yoses, Los Yoses
☎*283-0095*
⇌*234-8203*
L'hôtel Casa Las Orquideas est de couleur émeraude: l'effet est apaisant. L'établissement est vraiment très chouette et très propre avec ses planchers en bois et céramique, ses belles petites aires de repos ainsi que ses puits de lumière.

Meliá Corobici
$$$$$
ec, bp, tvc, ≡, ≈, ⊗, ℜ, ☺
au début de l'autoroute General Cañas, après l'Avenida Sabana Norte
☎*232-8122*
⇌*220-1914*
www.solmelia.com
Le Meliá Corobici est un grand hôtel, même au sens physique du terme. Le cœur de la structure de l'hôtel est en effet impressionnant avec son immense «toit cathédrale» chapeautant les espaces communs au centre du complexe (casino, restaurants, salles de conférences, salles de réunion, etc.). L'hôtel loge deux bons restaurants de spécialités japonaise et italienne (voir p 103).

Cristina
$$$$
ec, bp, ℂ, tvc, ≈
300 m au nord de l'ICE, Sabana Norte
☎*231-1618 ou 220-0453*
⇌*220-2096*
www.apartotelcristina.com
Le Cristina est essentiellement destiné aux gens d'affaires. Les appartements sont propres, et leur design est simple.

Don Fadrique
$$$$ pdj
ec, bp, ⊗, tvc
Calle 37, Av. 8, Los Yoses
☎*225-8186*
⇌*224-9746*
L'hôtel Don Fadrique s'est installé dans une villa du XIXe siècle remodelée et entourée de jardins qui l'isolent bien des environs et qui permettent d'agréables repas en tête-à-tête. Certaines chambres ont un accès direct à ces jardins. L'hôtel abrite également une collection

d'œuvres d'art costariciennes et le portrait de Don Fadrique lui-même, personnage national haut en couleur.

Don Paco Inn
$$$$ pdj
ec, bp, tvc
Calle 33, Av. 11
☎283-2012
⇌283-2033
Le Don Paco Inn est un hôtel assez charmant. L'édifice a déjà abrité des services des Nations Unies, mais sa rénovation a su faire valoir le style plutôt colonial du bâtiment, par ailleurs assez vaste. Les chambres sont de style et tout confort. Ici vous êtes dans un quartier résidentiel on ne peut plus tranquille, à une certaine distance du cœur de la ville toutefois.

Fleur de Lys
$$$$ pdj
ec, bp, ℜ
Calle 13, Av. 2/6
☎257-2621 ou 223-1206
⇌257-3637
www.hotelfleurdelys.com
Le Fleur de Lys loge dans l'ancienne demeure d'un baron du café du XIXᵉ siècle. Inutile de dire que la maison a beaucoup de style. Les escaliers de bois menant aux trois étages, les planchers carrelés, les peintures d'époque, les portes françaises, tous les éléments de décoration s'unissent pour lui donner une riche atmosphère. Les chambres, portant toutes le nom d'une fleur, se dispersent ici et là dans la maison, ce qui leur laisse une bonne dose d'intimité. Certaines sont très grandes, tandis que d'autres

sont toutes petites, mais chacune se pare d'un décor agréable. Quoique au centre-ville, l'établissement se trouve dans un secteur tranquille; vous pourrez donc jouir de la charmante terrasse à l'avant. Le restaurant de l'hôtel est à essayer (voir p 103). N'hésitez pas non plus à utiliser les services de l'aimable agente de voyages de l'hôtel. Le Fleur de Lys attire en toute saison nombre de visiteurs satisfaits.

Grano de Oro
$$$$
ec, bp, tvc
Calle 30, Av. 2/4
☎255-3322
⇌221-2782
www.hotelgranodeoro. com
Ah! l'hôtel Grano de Oro! Situé dans un quartier tranquille, à quelques pas du centre-ville, ce manoir construit au tournant du XXᵉ siècle et brillamment rénové offre atmosphère et style dans tous ses recoins. Les chambres sont invitantes avec leur salle de bain haut de gamme et leur ameublement de bois ouvré. Pour le plaisir des clients, une belle terrasse avec chaises longues et bassins à remous a été aménagée sur le toit, en plus du jardin avec cascades. Toutes les chambres sont non-fumeurs. L'hôtel Grano de Oro est très fréquenté, même en basse saison. Son restaurant (voir p 103) est probablement l'un des meilleurs restaurants au pays.

Hampton Inn
$$$$ pdj
ec, bp, ≈
sur la voie de service de l'autoroute General Cañas, tout près de l'aéroport Juan Santamaría
☎443-0043
⇌442-9532
www.hamptonsuitescr. com
Le Hampton Inn, qui affiche également les normes nord-américaines en matière de confort, fait partie de la chaîne du même nom. Son principal avantage est qu'il se trouve véritablement à quelques pas de l'aéroport international de San José. Les enfants ainsi que les troisième et quatrième personnes demeurant dans la même chambre se font offrir gracieusement la nuitée.

Hemingway Inn
$$$$ pdj
ec, bp, tvc, ⊛
Av. 9, Calle 9
☎/⇌221-1804
www.hemingwayinn.com
Le Hemingway Inn appartient à un Canadien qui se préoccupe d'écotourisme; n'hésitez donc pas à lui demander conseil en la matière. Le joli petit manoir espagnol abrite de belles chambres avec plein confort, le tout dans un décor où les plantes se mêlent agréablement au bois de l'aménagement intérieur.

San José

Best Western Irazu
$$$$
ec, bp, tvc, ≈, ≡, △
voisin du centre commercial
San José 2000, sur l'autoroute
General Cañas
☎*232-4811 ou 800-272-
6654*
⇄*232-4549*
*www.bestwesterncosta
rica.com*
Bon nombre des chambres de l'hôtel Best Western Irazu ont un balcon donnant sur la piscine ou les jardins. De plus, certaines chambres sont accessibles aux personnes à mobilité réduite. Attention cependant de ne pas choisir les chambres du rez-de-chaussée près des aires communes: l'animation dans ces espaces risquerait peut-être de vous déranger. L'hôtel reçoit en effet régulièrement des groupes.

Mansión de Braulio
$$$$
ec, bp
Av. 10, Calle 9
☎*222-0423*
⇄*222-7947*
La Mansión de Braulio se trouve à l'étage d'un joli bâtiment et possède des chambres propres, mais dont l'ameublement accuse un certain âge. Les pièces de séjour communes sont relativement bien aménagées, mais le personnel n'est pas très amène.

Palma Real
$$$$
ec, bp, ⊛, ℜ
200 m au nord de l'ICE, Sabana Norte
☎*290-5060*
⇄*290-4160*
www.hotelpalmareal.com
D'architecture moderne, l'hôtel Palma Real s'adresse essentiellement à une clientèle d'affaires. Quoique de design standard, ses chambres offrent un très bon confort; l'hôtel possède en outre des salles de réunion et de conférences ainsi qu'un centre de bureautique. Il a ouvert ses portes au début de 1997. Restaurant de cuisine internationale.

Petit Victoria
$$$$
ec, bp, tvc, ℜ
Calle 24, Av. 2
☎*233-1812*
⇄*222-5272*
L'hôtel Petit Victoria, tout à fait mignon dans son édifice victorien, propose des chambres qui ont du style. L'hôtel est quelque peu exposé aux bruits de la circulation des environs.

Posada El Quijote
$$$$ pdj
ec, bp, tvc
faire 1,3 km vers le sud à partir de la première entrée pour Bello Horizonte, puis 200 m vers l'ouest, 25 m vers le sud, puis finalement 25 m vers l'est, Bello Horizonte de Escazú
☎*289-8401*
⇄*289-8729*
www.quijote.co.cr
Les propriétaires américains de la Posada El Quijote ont acheté cette magnifique résidence de l'ambassade des États-Unis, c'est tout dire. Le confort y est sans faille (haut standard nord-américain), le décor intérieur est à l'avenant, les chambres sont amples, les baies vitrées des pièces de séjour procurent une vue magnifique sur la Vallée centrale, et les jardins sont reposants à souhait. Possibilité de transport entre l'aéroport et San José. Le chemin qui mène à la *posada* pourrait être assez difficile à parcourir cependant.

Hotel Presidente
$$$$
ec, bp, tvc, ≡, △, ⊛
Av. Ctl, Calle 7
☎*222-3022*
⇄*221-1205*
www.hotel-presidente.com
L'Hotel Presidente est très bien situé au cœur de la ville. Son aménagement moderne est garant d'un bon confort, mais donne peu de style aux chambres.

Rincón del Valle
$$$$ pdj
ec, bp, tvc, ≡
50 m à l'est et 50 m au sud du Colegio de Médicos, du côté sud du parc La Sabana
☎*231-4927 ou 231-7881*
⇄*231-5924*
L'hôtel Rincón del Valle fait partie de la chaîne Barcelo. Le recours au bois aux teintes rouge sombre dans le design lui donne une touche classique de bon goût. Le confort des chambres est tout nord-américain et le service empressé. Accès à la piscine, au gymnase et aux courts de tennis voisins. Situé dans un quartier tranquille, il est à une plus ou moins grande distance du centre-ville. Certains employés parlent le français. L'hôtel est associé au restaurant Quiubo, à Escazú.

Rosa del Paseo
$$$$ pdj
ec, bp, tvc, ⊗
Paseo Colón, en face du Banco Anglo, entre Calle 28 et Calle 30
☎*257-3225*
⇄*223-2776*
Le Rosa del Paseo est une ancienne demeure de *cafetaleras* (producteurs de

café) rénovée où l'on a su conserver beaucoup de style à toutes les pièces de l'établissement (même les chambres) tout en ajoutant des éléments de confort, tels les bains.

Quality Hotel Centro Colón
$$$$
ec, bp, ≡, tvc, ℜ
Av. 3, Calle 40
☎*257-2580 ou 800-228-5151*
⇄*257-2582*
www.hotelcentrocolon.com
Le Quality Hotel Centro Colón est surtout un hôtel pour gens d'affaires. Le style et le confort de l'établissement sont conformes aux normes des chaînes d'hôtels internationales. Son emplacement, près du parc La Sabana, du Museo de Arte Costarricense et de la sortie de la ville vers l'aéroport, l'éloigne cependant du centre-ville.

Santo Tomás
$$$$ pdj
ec, bp, tvc, ⊗
Av. 7, Calle 3/5
☎*255-0449*
⇄*222-3950*
L'hôtel Santo Tomás propose des chambres amples qui ont du style, comme l'ensemble du bâtiment, d'ailleurs. Une valeur sûre depuis un certain nombre d'années à San José, d'autant plus qu'il est localisé dans un des meilleurs quartiers du cœur de la ville, soit le Barrio Amón. On y parle le français.

San José Best Western
$$$$ pdj
ec, bp, tvc, ≈, ℜ
Av. 7, Calle 6
☎*255-4766*
⇄*255-4613*
www.bestwesterncostarica.com
L'hôtel San José Best Western est tout indiqué pour ceux qui recherchent le confort typique de cette chaîne. L'aménagement des espaces communs, notamment l'aire de la piscine et des jardins, est assez joli, et les balcons qui donnent sur ceux-ci sont des plus agréables. L'hôtel est situé dans les franges d'un quartier moins intéressant que son voisin, le Barrio Amón; l'architecture du bâtiment détonne dans cet environnement. Service de navette gratuit entre l'aéroport et San José. Stationnement et cocktail gratuits!

Taylor's Inn
$$$ pdj
ec, bp, tvc
Calle 3, Av. 11
☎*257-4333*
⇄*221-1475*
Le Taylor's Inn, un petit gîte touristique correct, s'est installé dans une ancienne résidence et compte une douzaine de chambres proprettes au mobilier en osier. Chambres non-fumeurs.

Torremolinos
$$$$
ec, bp, tvc, ≈, ⊛, ℜ
Calle 40, Av. 5bis, près de La Sabana
☎*222-5266*
⇄*255-3167*
www.occidentaltorremolinos.com
L'hôtel Torremolinos est un assez bel établissement moderne localisé dans un quartier paisible, à une

plus ou moins grande distance du centre-ville. Sa décoration, assez classique et intégrée (depuis les chambres jusqu'au hall d'entrée), n'est pas sans charme.

Villa Tournón
$$$$
ec, bp, tvc, ≈, ⊛, ℜ
☎*233-6622*
⇄*222-5211*
www.costarica-hotelvillatournon.com
L'hôtel Villa Tournón est moderne et localisé tout juste à l'extérieur du centre de la ville, au nord, dans le Barrio Tournón. Les chambres sont confortables et bien aménagées. Gratuit pour les enfants de moins de 12 ans logeant dans la chambre des parents.

Ambassador
$$$$-$$$$$
ec, bp, tvc, ℜ
Paseo Colón, Calle 26/28
☎*221-8155*
⇄*255-3396*
www.hotelambassador.co.cr
Bien que connu, l'hôtel Ambassador est un édifice qui vieillit difficilement. Les espaces étroits, les couleurs, les tapis, le mobilier, tout exhale l'époque révolue des années 1960. Les plafonds sont bas, les chambres sont petites et n'ont pas de charme. De plus, l'entretien n'est pas assuré. Certaines chambres donnent sur le bruyant Paseo Colón. Des spectacles de variétés sont présentés dans les salles de l'établissement.

San José

Hotel Americano
$$$$$ pdj
ec, bp, tv, ≈
175 m au nord du concession-
naire Subaru, Los Yoses
☎*224-2455*
⇄*224-2166*
L'Hotel Americano est
situé dans le quartier chic
de Los Yoses, au bout
d'une rue tranquille. Le
design plutôt standard
convient peut-être plus
aux personnes de passage
comme les gens d'affaires.

Hotel Alta
$$$$$
bp, ec, ≡, ℜ, ≈, ☺
Escazú
☎*282-4160*
⇄*282-4162*
www.thealtahotel.com
L'Hotel Alta propose, à
ceux qui recherchent le
luxe, une atmosphère
idéale. La petite route le
long de laquelle il est situé,
soit la vieille route qui
mène à Santa Ana, ne
laisse pas présager la richesse de cet établisse-
ment. Doté d'une archi-
tecture «organique», le
bâtiment se pare de murs
en stuc, de plafonds, portes et mobilier en bois ainsi
que de toits de tuiles. Les
chambres, habilement
dispersées le long de cou-
loirs de couleur crème,
offrent une bienheureuse
intimité. Dans chacune
d'entre elles, deux grands
lits font face à la porte-
fenêtre qui s'ouvre sur un
balcon isolé permettant de
jouir tranquillement de la
vue et des calmes après-
midi. En bas, la piscine
étale ses couleurs vives,
bleu pour le bassin et
jaune pour la terrasse, qui
créent une agréable oasis.
Le restaurant La Luz pré-
sente une décoration
sophistiquée, avec ses

fauteuils rembourrés et
ornés de fleurs de lys, et
un menu gourmet. Em-
pruntez donc la Carretera
Vieja vers Santa Ana au
départ d'Escazú. Vous
verrez l'hôtel sur votre
droite, un peu plus loin.

Amón Park Plaza
$$$$$
ec, bp, tvc
Av. 11, Calle 3bis
☎*257-0191*
⇄*257-0284*
L'hôtel Amón Park Plaza
est de facture à la fois
classique et moderne. Bien
que l'établissement ait été
conçu globalement pour
les gens d'affaires, son style
pourra plaire également
aux touristes. Les cham-
bres sont évidemment
propres et présentent un
bel aménagement. Outre
le grand restaurant du soir
proposant une cuisine
internationale (17h à 24h),
il est possible de prendre
un léger repas dans le
foyer principal de l'hôtel,
et ce, nuit et jour. Casino.

**Aparthotel María
Alexandra**
$$$$$
ec, bp, tvc, ℂ, △
sur une rue résidentielle, en face
du restaurant Quiubo, dans le
secteur Urbanización Trejos
Montalegre, Escazú
☎*228-1507*
⇄*289-5192*
www.mariaalexandra.com
L'Aparthotel María Alexa-
ndra est très tranquille grâce
à son emplacement dans
un secteur résidentiel
assez cossu. On y re-
trouve une laverie, un
salon de beauté, un sauna,
une aire pour les grillades
et un comptoir de location
de films vidéo (système

VCR dans les chambres).
L'aménagement général y
est de grand standing, et
les appartements sont
complètement équipés.
L'hôtel possède de plus un
très bon restaurant (voir
p 102).

🏨 **Britannia**
$$$$$ pdj
ec, bp, ⊗, tvc, ℜ
Calle 3, Av. 9/11
☎*223-6667*
⇄*223-6411*
Le Britannia s'est installé
dans une ancienne de-
meure victorienne dont on
a su préserver tout le
charme. Passer le seuil et
pénétrer dans le hall
d'entrée signifie s'en-
gouffrer dans une atmos-
phère luxueuse et géné-
reuse. L'énorme bouquet
de fleurs tropicales qui
vous accueille en est
d'ailleurs la première dé-
monstration. Les cham-
bres sont grandes et les
pièces de séjour commu-
nes invitantes. Leur décoration s'avère d'une réelle
beauté et d'un confort
exemplaire. Le dernier
étage offre une particulari-
té très intéressante. En
effet, un mur complet du
corridor le long duquel
sont alignées les chambres
est vitré. Les chambres
elles-mêmes étant munies
de grandes fenêtres don-
nant sur ce corridor, vous
pourrez jouir, presque en
toute intimité, d'une vue
sur les montagnes! En plus,
le Britannia est situé dans
le quartier d'Amón, l'un
des meilleurs secteurs du
cœur de la ville où séjourner. Service de navette
pour l'aéroport.

Casa Verde
$$$$$ pdj
ec, bp, tvc, ⊗, △
Calle 7, Av. 9
☎/⇄*223-0969 ou 257-1054*
La Casa Verde est de facture victorienne et a gagné des prix pour sa restauration, qui est des plus réussies: même une simple visite vaut le déplacement. Les espaces communs sont séduisants et les chambres à l'avenant.

🏆 Colours
$$$$$ pdj
ec, bc/bp, ⊗, ⊛, ≈, ℜ
boul. Rohrmoser, El Triangulo
☎*296-1880 ou 232-3504*
⇄*296-1597*
www.colours.net
Colours tient à la fois du gîte touristique et du petit hôtel personnalisé. Le design y est très soigné et le confort tout nord-américain. Établissement pour la clientèle gay, il est situé dans un quartier très tranquille, mais quand même plus ou moins loin du centre-ville. Les responsables du Colours sont très dynamiques et multiplient les activités pour les touristes en visite en même temps que pour la communauté gay locale. Ils sont de plus très branchés sur les diverses possibilités qui peuvent s'offrir à la clientèle de l'hôtel dans le pays.

Herradura
$$$$$
ec, bp, tvc, ≡, ⊛, △, ⊘
secteur de l'hôtel Meliá Cariari, Cariari
☎*239-0033*
⇄*239-2713*
www.hotelherradura.com
L'hôtel Herradura se trouve à mi-chemin entre San José et l'aéroport international. Un bon complexe, fort de tous ses services dont trois restaurants (japonais, espagnol et international, ce dernier étant ouvert 24 heures sur 24), avec accès au club de golf voisin ainsi qu'à une dizaine de courts de tennis avec instructeur si désiré! Certaines chambres seulement offrent un balcon privé et une terrasse. Il est possible d'y planifier une sortie de pêche sportive. Les enfants de moins de 12 ans partageant la chambre de leurs parents y logent gratuitement. Casino.

🏆 Marriott
$$$$$
ec, bp, tvc, ≈, ℜ, △
San Antonio de Belén
☎*298-0000*
⇄*298-0011*
www.marriotthotels.com
L'hôtel Marriott propose le grand luxe de la célèbre chaîne. Un soin particulier a été apporté à son design, des chambres aux espaces communs et des grands halls aux environnements extérieurs. Le tout relève du style colonial du XVIe siècle, mais porté aux dimensions d'un très grand hôtel; l'exercice n'est pas dénué d'intérêt. Service de navette gratuit pour l'aéroport et le centre-ville de San José. C'est le complexe de l'heure: un terrain de golf (avec verts d'exercice), un relais santé (spa), des saunas, des bassins à remous, des espaces de jogging, deux piscines, un casino, de même que toutes les structures d'accueil pour la tenue de congrès.

Meliá Cariari
$$$$$
ec, bp, ≡, tvc, ≈, ℜ, ⊘
sur l'autoroute General Cañas, entre l'aéroport et San José, à l'intersection avec la route menant à San Antonio de Belén
☎*239-0022*
⇄*239-2803*
L'hôtel Meliá Cariari est situé sur un terrain de 55 ha! Normal puisqu'il comporte un golf. Membre de la chaîne Sol Meliá, cet hôtel de catégorie supérieure demeure à la fois une station de villégiature pour le golf et un centre de congrès. Le décor y est sobre et de bon goût.

Parque del Lago
$$$$$ pdj
ec, bp, tvc, ≡, ℜ
Av. 2, Calle 40/42
☎*257-8787*
⇄*223-1617*
Le Parque del Lago est de style très classique et s'adresse surtout aux gens d'affaires (salles de travail et de réunion, service de bureautique).

Radisson
$$$$$
ec, bp, tvc, ℝ, ≈, ⊘, ℜ
autoroute Guapiles, Barrio Tournón
☎*257-3257*
⇄*257-8221*
Le Radisson est un autre de ces grands hôtels de la capitale. Il se trouve au centre-nord de la ville, dans le Barrio Tournón, immédiatement au nord du Barrio Amón, près du centre commercial El Pueblo. C'est le type d'hôtel mieux adapté à la clientèle d'affaires (avec ses salles de conférences et ses suites *ejecutivos*) ou aux touristes s'offrant un court séjour. À l'accueil, possibilité d'être servi en français.

San José

Residencias de Golf
$$$$$
ec, bp, ≡, tvc, ℂ, ⊛, ≈
entre la Residencial Los Arcos et
l'hôtel Cariari, dans le secteur
Cariari
☎*239-2272*
⇌*239-0331*
www.residencias-golf-
.co.cr
La devanture de l'hôtel
Residencias de Golf ne
l'annonce pourtant pas,
mais sa cour intérieure
cache un espace très
grand, bien aménagé, qui
isole bien des environs. À
retenir pour choisir sa
chambre parmi toutes
celles de bon confort et de
design sobre dont il dis-
pose. Possibilité d'accès au
Cariari Country Club et
navette gratuite pour
l'aéroport.

San José Palacio
$$$$$
ec, bp, ≡, tvc, ≈, △, ⊙, ⊛, ℜ
sur l'autoroute General Cañas,
entre La Sabana et La Uruca
☎*220-2034*
⇌*220-2036*
Le San José Palacio est un
grand hôtel de la chaîne
espagnole Barcelo, avec
aménagement et design
intérieur conçus selon les
normes nord-américaines.
Courts de tennis et de
racquetball.

Restaurants

Les restaurants des grands
hôtels proposent généralement de la bonne cuisine
internationale et peuvent
être utiles si vous recherchez absolument un petit
déjeuner de type conti-
nental américain.

Il est à remarquer que
vous pouvez également
acheter toutes sortes de
produits alimentaires aux
nombreux comptoirs
plantés sur les trottoirs de
San José: boissons prépa-
rées sur place ou manufac-
turées, fruits, petites pâtisseries... Pour ceux d'entre
vous qui sont plus «aventu-
reux», des fritures, sandwichs et viandes cuites sur
place sont également
proposés.

Les grands noms de la
restauration rapide nord-
américaine sont nombreux
à San José. Mais si vous
voulez découvrir ce qui
peut se faire dans les chaînes de restauration rapide
propres au pays, pourquoi
ne pas essayer la petite
chaîne de restaurants **AS**,
qui proposent des repas
minute costariciens et un
décor à la McDonald's? La
chaîne possède notam-
ment une succursale sur
l'Avenida 2 entre la Calle 1
et la Calle Central.

Il y a aussi des chaînes de
restaurants préparant des
repas plus élaborés. Les
Rosti Pollos sont un
concept de restaurant
entrant dans cette caté-
gorie. Apprêtant le poulet
sous toutes ses formes,
cette chaîne de restaurants
populaire auprès des *Ticos*
sert des repas très honnêtes. Service au comptoir
en outre.

Nous vous rappelons que
la plupart des restaurants
affichent leur menu en
espagnol et en anglais.

La Cañada
$
11h à 23h30
Calle 8, Av. 10/2
☎*222-1672*
Le restaurant La Cañada
gagnera votre affection.
Non pas que son décor
soit remarquable, non plus
en raison de l'amabilité de
son personnel, mais
l'endroit est propre, populaire (même auprès des
jeunes) et, par-dessus tout,
ses assiettes de *bocas* (avec
frites) sont généreuses
pour le prix, ce qui fait que
l'on peut y manger pour
5$US! De plus, l'endroit
fait très «restaurant du
coin», hors du circuit touristique: une belle occasion
de se mêler à la population
de la ville.

Chelles
$
Av. Ctl, Calle 9
Le *café-soda-bar* Chelles
est petit et sans prétention,
avec entre autres un long
comptoir pour les gens
pressés. Tout y est propre
et pas cher.

Mercado Central
$
Av. Ctl/1, Calle 6/8
Le Mercado Central est
également un endroit à
considérer pour vous offrir
un petit repas pas cher.

La Vasconia
$
Calle 3, Av. 1
☎*223-4857*
Le *restaurant-soda* La
Vasconia est également
sans prétention et attire les
Ticos du coin, avec ses
nappes cirées sur des
tables hétéroclites et son
aménagement tout simple.
On peut notamment y
manger toutes sortes de

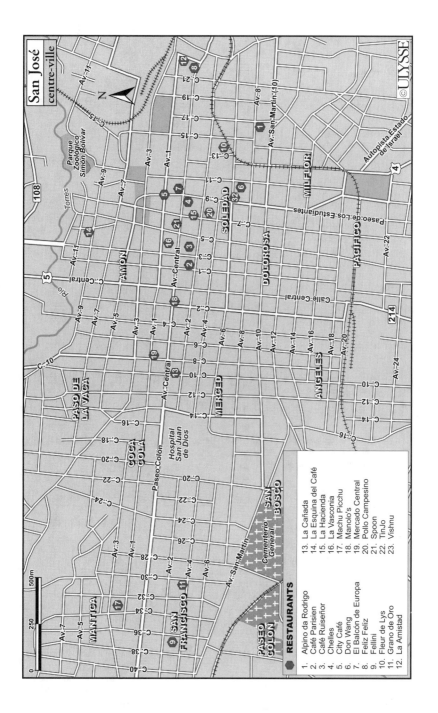

San José
centre-ville

© ULYSSE

ceviches à des prix très corrects.

 Vishnu

$

Calle 1, Av. 4; Av. 1, Calle 1/3; Calle 14, Av. Ctl/2

☎**222-2549**

Les restaurants végétariens Vishnu sont à essayer absolument. On peut y prendre le repas de midi, bon, typique et sain. Ils utilisent seulement de la farine à grains entiers. Il existe beaucoup de variétés dans les plats, et leur présentation excite les papilles. Quant aux desserts, ils sont excellents. C'est un arrêt obligatoire! Le tout est très propre en plus. Attention, les restaurants sont généralement très fréquentés; attendez-vous peut-être à devoir patienter quelque peu pour vous trouver une place.

Supermercado Yaohan
$

en face de l'hôtel Corobici, Sabana Este

La cafétéria du Supermercado Yaohan est également très appropriée pour qui cherche à se payer un bon repas rapide, servi dans un environnement très propre.

Feliz Feliz
$

Calle 23, Av. 1, à côté du restaurant La Amistad

☎**222-2320**

Le restaurant Feliz Feliz est spécialisé dans la cuisine chinoise. Son menu varié attire les familles, notamment le dimanche. Son aménagement simple, mais sans style particulier, est celui d'un «restaurant-salle à manger» familial. Les *tacos chinos* (pâtés

---

Noms trompeurs

Pour vous éviter quelques mauvaises surprises dans votre assiette, voici une brève liste de noms qui portent à confusion.

Le *Maple syrup* que vous verrez souvent inscrit sur les menus en anglais ne saurait tromper un Québécois! Il s'agit en fait de sirop de maïs qui n'a pas grand-chose à voir avec l'arbre qui produit le précieux sirop d'érable.

En anglais, il n'existe qu'un seul terme pour désigner à la fois le homard et la langouste: *lobster*. Ne vous laissez donc pas berner: dans les mers du Sud, ce sont des langoustes que l'on pêche.

Mantequilla se traduit littéralement par «beurre». Mais le beurre étant rare et très cher au Costa Rica, ce que l'on vous servira sera probablement un dérivé qui se situe entre le beurre et la margarine.

Les *jugos naturales* sont malheureusement parfois faits avec... un mélange en poudre! De plus, on utilise le terme *fresco* pour désigner aussi bien un jus de fruits fraîchement pressés qu'une boisson gazeuse. Assurez-vous donc de ce qui vous est proposé!

---

impériaux ou *egg rolls*) sont très bons, et le personnel est assez aimable. Attention, étant donné le type de restaurant, il faut s'attendre à y retrouver l'éternel téléviseur au fond de la salle, qui émet plus de bruit que de sons agréables lorsque l'on prend son repas.

 El Balcón de Europa

$$

Calle 9, Av. Ctl/1

☎**221-4841**

Le restaurant El Balcón de Europa est un établissement fort sympathique avec ses murs tapissés de vieilles photos d'époque. Sa réputation n'est plus à faire d'ailleurs dans la capitale, d'autant moins que le restaurant existe depuis 1909. Même le dimanche soir, il s'emplit d'une belle société animée, aidée en cela par une belle musique d'ambiance. Spécialité italienne: de délicieux petits fromages sont servis comme entrée. À deux pas de l'hôtel Del Rey.

El Farolito
$$
San Pedro
☎*234-2000*
Chez El Farolito, on vous servira une bonne cuisine mexicaine dans un décor qui oscille entre la *taberna* et le comptoir de restauration rapide.

City Café
$$
Av. 1, Calle 9
☎*221-7272*
Le City Café, qui loge à l'hôtel Del Rey, est ouvert jour et nuit, et sert de bons petits repas dans une belle ambiance, avec photos des années 1920 sur les murs.

Machu Picchu
$$
lun-sam 11h30 à 15h et 18h à 22h
125 m au nord du Paseo Colón
☎*222-7384*
Le restaurant Machu Picchu sert, dans un décor tout simple, une cuisine péruvienne d'excellent rapport qualité/prix. Très recommandable.

Pollo Campesino
$$
11h à 23h
Calle 7, Av. 2/4
☎*255-1356*
Le Pollo Campesino est un restaurant spécialisé dans le poulet rôti (on peut l'emporter). On peut y voir d'énormes rôtissoires où cuisent les poulets. Cependant, l'aménagement est plutôt quelconque, rappelant quelque peu le kitsch qui pouvait

prévaloir dans les comptoirs de restauration rapide au cours des années 1970 (contreplaqué, box, etc.).

Le populaire restaurant **Pollo Frito Pio-Pio** (*$$; Av. 2, Calle 2*) propose du poulet frit, comme le restaurant **Campero** (*$$*), dont une succursale est située sur la Plaza de la Cultura.

Las Tunas
$$
11h à 2h
Sabana Norte
☎*231-1802*
Le «restaurant-complexe» (*complejo*) Las Tunas propose un menu varié. Il se compose de plusieurs petites salles à manger en plus d'une terrasse couverte, le tout à l'architecture «cathédrale». Évidemment, la télévision se trouve aux quatre coins de la salle. Pratique lorsque vous voulez manger tard le soir.

Alpino da Rodrigo
$$-$$$
11h30 à 14h30 et 18h30 à 22h30
Calle 17, Av. 8
☎*222-4950*
L'Alpino da Rodrigo est un restaurant italien charmant qui serait le premier à avoir proposé la pizza et la cuisine italienne au pays, en 1961. L'intérieur témoigne de l'atmosphère italienne que le restaurant veut mettre en valeur: les nappes en tissu bleu et rouge et le bois invitent à y manger. Sans oublier les arômes des tomates, des épices et des sauces. L'établissement se compose d'un comptoir (avec téléviseur malheureusement) et d'une salle à manger.

La Amistad
$$$
Calle 23, Av. 1, tout à côté du bar El Cartel de la Boca del Monte
☎*221-0559 ou 223-8876*
Le restaurant La Amistad est spécialisé en cuisine chinoise. Son aménagement est simple et sans prétention, de même que son accueil.

Los Antojitos
$$$
plusieurs succursales dont une dans le quartier de Rohrmoser, sur la route 104
☎*225-9525*
Los Antojitos sert de la cuisine mexicaine très appréciée, avec l'une de ces ambiances les jours de fête! Chanteurs et musiciens mexicains rivalisent d'entrain pour ces occasions.

El Chicote
$$$
tlj 11h à 24h
Av. Las Américas, 400 m à l'ouest de l'ICE, Sabana Norte
☎*232-0936 ou 232-3777*
El Chicote est un très bon restaurant de grillades, du reste très connu. Il dispose d'une terrasse ainsi que d'un bar. La *crema de pejiballe* de même que le *pollo chicote* sont délicieux ici.

Don Wang
$$$
Calle 11, Av. 6/8
☎*233-6484 ou 223-5925*
Le restaurant Don Wang sert de l'authentique cuisine cantonaise et sichuanaise dans un décor chic et de bon goût. Pour une clientèle sérieuse et distinguée qui ne veut pas nécessairement trop dégarnir ses goussets...

San José

Fellini
$$$
Calle 36, Av. 4
☎*222-3520*
Ce resto est recommandé par la diaspora italienne installée à San José. C'est tout dire! Vous y dégusterez, dans un décor chaleureux, une fine cuisine de l'Italie. Certains soirs, vous pourrez même savourer le tout accompagné de la musique jouée par des musiciens invités.

El Exotico Oriente
$$$
11h à 15h et 18h à 23h
sur la rue principale à Escazú, en face du supermarché Mas X Menos
☎*228-5980*
Le restaurant El Exotico Oriente, de spécialité thaïlandaise, offre une belle ambiance toute simple, et son personnel est sympathique et empressé.

La Hacienda
$$$
Calle 7, Av. 2
☎*223-5493*
Le restaurant La Hacienda est un grill dont l'architecture (ressemblant à une grange) le distingue nettement des bâtiments des environs. On y propose assurément des steaks, mais également des salades et... du poulet, évidemment!

Lukas
$$$
dans le centre commercial El Pueblo, dans le secteur Tournón, au nord du centreville
☎*233-8145*
Le restaurant Lukas propose une bonne cuisine diversifiée dans une agréable salle à manger avec terrasse. Ce type de restaurant est d'autant plus intéressant qu'il est ouvert tard tous les jours, jusqu'à 2h.

María Alexandra
$$$
lun-sam 11h30 à 14h30 et 17h30 à 23h30
dans la résidence hôtelière du même nom, à Escazú, sur une rue en face du Quiubo, dans le secteur Urbanización Trejos Montalegre
☎*228-4876*
Le restaurant María Alexandra rassemble une belle clientèle dans un environnement intimiste.

Manolo's
$$$
11h à 23h
Av. Ctl, Calle Ctl/2
☎*221-2041 ou 222-2234*
Pour être sûr d'être entouré d'une belle animation même les soirs de semaine, le restaurant Manolo's apparaît tout indiqué avec ses musiciens sur place tous les jours *(de 19h à 21h)*. Une terrasse de même qu'une immense salle à l'étage permettront de vous trouver une place dans ce restaurant très fréquenté.

Ponte Vecchio
$$$
tlj 11h à 14h30 et 18h à 22h30
200 m à l'ouest de l'église de San Pedro, puis 25 m au nord
☎*283-1810*
Le Ponte Vecchio vous offre un service intimiste et chaleureux. Le chef, newyorkais d'origine, a fait en sorte que l'établissement soit reconnu par certains comme un des 100 meilleurs restaurants d'Amérique centrale.

Quiubo
$$$
sur la rue principale, Escazú
☎*228-4091*
Le restaurant Quiubo propose steaks et cuisine internationale (mexicaine et costaricienne particulièrement) dans un décor qui rappelle un peu les pubs. Le service y est très correct et empressé. Salles de conférences. Pour les clients de l'hôtel Rincón del Valle, le taxi est payé par le restaurant.

Tinjo
$$$
lun-sam 11h30 à 15h et 17h30 à 23h, dim 11h30 à 22h
Calle 11, Av. 6/8
☎*221-7605*
Le Tinjo est un très bon restaurant de cuisine thaïlandaise, indienne, chinoise et végétarienne. Restaurant chic et de bon goût. Son aménagement inspire, de même que les arômes qui se dégagent à l'entrée!

Le Monastère
$$$-$$$$
San Rafael de Escazú
☎*289-4404 ou 228-8515*
Niché au sommet d'un mont qui domine les environs, Le Monastère est visité, on s'en doute, d'abord pour sa vue. Mais il a bien d'autres attraits à offrir. Le bâtiment, probablement une chapelle construite pour un riche propriétaire qui fut, un temps, bel et bien utilisée par des moines, dégage une ambiance moyenâgeuse qui lui donne beaucoup de charme. À l'étage, le restaurant sert une bonne cuisine française. Préparée aux côtés de plats de cuisine internationale, cette cuisine fait honneur au nom français

de l'établissement! Si les prix de la carte vous retiennent d'y goûter, ne vous empêchez pas de venir jusqu'ici, puisqu'au sous-sol se trouve un agréable «bistro-taverne», La Cava, où vous pourrez prendre un verre et une bouchée sans vider votre portefeuille. Sous un éclairage aux chandelles, vous pourrez même profiter, du mardi au samedi, de spectacles de *música en vivo*. Aux deux étages, le service, efficace, est assuré par des serveurs en beaux costumes. Pour y accéder, rendez-vous d'abord à San Rafael de Escazú, où vous tournerez à gauche après le Multicentro Paco; de là, suivez les indications. Attention toutefois, celles-ci ne sont pas toujours claires, et la route est parfois difficile: ça monte à pic!

Antonio's
$$$$
lun-ven 11h à 23h, sam-dim 15h à 23h
☎*239-1613*
Tout à côté de l'hôtel Herradura, à Cariari, le restaurant italien Antonio's représente dignement ce pays! Son chef, réputé, parle par ailleurs le français. L'atmosphère classique (avec piano) qui y règne se prête à un grand dîner.

El Fuji
$$$$
lun-sam 12h à 14h30 et 18h à 23h
☎*232-8122*
El Fuji de l'hôtel **Meliá Corobicí** (voir p 92) est un restaurant de spécialités japonaises au décor de classe.

Grano de Oro
$$$$
6h à 22h
Calle 30, Av. 2/4
☎*255-3322*
La cuisine du restaurant Grano de Oro, de l'hôtel du même nom (voir p 93), fusionne l'art culinaire costaricien au classicisme européen. Son chef, Francis Canal, a si bien fait que l'établissement est identifié par certains comme un des meilleurs restaurants du pays. Son décor est très enveloppant.

Fleur de Lys
$$$$
Calle 13, entre Av. 2 et Av. 6
☎*223-1206 ou 257-2621*
Niché dans l'hôtel du même nom, le restaurant Fleur de Lys jouit du décor offert par cette magnifique demeure ayant appartenu à un baron du café. La petite salle à manger de quelques tables seulement, se pare de draperies, de lustres en fer forgé, d'un plancher carrelé et de murs recouverts d'une belle couleur jaune. Prenez place et laissez-vous entourer d'un véritable service à la française. Vous en serez séduit et tomberez sous le charme à la vue de votre assiette! Le chef français prépare une fine cuisine de l'Hexagone mariée aux saveurs d'ici. Ayant résidé longtemps dans les Caraïbes, Vincent Boutinaud s'inspire des produits tropicaux pour rehausser ses plats. Son menu propose aussi des plats de cuisine internationale, question de plaire à tous.

Île de France
$$$$
Los Yoses
☎*283-5812*
L'hôtel Le Bergerac, dans le tranquille quartier de Los Yoses, abrite un restaurant à découvrir. Les hôteliers français font honneur à la cuisine de leur pays en mettant aux fourneaux un chef digne de ce nom. Ainsi, Jean-Claude Fromont concocte des plats dignes de la cuisine française. Même l'agneau aux herbes provençales tient la vedette au menu! De plus, le décor de l'Île de France ajoute au plaisir puisqu'il se révèle riche et feutré, et que ses grandes fenêtres s'ouvrent sur un jardin. Sans ce dernier détail, on se croirait presque à bord d'un paquebot de croisière!

Cerutti
$$$$
sur la route menant de San Rafael à Escazú, après l'embranchement
☎*228-4511*
Le restaurant Cerutti est l'endroit des grands dîners... où la cuisine italienne, les fruits de mer et les steaks figurent au menu. Une terrasse donne sur la rue.

La Masia del Triquel
$$$$
mar-sam 11h30 à 14h et 18h30 à 22h30, dim 11h30 à 15h30
100 m à l'est de l'ICE et 175 m au nord, dans l'édifice de la Casa España, Sabana Norte
☎*296-3528*
La Masia del Triquel est un restaurant de classe spécialisé dans la cuisine espagnole. Son décor et son service en témoignent, d'autant plus que le restaurant loge dans l'édifice

San José

d'une institution hispa-
nique, La Casa España,
sorte de club qui offre
toutes sortes d'activités à
ses membres depuis plus
de 100 ans. Idéal pour les
soirées chics.

Rias Bajas
$$$$
*lun-sam 12h à 15h et
18h30 à 24h*
☎*221-7123*
Le Rias Bajas se spécialise
dans les fruits de mer. Ses
plats, quoique délicieux,
sont chers.

Sakura
$$$$
*lun-sam 11h30 à 15h et de
18h à 11h15, dim 12h30 à
23h*
Cariari
☎*239-0033*
Le Sakura de l'hôtel **Herradura** (voir p 97) est un
restaurant de spécialités
japonaises très bien tenu
et au décor à l'avenant.

Sancho Panza Tasca
$$$$
10h à 24h
hôtel Herradura, Cariari
☎*239-0033*
Le restaurant Sancho
Panza Tasca propose des
spécialités de cuisine espagnole dans une ambiance
charmante de l'Espagne
antique, Sancho Panza
oblige! Les critiques sont
très positives à son en-
droit.

Les cafés, boulangeries-pâtisseries et crèmeries

Au moment d'un petit
creux ou simplement pour
marquer un temps d'arrêt
dans vos pérégrinations
touristiques, il existe un
bon nombre de cafés, de
boulangeries-pâtisseries et
de crèmeries pour vous
servir dans la région de la
capitale.

Cafetería Portofino
$
à côté de l'Aparthotel María
Alexandra, sur la rue en face du
Quiubo, dans le secteur Urbanización Trejos Montalegre
À Escazú, la Cafetería
Portofino propose de la
vraie bonne glace italienne.
Le décor et le style sont
plus recherchés que ceux
de la chaîne Pop's, dont
une succursale n'est pas
loin.

Chocolatería San Simón
sur la rue principale, Escazú
À Escazú également, il y a
la Chocolatería San Simón
pour les mordus du cho-
colat.

🌴 La Esquina del Café / Amón Coffee Shop
$
Calle 3bis, Av. 9
☎*257-9868*
Dans le Barrio Amón, il
existe deux cafés: La Es-
quina del Café et l'Amón
Coffee Shop, où vous
pourrez déguster la pré-
cieuse boisson stimulante
et tous ses possibles ac-
compagnements dans un
décor charmant de vrai
beau petit café.

Musmanni
$
Vous remarquerez qu'il
existe de nombreuses
panaderías Musmanni à
San José. Ces boulange-
ries-pâtisseries ne font pas
dans l'excessive finesse,
mais leurs produits, substantiels et riches, permettent de voir ce qui peut se
faire au Costa Rica en la
matière. De plus, rien
qu'aux noms chantants
que portent les produits
présentés (*quesadilla, pan
de cebolla, strudel de man-
zana, enchillada, pan de
ajo*), on trouve vite
l'appétit pour tous les
essayer.

Panadería El Caballito
$
face au marché central, Av. 1
La Panadería El Caballito,
qui existe depuis 1955, est
une très bonne
boulangerie-pâtisserie qui,
outre les pains et pâtisseries de toutes sortes, propose fromages, tablettes
de chocolat et rafraîchissements. Les prix sont très
raisonnables, et le personnel est sympa.

Panadería Durand
$
Calle 4, Av. 5
Les boulangeries de la
Panadería Durand, ouver-
tes jour et nuit, proposent
une belle variété de pâtisseries et de pains.
L'endroit est sympathique
et propre. Sa fréquenta-
tion anime le coin de la
rue, ce qui est intéressant
la nuit.

🌴 Pastelaría Giacomín
$
*lun-sam 8h à 12h et 14h à
19h*
près de l'Automercado de Los
Yoses, Av. Central entre Calle 39
et Calle 41
☎*234-2551*
Dans le quartier de Los
Yoses, la Pastelaría Gia-
comín est une référence
en matière de pâtisseries,
surtout si vous
l'accompagnez d'un bon
café.

Cafeterías Panaderías Deli City
$

Les Cafeterías Panaderías Deli City constituent une chaîne dont les succursales ont essaimé un peu partout à San José et dans certaines villes en région. Repas légers et pâtisseries vraiment corrects. Oubliez cependant le design intérieur de la fin des années 1970 et les couleurs à l'avenant.

Spoon
$$

centre-ville: Av. Ctl, Calle 5/7
Los Yoses: 100 m au sud et 100 m à l'ouest de Cancún
Pavas: en face de l'ambassade des États-Unis
banlieue ouest: centre commercial Multi Plaza, face à l'hôtel Camino Real
Les restaurants Spoon proposent un menu assez vaste et sont d'un bien meilleur standing que Deli City. Les pâtisseries y sont un pur délice!

Les crèmeries **Wall's**, propres et abordables, proposent des glaces de toutes sortes. Vous trouverez un établissement de cette chaîne sur l'Avenida 3 entre la Calle 3 et la Calle 5 ou encore à l'angle de l'Avenida Central et de la Calle Central.

Les restaurants **Pop's** demeurent un concept de crèmerie très populaire au Costa Rica. Ils pullulent dans le pays, et leur crème glacée est la bienvenue après avoir marché au soleil. Vous ne devriez pas avoir de difficulté à en trouver à San José (il y en

a un par exemple sur l'Avenida Central entre la Calle 3 et la Calle 5).

Café Ruiseñor
$$
lun-ven 10h30 à 18h
Av. 2, Calle 5, à l'entrée principale du Théâtre national
Le Café Ruiseñor est un endroit très joli où la cuisine est excellente. C'est le lieu tout indiqué pour se reposer en fin d'après-midi au cœur de la ville. On y expose quelquefois des œuvres d'art costariciennes.

Café Parisien
$$
Av. 2, Calle 3, en face du Théâtre national
☎*221-4000*
En plein cœur de la ville, sur la place, il y a l'inévitable Café Parisien, au rez-de-chaussée du Gran Hotel Costa Rica. Ce café au charme tranquille mais très actif (étant donné son emplacement sur la place publique) attire depuis longtemps une grosse clientèle. L'endroit est tout indiqué pour «voir et être vu» au thé de 17h.

Delimundo
$$
au sous-sol du centre commercial Plaza Colonial Escazú, sur la rue principale
À Escazú, le restaurant Delimundo est un petit restaurant de *bagels*, sandwichs, jus naturels, salades et pains variés (*pumpernickel*) très bons. Son design intérieur lui donne un air un peu froid et aseptisé.

Sorties

Bars et discothèques

Le choix des sorties ne manque évidemment pas dans la grande région de San José. L'idéal pour sortir le soir est de prendre un taxi, en raison de son coût abordable: cela vous évitera d'avoir à traverser à pied des zones moins sûres que d'autres. Vous trouverez de jolis établissements pour prendre un verre ou encore pour vous mêler à la foule nocturne si vous vous promenez au cœur du centre-ville, dans une de ses zones les plus sûres, c'est-à-dire au nord de l'Avenida 2 et à l'est de la Calle 4. Le quartier (*barrio*) d'Amón est particulièrement intéressant à ce chapitre.

Le centre commercial San Pedro abrite la plus grande discothèque de la ville, le **Planet Mall**. Voyante, elle attire beaucoup de monde.

El Pueblo est un centre commercial qui réunit boutiques, restaurants et bars. Parmi ces derniers, mentionnons le **Coco Loco** (☎*222-8782, poste 18*), qui dégage une ambiance assez folle; le **Plaza** (☎*233-5516*), une grande discothèque, mais à la piste de danse assez petite, où les gens vont danser en couple; l'**Infinito** (☎*221-9134*), où les pistes de danse vibrent au rythme de différentes ambiances:

romantique, *salsa* et *merengue* ou plus moderne; et finalement, dans un tout autre ordre, le **Café Arte Boruca**, un chouette petit bar où la jolie décoration ajoute à l'ambiance intime.

C'est à San Pedro, le quartier universitaire, que vous trouverez le plus de petits bars sympathiques pour prendre un verre. Parmi eux, deux endroits parlent par leur nom! Le **Baco** est un bar à vin, tandis que le **Café Jazz** (*☎253-8933*) fait jouer de cette musique née chez l'Oncle Sam.

El Balcón de Europa

Calle 9, Av. Ctl/1
El Balcón de Europa, tout en étant un restaurant (voir p 100) est également un endroit où prendre un verre, étant donné sa renommée bien méritée.

Café Plantter's

Escazú, sur la route principale
Le Café Plantter's attire une foule tellement importante de jeunes le vendredi soir qu'ils se retrouvent dans la rue, bière à la main.

El Cuartel de la Boca del Monte

lun-ven 12h à 2h30, sam-dim 19h à 2h
Av. 1, Calle 21/23
☎221-0327
El Cuartel de la Boca del Monte est connu de tous, tant pour ses bons repas le jour que pour son ambiance en soirée. Même en semaine, vous aurez souvent, la nuit venue, à vous frayer un passage à travers une foule très dense. Le tout San José de la jeunesse s'y tient et c'est fort sympathique. Repas jusque tard dans la soirée, ce qui n'est pas fréquent dans la ville.

Esmeralda

11h à 5h
Av. 2, Calle 5/7
☎233-7386
Allez voir (et surtout entendre!) les *mariachis* au restaurant Esmeralda; ils chantent à tue-tête, littéralement! Sachez que les chansons (voix et musique) sont chantées au complet: les *mariachis* sont très sérieux! Le trottoir en face du restaurant est d'ailleurs leur lieu de rassemblement le soir, ce qui bloque quelque peu le passage aux piétons.

The Loft

à l'embranchement des routes vers San Rafael et Escazú
The Loft est un bar qui se trouve au-dessus du restaurant Mac's. Dans une atmosphère détendue, une clientèle *cool* et sympathique joue au billard. On y propose des «deux pour un».

Talamanca

Av. 2, Calle 8/10
Le bar de l'hôtel Talamanca, au dernier étage de l'établissement, offre à sa clientèle tranquille une vue intéressante sur la ville.

Las Tunas

Sabana Norte
Las Tunas (voir p 101) propose une discothèque la fin de semaine.

Bars et discothèques gays

La Avispa

mar-dim
Calle 1, Av. 8/10
☎223-5343
La Avispa attire une clientèle gay et lesbienne depuis une vingtaine d'années déjà. La musique populaire s'y mélange aux rythmes tropicaux de la musique latine.

Café Mundo

lun-sam
Av. 9, Calle 15, dans la courbe
Le Café Mundo est un restaurant de style européen plutôt tranquille qui se transforme en bar le soir venu.

Deja Vu

mer-dim
Calle 2, Av. 14/16
☎223-3758
Deja Vu est qualifié de meilleur club en Amérique centrale avec sa musique techno-pop mélangée aux tubes espagnols. Le club attire aussi une clientèle hétérosexuelle.

Casinos

Casino Colonial

24 heures sur 24
Av. 1, Calle 9/11, à deux pas de l'hôtel Del Rey
☎258-2807
Si vous désirez tenter votre chance aux jeux de hasard, sachez que les casinos ne manquent pas à San José et qu'ils sont ouverts 24 heures sur 24, pour la plupart. En marge des casinos d'hôtel, nombreux, le Casino Colonial est indépendant et se présente comme un casino de classe avec son aménagement intérieur

(vastes espaces en hauteur, sols de céramique, couleurs harmonisées, grandes colonnes); un portier vous attend pour vous ouvrir les portes de la chance. L'édifice possède une devanture facile à reconnaître avec ses colonnes, son fronton et son portique palladiens. Le casino abrite également un restaurant *($$$)* au design nord-américain.

Activités culturelles et artistiques

La plupart des journaux du pays (en particulier le *Tico Times* et *La Nación*) vous renseigneront sur les activités culturelles et artistiques à l'affiche dans la capitale.

Théâtres

Teatro La Aduana
Teatro Fanal
Teatro 1987
Calle 25, Av. 3/5
☎*257-8305*

Teatro del Angel
Av. Ctl, Calle 13/15
☎*222-8258*

Teatro Carpa
Moravia
☎*234-2866*

Teatro Eugene O'Neill
Centro Cultural Costarricense Norteamericano, dans le quartier Dent, Calle Los Negritos
☎*253-5527*

Teatro Laurence Olivier
Av. 2, Calle 28
☎*222-1034*

Teatro La Mascara
Calle 13, Av. 2/4
☎*255-4250*

Teatro Melico Salazar
Av. 2, Calle Ctl/2
☎*221-4952*

Teatro Nacional
☎*233-6354*

Teatro Vargas Calvo
Calle 5, Av. Ctl/2
☎*222-1875*

La Comedia
Av. 2
☎*255-3255*
La Comedia consacre sa programmation à des pièces comiques qui tiennent l'affiche assez longtemps, quand le public apprécie, bien sûr! À l'entrée, un petit café se prête très bien aux discussions d'avant ou d'après le spectacle.

Cinémas

Sala Garbo
Av. 2, Calle 28
☎*222-1034*
Le Sala Garbo projette des films internationaux sous-titrés en espagnol.

Teatro Laurence Oliver
Av. 2, Calle 28
☎*222-1034*
Le Teatro Laurence Oliver présente également des films, en plus des pièces de théâtre. Une galerie d'art et un café s'ajoutent au complexe.

L'**Universidad de Costa Rica**, à San Pedro, présente, dans l'auditorium du pavillon d'**Estudios Generales,** des films à prix modique. Selon une formule qui ressemble à celle de bon nombre d'universités nord-américaines, ces films généralement récents

et souvent de répertoire sont normalement destinés à la clientèle étudiante, mais le public peut aussiy assister.

Achats

En marge des grands magasins de chaîne costaricienne, le **Supermercado Yaohan** est un grand supermarché très fréquenté à San José. Appartenant à des intérêts japonais, il se trouve en face de l'hôtel Meliá Corobici, à Sabana Este.

Librería Universal
Av. 1, Calle Ctl/1
☎*222-5822*
La Librería Universal est une très grande librairie-papeterie dont il existe une succursale au cœur de la ville de même qu'une autre sur la voie de service de l'autoroute Prospero Fernández, qui longe le côté sud du parc La Sabana. C'est un des bons endroits pour s'approvisionner en livres sur le Costa Rica (livres de photos, statistiques sur le pays, ouvrages de vulgarisation pour investir, etc.). On y trouve aussi des bibelots et des fournitures de bureau, et, à l'étage, un petit comptoir prépare des cafés express.

Librería Lehmann
Av. Ctl, Calle 1/3
☎*223-1212*
La Librería Lehmann est une grande librairie située au cœur de la ville.

San José

Librería Internacional
300 m à l'ouest du Taco Bell, dans le quartier Dent, San Pedro
☎253-9533
La Librería Internacional vend des livres en anglais, français, espagnol et allemand.

Librería El Erial
Av. 6, Calle 9
☎222-8097
Plusieurs petites librairies, souvent de livres d'occasion, se sont installées sur le Paseo de los Estudiantes ou tout près. La Librería El Erial, fondée en 1943 et située non loin de l'école primaire España, est une petite librairie qui propose entre autres des livres en français à sa clientèle.

Il existe également de nombreuses librairies près du campus de l'**Universidad de Costa Rica**, à San Pedro.

Librería Francesa
Av. 1, Calle 5/7
☎223-7979 ou 233-7979
Pour les lecteurs francophones, il ne faut pas manquer la Librería Francesa. Cette belle librairie présente de façon agréable des livres sur tous les sujets. Que vous cherchiez un roman, une bande dessinée, un livre jeunesse ou un livre de cuisine, vous trouverez ici une belle sélection. On y tient aussi un bon choix de guides de voyage, parmi lesquels les Guides de voyage Ulysse font belle figure! On y vend aussi des livres en langues étrangères.

Mercado Central
Av. Ctl/1, Calle 6/8
Le Mercado Central vaut aussi le déplacement pour se procurer certains biens de consommation courante (vêtements et accessoires, produits alimentaires, fleurs, etc.) tout en profitant d'une atmosphère sympathique et purement costaricienne.

Cigar Shoppe
Calle 5, Av. 3
Si vous voulez rapporter des cigares à vos amis, sachez qu'autour du Parque Morazán il existe deux points de vente incontournables. D'abord, le Cigar Shoppe, au rez-de-chaussée du Diana's Inn, qui propose des cigares de Cuba, du Honduras et du Nicaragua, dans le décor d'une toute petite boutique bon chic bon genre, puis le restaurant **Morazán**, qui vend ses cigares et cigarillos dans un décor sans prétention, près de la caisse.

El Pueblo
dans le quartier de Tournón, au nord du centre-ville
☎222-5938
Pour l'artisanat, il existe El Pueblo, un centre commercial où vous pouvez à la fois trouver des souvenirs, des produits artisanaux et même des œuvres d'art (d'artistes comme Bolívar García ou Amighetti).

Le **Mercado Central** abrite également des comptoirs où vous pourrez vous procurer de l'artisanat.

Pour le **café**, il existe évidemment plusieurs endroits à San José où vous pouvez vous approvisionner: d'abord au Mercado Central et dans les supermarchés, mais également dans des boutiques de souvenirs et de café qui essaiment tranquillement dans la capitale. À ce chapitre, retenez que **La Esquina del Café** ainsi que l'**Amón Coffee Shop** (*près de l'angle de la Calle 3bis et de l'Avenida 9, Barrio Amón*), tous deux situés à quelques pas l'un de l'autre, sont vraiment intéressants. Le café et ses multiples usages y sont en montre; c'est fou ce que l'on peut faire avec ces *granos de oro* de nos jours! Ces deux endroits proposent aussi des idées-cadeaux de toutes sortes pour gâter vos proches. Dans le secteur immédiat de l'Avenida 1, au nord-ouest du Mercado Central, sur les quelques quadrilatères suivants, il y a également un certain nombre de marchands qui vendent du café qualifié par eux de produit *100% puro*.

La **boutique des musées du Banco Central de Costa Rica** (*Calle 5, Av. Ctl*) est aussi un excellent endroit pour faire des achats en or, au sens propre et figuré. En effet, la boutique fait partie du complexe muséal situé sous la Plaza de la Cultura qui comprend, entre autres institutions, le Musée de la numismatique et le Musée de l'or précolombien. On y vend des reproductions en or d'œuvres précolombiennes et d'autres pièces artistiques, de même que des livres d'art et d'histoire de belle facture.

Mercado Nacional de Artesanía / CANAPI
Av. 1, Calle 11
Le Mercado Nacional de Artesanía et CANAPI sont également deux endroits intéressants pour acheter des produits artisanaux.

ANDA
Av. Ctl, Calle 5/7
ANDA propose de l'artisanat amérindien du Costa Rica.

Atmósfera
Calle 5, Av. 1/3
☎222-4322
Pour des produits d'artisanat haut de gamme, rendez-vous chez

Atmósfera. Ils ont de tout, des t-shirts aux bijoux en passant par les bibelots et les cigares, mais à prix assez élevés.

Galería Namu
Av. 7, Calle 5/7
☎256-3412
Vous êtes à la recherche de quelque chose de différent et de plus authentique? Rendez-vous à la Galería Namu. Il s'agit d'une galerie d'art qui vise à promouvoir le travail d'artistes autochtones costariciens.

Les propriétaires mettent un soin particulier à sélec-tionner les œuvres et surtout à les vendre, puisqu'ils vous raconteront en détail l'origine de l'objet, l'histoire de l'artiste et le procédé de fabrication. Les pièces ne sont généralement pas trop chères, et leur vente permet d'encourager ces artistes difficilement reconnus.

Notez enfin que les alentours de la capitale regorgent d'énormes centres commerciaux à la nord-américaine. Pour n'en mentionner qu'un: le **Multi Plaza**, sur l'Autopista Prospero Fernández, où vous trouverez de tout.

Oiseau du paradis

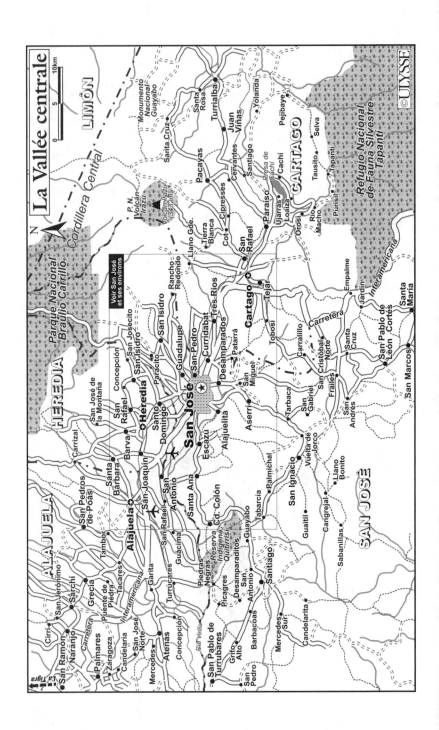

La Vallée centrale

Géographiquement au centre du pays, la Vallée centrale est le berceau du Costa Rica.

C'est ici que se sont développées les premières villes du pays et que l'essentiel de l'activité économique costaricienne a trouvé un terrain fertile. La capitale, San José, y est localisée, de même que les villes d'Alajuela, d'Heredia et de Cartago, qui sont chacune à la tête d'une province du pays.

Aujourd'hui, la Vallée possède deux dimensions. D'abord, l'activité urbaine qui s'y est développée au cours des siècles fait en sorte que l'on y retrouve les principales activités culturelles et artistiques du pays, de même qu'un très grand nombre des meilleurs services d'hébergement et de restauration. La vie nocturne y est également animée.

Ensuite, la Vallée centrale, c'est la nature dans tout ce qu'elle renferme de plus beau. Imaginez une température jamais excessivement chaude ni jamais froide, des forêts luxuriantes

étalées sur des coteaux en gradins, une campagne pastorale et des champs d'une magnifique verdeur, le tout entouré de montagnes et volcans majestueux, et vous avez une bonne idée de ce qu'est la Vallée centrale: un petit paradis sur terre.

Le fait de pouvoir embrasser toute cette nature dans une même expérience ajoute à l'intérêt de séjourner dans la Vallée centrale: l'ensemble de la région (50 km sur 20 km à ses extrémités) est en effet

accessible en une seule journée.

Et que dire des sensations visuelles! Les nombreuses déclivités de la Vallée multiplient les coups d'œil merveilleux et les perspectives époustouflantes sur tout ce qui la constitue, à savoir les cultures, les forêts, les massifs, les volcans et la ville.

Bien que ce chapitre vous propose un certain nombre d'activités, n'ayez crainte de vous laisser aller à vagabonder dans la région au hasard des routes: vous serez à coup sûr ravi de votre expérience.

Pour s'y retrouver sans mal

Pour les besoins d'un repérage facile, sachez que la Vallée centrale peut se présenter comme étant constituée de trois grandes régions rayonnant depuis San José. L'ouest de ces régions comprennent la Vallée avec Alajuela comme chef-lieu, le nord avec Heredia comme capitale et l'est de la Vallée avec Cartago comme principal centre urbain. Ce découpage demeure d'autant plus pratique qu'il correspond grosso modo au découpage administratif de trois des provinces du pays ayant les villes susnommées comme capitales. San José est au centre géographique de ce découpage.

La Vallée a ceci de particulier que toute la région est à peu de distance de la capitale nationale, San José, et des capitales provinciales. Vous n'avez donc pas à vous préoccuper de changer de lieu d'hébergement si vous désirez visiter cette grande et belle région au fil des jours, pour peu que vous ne logiez pas dans sa lointaine périphérie.

En voiture

L'ouest de la Vallée

Alajuela: cette ville n'est vraiment pas difficile à atteindre; vous n'avez qu'à prendre l'autoroute General Cañas, qui débute en face du Parque La Sabana, en direction de l'aéroport international. Alajuela est bien indiquée et se trouve tout près de l'aéroport.

Ojo de Agua: suivez l'autoroute du général Cañas vers l'ouest, prenez à gauche après les hôtels Meliá Cariari et Herradura, en direction de San Antonio de Belén, puis continuez jusqu'à Ojo de Agua.

Atenas: la petite ville d'Atenas se trouve sur l'autoroute General Cañas, quelques kilomètres après avoir passé Alajuela au départ de San José. La route d'Atenas est l'autre option (par rapport à Puntarenas) pour atteindre Jacó, sur la côte Pacifique. La route est donc assez passante, particulièrement les fins de semaine. Par contre, cette belle route parcourt de magnifiques contrées vallonnées.

The Butterfly Farm: rendez-vous à San Antonio de Belén à partir de l'autoroute General Cañas (à l'ouest de l'hôtel Meliá Cariari). Après avoir passé l'église de San Antonio, tournez à droite, puis à gauche un pâté de maisons plus loin, et demeurez sur cette route jusqu'à ce que vous ayez passé les villages de San Rafael et de La Guacima. Gardez la gauche au croisement en Y

à la Hacienda Los Reyes; la ferme n'est pas loin et est indiquée.

Madame Butterfly Garden: comme pour The Butterfly Farm, rendez-vous à San Antonio de Belén à partir de l'autoroute General Cañas (à l'ouest de l'hôtel Meliá Cariari). Après avoir passé l'église de San Antonio, tournez à droite, puis à gauche un pâté de maisons plus loin, et demeurez sur cette route jusqu'à ce que vous ayez passé les villages de San Rafael et de La Guacima. Au contraire de The Butterfly Farm cependant, prenez à droite au croisement en Y à la Hacienda Los Reyes, puis tournez à gauche au pont de Las Vueltas de la Guacima.

Parque Nacional Volcán Poás: suivez l'Interaméricaine jusqu'à Alajuela, puis prenez la route secondaire via San Pedro de Poás et Fraijanes.

Le nord de la Vallée

Heredia: la ville d'Heredia est située tout près de San José. Vous atteindrez cette ville par l'autoroute General Cañas; plus d'une sortie vous est proposée pour rejoindre la ville. Suivez les indications.

Monte de la Cruz: vous atteindrez Monte de la Cruz en empruntant un chemin qui quitte San Rafael vers le nord. San Rafael, rappelons-le, est situé à quelques kilomètres à peine au nord-est d'Heredia.

Parque Nacional Braulio Carrillo et **Rain Forest**

Aerial Tram: de San José, prenez la Calle 3 vers le nord, qui devient l'Autopista Braulio Carrillo (ou Guápiles) *(péage 0,85$)*. Comptez environ 20 min pour atteindre le parc et environ 45 min pour rejoindre l'Aerial Tram.

L'est de la Vallée

Cartago: la ville de Cartago se trouve en bordure de l'Interaméricaine, qui mène plus au sud, au Cerro de la Muerte et à la région sud du pays. Route importante, l'Interaméricaine comporte quatre voies sur la majeure partie de son tracé entre San José et Cartago.

Parque Nacional Volcán Irazú: il faut faire le trajet de San José jusqu'à Cartago, puis traverser le village de San Rafael et suivre les indications.

Refugio Nacional de Fauna Silvestre Tapantí: il faut faire le trajet de San José jusqu'à Cartago, puis emprunter une route secondaire passant par Paraíso, Orosi, Río Macho et Tapantí.

Monumento Nacional Guayabo: il faut effectuer le trajet de San José jusqu'à Cartago, puis, via Paraíso, Juan Viñas et Turrialba, suivre les indications vers le Monumento Nacional Guayabo.

En autocar

L'ouest de la Vallée

Alajuela: les départs de San José, fréquents, se font de l'Avenida 2 entre la Calle 12 et la Calle 14. Le terminus d'Alajuela est situé à l'ouest du Parque Central et du marché.

Ojo de Agua: à San José, vous pouvez prendre l'autocar à l'arrêt situé sur l'Avenida 1 entre la Calle 18 et la Calle 20; les départs sont fréquents (toutes les heures).

The Butterfly Farm: à Alajuela, l'arrêt d'autocar est situé à 100 m au sud et à 100 m à l'ouest du supermarché Tikal. Prenez l'autocar sur lequel est inscrit *La Guácima abajo*. Quatre départs entre 6h et 13h vous sont offerts; le trajet dure quelque 40 min; demandez au chauffeur de s'arrêter à «La Finca de Mariposas». De San José, l'autocar quitte la ville à l'arrêt où est indiqué «Ojo de Agua/ San Antonio», sur l'Avenida 1 entre la Calle 20 et la Calle 22. Les départs se font normalement à 11h ainsi qu'à 14h tous les jours, à l'exception du dimanche. Le trajet en bus dure approximativement une heure, jusqu'au dernier arrêt. De l'école, vous n'aurez qu'à suivre les indications sur une distance de 300 m pour atteindre la ferme. Le retour à San José se fait vers 15h15. Il y a cependant trois départs directs de San José pour The Butterfly Farm chaque jour. Contactez les responsables de la ferme (☎*438-0400)* pour connaître les modalités de réservation.

Parque Nacional Volcán Poás: départ tous les jours de San José à 8h30, retour à 14h30 *(3$ aller-retour; Calle 12, Av. 2/4,* ☎*222-5325)*.

Le nord de la Vallée

Heredia: toutes les 10 min, un autocar part de San José pour Heredia. Le trajet dure quelque 25 min.

Barva: il y a un autocar quittant Heredia en direction de Barva toutes les 30 min.

Parque Nacional Braulio Carrillo: départs quotidiens toutes les 30 min *(Calle 12, Av. 7/9)* entre 5h30 et 21h45. Demandez au chauffeur de vous laisser à l'accueil «Quebrada González». Pour le retour, il faut attendre l'autobus près de la route. Transport Empresarios Guapilenos *(1,55$;* ☎*223-1276)*.

Rain Forest Aerial Tram: même transport que pour le Parque Nacional Braulio Carrillo. Demandez qu'on vous laisse au Rain Forest Aerial Tram.

L'est de la Vallée

Cartago: de San José, il existe un départ toutes les 10 min.

Orosi: de Cartago, un autocar part environ toutes les heures et demie entre 6h et 22h, du lundi au vendredi. Les retours se font entre 4h30 et 18h30.

Turrialba: de San José, un autocar part toutes les heures pour Turrialba et Guayabo, entre 5h et 22h.

Vallée centrale

Même chose pour le retour. Comptez 50 min de route.

Parque Nacional Volcán Irazú: départ le samedi et le dimanche seulement, à 8h *(4,20$; Av. 2, Calle 1/3, ☎272-0651).*

Refugio Nacional de Fauna Silvestre Tapantí: il faut d'abord prendre l'autocar San José – Cartago, puis le car Cartago – vallée d'Orosi *(☎551-6810),* qui mène jusqu'à Río Macho (juste passé Orosi), soit à 9 km de l'entrée du parc. De là, il est possible de prendre un taxi *(environ 6$)* jusqu'au parc.

Monumento Nacional Guayabo: il faut d'abord prendre l'autocar San José – Turrialba, puis un autre jusqu'au «monument» *(☎556-0583).*

Renseignements pratiques

La Vallée centrale demeure très urbanisée et compte près de la moitié de la population du Costa Rica. Les services de base y sont donc très développés. Cela est d'autant plus vrai que les capitales provinciales de trois des provinces du pays se retrouvent dans la Vallée centrale, à quelques kilomètres seulement de la capitale. Vous n'aurez donc pas de difficulté à satisfaire la plupart de vos besoins de base, peu importe où vous vous trouverez dans la région.

L'ouest de la Vallée

Alajuela: toutes les grandes banques du pays ont pignon sur rue à Alajuela, dans les environs du Parque Central. La plupart d'entre elles possèdent des guichets automatiques.

L'**Hospital San Rafael** *(Calle Ctl, Av. 9, ☎441-5011)* est situé au nord du centre-ville.

L'aire des départs des **autocars** pour la plupart des destinations se trouve à deux rues à l'ouest du Mercado Central, par l'Avenida 1.

Le nord de la Vallée

Heredia: plusieurs banques se trouvent dans les environs du Parque Central et sur l'Avenida 6.

Vous trouverez également les principaux arrêts d'**autocar** autour du Parque Central, le long de la Calle Central.

L'**Hospital San Vicente de Paul** *(☎261-0091)* est situé à l'ouest du centre-ville, en face de l'Avenida 8, sur la Calle 14.

L'est de la Vallée

Cartago: la ville de Cartago renferme la plupart des succursales des grandes banques du pays. Par exemple, une succursale du Banco Popular est située près du Parque de Las Ruinas, du côté sud.

L'**Hospital Max Peralta** *(☎551-0611)* est situé au sud du Parque Central (et du Parque de Las Ruinas), sur l'Avenida 5.

Les arrêts d'**autocar** se trouvent soit autour du Parque Central, soit sur la Calle 4, à proximité, ou encore le long de l'Avenida 3, pas très loin.

Attraits touristiques

L'ouest de la Vallée

À l'ouest de l'hôpital México, entre San José et l'aéroport Juan Santamaría, le **Pueblo Antiguo ★** *(☎296-2212 ou 231-2001),* qui fait partie du Parque Nacional de Diversiones, est la reconstitution d'un village antique qui donne l'occasion de revivre un peu ce que vivaient les Costariciens à la fin du XIXe siècle. En plus du village et de la campagne d'antan, des spectacles animés par des professionnels *(musique et danse ven-dim à 18h30, démonstrations d'activités d'époque sam-dim à 10h)* sont proposés.

Le complexe **Ojo de Agua ★** *(3$; 5 km à l'ouest de San Antonio, qui est à 3 km de l'autoroute General Cañas, entre Alajuela et San José; ☎441-2808)* est très intéressant. Profitant de la présence de sources d'eau souterraines, le centre a développé toute une série d'infrastructures de services récréatifs pour la population des environs de la Vallée. Non seulement le site possède-t-il des plans d'eau, mais également des terrains de jeu, un amphithéâtre et des aires de verdure pour la détente.

On offre même les services de monitorat pour les enfants. Attention cependant, le centre est public et peut être très fréquenté, particulièrement les fins de semaine.

Dans la Vallée, nombreuses sont les occasions de voir des plantations de caféiers ou des cultures de plantes décoratives, particulièrement au nord d'Alajuela (de Quebradas à San Isidro de Poás, par exemple) et dans la vallée d'Atenas.

La région d'Alajuela

Alajuela ★, la capitale de la province du même nom, est un peu plus chaude que San José en raison de sa plus faible altitude. Son principal avantage est son emplacement, à 5 min de l'aéroport international. Cependant, grâce à l'autoroute General Cañas, San José n'est vraiment plus très loin non plus de l'aérogare. Si vous amorcez à San José votre visite de la région, sachez que la ville d'Alajuela est le point de départ géographique de toute sa province. Toutefois, par l'autoroute, aujourd'hui vous pouvez contourner Alajuela, si vous le désirez, pour atteindre la plupart des sites touristiques du secteur.

Catedral de Alajuela

La **Catedral de Alajuela** *(Calle Ctl, Av. Ctl/1)* révèle une architecture vaguement manuéline et est flanquée d'un porche classique avec pilastres. Avec la coupole au centre du transept, le tout n'est pas dénué de charme. Mais l'**Iglesia La Agonía** *(Calle 9, Av. Ctl/1)* est peut-être encore plus jolie, tant en dehors qu'en dedans. À côté, une fontaine et un arbre immense enjolivent un petit parc de quartier.

Le **Parque Central** d'Alajuela est, quant à lui, très ombragé et très fréquenté par la population. Comme la plupart des grands parcs urbains costariciens, il arbore en son centre un pavillon pour les prestations musicales, patriotiques ou même théâtrales du coin.

Le **Museo Juan Santamaría** *(entrée libre; mar-dim 10h à 18h; une rue au nord du Parque Central, à l'intérieur d'une ancienne prison)* se consacre à ces fameux événements du milieu du XIXe siècle à la suite desquels William Walker a fini par perdre son pari d'imposer un régime politique autocrate et vaguement esclavagiste aux Costariciens.

Los Chorros ★ *(quelques kilomètres au nord de Tacares, qui est à 15 km d'Alajuela)* sont deux belles cascades d'environ 25 m de hauteur, protégées par le réseau des parcs nationaux. On y retrouve certains aménagements (stationnement, sanitaires et endroits pour se laver les pieds), bien que le site soit officiellement privé et interdit de passage par une barrière, ce dont personne ne semble se formaliser. Le coup d'œil qu'offre le sentier menant à Los Chorros est très joli avec la rivière qui coule en contrebas. Descendez la pente, puis suivez les sentiers. La visite de Los Chorros constitue certainement une très belle randonnée à faire, et elle est très prisée des *Ticos* la fin de semaine.

La région de la vallée d'Atenas entre La Garita et San Mateo

À **La Garita**, le **Zoo Ave ★★** (*7$; tlj 9h à 17h; à 3 km de la sortie Atenas de l'Interaméricaine; ☎433-8989*) est un jardin zoologique qui vaut le détour. D'abord un parc ornithologique (le mot espagnol *ave* signifie «oiseau»), le zoo abrite maintenant des singes, des reptiles et toutes sortes de végétaux. Dans ce zoo, unique en son genre, les pensionnaires sont d'anciens animaux de compagnie ou des bêtes blessées ou confisquées par les autorités. Le zoo est d'ailleurs devenu en 1995 un «centre de sauvetage de la vie sauvage» officiellement reconnu par le gouvernement du Costa Rica.

Plus au sud, à **La Guácima**, **The Butterfly Farm ★★★** (*15$; tlj 8h30 à 15h30; en face du Los Reyes Country Club, ☎438-0400*), demeure avant tout une ferme productrice de papillons pour l'exportation. Ses propriétaires, fort sympathiques, ont voulu ajouter une dimension pédagogique à l'entreprise, et le résultat est très intéressant et surtout instructif. Cette ferme constitue la plus grande et la plus ancienne du genre dans les Amériques. La visite guidée, nécessaire pour vraiment bien connaître tout ce que suppose la vie des papillons et leur commerce, incluant la projection d'un documentaire, dure deux

heures. On peut également se restaurer sur place, au restaurant de la ferme, ou apporter son pique-nique. Boutique.

Le **Madame Butterfly Garden** (*tlj 8h à 16h; ☎255-2031 ou 255-2262*) est un jardin de papillons situé non loin de la Butterfly Farm. Il consiste en une grande serre d'élevage et en une serre de reproduction. Le concepteur a étudié le sujet pendant plus de trois ans et peut faire ses présentations en anglais.

Pour un spectacle particulier qui plaira aux amoureux des chevaux, rendez-vous au **Rancho San Miguel** (*La Guácima, ☎220-4060 ou 220-2828*). Cette écurie possède un élevage de chevaux espagnols et propose des spectacles dans lesquels vous verrez ces magnifiques bêtes faire preuve de toute leur grâce et de toute leur intelligence.

Certains affirment que les environs d'**Atenas ★★** jouissent du meilleur climat au monde. Associez à cela une géographie grandiose, et vous aurez l'un des plus beaux endroits du pays à visiter. Il y a en effet entre La Garita et Atenas de magnifiques panoramas à admirer, créés par des montagnes plus ou moins à pic encaissant des rivières. Ce paysage est très peu exploité commercialement. Il ne faut donc pas s'attendre à pouvoir contempler les environs attablé devant un bon repas alors qu'on chemine dans le coin.

La **Cooperativa Agropecuaria Industrial y de Servicios Multiples de Atenas** (*☎446-5141*) est une coopérative où l'on peut, si l'on réserve à l'avance, visiter les installations de production de café, visite intéressante s'il en est.

D'**Atenas à San Mateo ★★★**, le coup d'œil est époustouflant puisqu'il est créé par la chaîne de montagnes qui sépare la Vallée centrale de la côte Pacifique. Vous vous retrouverez donc à monter et à descendre essentiellement les deux versants de ces montagnes. Mais attention, le chemin est sinueux, abrupt quelquefois et peu large. Malheureusement, il n'y a pas beaucoup de haltes routières aménagées pour admirer ce paysage, sinon un belvédère rudimentaire et plutôt mal indiqué à Alto del Monte, pas très loin du bar Linda Vista sur la route d'Atenas. Le paysage est donc idéal à contempler pour ceux qui n'ont pas à conduire!

La région de San Ramón et de Zarcero

Le **Bosque Nuboso Los Angeles ★★** (*entre San Ramón et La Tigra, la réserve est assez bien indiquée*) est une réserve privée magnifique, nichée littéralement dans les nuages. Il arrive en effet assez souvent de se retrouver dans les nuages à certains moments de la journée. Appartenant à l'ex-président Rodrigo Carazo, cette réserve naturelle de 800 ha est vraiment jolie. En plus des excursions guidées à pied et à cheval dans la nature, vous pouvez y faire des randonnées par vous-même. Fait intéressant, elle est facilement accessible de San José. Les services offerts au Bosque Nuboso Los Angeles se multiplient. L'**Hotel Villa-blanca** (voir p 136) en est un exemple.

La région traversée par le chemin qui mène à la réserve à la sortie du chemin San Ramón – La Tigra est également très belle, avec son décor de pâturages et de vallons. À

quelque 5 km au sud du barrage situé entre La Tigra et Los Angeles, il y a également quelques cascades toutes petites et mignonnes à contempler... pour qui ne conduit pas évidemment.

Trois choses valent la peine d'être vues à **San Ramón**, la «ville des présidents et des poètes du pays»: les activités de marché, le musée de San Ramón et le centre culturel et historique José Figueres. Les **activités de marché** de San Ramón sont assez importantes.

Chef-lieu de la région et ville assez populeuse (50 000 habitants), San Ramón bénéficie entre autres d'un grand **jour du marché** ★ le samedi, qui vaut d'autant plus la peine d'être vu qu'il est peu fréquenté par les touristes. C'est l'occasion de constater le dynamisme agricole et horticole du pays. En dehors des jours de marché, le marché public intérieur de San Ramón, situé au centre d'un quadrilatère de rues commerçantes, peut être l'occasion de constater la qualité et la quantité des produits de la ferme. Son accès par des voies piétonnes bordées de commerces est sympathique. En sus, un certain nombre de rues commerçantes dans les environs de l'église sont agréables à parcourir.

Le **Museo de San Ramón** *(entrée libre; lun-ven 13h à 17h; à côté de la place de l'ancien palais municipal, en face du parc)* présente l'histoire de la région et celle de ses personnages célèbres.

Le **Centro Cultural y Histórico José Figueres** *(lun-sam 9h à 11h30 et 13h30 à 17h30, excepté les jours de fête; sur la rue longeant l'église)* a été érigé à la mémoire de José Figueres, «Don Pepe» (trois fois président du Costa Rica), né à San Ramón en 1906. Il est situé sur la même rue que le musée de la ville.

Mariposas y Orquideas de San Ramón *(entrée libre; 1 km à l'ouest de la sortie San Ramón sur l'Interaméricaine; ☎445-4887)* est un autre endroit, moins

Café équitable

Depuis quelques années, on voit apparaître diverses mesures visant à équilibrer les relations Nord-Sud. Parmi elles, on entend de plus en plus parler du commerce équitable, entre autres de café équitable, de plus en plus disponible sur les marchés des pays du Nord. Le café équitable est un café dont le commerce se veut plus juste pour les petits producteurs des pays du Sud. Ceux-ci, en effet, sont souvent, pour diverses raisons, pris dans l'engrenage de la pauvreté et n'obtiennent que rarement,

lorsqu'ils font affaire avec les multinationales, une rémunération juste pour leur café ou leur travail. Le café équitable «certifié» garantit au consommateur que le petit agriculteur a été justement rétribué pour sa récolte. Cette organisation rassemble maintenant près de 300 coopératives dans 18 pays. Surveillez donc dans votre quartier les commerces qui vendent ce café et ceux qui en font eux-mêmes la torréfaction. En plus, ce café se révèle souvent délicieux!

Vallée centrale

connu que les autres, où vous pourrez en apprendre plus sur la vie des papillons et même acheter des cocons...

Au fur et à mesure que l'on monte en altitude pour atteindre **Zarcero ★★**, on passe des plantations de caféiers aux forêts de pins. La promenade dans la région est, dans ces circonstances, très agréable.

Vous désirez voir l'une des plus belles petites villes du Costa Rica au sein d'un climat unique? Allez à Zarcero. La température y est parfaite, car son altitude (1 700 m) maintient une température un peu fraîche. De plus, le paysage pastoral des environs est magnifique, et l'aménagement de la ville, très réussi, recèle de beaux petits coups de cœur. D'abord le Parque Central est célèbre pour ses arbustes taillés en diverses formes. Ensuite, l'église, en face du parc, est très jolie, tant par sa blancheur à l'extérieur que par ses couleurs à l'intérieur. Enfin, la taille de la ville associée à la nature environnante rend toute excursion (à pied, à vélo ou en voiture) très agréable. Sachez de plus que l'eau est pure à Zarcero. L'endroit est à ce point propre que vous ne devriez pas hésiter à essayer quelques restaurants, particulièrement ceux entourant la place de l'église et du parc. Bref, les

gens de Zarcero peuvent être fiers de leur ville. Profitez-en pour participer au festival qui se tient dans la région en février.

Le **Bosque de Paz ★** *(entre Zarcero et Bajos del Toro;* ☎*234-6676 ou 225-0203)* est une réserve privée de forêt tropicale humide située entre les parcs nationaux Poás et Juan Castro Blanco, servant ainsi quelque peu de

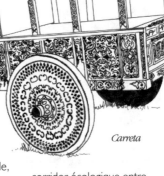

Carreta

corridor écologique entre ces deux parcs.

Le site est en voie de devenir un centre écotouristique très prisé. Selon votre âge, intérêt et condition physique, 10 différents sentiers d'interprétation vous sont destinés. Un restaurant complète le tout. L'endroit se prête régulièrement à des rencontres de spécialistes et de profanes pour un décompte des espèces d'oiseaux sur le site. Le centre de production du café Britt est associé au Bosque de Paz et propose des forfaits pour le visiter, mais il est nécessaire de réserver à l'avance de toute façon.

La région de Naranjo, Sarchí et Grecia

En revenant de Zarcero, vous pourriez passer par **Naranjo ★**, une petite ville située à 1 000 m d'altitude et abritant une église d'intéressante facture hispano-manuéline que l'on peut voir de loin. À côté de l'église, un lieu d'adoration à Marie, fait d'une voûte arbustive de grande dimension avec une grotte au fond, est très original et, somme toute, très inspirant. Le tout confère à l'espace ecclésial un beau caractère.

L'édifice municipal de Naranjo ainsi que le Parque Central, avec son site aménagé pour les activités et les spectacles et son jardin à la française rayonnant, sont aussi très intéressants. La partie centrale de la ville, située sur un piton surélevé surplombant les secteurs résidentiels tout autour, offre de nombreuses possibilités de percées visuelles sur les environs vallonnés, enjolivés, entre autres, de plantations de caféiers et de potagers.

Sarchí ★★, à l'est de Naranjo, est très joli avec sa mignonne église proprette et sa place centrale. L'aménagement général du village est harmonieux, notamment avec les belles proportions des bâtiments, par ailleurs bien entretenus et propres, ce qui ajoute à la qualité générale des lieux. Dans le Parque Central de Sarchí, mi-jardin, mi-place publique, se trouve le **Monumento a la Carreta** (monument à la charette), qui représente l'archétype de la belle charrette qui transportait le café au XIXᵉ siècle depuis les terres vallonnées et surélevées du centre du pays jusqu'à la côte Pacifique. L'atmosphère qui règne dans le parc est très agréable, surtout à la fin de l'après-midi, alors que tout se calme et que la chaleur s'adoucit. Sarchí est réputé pour ses **artisans** du bois et pour ses fabricants de charrettes, si typiques du folklore costaricien. Il est donc facile de trouver des boutiques et des ateliers d'artisans un peu partout dans la ville.

En matière de propreté, la ville de **Grecia ★**, au sud-est de Sarchí, est censée remporter la palme puisqu'elle fut déjà proclamée la ville la plus propre d'Amérique latine. Les gens de la région tiennent certainement à conserver ce statut reconnu à la ville puisque vous serez frappé du nombre de panneaux prônant le respect de l'environnement à Grecia. La ville abrite par ailleurs une belle église recouverte de métal rouge.

Dans la région de Grecia, **El Bosque del Niño de la Reserva Forestal Grecia ★** *(droit d'entrée; fermé lun; suivre les indications qui accompagnent celles qui indiquent Los Trapiches en quittant Grecia)* est tout indiqué pour une belle petite promenade en forêt. Possibilité de camping.

Dans la même région, **Los Trapiches ★** *(mar-dim 8h à 17h; entre Santa Gertrudis Sur et Santa Gertrudis Norte; ☎444-6656)* est un

lieu sympathique. Le *trapiche* (presse à canne à sucre) qui est en montre à Los Trapiches date des années 1860 et semble être le seul du genre dans tout le pays. L'endroit est idéal pour savoir comment on fait le sucre (broyage de la canne, mise à ébullition du liquide obtenu, puis moulage du produit cuit). On peut aussi y déjeuner sur l'herbe ou au restaurant, se promener nonchalamment sur les pelouses ou encore se baigner dans les piscines. Bonheur simple, à partager avec beaucoup de *Ticos* les fins de semaine.

Dans le secteur, **El Mundo de las Serpientes** *(tlj 8h à 16h; à la sortie de la Grecia, sur le chemin d'Alajuela, en face du moulin à scie Poró, Grecia; ☎494-3700)* est un autre jardin zoologique où vous pourrez admirer ces fascinants reptiles que sont les serpents. Dans de grandes cages, vous découvrirez les espèces du pays en même temps que ceux du monde entier, comme le rare python albinos birman. Vous pouvez effectuer un tour guidé en anglais ou en espagnol. Ce site se trouve à deux minutes du centre de la ville de Grecia.

Toujours dans le même secteur, la petite **église de San Isidro de Poás** est très mignonne. Les tons pastel de ce bâtiment de belle facture rehaussent la qualité du paysage urbain, puisque l'église est située au cœur de la ville, face au Parque Central. L'agglomération est agréable à embrasser du

regard du haut de sa colline.

Parque Nacional Volcán Poás

Le Parque Nacional Volcán Poás *(6$; tlj 8h à 16h; ☎290-1927 ou 232-5324)* demeure le parc le plus visité au Costa Rica. L'une des raisons principales est la proximité de San José (37 km) et le fait qu'une excellente route pavée grimpe jusqu'au sommet du volcan Poás. N'espérez pas trop vous y retrouver seul! La route menant au parc, via Alajuela et San Pedro de Poás, est fort jolie et des plus agréables, avec de belles fermes et de beaux paysages vallonnés. Notez cependant que, les dimanches, le parc est littéralement envahi par les touristes locaux et internationaux, et qu'il est alors moins agréable à parcourir.

Malgré son achalandage, le volcan Poás, avec ses cratères, ses lacs, ses petits sentiers et son centre d'interprétation, a beaucoup à offrir à ceux qui s'intéressent aux volcans. D'ailleurs, au centre d'interprétation (toilettes, casse-croûte, café, boutique de souvenirs, petit musée consacré aux papillons), on présente des diaporamas relatant l'histoire du volcan. De plus, de grands panneaux et des maquettes vous expliqueront la formation des volcans sur la Terre. Plusieurs maquettes et photos illustrent l'histoire du volcan Poás, qui a

Vallée centrale

connu des périodes d'activité importantes. Ainsi, c'est en 1747 qu'est rapportée en détail la première éruption du volcan. Mais, parmi les nombreux soubresauts du volcan Poás, le plus célèbre demeure celui du 25 janvier 1910, alors que l'explosion atteint une altitude de 4 000 m. Des cendres furent retrouvées dans la région de Puntarenas, située à environ 70 km à l'ouest! En 1989, le volcan se remit à cracher des cendres, et l'on a dû fermer le parc à plusieurs reprises depuis.

Le parc national fut créé le 25 janvier 1971 afin de protéger ce volcan de 2 708 m d'altitude entouré de riches forêts. D'une superficie de 6 506 ha, le parc englobe, depuis 1993, les montagnes du Cerro Congo, situées au sud du parc. Les précipitations annuelles sont de l'ordre de 3,5 m, et les mois les plus secs vont de décembre à avril. Même

Mot-mot

en cette période, il vaut mieux visiter le parc en matinée car, l'après-midi, il n'est pas rare que les nuages couvrent le cratère. Avec une température minimale pouvant atteindre −6°C et un maximum de 21°C (moyenne de 14°C), il faut s'attendre à tout et prévoir, en tout temps, des vêtements chauds et imperméables.

L'attrait du parc est sans contredit le cratère principal du volcan Poás, que l'on rejoint au bout d'une courte balade de 400 m. D'un diamètre de près de 1,5 km et d'une profondeur de 300 m, c'est l'un des plus imposants cratères du monde. Les eaux vertes que l'on trouve au fond du cratère sont très acides et sulfureuses. D'ailleurs, lorsque ces eaux s'évaporent, elles produisent des émissions de soufre et des pluies acides. Néanmoins, grâce à l'évacuation continuelle de vapeurs, provoquant ainsi une baisse de pression interne, il est peu probable qu'une prochaine éruption dévastatrice ait lieu. Ce qui n'empêche toutefois pas une surveillance et une analyse continuelles de l'évolution du volcan. Le volcan comporte plus d'un cratère: à ce jour, on en a dénombré neuf.

Pour le retour, suivez le sentier **Laguna Botos** (1 km aller-retour), qui mène au très joli lac du même nom. Le long du sentier, les arbres rabougris et torsadés résultent des températures parfois glaciales, des

fort vents ainsi que des émanations acides provenant du cratère principal. Le lac Botos est en fait l'un des cratères du volcan, rempli d'eau d'origine pluviale. D'un diamètre de 400 m, il a une profondeur d'environ 14 m, et la température de l'eau se maintient entre 10°C et 14°C. Bien que, sur la carte du parc, le sentier Laguna Botos rejoigne le sentier Escalonia, il n'en était pas ainsi en janvier 1998, et il fallait revenir sur nos pas.

Le retour au centre d'interprétation peut très agréablement s'effectuer apr le sentier **Escalonia** (560 m). Le long du sentier, des panneaux d'interprétation permettent d'en connaître davantage sur la flore spécifique à cette haute région volcanique, notamment sur les arbres dénommés *poás magnolia* et *escalonia*, ainsi que sur différentes espèces de chênes. Ce sentier permet également d'observer plusieurs espèces d'oiseaux, tels les oiseaux-mouches et le fameux quetzal, parmi les 79 espèces répertoriées dans le parc.

Le nord de la Vallée

La région d'Heredia

La ville d'**Heredia**, surnommée la «Ciudad de las Flores», fut fondée en 1706. Légèrement plus élevée en altitude que San José, elle offre un climat un peu plus frais que la capitale, tout en étant plus tranquille. Son espace urbain agréable (dû à son passé colonial) associé à la proximité de San José, en fait un lieu de séjour idéal. Il ne faut pas manquer sa très belle **église coloniale ★★**, construite en 1796, flanquée de deux massives tours carrées. Vous pouvez d'ailleurs faire une boucle en visitant les trois églises du centre d'Heredia, dont la plus récente est de style Art déco. Les places situées devant les églises sont parfaites pour se reposer, et le marché central couvert permet un contact privilégié avec les commerçants du centre-ville en même temps qu'avec la population étudiantine (qui fréquente l'Universidad Nacional, située à l'est de l'agglomération) et urbaine d'Heredia.

L'**église gothique de San Isidro de Heredia ★★**, qui date de la fin du XIXe siècle (style gothique et intérieur avec bois sculpté), vaut la peine que l'on fasse un petit détour par ce village situé un peu à l'est d'Heredia.

Les environs immédiats de San José sont dotés d'un parc qui réconcilie quelque peu la capitale avec la nature. En effet, **Inbioparque ★★** *(18$; tlj 7h30 à 16h; Santo Domingo de Heredia, ☎244-4730)*, niché à Santo Domingo de Heredia, se veut une introduction à cette nature si présente ailleurs au pays. L'Inbioparque, affilié à un centre de recherche, a pour but d'éduquer la population en matière de biologie environnementale. Il sert donc d'abord aux écoliers de la capitale,

qui viennent profiter de l'enseignement des guides professionnels, de la bibliothèque et de tous les services qui sont offerts aux enfants comme aux plus érudits. Mais les visiteurs qui font escale à San José avant de se lancer à l'assaut du pays, et qui voudraient être bien préparés, se doivent de faire un détour par l'Inbioparque. De courts sentiers d'interprétation leur feront parcourir les principaux écosystèmes que l'on retrouve au pays. On peut les arpenter seul ou dans le cadre d'une intéressante visite guidée. De plus, on y présente des expositions interactives qui abordent des sujets comme les réalisations des grands scientifiques du Costa Rica et d'ailleurs, la recherche qui utilise des dérivés de la nature pour fabriquer des produits pharmaceutiques ou cosmétiques, etc. Ne manquez pas le spectacle multimédia original qui vous fait découvrir les parcs et réserves du pays avec leurs principales caractéristiques. À voir aussi, un documentaire d'une vingtaine de minutes sur l'évolution de la vie. Bref, une visite éducative qui ouvre l'appétit avant de plonger au cœur d'une nature encore plus riche! Restaurant et boutique.

La région au nord d'Heredia

La visite d'une région fort intéressante à explorer nous amène aux dernières hauteurs de **Monte de la Cruz ★★**, au nord d'Heredia. On y trouve en effet l'atmosphère alpine

en même temps que de verts pâturages et d'immenses arbres: magnifique! En raison de son emplacement dans la vallée et de la proximité de la capitale, la région de Monte de la Cruz bénéficie de parcs récréatifs de bonne qualité de même que d'une infrastructure hôtelière et d'une zone résidentielle haut de gamme. Et l'on construit encore!

Du **Paradero del Monte de la Cruz ★★** (et particulièrement à côté de la fameuse croix de laquelle l'endroit tire son nom), le coup d'œil est sublime; vous êtes au sommet du monde. Vous pouvez vous balader et faire un piquenique dans le parc, ou encore manger au restaurant, qui n'a cependant pas grand-chose à proposer.

Barva ★ abrite une belle église, intéressante de l'extérieur, sans compter sa voûte intérieure. Les efforts de restauration et de préservation des bâtiments anciens du centre de la petite ville (qui datent du XVIIIe siècle) sont louables, mais le style des habitations de l'endroit est simple, sans beaucoup d'artifice ni de détails architecturaux, ce qui rend plutôt morne le paysage de Barva.

Le centre de production du **café Britt ★★** *(présentations, lun-sam 9h, 11h, 15h, boutique, tlj 8h à 17h en haute saison; suivre les indications sur le chemin de Barva au départ d'Heredia; ☎260-2748)* produit un excellent café destiné à l'exportation. Mais en plus, le proprié-

Vallée centrale

taire de l'entreprise a eu l'ingénieuse idée de mettre sur pied des visites guidées des installations *(20$; durée: 1 heure 30 min)*. Tout a été prévu: des comédiens servent de guides et interprètent le rôle de personnages susceptibles de soutenir votre attention tout en vous informant. Vous pourrez même faire à la fin de la visite une dégustation de café. Une petite boutique permet de s'approvisionner en café. On vous propose également de vous «abonner» au café Britt, qui vous sera ainsi envoyé directement chez vous régulièrement. Un service de transport est organisé à San José, et la visite peut comprendre une excursion au Bosque de Paz.

Le **Rain Forest Aerial Tram** ★★ *(49,50$; tlj 6h à 15h30; ☎257-5961, www.rainforesttram.com)* est un téléphérique survolant la riche et complexe forêt tropicale humide, afin que les visiteurs puissent admirer la flore et la faune qui évoluent à la cime des arbres, dénommée la «canopée».

À moins d'une heure en voiture de San José, c'est l'endroit par excellence à visiter, si vous n'avez pas l'occasion de vous déplacer dans les nombreux parcs du pays ou que vous ne disposiez que d'une journée, afin de connaître la grande diversité de la forêt tropicale humide. Il faut cependant que vous puissiez vous permettre de payer le prix d'entrée.

Le Rain Forest Aerial Tram fait partie d'une réserve naturelle privée de 450 ha, à quelques minutes du Parque Nacional Braulio Carrillo (voir plus loin). L'extraordinaire richesse faunique et floristique de la canopée fut scrutée à la loupe par Donald Perry, un biologiste américain venu s'établir au Costa Rica en 1974. Afin d'observer pendant des heures les plantes, mousses, fourmis, reptiles et autres animaux et végétaux du haut de ces arbres qui dépassent facilement les 30 m de hauteur, Donald Perry a dû inventer et mettre au point diverses formes de hissage ainsi que des plates-formes où il pouvait noter confortablement ses observations. Ainsi lui est venue l'idée audacieuse de l'installation d'un téléphérique aérien qui permettrait aux visiteurs du monde entier de découvrir ces richesses insoupçonnées sans bouleverser l'écosystème.

Ceux qui désirent en savoir davantage sur ce personnage et ses recherches se procureront son livre *Life Above the Jungle Floor* (2e édition, 1991, Don Perro Press, San José, 170 pages), en vente à la boutique de souvenirs ainsi que dans les grandes librairies de San José.

Ce tram aérien vit finalement le jour au mois d'octobre 1994. Les travaux se sont échelonnés sur deux années, au cours desquelles 65 personnes ont travaillé à mettre en place quelque 250 000 kg de matériaux. À l'aide d'un hélicoptère, on a installé les 12 poutres d'acier servant à soutenir les câbles.

La meilleure période de la journée pour effectuer la visite aérienne se situe en début de matinée, soit avant que les nombreux autocars ne s'entassent dans le stationnement. D'ailleurs, l'endroit ouvre à 6h tous les jours, bien que les lundis matin (entre 6h et 9h) soient réservés à l'entretien du téléphérique. La visite débute par une petite promenade en carriole dans un sentier reliant le stationnement et l'accueil principal (salle, restauration, boutique de souvenirs, toilettes), ainsi que par une brève balade à pied. Au centre d'accueil, on vous expliquera le déroulement de la visite, puis un documentaire vous présentera Donald Perry et son projet.

De petits groupes accompagnés de guides effectuent d'abord une randonnée en forêt (de 1 heure à 1 heure 30 min) où les principaux phénomènes naturels liés à la forêt tropicale humide sont expliqués. Puis, par groupe de quatre ou cinq personnes, accompagné d'un guide, vous embarquez dans une des 10 cabines du téléphérique. Le trajet, d'une distance de 2,6 km, dure autour de 1 heure 30 min. De fréquents arrêts permettent de prendre des photos et d'échanger sur les diverses observations. Le téléphérique se déplace d'abord à mi-hauteur, pour ensuite parcourir la cime des arbres (canopée), où la vie est des plus grouillantes.

Comme il pleut très fréquemment, nous vous suggérons fortement d'apporter un imperméable.

Parque Nacional Braulio Carrillo

Situé à seulement 20 km de San José, le Parque Nacional Braulio Carrillo *(6$; tlj 8h à 16h; ☎290-1927 ou 232-5324)* est constitué de plaines et de hautes montagnes d'où s'écoule une grande partie de l'eau nécessaire aux diverses cultures et à l'approvisionnement des habitants de la Vallée centrale, région la plus densément peuplée du Costa Rica. Mais contrairement à ce que l'on pourrait croire, le parc demeure une région très sauvage et peu explorée, notamment en raison des hautes montagnes, de la densité de la végétation et de son accès difficile, jusqu'à tout récemment.

Le parc national couvre une superficie de 45 899 ha, ce qui en fait le plus vaste parc de la Vallée centrale. Il tire son nom du troisième président du Costa Rica, Braulio Carrillo, qui gouverna de 1837 à 1842. Après un putsch qui lui permit de reprendre le pouvoir, Braulio Carrillo s'autoproclama président à vie, puis s'exila au El Salvador, où il mourut assassiné. Bien que ce président fût un dictateur sans merci, on lui reconnaît l'idée première d'avoir voulu construire une route reliant la Vallée centrale et

la côte Caraïbe, afin d'y acheminer les récoltes de café, expédiées en Europe. Mais ce n'est qu'en 1882 qu'une petite route fut finalement aménagée. La construction du chemin de fer reliant San José et Limón, en 1891, ainsi que la destruction de plusieurs ponts, mirent fin à l'usage de cette route.

Il fallut attendre jusqu'en 1977 pour qu'un nouveau projet de route voie le jour. Craignant un étalement urbain excessif et une déforestation massive si l'accès à ce territoire devenait trop facile, on décida de protéger cette région en créant, le 15 avril 1978, le Parque Nacional Braulio Carrillo. La route, quant à elle, fut terminée en 1987. Cette route, dénommée **Autopista Braulio Carrillo ★★**, demeure sans contredit l'une des routes les plus spectaculaires de tout le pays (notez que cette autoroute est également appelée l'autoroute de Guápiles ou l'autoroute de Siquirres). Ainsi, à quelques kilomètres seulement de San José, vous pourrez admirer une forêt tropicale humide intacte et protégée. D'ailleurs, jusqu'en 1950, cette forêt recouvrait le Costa Rica à 75%. Aujourd'hui, on évalue à environ 25% le pourcentage de territoire boisé. Comme il pleut presque tous les jours au sommet des montagnes, nous vous recommandons d'être prudent en voiture, car la chaussée devient rapidement glissante et la circulation est plutôt dense. De plus, si vous vous arrêtez au bord de la route afin

d'admirer ou de photographier le paysage, ne vous aventurez pas trop près des précipices, car de petits glissements de terrain inattendus ont déjà provoqué des blessures graves à d'infortunés touristes.

Avec des précipitations annuelles de 4,5 m, le parc bénéficie d'une flore exceptionnelle. Dans ses sept zones de vie écologique, allant de la forêt tropicale humide à la forêt pluvieuse des montagnes, on dénombre quelque 6 000 espèces de plantes. La flore y est diversifiée en raison des différences appréciables d'altitude et de climat. La région la plus basse du parc se trouve à 36 m d'altitude, tandis que la plus haute atteint 2 906 m, soit le sommet du volcan Barva. En basse altitude, la moyenne des températures grimpe jusqu'entre 25°C et 30°C, alors qu'en montagne elle descend à 15°C. Bien qu'il y pleuve très souvent, notamment en montagne, la saison sèche s'étend de janvier à avril.

Cette diversité s'applique également à la faune du parc, où l'on a observé plus de 100 espèces d'amphibiens et de reptiles, ainsi que 135 espèces de mammifères, dont le puma, l'ocelot, le jaguar, le singe capucin, le singe hurleur, le tapir et le paresseux. Parmi les 350 espèces d'oiseaux recensées, mentionnons les toucans, les aras, les aigles ainsi que le fameux quetzal.

Vallée centrale

Le Parque Nacional Braulio Carrillo est divisé en cinq secteurs, dont deux (Ceibo et Magsasay) sont situés complètement au nord et demeurent peu visités. Des trois autres secteurs, ceux de Zurquí et de Quebrada González longent l'Autopista Braulio Carrillo et sont donc facilement accessibles. Le secteur Barva, quant à lui, est difficile d'accès, mais il est le seul à abriter des emplacements de camping ainsi qu'un petit refuge. Notez que, si vous traversez le parc en voiture, vous ne paierez que le péage (0,85$ par voiture) et que vous n'aurez pas à payer de droit d'entrée. Par contre, si vous vous arrêtez à l'un des trois centres d'accueil des secteurs susmentionnés, vous devrez payer 6$ pour accéder aux sentiers de randonnée pédestre.

★
Secteur Zurquí

Ce secteur est situé à seulement 20 km de San José par l'Autopista Braulio Carrillo. L'accueil se trouve à 1 km avant le tunnel Zurquí, sur la droite. Derrière l'accueil, un court sentier de 250 m parcourt la forêt environnante. De l'autre côté de la route, un second sentier grimpe dans la forêt primaire et mène jusqu'au tunnel. Le retour se fait par le sentier qui suit parallèlement à la route. Cette boucle de 2,5 km s'effectue en moins de deux heures de marche. L'observation des oiseaux y est réputée excellente.

★
Secteur Quebrada González

Également situé le long de l'Autopista Braulio Carrillo, mais à 43 km de San José, ce secteur dispose aussi d'un centre d'accueil et d'un stationnement sécuritaire. Un fort joli sentier de randonnée, dénommé **Las Palmas**, débute près des bâtiments. Ce sentier forme une boucle de 1,6 km que l'on parcourt en un peu plus d'une heure. Le sentier s'enfonce dans une dense et riche forêt tropicale humide qui, dans ce coin du parc, reçoit jusqu'à 6 m de pluie annuellement. Il longe en partie le ruisseau González, d'où le nom du secteur. Un petit feuillet d'accompagnement présente les 12 stations portant sur la flore de la région, toutes rencontrées le long du parcours. La cinquième station traite des palmiers, d'où le nom du sentier. De l'autre côté de la route, le sentier **Botarama** (1,2 km), nom d'une espèce d'arbre de la région, mène près du Río Sucio.

★★
Secteur Barva

Avec ses sentiers, ses points de vue, ses aires de camping et de pique-nique, ce secteur demeure celui qui a le plus à offrir aux amants de la nature. C'est également celui qui est le plus difficile à atteindre en voiture. Les 32 km qui séparent San José du centre d'accueil se négocient en un peu plus de 1 heure 30 min si tout va bien, car on n'y trouve aucune indication. La route à suivre passe par Heredia, Barva, San José de la Montaña, Porrosatí (ou Paso Llano) et Sacramento. Passé Sacramento, il ne reste que 4 km à faire, mais la petite route est incroyablement encombrée de roches, de sorte qu'il faut un véhicule à quatre roues motrices pour les couvrir. À l'accueil (6$), les gardes, fort sympathiques, vous renseigneront sur les différents sentiers tout en vous proposant un café ou un thé bien chaud, car à cette altitude (plus de 2 800 m) il fait régulièrement autour de 10°C au petit matin. Les emplacements de camping (1,25$/pers./jour) et le petit refuge (4,20$/pers./nuitée) pouvant accueillir quatre personnes sont situés à côté de l'accueil. Pour le camping et le refuge, il est possible de réserver à San José (☎283-5906).

Si vous parcourez tous les sentiers de ce secteur, vous aurez fait au total 12,3 km à pied, ce qui s'effectue facilement en une journée, car il y a très peu de dénivellation. Le **Volcán Barva** (2 906 m), éteint, est le plus haut sommet du parc. Boisé, il ne ressemble en rien aux sommets dégagés des volcans Irazú et Poás, où l'on peut admirer d'immenses cratères. Le premier site d'intérêt est celui du **Mirador Varva Blanca**, situé à environ 1,5 km de l'accueil. Ce point de vue (*mirador*) est le plus beau du secteur Barva. Il englobe toute la Vallée, en direction ouest, où l'on peut distinguer les cultures de fougères grâce aux immenses toiles noires qui les recouvrent. Le volcan Poás (2 704 m) est facilement reconnaissable, car il domine l'autre versant de la Vallée.

L'autre point d'intérêt de ce secteur est la **Laguna Barva**, située à 3 km de l'accueil. Le sentier qui grimpe légèrement jusqu'à la Laguna Barva est en fait un ancien petit chemin de service. Le long de ce sentier, il est possible de voir les immenses feuilles appelées *sombrilla de pobre* ou «parasol du pauvre» (*Gunnera insignis*), car une seule feuille peut avoir un diamètre de plus d'un mètre! Dans ce secteur, il est également commun d'apercevoir des traces du passage nocturne d'un tapir de Baird, mammifère pouvant peser jusqu'à 300 kg et ressemblant quelque peu à un porc dont le nez se prolongerait en une petite trompe. La Laguna Barva est un petit lac de 70 m de diamètre situé à 2 840 m d'altitude. La température de l'eau se situe autour de 11°C. Le petit sentier se prolonge encore de 200 m et grimpe jusqu'à un très joli point de vue sur le lac ainsi que sur la Vallée en direction nord.

De la Laguna Barva, un petit sentier de 2 km (aller seulement) mène jusqu'à la **Laguna Copey**. Ce sentier pénètre une végétation aussi riche que dense. Il n'offre qu'un seul point de vue, sur l'est de la Vallée, où l'on peut distinguer le volcan Irazú (3 432 m) par les antennes de communication situées à son sommet. Le petit lac, quant à

lui, d'un diamètre de 40 m et d'une profondeur de 4 m, est situé à 2 620 m d'altitude, soit un peu plus bas que le précédent. Il n'y a aucun aménagement ou point de vue près du lac.

Notez que bon nombre de randonneurs se contentent de visiter le Mirador Varva Blanca ainsi que la Laguna Barva, soit une randonnée totale 8,3 km qui s'effectue aisément en une demi-journée. Le sentier menant au secteur Magsasay, d'une distance de 40 km, n'est pas ouvert officiellement au public. Ce sentier, qu'on prend trois ou quatre jours à sillonner, est très peu balisé et difficile d'accès. Si vous avez l'intention de le parcourir, informez-vous à l'avance auprès du parc ou du bureau des parcs nationaux à San José (☎192 ou 283-8004).

L'est de la Vallée

Immédiatement à l'est de San José, à 7 km, se trouve la petite ville de **Moravia** (ou San Vicente de Moravia), un centre d'artisanat très connu et assez fréquenté, particulièrement pour ses articles de cuir (voir p 142).

Encore un peu plus à l'est, ce sont de belles promenades dans la nature que vous pouvez faire pour admirer cette partie de la Vallée centrale. **Rancho Redondo** et son point d'observation, **San Isidro de Coronado** et sa fiesta annuelle le 15 mai, ou **Las Nubes** et ses pâturages,

sont particulièrement indiqués à cet effet.

La région de Cartago et de la vallée d'Orosi

La ville de **Cartago** ★ fut la capitale du Costa Rica pendant plusieurs siècles. Son milieu urbain aurait pu être d'une grande importance historique n'eût été des nombreux tremblements de terre qui ont tout ravagé depuis. Deux sites méritent encore cependant le coup d'œil sur la ville. D'abord, les **ruines** *(Calle 2/4, Av. 1/2)* d'une église que l'on avait commencé à construire en face du Parque Central au début du XXe siècle et qui n'a pas été terminée à cause d'un séisme. Les ruines sont au centre d'un joli petit jardin qui, de nos jours, sert agréablement à la détente et l'observation de la vie urbaine tout autour.

Ensuite, la **Basílica Nuestra Señora de los Angeles** ★★★ *(Calle 16, Av. 2/4)*, qui reçoit chaque année (le 2 août précisément) des milliers de fidèles en pèlerinage (le pèlerinage, à pied, débute à San José, à 22 km de là!) afin de rendre gloire à La Negrita (ou Notre-Dame des Anges), personnifiée par une statue logée dans une chapelle de la basilique. On raconte que cette statue, découverte à l'endroit même de la basilique, serait réapparue au même endroit après avoir pourtant été déplacée. Notre-Dame des Anges est d'ailleurs devenue la sainte patronne du Costa Rica. La basilique est donc le but du pèlerinage; des

Ujarras

miracles sont attribués à cette statue, les miraculés y laissant chaque année des béquilles et autres objets dont ils se défont à la suite de leur guérison. La basilique elle-même est très jolie dans son style quelque peu byzantin.

Entre Cartago et Paraíso, les **Jardines Lankester** ★ *(2,50$; tlj 8h30 à 15h30; 6 km à l'est de Cartago),* œuvre du botaniste britannique Charles Lankester, sont gérés aujourd'hui par l'Universidad du Costa Rica, ce qui fait en sorte que ces jardins sont maintenant publics.

C'est une bénédiction, car plus de 800 espèces d'orchidées y croissent (février, mars et avril seraient les meilleurs moments pour les voir en fleurs), de même qu'on y trouve un arboretum présentant divers écosystèmes du pays.

La magnifique **vallée d'Orosi** ★ ★, qui s'étend au sud de Cartago à partir de Paraíso, est une région fertile, agréable à visiter. Quatre endroits sont à retenir dans cette vallée: Ujarras, le Lago Cachi et le complexe touristique Charrarra, ainsi que la ville d'Orosi même.

Le site d'**Ujarras** ★ *(7 km à l'est de Paraíso)* renferme des ruines d'un village abandonné depuis qu'il fut victime d'une inondation au début du XIXᵉ siècle. L'église, qui datait du XVIIᵉ siècle, exhibe encore vers le ciel ses quatre murs. Le tout est entouré d'un petit aménagement paysager et profite d'un large stationnement ainsi que de toilettes.

Le **Lago Cachi**, lac artificiel idéal pour le canotage, offre quelques beaux points de vue sur la région environnante.

Sur le lac, **Charrarra** *(0,50$; mar-dim 8h à 17h; quelques kilomètres à l'est d'Ujarras)* est un complexe touristique de l'Instituto Costarricense du Turismo comprenant piscine, terrains de basket-ball et sentiers de randonnée. Il est possible de se promener également en bateau sur le lac. Un restaurant et une aire de pique-nique complètent les installations.

Sur la rive sud du lac, sur le chemin entre le barrage et la ville d'Orosi, se trouve une maison dénommée la **Casa del Soñador** *(tlj 8h à 18h; à 2 km de la Represa Rumbo, Orosi;* ☎*577-1047),* qui vaut la peine d'être visitée puisqu'elle recèle de nombreuses sculptures de bois assez originales. Plusieurs de ces œuvres se trouvent sur les murs mêmes de la résidence! Le sculpteur à l'origine de cette «maison-sculpture-atelier», Macedonio Quesada Valerín, y a en effet reproduit une série de scènes fort jolies. Il est aujourd'hui décédé, mais ses fils, ainsi que d'autres artistes, ont pris la relève et continuent d'utiliser la maison comme atelier pour sculpter le bois. L'un des fils, Miguel, parle un peu l'anglais.

La ville d'**Orosi ★** (du nom d'un ancien chef amérindien au temps de la Conquête) est l'une des villes ayant peut-être le mieux survécu aux nombreux tremblements de terre.

Son **église coloniale ★**, considérée comme l'une des plus anciennes du pays (datant du XVIIᵉ siècle) vaut la peine d'être vue. À côté de la petite église, le **Convento de Orosi ★**, un ancien monastère franciscain de la même époque, arbore une architecture typiquement coloniale avec son toit de tuiles et sa longue galerie. Il abrite un petit musée sur l'histoire de la religion *(tlj 9h à 12h et 13h à 17h)* qui montre une centaine d'objets liés à la vie et l'art religieux.

La région de Turialba

Depuis qu'elle n'est plus une station obligée entre San José et Limón (les

gens utilisent plutôt la «nouvelle» route de Guápiles pour faire le trajet entre la Vallée centrale et la côte Atlantique), **Turrialba** s'est tournée vers une nouvelle économie, touristique celle-là, profitant des eaux tumultueuses des rivières Pacuare et Reventazón pour attirer au cours de l'hiver les amateurs de descente de rivière du monde entier. La ville s'est développée de nouveau grâce à ce «coup de pouce» de la nature et se présente maintenant comme une agglomération très animée, particulièrement avec son marché central, situé en face de la gare.

Dans la région de Turrialba, on trouve l'un des plus importants centres de recherche et d'éducation tropicales au monde, le **Centro Agronómico Tropical de Investigación y Enseñanza**, généralement connu par son acronyme **CATIE ★★** (☎*556-6431)*. Le centre s'étend sur plus de 10 000 ha. Une importante bibliothèque (l'une des plus importantes dans sa catégorie au monde), des logements pour le personnel et pour ceux venus étudier au centre, des serres, une laiterie, des champs de culture expéri-

mentale, un herbier et une banque de semences composent notamment le complexe. La mission du CATIE comporte trois volets: améliorer le rendement des plantes en contexte agricole, préserver la diversité génétique des espèces tropicales et développer en pays chaud des méthodes de culture respectueuses des principes de développement durable. Le CATIE peut d'ailleurs fournir aux intéressés des semences d'arbres fruitiers ou d'autres espèces tropicales (des permis sont requis pour les exporter). On peut sillonner les terrains sans réservation, mais des visites des installations proprement dites du centre doivent être planifiées à l'avance avec les responsables.

Parque Nacional Volcán Irazú

Tout comme le parc du volcan Poás, le Parque Nacional Volcán Irazú *(6$; tlj 8h à 16h; ☎290-1927 ou 232-5324)* est très fréquenté, plus de 100 000 personnes le visitant annuellement. Cela est dû à la proximité de San José (53 km) et de Cartago (31 km), et au fait qu'une route pavée grimpe directement au sommet du volcan. Bien que ce parc n'ait pas de centre d'interprétation ni de véritables sentiers pédestres, la beauté du site, l'altitude et les impressionnants

Église coloniale d'Orosi

cratères suffisent à eux seuls à qualifier cette visite d'incontournable. D'ailleurs, la petite route en lacet (route 8) qui relie Cartago et le parc, passant par de vastes plaines, offre des points de vue magnifiques sur la Vallée centrale. On y voit de belles fermes où le vert pâturage n'a rien à envier à celui des collines anglaises, ainsi que d'agréables forêts de chênes. Aussi faut-il circuler prudemment sur cette petite route qui accueille régulièrement vaches et chevaux.

Créé le 30 juillet 1955, le Parque Nacional Volcán Irazú, d'une superficie de 2 309 ha, fait figure de pionnier au Costa Rica. Son nom provient du mot indigène *istarú*, qui signifie «montagne du tonnerre et du tremblement». À juste titre, car ce volcan a, en maintes occasions au cours de l'histoire, fait parler de lui. Ainsi, dès 1563, les colons espagnols remarquèrent que cette haute montagne de 3 432 m d'altitude pouvait à l'occasion cracher du feu et des cendres. D'ailleurs, la première référence à une éruption du volcan Irazú remonte à 1723.

Mais l'éruption qui fait encore jaser les gens de la région est celle survenue le 19 mars 1963. Cette éruption est d'autant plus mémorable qu'elle coïncidait avec l'arrivée du président des États-Unis, John F. Kennedy, en visite officielle au Costa Rica. L'éruption fut d'une telle intensité que toute la Vallée centrale, et particulièrement les villes de

Cartago et de San José, reçurent des tonnes de cendres volcaniques. En certains endroits, l'accumulation de cendres atteignait plus de 40 cm. Les gens de la Vallée devaient, à tout moment, balayer les environs des maisons et dégager les toits. Ils prirent également l'habitude d'utiliser un parapluie lors des journées de grands vents, qui amenaient davantage de cendres. Le volcan Irazú se manifesta ainsi durant deux années, puis finit par se calmer et cesser d'être une menace. Depuis, on a enregistré quelques secousses sans importance ainsi que de faibles émissions de gaz et de vapeur. Résultat positif de ces perturbations, les terres avoisinantes se sont grandement enrichies et sont d'une qualité exceptionnelle.

Les cratères

Arrivé au stationnement, soit au sommet du volcan, à plus de 3 400 m d'altitude, vous constaterez qu'il y fait beaucoup plus froid que dans la Vallée. Avec une moyenne de 11°C, et un vent qui souffle souvent par rafales, il serait sage de prévoir des vêtements chauds si vous avez l'intention d'y passer quelques heures agréables. À côté du stationnement se trouvent des aires de pique-nique, dont certaines recouvertes, ainsi qu'un petit *soda* ambulant, avec son café bien chaud qui tente de réconforter ceux venus courtement vêtus.

Les cratères sont situés relativement près les uns des autres, si bien que le visiteur a très peu de distance à parcourir à pied afin de les admirer, du moins pour ce qui est des trois principaux. À une centaine de mètres du stationnement, on découvre le premier cratère, dénommé **Diego de la Haya** en l'honneur d'un des gouverneurs du Costa Rica au début du XVIIIe siècle. Ce cratère a un diamètre de 690 m et est profond de 80 m. Il contient un peu d'eau en son centre. Le sentier sur lequel les visiteurs circulent est de terre noire volcanique, ce qui donne, avec le décor, un petit air lunaire particulier aux alentours.

Tout juste à côté du premier cratère se trouve le plus spectaculaire cratère du volcan Irazú, à juste titre appelé **cratère principal**. Cet immense cratère a un diamètre de 1 050 m et une profondeur de 300 m. Tout en bas, un très joli lac d'un beau vert quasi émeraude témoigne de la relative tranquillité du volcan au cours des dernières années. En observant attentivement cette immense cavité, tentez d'imaginer ce à quoi il devait ressembler alors qu'il était complètement rempli de terre et de roches, avec un sommet de verdure s'élevant vers le ciel. Figurez-vous maintenant toute la force qui s'est concentrée dans cette région pour faire sauter, tel un bouchon de champagne, cette partie de montagne et créer un tel cratère! Ouf! D'ailleurs, les ruines que vous apercevrez témoignent de l'impact, et plus particulièrement de l'éruption de mars 1963. Elles constituent les fondations, soit tout ce qui reste du bâtiment principal érigé à cet endroit afin d'observer le volcan et détruit lors de l'éruption. Au bout du sentier qui mène au cratère principal, un panneau incite les gens à ne pas s'aventurer plus loin.

Le troisième cratère, que beaucoup de visiteurs prennent pour un terrain vague sans importance, est situé au sud des deux précédents. Dénommé **Playa Hermosa**, ou la «belle plage», ce cratère est en fait un immense espace de sable, facilement reconnaissable, qui s'étend à l'ouest du stationnement et du petit centre d'accueil. Les deux autres cratères, **La Laguna** et le **Piroclastico**, beaucoup plus petits, sont situés plus à l'est et présentent moins d'intérêt.

Si le temps est clair et le ciel dégagé, il peut être intéressant de marcher depuis le stationnement jusqu'au petit sommet situé à l'ouest, là où se trouvent les antennes de communication. Cette petite balade (2 km aller-retour) permet de se dégourdir les jambes et de découvrir de jolis points de vue sur la Vallée. Notez que le Parque Nacional Volcán Irazú est réputé être un des seuls endroits au Costa Rica d'où il est possible d'admirer à la fois les océans Pacifique et Atlantique. Mais ce rare privilège est réservé à

seulement quelques chanceux qui ont su profiter d'une matinée très favorable, quand l'horizon était d'une clarté absolue. On nous a même rapporté qu'il était possible de distinguer, au télescope, l'imposant lac Nicaragua, situé au nord-ouest de la frontière costaricienne!

Refugio Nacional de Fauna Silvestre Tapantí

Le Refugio Nacional de Fauna Silvestre Tapantí *(6$; tlj 6h à 19h; ☎ 771-3297 ou 771- 3155)* est tout désigné pour ceux qui recherchent la tranquillité dans un lieu sauvage et bien protégé, non loin de San José (50 km) et voisin de la superbe vallée d'Orosi (via Cartago et Paraíso). Pour s'y rendre, il est préférable d'avoir une voiture, car l'autocar s'arrête à Río Macho (juste passé Orosi), soit à 9 km de l'entrée du parc. Et comme il n'est plus permis de camper dans le parc, un tel parcours (autocar et taxi, ou marche) ne vous permettra pas d'apprécier les beautés du parc, d'autant moins que vous aurez à marcher pour vous rendre aux différents sites d'intérêt.

Réserve nationale de faune jusqu'au 23 avril 1992, le Refugio Nacional de Fauna Silvestre Tapantí s'étend sur une superficie de 6 080 ha de riches et denses forêts tropicales humides. Recevant en moyenne 6,5 m de précipitations annuelles, et

parfois plus de 8 m, le parc abrite quatre différentes zones de vie forestière, s'étalant entre 1 220 m et 2 560 m d'altitude. La meilleure période pour visiter le parc se situe entre les mois de décembre et d'avril, le mois d'octobre étant celui recevant le plus de pluie. Quoi qu'il en soit, en tout temps, il faut apporter un imperméable et des bottes de pluie (ou de randonnée), car les sentiers sont détrempés.

Ces nombreuses précipitations ont permis à la nature de s'exprimer en toute quiétude. Ainsi, sur une superficie d'un hectare, on a recensé jusqu'à 160 espèces d'arbres. La flore y est d'une densité inouïe, et le visiteur n'a qu'à ouvrir l'œil pour admirer quantité d'orchidacées, de broméliacées, de fougères et autres plantes épiphytes, en plus des 72 espèces de mousses répertoriées. À cette flore s'ajoute une faune exceptionnelle, composée de 45 espèces de mammifères, dont certaines sont menacées d'extinction, tels l'ocelot et le *jaguarundi*. Le parc abrite également 28 espèces de reptiles et 33 espèces d'amphibiens. En raison de l'humidité perpétuelle, le parc regorge de grenouilles, de salamandres et de serpents. Il est également renommé comme l'un des bons sites d'ornithologie de la Vallée centrale, avec plus de 250 espèces d'oiseaux, dont des aigles, des faucons ainsi que le magnifique quetzal.

Vallée centrale

Les attraits

À l'entrée du parc se trouvent les bâtiments administratifs et le centre d'accueil. Le parc ouvre maintenant ses portes à 6h afin de répondre à la demande des ornithologues et autres amants de la nature. À l'accueil, on vous renseignera sur les sentiers du parc et les différentes activités. Cependant, tout comme le camping, la pêche n'est désormais plus permise dans les limites du parc. Une carte *(0,65$)*, bien détaillée, vous indiquera les sentiers à suivre.

Le premier point d'intérêt est le **Mirador**, situé à quelques kilomètres de l'accueil. Du stationnement, un très court sentier (100 m) grimpe jusqu'à un point de vue aménagé. On y voit, dans toute sa splendeur, cette forêt d'un vert éclatant qui recouvre le paysage. Tout en bas, le Río Orosi fraie son chemin. En face, à environ 500 m, une élégante cascade d'environ 30 m de hauteur s'élance du milieu de la montagne.

En revenant vers l'entrée du parc, vous pourrez longer le sentier **La Pava** (800 m aller-retour), qui descend jusqu'au Río Grande Orosi, où il est possible de faire trempette et de pique-niquer. De retour au chemin principal, suivez ce dernier pendant environ 2 km, soit jusqu'à un autre stationnement. De là, il est possible de parcourir deux boucles, de part et d'autre de la route. Il est préférable de commencer par le sentier **Natural Arboles Caídos**

(boucle de 2 km), car ce dernier grimpe dans la forêt et est plus difficile. L'entrée du sentier est située du côté opposé à celui du stationnement, vers le sud (vers le *mirador*). La montée, abrupte mais relativement courte, mène à la forêt tropicale humide. En redescendant la montagne, le sentier rejoint la petite route qu'il faut emprunter de nouveau pour revenir au stationnement.

Du côté du stationnement, le sentier **Oropéndola** (boucle de 1,2 km) mène au Río Grande Orosi où une dizaine d'aires de pique-nique attendent les randonneurs. Bien espacées les unes des autres, ces aires de pique-nique accueillaient autrefois les campeurs de passage. On y trouve également des toilettes et de l'eau potable. Au bout du sentier qui longe la rivière, on découvre une mini-plage (près d'une grosse roche) où il fait bon se détendre et même se baigner, bien que l'eau soit un peu froide.

Après la visite du Refugio Nacional de Fauna Silvestre Tapantí, s'il vous reste encore quelques heures, nous vous suggérons fortement de vous arrêter à l'**Agua Thermales de Orosi** *(1,50$)*, située juste à côté du restaurant Los Patios. Vous pourrez vous baigner dans les deux piscines alimentées en eaux thermales volcaniques, chaudes et apaisantes (41°C et 51°C).

Monumento Nacional Guayabo

Le Monumento Nacional Guayabo *(6$; tlj 8h à 16h; ☎290-1927 ou 232-5324)* est le plus important site archéologique du Costa Rica ainsi qu'un lieu de promenade et de détente fort agréable. Il est situé à 19 km au nord-est de Turrialba et à plus de 80 km de San José (environ 2 heures de route). En autocar, il existe une liaison entre Turrialba *(☎556-0583)* et Guayabo. Sur le site, outre le centre d'accueil, on trouve des emplacements de camping, des toilettes et de l'eau potable. L'endroit étant localisé en montagne, entre 960 m et 1 300 m d'altitude, le climat y est chaud mais surtout humide, avec des précipitations annuelles dépassant les 3,5 m.

Il revient à Don Anastasio Alfaro, un naturaliste de la région, d'avoir découvert le site à la fin du XIXe siècle. Mais les véritables recherches archéologiques débutèrent en 1968 sous la gouverne de l'archéologue Carlos Aguilar Piedra. Les fouilles révélèrent un site unique cachant de nombreuses pièces ainsi que des aménagements urbains. De là, la nécessité de protéger ce territoire, d'où la création du Monumento Nacional le 13 août 1973; celui-ci fait aujourd'hui partie du réseau des parcs nationaux. Des 218 ha que compte le site, 20 ont à ce jour été fouillés.

Les différentes fouilles et recherches ont démontré que ce site fut habité durant environ 2 400 ans, soit de l'an 1000 avant notre ère jusqu'au XVe siècle. On estime cependant que les structures et aménagements identifiés jusqu'à présent remontent, pour la plupart, à la période se situant entre les IVe et VIIIe siècles. On ne connaît toujours pas la ou les raisons qui ont mis fin à l'organisation sociale de cette communauté, pourtant bien établie et fort structurée, comme le démontrent les fouilles. Certains affirment qu'une guerre sans merci ou qu'une maladie dévastatrice a mis fin à plus de deux millénaires de vie en communauté!

Parmi les objets retrouvés figurent quelques poteries et objets que vous pouvez admirer au Museo Nacional, à San José. Sur place, vous pourrez voir des chemins de pierre, des monticules, des ponts, des fondations, des murs de soutien, des aqueducs, des réservoirs d'eau, des tombes et des pétroglyphes. L'architecture des différents aménagements se compose de pierres rondes ainsi que de grandes pierres plates. On peut également constater que les habitants s'adaptaient à la dénivellation environnante, car les différentes constructions ont été exécutées selon des niveaux précis.

Les différents sites

Afin de bien s'imprégner de l'atmosphère de ces lieux chargés d'histoire, les visiteurs peuvent compter sur le personnel du Monumento Nacional Guayabo, qui a développé un circuit d'auto-interprétation fort intéressant. Ce circuit se dénomme **Los Montículos** et forme une très agréable boucle de 1,2 km où tous les lieux d'intérêt sont visités. Le long de ce parcours, 15 panneaux d'interprétation renvoient à la petite brochure (en espagnol ou en anglais) que l'on vous remet à l'entrée. Vous y verrez un monolithe, des pétroglyphes, des

Statuette provenant du Monumento Nacional Guayabo

tombeaux, un chemin aménagé ainsi que des monticules gazonnés. De plus, l'organisation sociale qui primait à l'époque vous sera décrite, de même que l'environnement dans lequel elle évoluait. Le long du parcours, une petite colline (avec *mirador*) offre une jolie vue sur une partie des différents aménagements découverts à ce jour.

Si l'envie de vous balader davantage dans cette riche forêt tropicale humide vous sourit, n'hésitez pas à parcourir le sentier **Los Cantarillos**, qui débute également tout près de l'accueil. Ce parcours facile forme une jolie boucle de 1,1 km. Il pénètre dans cette forêt humide où l'abondante végétation cache une faune tout aussi diversifiée: armadillos, paresseux, coatis, kinkajous, toucans, pics, oiseaux-mouches, etc. Le sentier mène jusqu'au bord du Río Lajitas, une agréable petite rivière d'environ 5 m de large, puis revient au point de départ.

Pour le retour à San José, si vous possédez une voiture à quatre roues motrices, nous vous suggérons d'emprunter la petite route qui passe au nord-ouest du «monument national». Ainsi, au lieu de faire demi-tour et de descendre vers la vallée, vous vous enfoncerez dans les montagnes où les petites routes vous révéleront des paysages magnifiques ainsi que de nombreuses fermes et petites habitations dispersées çà et là. Cette route non revêtue s'étire sur environ 15 km, soit jusqu'à San Antonio, où elle rejoint une route revêtue. De là, poursuivez encore votre route vers le nord-ouest, c'est-à-dire vers Santa Cruz et Pacayas, pour finalement arriver à Cartago.

Activités de plein air

Randonnée pédestre

La Vallée centrale regroupe de nombreux parcs et sites de plein air où la randonnée pédestre constitue le meilleur moyen pour se déplacer afin de pénétrer dans la riche et dense forêt tropicale. Le **Parque Nacional Braulio Carrillo** (voir p 123) dispose de très courts sentiers du côté des secteurs Zurquí et Quebrada González. Le secteur Barva, quant à lui, offre des sentiers (12 km) plus intéressants et moins fréquentés, et la possibilité d'y faire du camping.

Au **Parque Nacional Volcán Poás** (voir p 119), les courts sentiers parcourent les cratères, le joli lac Botos ainsi qu'une forêt parsemée d'arbres majestueux où l'on peut observer plusieurs espèces d'oiseaux.

Le **Refugio Nacional de Fauna Silvestre Tapantí**

(voir p 129) est sauvage à souhait et moins fréquenté que les parcs des volcans Poás et Irazú. Quatre sentiers permettent de franchir la dense forêt tropicale humide, d'admirer un joli panorama et de descendre jusqu'au bord du Río Grande Orosi, où il est très agréable de pique-niquer.

Enfin, le **Monumento Nacional Guayabo** (voir p 130) offre la possibilité d'effectuer deux courtes randonnées, d'un peu plus de 1 km chacune, qui permettent de découvrir les richesses du site archéologique ainsi que la forêt environnante.

À partir du **Chalet Tirol** (voir p 138), juste à quelques kilomètres en deçà de **Monte de la Cruz**, vous trouverez des sentiers de randonnée (pédestre ou équestre), certains menant au parc Braulio Carrillo même. Vous pouvez évidemment y faire l'observation des oiseaux.

Rafting

Les deux plus fabuleuses rivières du Costa Rica, le Río Reventazón et le Río Pacuare, offrent des moments de pur bonheur à ceux qui s'y aventurent. De renommée internationale, la descente de ces deux rivières, en kayak ou en rafting, débute près de la ville de Turrialba, dans la Vallée centrale, et se prolonge jusqu'à la ville de

Siquirres, dans la province de Limón.

Le **Río Reventazón** ★★ (classe III, 15 km) permet, notamment, aux non-initiés ou à ceux qui désirent passer une agréable journée sans trop d'émotions fortes, des descentes douces dans une vallée verdoyante de beauté. Notez que d'autres sections de la rivière permettent de folles descentes difficiles (classe IV-V), réservées aux initiés.

De son côté, le **Río Pacuare** ★★★ (classe III-IV, 30 km) est une magnifique rivière qui traverse la forêt tropicale humide et sauvage. Il se classe parmi les 10 plus excitantes rivières du monde pour la descente sportive. Et il n'est pas réservé aux seuls experts, car tout débutant en bonne condition physique et prêt à pagayer durant quelques heures peut y vivre une expérience tout aussi enrichissante qu'exaltante. D'ailleurs, l'encadrement fourni par les bonnes agences s'avère des plus sécuritaires. Les guides fort compétents sauront vous mettre en confiance et vous diriger dans les passages délicats et tumultueux. Vers la fin du parcours, vous serez invité à vous baigner et à vous laisser porter lentement sur la rivière qui, à cet endroit, est encaissée par de grandes parois rocheuses.

La plupart des excursions organisées pour la descente de rivière partent de San José (mais également de Turrialba) et durent toute la journée (de 6h à

I9h). Le prix d'une telle excursion (autour de 85$) comprend le transport (de votre hôtel), le petit déjeuner, le déjeuner, tout l'équipement, les services d'un guide certifié ainsi qu'un cours d'initiation. Tout au long de la descente, la sécurité est assurée par des kayakistes qui se promènent entre les embarcations et qui viennent à votre secours si vous vous retrouvez à l'eau. De plus, il arrive qu'un photographe, en kayak, prenne des clichés des différents groupes. À la fin de la journée, on vous offrira la possibilité de vous expédier les photos à votre résidence pour quelques dollars.

Quelques agences

Costa Rica Expeditions (White Water)
☎257-0766
www.costaricaexpeditions. com

Aventuras Naturales
☎225-3939

Ríos Tropicales
☎233-6455
www.riostropicales.com

Aguas Bravas
☎292-2072
www.aguas-bravas.co.cr

Vélo

Dans la région de San José, plusieurs agences proposent des sorties et des excursions guidées dans la Vallée centrale. Plusieurs de ces excursions à vélo (route ou mon-

tagne) durent une journée entière et incluent le transport, le vélo et les services d'un guide accompagnateur. D'autres excursions, allant de 2 à 10 jours, permettent de découvrir, en toute quiétude, des montagnes et des vallées habitées par des gens simples et sympathiques. Les randonnées les plus populaires mènent aux volcans Irazú, Poás et Turrialba, au Monumento Nacional Guayabo, ainsi qu'au Refugio Nacional de Fauna Silvestre Tapantí et à la merveilleuse vallée d'Orosi.

Quelques agences

Aventuras Naturales
☎225-3939

Ríos Tropicales
☎233-6455
www.riostropicales.com

Horizontes
☎222-2022
www.horizontes.com

Golf

À San José, le **Cariari Country Club** (☎293-3211) dispose d'un superbe parcours de golf à 18 trous.

Plus à l'ouest, à **Santa Ana**, le **Parque Valle del Sol** (☎282-9222) offre un parcours à neuf trous.

Hébergement

On trouve dans la Vallée un excellent choix de lieux d'hébergement autre que celui offert dans la ville de San José. Tel que nous l'avons mentionné en introduction de ce chapitre, bien que San José soit au centre de la Vallée, loger ailleurs que dans la capitale ne devrait pas vous empêcher de visiter facilement l'ensemble de la région, puisque la Vallée est relativement peu étendue et que le réseau routier y est bien développé.

Cet avantage se double du plaisir de pouvoir loger dans une nature superbe, au milieu de plantations pittoresques ou sur un promontoire offrant une vue à couper le souffle sur les lumières qui scintillent en contrebas.

Ainsi, loger dans la Vallée centrale est souvent une excellente option par rapport à San José, surtout le jour de l'arrivée ou du départ, si vous arrêtez dans l'ouest de la Vallée, puisque vous vous trouverez, dans la plupart des cas, tout près de l'aéroport. Plusieurs hôtels proposent un service de navette pour l'aéroport. De plus, l'environnement se révèle, il va sans dire, beaucoup plus calme. La Vallée centrale offre des paysages à couper le souffle, dont plusieurs hôteliers ont su tirer profit. Si vous choisissez de passer votre première nuit ici, vous vous réveillerez probablement plus reposé et certainement émerveillé par la vue!

L'ouest de la Vallée

La région d'Alajuela

Alajuela

Mango Verde Hostel
$$
bp, ec
Av. 3, Calle 2/4
25 m à l'ouest du musée Juan Santamaría
☎*441-6330*
⇌*441-7116*
Le Mango Verde Hostel, très propre, propose de petites chambres.

Pensión Alajuela
$$$
bp/bc
Av. 9, du côté sud du palais de justice
☎*441-6251*
⇌*442-2329*
www.pensionalajuela.com
La Pensión Alajuela est appropriée pour ceux qui désirent économiser tout en demeurant au centre de la ville.

Charly's Place
$$$
bc/bp
200 m au nord du Parque Central et 25 m à l'est
☎/⇌*441-0115*
Charly's Place est un petit hôtel urbain avec des chambres propres. Le propriétaire y est des plus sympathiques.

La Guaria Inn
$$$ pdj
ec, bp, ⊗
225 m à l'est du parc Juan Santamaría
☎/⇌*441-9573*
Le La Guaria Inn, d'un aménagement simple mais propre, a l'avantage d'être situé au cœur de la ville.

Islands B&B
$$$ pdj
Av. 1, Calle 7/9
50 m à l'ouest de l'église Agonia
☎*442-0573*
⇌*442-2909*
Le Islands B&B dispose de chambres très simplement meublées mais propres. L'établissement, petit, demeure tranquille, même s'il se trouve au cœur de la ville. Possibilité de rabais pour étudiants. Salle de télé commune et service de buanderie.

Hotel 1915
$$$$ pdj
à trois rues du Parque Central
☎/⇌*441-0495*
Installé au cœur d'Alajuela, l'Hotel 1915 est peut-être un des meilleurs choix. L'endroit est calme, l'établissement très propre, et les espaces communs de même que les chambres ne manquent pas de charme. De plus, l'hôtel est tenu par une belle vieille dame digne et très aimable.

Les environs d'Alajuela

Villa Dolce
$$$
ec, bp, tv, ⊗, ≈
sur la route de Jacó, à 7 km de l'aéroport d'Alajuela
☎*433-8932*
⇌*433-4350*
www.villadolce.com
Jouissant d'un emplacement avantageux sur la route menant à l'aéroport, la Villa Dolce propose six chambres propres dans un aménagement général correct.

Alberge El Marañon
$$$ pdj
bc/bp, ec
Barrio La Trinidad, Ciudad Colón
☎*249-1271*
⇌*249-1761*
El Marañon est un joli gîte touristique caché sur une petite route qui sillonne les villages de la Vallée centrale. Vous reconnaîtrez l'auberge à ses murs d'un beau jaune, derrière son portail. El Marañon abrite six chambres, deux au rez-de-chaussée, toutes petites et munies seulement d'un lit simple, et quatre un peu plus grandes mais au plafond bas, aménagées un étage plus bas. Rassurez-vous, cela ne veut pas dire que ces dernières se trouvent au sous-sol, puisque grâce à la déclinaison du terrain, vous vous retrouvez au niveau du sol à l'arrière de la maison. Vous jouirez donc, en plus, d'une petite terrasse et d'une vue imprenable! L'espace pour le petit déjeuner se révèle convivial. Les propriétaires proposent toutes sortes d'activités, allant des cours de langue aux excursions.

B&B Pura Vida
$$$$ pdj
ec, bp
à 1 500 m de la fabrique Punto Rojo, à l'intersection des routes Tuetal Norte et Sur
☎/⇌*441-1157*
Le B&B Pura Vida est très sympathique. La propriétaire, française, fera tout ce qu'elle pourra pour rendre votre séjour agréable. La

maison est propre, et les chambres sont accueillantes et agréables. Possibilité de louer un petit bungalow sur le grand terrain de la propriété.

🏠 Posada Canal Grande
$$$$ pdj
bp, ec, ⊗, ≈
Piedades de Santa Ana
☎282-4089 ou 282-4101
⇰282-5733
Juchée sur une colline de la Vallée centrale, pas si loin de l'autoroute ni de l'aéroport, la Posada Canal Grande doit pourtant son nom au fameux canal de Venise! En effet, le propriétaire est Italien. Il est aussi, quelle bénédiction, collectionneur d'antiquités. Vous ne serez donc pas surpris d'y voir de magnifiques meubles anciens, beaucoup venant d'aussi loin que l'Asie. Pour le reste, l'hôtel est décoré assez simplement de meubles en osier. Ses chambres, dont la majorité se trouve à l'étage, sont grandes et aérées. Munies de grandes fenêtres et même, pour certaines, d'un balcon, elles constituent un agréable lieu de séjour. Au milieu du patio, la piscine s'entoure de quelques tables pour prendre le petit déjeuner ou pour écrire au cours de la journée. Juste en bas du chemin menant à la *posada*, un restaurant italien sert une bonne cuisine dans un décor agréable. Pour vous y rendre, prenez l'Autopista Fernández, sortez à Piedades de Santa Ana et suivez les indications. Aussi, service de navette pour l'aéroport.

Orquideas Inn
$$$$ pdj
bc/bp, ≈
route de San Pedro de Poás, entre Alajuela et Grecia
☎433-9346
⇰433-9740
www.orquideasinn.com
Le Orquideas Inn regorge de charme. Les pièces communes ainsi que les chambres affichent un beau style, et les jardins extérieurs isolent bien l'hôtel des environs et invitent à la détente. Son bar Marilyn Monroe est bien connu et sympathique.

🏠 Xandari
$$$$$ pdj
ℝ, ≈, ⊗, ℜ, ☉
☎443-2020
☎800-686-7879
⇰442-4847
www.xandari.com
À 6 km au nord d'Alajuela, Xandari est un vrai petit paradis niché dans une plantation de caféiers! À flanc de colline, deux groupes de huit belles villas décorées avec goût disposent de terrasses privées et de terrasses panoramiques, et se partagent deux piscines. Les fruits, légumes et herbes du restaurant proviennent du jardin du domaine, de même que le café, évidemment. De plus, 3 km de sentiers de randonnée et cinq chutes naturelles sous lesquelles il est possible de se baigner sont accessibles à la clientèle. Le service de navette pour l'aéroport est offert gratuitement. Service de massage disponible.

La région de la vallée d'Atenas et de La Garita

Atenas

Apartamentos Atenas
$$$
≈, ℂ, ☉
☎446-5792
⇰446-5792 ou 446-6511
www.apartamentosatenas. freeservers.com
Les Apartamentos Atenas sont situés dans la verte forêt des environs d'Atenas et proposent de belles petites maisonnettes sur le terrain des propriétaires allemands. L'accueil est chaleureux. Court de tennis et service de buanderie.

Santa Eulalia de Atenas

Cafetal Inn
$$$$ pdj
≈
☎446-5785 ou 446-7361
⇰446-7028
www.cafetal.com
Le Cafetal Inn est un petit gîte touristique installé dans une maison contemporaine comportant de belles chambres, le tout niché dans une plantation de caféiers. On trouve d'ailleurs un *coffee bar* sur le site où vous pouvez acheter entre autres des grains de café.

La Garita

Chatelle
$$$$ pdj
≡, tvc, ⊗, ≈, ℂ, ℜ
à 1 km sur le Bulevar de Las Flores à partir du restaurant Fiesta del Maíz
☎487-8282 ou 487-8098
⇰487-8181
www.botelchatelle.com
Le *country resort* Chatelle est un complexe de bon

goût à l'architecture sobre; les couleurs rosées se marient bien aux briques et aux structures de bois des *casitas*. On y propose des chambres ou des *casitas* (avec cuisinette). Les logements sont spacieux et donnent tous sur la piscine et sur les environs campagnards de La Garita.

La région de San Ramón et de Zarcero

San Ramón

La Posada
$$$ pdj
bc
50 m à l'est du centre d'optique Nueva Imagen
☎*445-7359*
Le gîte touristique La Posada, constitue un excellent choix si vous voulez demeurer à San Ramón. Les chambres se partagent les salles de bain, mais le tout est très propre et l'hôtesse très sympathique. Possibilité de déjeuner et de dîner.

Hotel Valle Escondido
$$$$
ec, bp, ℜ, ≈, ⊛
entre San Ramón et Bajo Rodríguez
☎*231-0906*
⇋*232-9591*
www.valleescondido.com
L'Hotelera San Lorenzo du Valle Escondido Lodge est isolée du reste du monde dans sa vallée (*valle escondido* signifie «vallée cachée») et dispose d'un intéressant lieu d'hébergement et d'activités récréatives sur une vaste propriété. On peut par exemple se baigner dans la rivière et faire du cheval ou du vélo. De plus, le coup d'œil sur les environs est magnifique. Les cham-

bres, standards, sont propres.

Hotel Villablanca
$$$$$ pdj
ec, ℜ
à côté du Bosque Nuboso Los Angeles, entre San Ramón de Alajuela et La Tigra
☎*228-4603 ou 289-6569*
☎*800-289-8687*
⇋*228-4004*
www.villablanca-costa rica.com
L'Hotel Villablanca, dans la réserve du Bosque Nuboso Los Angeles, consiste en une série de *casitas* (charmantes avec leur petit foyer) plantées sur un grand terrain au centre duquel trône le pavillon principal qui offre les services communs. La cuisine servie dans la salle à manger du pavillon principal s'adapte à la clientèle (végétarienne, sans sel, etc.). Possibilité de congrès ou de semaine de retraite. L'impression d'être retiré de la civilisation est assez réussie dans cet hôtel. Service empressé.

Zarcero

Don Beto
$$$
bc/bp
du côté nord de l'église de Zarcero
☎*463-3137*
Le Don Beto est un petit hôtel charmant situé au centre du village, en plus d'être très propre et d'abriter des chambres bien meublées dans un style un peu «fleur bleue» inspirant la tranquillité.

La région de Naranjo, Sarchí et Grecia

Sarchí

Healthy Day Inn
$$$
⊛, ☺, △, ≈, ℜ
800 m au nord-est de l'église de Grecia sur la route de Sarchí
☎*444-5903*
⇋*494-7357*
Le relais santé Tropical Spa, qui loge dans le Healthy Day Inn, propose de nombreux services (massothérapie, thalassothérapie, iridologie, hydrothérapie, etc.). Malgré ce concept intéressant et des chambres très correctes, l'aménagement de l'ensemble manque quelque peu de fini et de ce petit rien qui lui donnerait plus de charme. Les enfants disposent de leur propre salle d'exercices, tout comme les parents. Le tout est situé sur un terrain assez bien aménagé mais relativement peu étendu, avec restaurant macrobiotique et bains turcs.

Villa Sarchí Hotel
$$$
≈
500 m au nord de la station-service Shell, à l'ouest de la ville, Sarchí Norte
☎*454-5000*
Le Villa Sarchí Lodge, un petit motel très propre à deux pas de Sarchí, présente des chambres standards. En prime, vous profitez d'une belle vue sur Sarchí. L'hôtel offre le service de navette gratuit pour l'aéroport.

San Miguel de Naranjo

Rancho Mirador
$$$
bp, ec, tv, ≈, ℜ
☎*451-1302*
⇄*451-1301*
Le Rancho Mirador se compose de maisonnettes simples et propres juchées sur une petite colline surplombant l'autoroute General Cañas, ce qui permet aux occupants d'avoir une vue intéressante sur les environs de la grande région de Naranjo. Le lieu est facilement reconnaissable au toit de chaume que possède le restaurant du *rancho*.

Parque Nacional Volcán Poás

Hotel Buena Vista
$$$$
≈, ℜ
Las Pilas de San Isidro, 6 km au nord d'Alajuela
☎*442-8595 ou 442-8605*
⇄*442-8701*
Sur le chemin du volcan Poás se trouve l'Hotel Buena Vista, un établissement de style colonial espagnol; son aménagement et son confort respectent les normes nord-américaines. L'hôtel étant perché à 1 300 m d'altitude au centre de plantations de caféiers, il offre une vue magnifique; choisissez d'ailleurs une chambre avec balcon. Les enfants de moins de 12 ans sont reçus gratuitement s'ils occupent la chambre de leurs parents.

Le nord de la Vallée

La région d'Heredia

Heredia

América
$$$ pdj
ec, bp, ℜ
100 m au sud du Parque Central
☎*260-9292*
⇄*260-9293*
L'hôtel América s'est installé dans un ancien cinéma situé au cœur de la ville, et le résultat est intéressant: certains objets rappellent en effet ce passé. L'établissement est moderne, et les chambres sont propres, avec design contemporain. Le restaurant et le bar du complexe sont ouverts jour et nuit.

Apartotel Roma
$$$
100 m à l'ouest de l'Universidad Nacional
☎*260-0127 ou 260-6339*
☎*238-3705*
⇄*262-1143*
www.apart-hotelroma.-com
L'Apartotel Roma offre un concept d'appartements complets très convenables et très propres au cœur d'Heredia. Le personnel est, de plus, empressé et souriant. Possibilité de rabais si vous y logez à la semaine ou au mois.

Apartotel Vargas
$$$
ℜ, ℂ, tv
750 m au nord du Colegio Santa Cecilia
☎*237-8526*
⇄*260-4698*
L'Apartotel Vargas propose des appartements propres pourvus de tous les services mais sans grand style.

Le complexe fait assez béton; certains appartements ont une vue qui s'en ressent, alors que d'autres sont assez sombres. Quelques chambres seules se partagent le passage extérieur, alors que les appartements disposent de petits balcons.

Valladolid
$$$$$
bp, ec, ≈, ≡, tv, △
Calle 7, Av. 7
☎*260-2905*
⇄*260-2912*
Le Valladolid offre tout le confort d'un grand hôtel mais dans des dimensions réduites adaptées à la petite d'Heredia. L'hôtel compte 12 chambres toutes équipées d'une cuisinette. L'édifice tout en hauteur se distingue nettement des immeubles des environs. Un bassin à remous, un sauna, un solarium ainsi qu'un bar se trouvent aux étages supérieurs, ce qui donne l'occasion d'excellentes perspectives sur la Vallée centrale.

Les environs d'Heredia

Debbie King's Country Inn
$$$$ pdj
bp, ec
San Rafael de Heredia
☎*268-3084*
cell. ☎*380-8492*
Le Debbie King's Country Inn appartient à une ancienne propriétaire de restaurant d'Hollywood. Elle pourra vous parler de plusieurs célébrités venues manger dans son établissement, preuves à l'appui. L'auberge est d'autant plus intéressante qu'elle est nichée dans une belle petite plantation de caféiers. L'établissement offre

une ambiance et une hospitalité personnalisées dans l'ensemble de l'établissement, et les chambres ont un certain cachet. Mieux vaut appeler pour se faire indiquer l'auberge, puisqu'il peut être difficile de se retrouver dans le secteur. Possibilité de se faire servir un souper de gourmet sur demande.

Rosa Blanca
$$$$$ pdj
bp, ec, ℜ
près de Santa Bárbara de Heredia
☎*269-9392*
⇄*269-9555*
www.finca-rblanca.co.cr
Ici, on parle d'un hôtel de classe. Le souci des propriétaires va jusqu'à personnaliser chacune des chambres dans sa décoration. Le résultat est vraiment heureux. Attention, le chemin qui mène à l'hôtel se transforme tranquillement mais sûrement en un sentier de plus en plus difficile à parcourir.

La région au nord d'Heredia

 Chalet Tirol
$$$$
bp, ec, ℑ ,tv
dans le quartier résidentiel de Del Monte, Monte de la Cruz
☎*267-7371 ou 267-6222*
⇄*267-6229*
www.chalet-tirol.com
Voilà un complexe hôtelier digne de ce nom. D'abord, l'ensemble des installations présente un design homogène et un style rappelant l'architecture tyrolienne adaptée au climat frais de l'endroit. De plus, les environs de l'hôtel répondent bien à la qualité du complexe. L'hôtel et le

quartier résidentiel chic dans lequel il se trouve sont en effet entourés d'une forêt tropicale humide protégée, voisine du Parque Nacional Braulio Carrillo. Enfin, les services hôteliers du Chalet Tirol sont multiples. Le restaurant de l'hôtel, français, est recommandable (voir p 141). Il existe également le café-concert Salzbourg, qui propose des concerts de grande classe (l'établissement présente notamment certains spectacles du Festival international de musique du Costa Rica). Pas étonnant alors que l'établissement accueille régulièrement des personnalités costariciennes ou étrangères. C'est également un point de départ fort indiqué pour des activités de plein air.

Hotel Occidental La Condesa
$$$$$
bp, ℜ ≈
☎*267-6000*
⇄*267-6200*
Juste avant la fourche d'où part la route menant au quartier résidentiel de Del Monte et au Mirador de Monte de la Cruz, a été construit l'Hotel Occidental La Condesa. L'établissement fait partie du Groupe Occidental Hotels et se veut des plus chics. Il possède une centaine de chambres et de suites, deux restaurants offrant une belle vue sur la Vallée ainsi que trois salles de conférences. Il bénéficie d'un site splendide et propose diverses activités de plein air.

L'est de la Vallée

La région de Cartago et la vallée d'Orosi

Cartago

Los Angeles Lodge
$$$ pdj
ec, bp
du côté nord de la Plaza de la Basílica
☎/⇄*551-0957*
À Cartago même, le Los Angeles Lodge est le meilleur établissement pour se loger convenablement.

Orosi

Montaña Linda
$
bc, ec, ℂ
☎*533-3640*
⇄*533-3132*
Dans le village d'Orosi, il existe un petit établissement louant des chambres très abordables, soit le Montaña Linda, situé tout près de la piscine d'eaux thermales du village (vous avez accès à cette piscine pour aussi peu que 1$). Le propriétaire se fera un plaisir de vous proposer aussi toutes sortes d'activités.

Albergue y Cabinas Mirador de Quetzales
$$$
ec, ℜ
au Km 70 de l'Interaméricaine, après Empalme
☎*381-8456*
L'Albergue y Cabinas Mirador de Quetzales serait le meilleur endroit pour observer ces fameux oiseaux que sont les quetzals. Des chambres, dans le bâtiment principal, et deux *cabinas* pour six personnes sont disponibles

sur le terrain. L'ensemble est assez rustique.

Albergue Tapantí
$$$$
bp, ec, ℜ
au Km 62 de l'Interaméricaine, au sud de Cahén
☎/⇄*232-0436*
L'Albergue Tapantí est située dans une toute petite réserve naturelle privée. D'ailleurs, une fois parvenu à cet endroit, vous vous situerez à la limite de la région de la Vallée centrale. Vous pouvez loger dans une des maisonnettes à deux chambres qui parsèment le terrain (l'aménagement est quelque peu vieillot, mais chaque maisonnette possède sa terrasse privée) ou dans l'auberge, où se trouvent des chambres avec lit simple. Chauffage d'appoint sur demande. Le restaurant est intéressant (voir p 141).

La région de Turrialba

Turrialba

Hotel Interamericano
$
bc/bp
près de la gare ferroviaire
☎*556-0142*
www.hotelinteramericano. com
L'Hotel Interamericano est tout indiqué si vous ne désirez pas payer trop cher pour votre séjour dans la ville de Turrialba.

Hotel Wagelia
$$$ pdj
ec, tv, ≈, ℜ
150 m à l'ouest du Parque Central
☎*556-1566*
⇄*556-1596*
www.wagelia.com
Dans la ville de Turrialba même, l'Hotel Wagelia est

également très bien, avec ses belles petites chambres propres.

Les environs de Turrialba

Turrialtico
$$
bp, ec, ℜ
8 km à l'est de la ville, au sommet d'une colline
☎*538-1111 ou 538-1414*
⇄*538-1575*
www.turrialtico.com
Si vous devez demeurer dans la région de Turrialba, le Turrialtico est tout désigné. Ses chambres sont propres, confortables et très abordables. Son restaurant est connu (voir p 141).

🌴 La Casa Turire
$$$$$
bp,⊗, *tvc,* ≈, ℜ
20 km au sud-est de Turrialba
☎*531-7111 ou 531-1111*
⇄*531-1075*
www.hotelcasaturire.com
La Casa Turire est un hôtel de luxe comme le sont cinq autres hôtels de même type avec lesquels il est associé au Costa Rica (parmi eux, le Grano de Oro à San José, voir p 93). Bien que de dimensions réduites, ces hôtels sont de grande classe et offrent beaucoup de caractère. Dans le cas du Turire, c'est un bâtiment de style «maison de plantation» qui se présente à vous. Les champs de caféiers, de noix de macadamia et de canne à sucre qui l'entourent sont la propriété d'une famille terrienne qui exploite les environs depuis une cinquantaine d'années. À proximité du Río Reventazón, l'hôtel offre également des salles de confé-

rences. En plus, toute une série d'activités peuvent se pratiquer dans la région, aussi bien par les mordus de kayak et que par les passionnés de sites archéologiques.

Monumento Nacional Guayabo

Hotel La Calzada
$$$
bc/bp, ec, ℜ
400 m avant l'entrée du «monument national»
☎*556-0465*
⇄*556-0427*
Dans les environs du Monumento Nacional Guayabo se trouve l'Hotel La Calzada, un établissement recommandable pour se loger (chambres assez confortables et claires). Les propriétaires se feront un plaisir de vous aider à planifier vos activités dans le secteur.

Restaurants

L'ouest de la Vallée

La région d'Alajuela

Alajuela

Vous remarquerez qu'il y a quelques chaînes de restauration rapide dans la ville d'Alajuela.

Trigo Miel
$
6h30 à 20h
Calle 3, Av. Ct/1
☎*221-8995*
Le Trigo Miel est une sympathique et populaire

panadería-soda-pastelaría.
Idéal pour une petite
pause ou une petite faim.

Italiana
$$
100 m au nord de l'église Agoya
☎442-0973
Le restaurant Italiana sert
de bonnes pizzas dans un
petit local sans prétention.

El Cencerro
$$$$
tlj 11h à 22h
du côté sud du Parque Central,
au-dessus de McDonald's
Le restaurant El Cencerro
est la référence en matière
de rôtisserie à Alajuela. Sa
belle salle à manger est
très fréquentée.

La région de
la vallée d'Atenas

La Fiesta del Maíz
$$
ven-dim
sur le chemin menant à La Garita, à l'angle de la route du
Bosque Encantado
Le restaurant La Fiesta del
Maíz est l'établissement par
excellence pour goûter
toutes sortes de plats
costariciens à base de
maïs. L'intérêt supplémentaire de ce restaurant est
que la nourriture est faite
maison. Service au comp-
toir. Grande salle animée.

La région de San Ramón
et Zarcero

San Ramón

À San Ramón de Alajuela,
il existe peu de vrais restaurants. Trois *sodas* abordables et propres sont
situés à l'intérieur du marché public, situé tout à
côté de l'église, à l'étage: le
Bella Vista, le **Piri** et le
Julia.

La région de Naranjo,
Sarchí et Grecia

El Río
$$
à la sortie de Sarchí sur la route
de Naranjo
☎454-4980
Au fond du centre touris-
tique El Río, il existe un
restaurant du même nom
qui, sous un toit conique
semblable à celui d'une
hutte, propose, dans un
aménagement simple,
moderne et ouvert sur
l'extérieur, un menu *tico* et
italien pour toutes les
bourses.

🏆 Restaurante
El Mirador
$$
mar-dim 6h à 19h30
☎451-5252
Le Restaurante El Mirador
est une excellente étape
entre Naranjo et Zarcero.
En plus de manger dans un
bâtiment tout en bois
(avec terrasse), à
l'atmosphère agréable, il
est possible d'acheter des
conserves et de menus
aliments pour la route. La
vue sur les environs est
formidable d'ici; on peut
même profiter d'un téles-
cope pour mieux
l'apprécier.

Sarchí

Super Pan
$
☎454-4121
À Sarchí, la boulangerie
(*panadería*) Super Pan est
l'établissement par excellence pour acheter ses
pains et pâtisseries, pour
prendre un café ou pour
manger sur place un petit
sandwich. Le commerce
est très propre, tout indiqué pour faire une pause,
admirer le paysage et vivre

quelques instants au
rythme des habitants de
cette charmante petite
ville.

Sur la rue bordant le côté
est du parc récréatif de
Sarchí, le *soda* **Donald** est
également un établisse-
ment à essayer, ne serait-
ce que parce qu'il est très
fréquenté par les gens des
environs, et ce, même
assez tard le soir.

Parque Nacional
Volcán Poás

Hotel Buena Vista
$$$
Las Pilas de San Isidro, sur le
chemin du volcan Poás, 6 km
au nord d'Alajuela
☎442-8595
Le restaurant de l'Hotel
Buena Vista est une très
bonne étape sur la route
du volcan Poás, surtout le
matin. De plus, à 1 300 m
d'altitude, le coup d'œil est
magnifique. La table se
compose de bons mets
costariciens qui vous aident
à démarrer la journée.

Le nord de la Vallée

La région d'Heredia

Heredia

El Rancho del Fofo
$$
Av. Ctl
El Rancho del Fofo est un
petit restaurant situé près
de l'Université nationale et
où jouent des *mariachis*
certains soirs, alors que **La
Choza** et **El Bulevar** *(Av.
Ctl, Calle 7)* sont de petits
bars-restaurants étudiants
sympathiques, très fré-
quentés.

Le petit Paris
$$$
mar-dim 11h à 22h
Calle 5, Av. 2/Ctl
☎*238-1721*
Le restaurant Le petit Paris est un excellent refuge pour les nostalgiques de la cuisine française. En sus d'une bibliothèque, chaque mois une nouvelle exposition d'un peintre centra-méricain vous attend. Deux salles composent le restaurant: celle décorée d'affiches et celle du jardin tropical couvert où l'on peut observer des colibris. Qui plus est, vous êtes au cœur d'Heredia et à deux pas de l'université, pour une visite à pied du secteur.

La région au nord d'Heredia

Las Fresas
$$
10h à 22h
entre Sabana Redonda de Poás et Fraijanes, au nord de San Pedro de Poás
☎*482-2587*
Las Fresas est un établissement très recommandable proposant de la cuisine italienne, notamment de la pizza cuite au four à bois en brique, ainsi que des spécialités costariciennes de bonne qualité.

Country Club El Castillo
$$$
Monte de la Cruz
☎*267-7111 ou 267-7112*
Le restaurant du Country Club El Castillo est accessible à tous et offre un service de première classe avec vue magnifique sur la Vallée centrale et le site du club. Le Country Club El Castillo a été créé pour la gent aisée du Costa Rica. Situé sur un vaste terrain aménagé à des fins récréatives, de repos et de contemplation (le site s'y prête admirablement avec son altitude par rapport à la Vallée centrale), il est encore, après plus de 25 années d'existence, l'un des centres récréatifs les plus chics et les plus importants du pays (5 000 membres). Pour utiliser les installations, il faut cependant demander la permission au gérant, puisque le Castillo est un club privé. Le nom d'El Castillo provient du fait qu'il existe sur le terrain un petit château (*castillo* en espagnol) qui loge un musée d'objets anciens accessible au public (pour avoir accès au musée et au restaurant, il faut préciser sa destination à l'entrée du site).

Chalet Tirol
$$$$
tlj 8h à 22h, dim 8h à 18h
Monte de la Cruz
☎*267-7371*
Le restaurant du Chalet Tirol est une excellente table, membre de la prestigieuse association française de gourmets «La chaîne des rôtisseurs». Son aménagement distingué, le personnel avenant, le décor et la nature environnante vous séduiront.

L'est de la Vallée

La région de Cartago et de la vallée d'Orosi

Albergue Tapantí
$$
au Km 62 de l'Interaméricaine, au sud de Cahén
☎*232-0436*
Du restaurant de l'Albergue Tapantí se dégage un charme alpin chaleureux et invitant. Son menu, quoique varié, se spécialise dans la truite.

Orosi

Coto
$
Parque Central
Le restaurant Coto est un petit *soda* sympathique que possèdent les propriétaires de l'Albergue Montaña Orosi.

La région de Turialba

À Turrialba même, il existe peu de bons restaurants, si ce n'est le restaurant de l'**Hotel Wagelia** (*$$$*; *150 m à l'ouest du Parque Central, Turrialba*, ☎*556-1566 ou 556-1596*), qui est très bien.

Turrialtico
$$$
8 km à l'est de la ville de Turrialba sur la route de Limón
☎*538-1111*
Le restaurant du Turrialtico sert de bons repas *ticos* dans un beau décor et a une vue très intéressante.

Vallée centrale

Parque Nacional Volcán Irazú

Linda Vista
$$
Sur le chemin du volcan Irazú, le Linda Vista offre une belle vue sur la vallée depuis sa salle à manger, mais les repas servis, quoique économiques, sont plutôt ordinaires. C'est cependant le meilleur restaurant du secteur.

Monumento Nacional Guayabo

Hotel La Calzada
$$$
400 m avant l'entrée du Monumento Nacional Guayabo
☎556-0465
⇌556-0427
Le restaurant de l'Hotel La Calzada propose de la cuisine du terroir.

Sorties

L'ouest de la Vallée

La région d'Alajuela

Marilyn Monroe
route de San Pedro de Poás, entre Alajuela et Grecia
☎443-9346
Le bar Marilyn Monroe du Orquideas Inn est bien connu et sympathique.

Le nord de la Vallée

La région d'Heredia

Heredia

América
100 m au sud du Parque Central
☎260-9292 ou 260-9293
Le bar de l'hôtel América est ouvert 24 heures sur 24.

Achats

L'ouest de la Vallée

La région d'Alajuela

Alajuela a son marché central couvert, situé pas très loin du Parque Central. On y vend toutes sortes de choses, allant de la boucherie aux vêtements. De plus, une boutique d'articles religieux est ouvert le jour dans l'annexe de la cathédrale d'Alajuela.

La région de Naranjo, Sarchí et Grecia

Sarchí est réputé pour son artisanat et pour sa fabrication de charrettes si typiques du folklore costaricien. Il est donc facile de trouver des magasins et des fabriques d'artisanat un peu partout dans le village, tant à Sarchí Norte qu'à Sarchí Sur. Profitez-en d'ailleurs pour visiter ces établissements à pied. Il y a entre autres la **Fábrica de Carretas Chaverri**, qui fabrique à Sarchí des *carre-*

tas depuis 1903. À côté de la Mueblería El Sueño, il existe également un grand magasin d'artisanat. **La Plaza de la Artesanía**, située au cœur du village, est un centre commercial avec une architecture distincte et relativement monumentale dont l'aménagement intérieur et extérieur est de bon goût et où l'on peut trouver un bon nombre de magasins et de boutiques proposant artisanat, meubles et souvenirs. **Valle de Mariposa**, situé un peu plus loin, est également une autre boutique de souvenirs et d'artisanat intéressante.

Au sortir de Sarchí sur la route de Naranjo, le centre touristique **El Río** consiste en un grand magasin où l'on vend au détail meubles artisanaux et souvenirs en bois.

Le **Tierra Linda** *(sur la route entre Grecia et Sarchí,* ☎*454-4934)* est un autre centre d'artisanat ainsi qu'une petite bijouterie.

Le nord de la Vallée

Heredia possède son marché central couvert. Il est situé non loin du Parque Central et l'on y trouve de tout.

L'est de la Vallée

À **San Vicente de Moravia** (ou Moravia tout simplement comme l'appellent les *Ticos*), vous pourriez faire de bons achats d'articles de cuir au **Caballo Blanco** *(face au Parque Central, Moravia,* ☎*235-6797)*. Cela est d'autant plus intéressant que Moravia n'est située qu'à quelques kilomètres à l'est de la capitale, ce qui est idéal pour attendre la fin du voyage avant de s'encombrer d'emplettes de dernière minute. **Artesanía Bribrí**, pas très loin, vend les produits artisanaux faits par les Bribrí de la côte Atlantique. Il y a également un petit centre commercial, le **Mercado de Artesanías Las Garzas** *(tlj 8h30 à 18h; 100 m au sud et 75 m à l'est de l'hôtel de ville;* ☎*236- 0037)*, qui, comme à Sarchí, propose des produits artisanaux locaux.

La côte Caraïbe

L a côte Caraïbe réfère à la province de Limón, dont la capitale est la ville portuaire de Puerto Limón, plus grande ville de la région.

B aignée par la mer des Caraïbes, la côte s'étire sur 212 km entre le Nicaragua, au nord, et le Panamá, au sud. Par comparaison, la côte Pacifique est presque cinq fois plus longue (1 016 km). De plus, le climat plus humide, le terrain plus plat et marécageux ainsi que les différences d'ordre linguistique et culturel font de la côte Caraïbe une région complètement à part des autres.

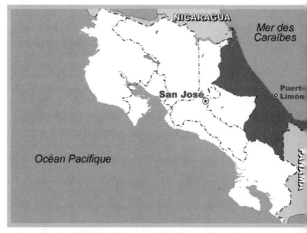

O n y découvre une population fascinante et fière de ses origines, provenant en bonne partie des Antilles, et plus particulièrement de la Jamaïque, mais également de Chine, d'Europe et d'Amérique du Nord. Même les *Josefinos*, habitant San José, vous avoueront qu'ils sont dépaysés lorsqu'ils visitent cette région du Costa Rica. Cela est dû, en bonne partie, aux particularités de la langue utilisée sur cette côte, soit un mélange de créole et d'anglais.

E n règle générale, il en coûte moins cher de séjourner sur la côte Caraïbe qu'ailleurs au Costa Rica. De plus, la cuisine de la côte Caraïbe s'avère délicieuse et relevée. On y sert d'excellents poissons et fruits de mer. D'inspiration afro-caribéenne, plusieurs recettes sont apprêtées avec du lait de coco. Le Rundown, ragoût de poisson et légumes, et le Pan Bón, pain aux fruits et épices, sont tout aussi excellents que nutritifs.

L 'ambiance chaleureuse qui règne dans le sud de cette région est également due aux musiques reggae et calypso que l'on entend abondamment dans les restaurants, bars et hôtels. Il n'est pas rare de croiser l'un de ces représentants rastas, à la chevelure abondante et torsadée, qui déambule tranquillement dans les rues de Cahuita ou de Puerto Viejo, ou encore sur la plage, sifflotant un petit air tout en vous envoyant un chaleureux «*Hi, brother*». Il est d'ailleurs aisé d'acheter, dans la rue ou dans l'un des petits commerces, des bonnets, bracelets, ceintures et autres produits aux couleurs rouge, noire, verte et jaune.

Mais si l'on décide de visiter la côte Caraïbe, c'est surtout pour profiter des magnifiques plages de sable blanc ou de sable noir bordées de cocotiers où le mot «vacances» prend tout son sens. Les plages de cette région comptent parmi les plus paradisiaques de tout le Costa Rica, et certaines ont même une réputation internationale auprès des amateurs de surf.

Outre les plages à faire rêver, la côte Caraïbe présente de grands espaces sauvages où la flore et la faune tiennent une place de choix. Au sud de la région, le Parque Nacional Cahuita et le Refugio Nacional de Vida Silvestre Gandoca-Manzanillo constituent de véritables merveilles naturelles, comprenant des récifs de corail resplendissants de beauté. La Reserva Biológica Hitoy Cerere et les différentes communautés autochtones promettent, à ceux qui font l'effort d'atteindre ces lieux reculés, des heures d'émerveillement. Au nord de la région, le Parque Nacional Tortuguero,

accessible seulement par avion ou par bateau, est l'un des petits paradis cachés du pays dont il ne faut absolument pas se priver.

La côte Caraïbe est réellement synonyme d'abondance. La nature y est partout présente et diversifiée. On y trouve 450 espèces d'arbres et quelque 2 500 espèces de plantes. La faune aviaire y est bien représentée, avec près de 500 espèces d'oiseaux appartenant à 58 familles distinctes, soit plus de la moitié de toutes les espèces répertoriées dans le pays. À elle seule, la région de Tortuguero regorge de toucans, aigrettes, trogons, perroquets, hérons et autres espèces d'oiseaux aquatiques. Quant aux différents animaux observables, notons les singes hurleurs et les capucins, les paresseux, les tortues de mer (quatre espèces), les tortues d'eau douce, les caïmans, les iguanes, les lézards, les grenouilles venimeuses, etc.

Réserves amérindiennes

La région de Talamanca vit apparaître les premières réserves amérindiennes en 1976-1977 (Cocles, Bribrí, Cabécar, Telire, Teyni). La réserve de **KéköLdi**, située

au sud de Puerto Viejo de Talamanca et s'étendant dans les montagnes, fut créée en 1976 afin de protéger ce coin de pays où habitent environ 200 indigènes des communautés Bribrí et Cabécar. La réserve s'appelait d'abord Cocles en raison de la rivière du même nom qui coule sur son territoire. Le nom de KéköLdi (*kéköL*, une espèce d'arbre; *di*, eau ou rivière) fut choisi en 1989, car il fait référence à cet arbre vénéré qui poussait près du Río Cocles et qui servait à la fabrication de lances sacrées utilisées par le chaman lors de cérémonies. Il est dit que les premiers indigènes furent créés par Sibö à partir de grains de maïs. Sibö vint dans la région de Talamanca afin d'expliquer comment il avait créé la terre, la mer, la flore et la faune, et donna des directives à suivre. La tradition orale permit, jusqu'à nos jours, de transmettre ces connaissances fondamentales.

Pour les touristes de passage dans la région, il est relativement difficile de visiter ces réserves et d'entrer en contact avec les gens. Les réserves sont généralement enfouies loin dans la forêt et difficilement accessibles, même en véhicule à quatre roues motrices. Il faut y aller à pied ou à cheval. De plus, comme il n'y a pas d'infrastructures d'accueil qui servent d'intermédiaire entre le visiteur autonome et les habitants de la communauté, on risque donc d'effectuer un aller-retour décevant. C'est pourquoi il est préférable de faire appel à un guide qui saura vous y conduire, d'entrer en contact avec les gens et de vous renseigner sur leur mode de vie. Les agences **ATEC** (voir p 157) et **Terra Aventuras** (voir p 158), à Puerto Viejo de Talamanca, ainsi que **Cahuita Tours** (voir p 154), à Cahuita, proposent des tours guidés dans différentes réserves de la région.

Ceux qui désirent en connaître davantage sur la vie et la culture des habitants de la réserve de KéköLdi se procureront le merveilleux petit livre *Taking Care of Sibö's Gifts* (Paula Palmer, Juanita Sánchez et Gloria Mayorga, Editorama, Costa Rica), en vente entre autres lieux à l'ATEC, qui relate le passé et le présent de ces gens respectueux de l'environnement.

Pour s'y retrouver sans mal

En avion

Afin d'atteindre les régions éloignées de Tortuguero ou de Barra del Colorado, outre le bateau, on peut faire appel aux compagnies aériennes **Travelair** (☎220-3054, ⌐220-0413) et **Sansa** (☎221-9414, ⌐255-2176) à San José. Comptez autour de 90$ pour un aller-retour. Plusieurs hôtels incluent le transport aérien dans leur forfait.

En autocar

Puerto Limón: départs toutes les 30 min du Parque Nacional à San José *(Avenida 3, Calle 19/21)* entre 5h et 19h. Le trajet dure environ 2 heures 30 min. Les compagnies Coopelimón *(2,20$ régulier, 2,70$ express;* ☎223-7811) et Transportes Caribeños *(2,60$ régulier, 3,20$ express;* ☎257-0895) assurent toutes deux la liaison avec cette destination populaire. Les retours *(Puerto Limón, Calle 2, Avenida 1/2)* se font aux mêmes heures.

Cahuita et **Sixaola:** de San José, départs quotidiens *(Calle Central/1, Avenida 11)* à 6h, 13h30 et 3h30 pour le trajet régulier, et à 10h et 16h pour l'express. Le trajet dure environ 3 heures *(4,60$)* jusqu'à Cahuita et environ 4 heures *(6,25$)* jusqu'à Sixaola. Le transport est assuré par Transportes Mepe *(☎257-8129).*

Puerto Viejo de Talamanca et **Manzanillo:** de San José, départs quotidiens *(Calle Central/1, Avenida 11)* à 10h et 16h. Le trajet dure environ 4 heures 30 min *(6$)* jusqu'à Manzanillo. Transportes Mepe *(☎257-8129).*

Puerto Limón – Cahuita – Puerto Viejo de Talamanca: de Puerto Limón *(Avenida 4, Calle 3)*, départs à 5h, 10h, 13h et 16h. Comptez une heure pour vous rendre à Cahuita *(1$)* et environ 1 heure 30 min pour rejoindre Puerto Viejo de Talamanca

(1,25$). Transportes Mepe *(☎758-1572 ou 758-3522).*

En voiture

Le trajet le plus rapide pour atteindre la côte Caraïbe est celui qui passe par le magnifique Parque Nacional Braulio Carrillo *(péage: 0,85$).* De San José, prenez la Calle 3 vers le nord, et, quelques minutes plus tard, vous vous retrouverez sur l'autoroute de Guápiles, construite en 1987. La traversée du parc national s'effectue en une très longue montée suivie d'une aussi longue descente où la route est parfois sinueuse et la circulation dense. Comme il pleut presque tous les jours dans les hautes montagnes du parc, prenez garde à la chaussée glissante ainsi qu'au brouillard. Mais n'ayez crainte car la descente vers la plaine Atlantique ramène presque à coup sûr le soleil et la chaleur. La route jusqu'à **Puerto Limón** est bien entretenue et permet de maintenir une vitesse relativement constante (gare aux radars des policiers, notamment les dimanches). Passé Siquirres, peu de villages seront traversés, mais d'immenses bananeraies révéleront la principale activité économique de la région. Le trajet entre San José et Puerto Limón (162 km) dure entre deux et trois heures.

Si vous disposez de plus de temps (au moins 4 heures) pour effectuer le trajet entre San José et

Puerto Limón, à l'aller ou au retour vous pouvez emprunter une superbe route de campagne aux charmes indéniables. Cette route, qui passe par Cartago, Paraíso, Cervantes, Juan Viñas, Turrialba et Pavones, pour enfin rejoindre Siquirres, présente de magnifiques vallées de caféiers et de macadamias, des villages à flanc de montagnes ainsi que de jolies rivières, dont le célèbre Río Reventazón, paradis de la descente de rivière.

Ceux qui désirent se rendre directement à **Moín**, à 7 km au nord-ouest de Puerto Limón, peuvent le faire sans avoir à passer par cette dernière. Le long de la route, un panneau indique désormais le chemin à prendre, sur la gauche, afin de rejoindre Moín et son port.

De Puerto Limón, la route longe la côte vers le sud et descend jusqu'à **Cahuita**. Cette route de 43 km, relativement en bon état, longe la mer des Caraïbes et ses plages. Atteindre Cahuita demande environ 45 min.

Au départ de Cahuita, vous pouvez gagner le village de **Puerto Viejo de Talamanca** après 18 km de route, soit environ 20 min. Après 12 km, continuez tout droit par la route non revêtue (ne tournez pas à droite dans la route revêtue qui mène en direction de Bribrí et de Sixaola) afin d'atteindre Puerto Viejo de Talamanca. Au poste de contrôle de la police, situé sur la route et visant à contrer la

contrebande avec le Panamá, on examinera le contenu de votre voiture ou on vous saluera de la main, selon l'humeur du policier. De Puerto Viejo de Talamanca à **Manzanillo**, la route, qui s'étend sur 13 km, est non revêtue mais en assez bon état.

En bateau

La plupart des vacanciers désirant se rendre à Tortuguero ou à Barra del Colorado le font par l'entremise d'une agence (San José) ou en réservant une chambre à l'hôtel de leur choix (forfaits). La grande majorité des forfaits offre le transport aller-retour de San José, par minibus et bateau. De façon autonome, il faut vous rendre à **Moín** afin d'embarquer sur l'un des bateaux qui vous mènera à Tortuguero. Notez que ce type de transport par bateau n'est pas officiel et qu'il vous faudra questionner les gens et négocier vous-même les conditions d'embarcation. Au quai de Moín, informez-vous des heures de départ possibles (variables selon le niveau d'eau dans les canaux), des prix et des types de bateaux qui font la navette pour Tortuguero. Comptez entre 2 heures 30 min et 4 heures pour l'aller, selon la vitesse du bateau et les nombreux arrêts requis afin d'admirer la faune le long des canaux. Les prix sont négociables, notamment si vous voyagez en groupe.

Une excellente option est de prendre un forfait guidé d'une agence établie à

Cahuita ou **Puerto Viejo de Talamanca**. Un tel forfait coûte autour de 55$ (2 jours/ 1 nuit) ou 65$ (3 jours/ 2 nuits) et inclut le transport aller-retour par bateau ainsi que les services d'un guide!

Renseignements pratiques

Puerto Limón

L'**Hospital Tony Facio** (*au nord de Puerto Limón, près de la mer*, ☎758-2222) est le seul hôpital de la côte Caraïbe.

À Puerto Limón, on trouve également la **Clínica Santa Lucía** (*Calle 2, Avenida 4/5*, ☎758-1286). Vous trouverez quelques **pharmacies** au cœur de la ville de Puerto Limón, soit dans le quadrilatère formé par la Calle 2, la Calle 4, l'Avenida 2 et l'Avenida 4.

Au sud de la ville de Puerto Limón, une clinique médicale est située dans le petit village de **Bribrí**.

Pour une **urgence**, composez le ☎758-0580 ou le 911.

Le **Banco de Costa Rica** (*Avenida 2, Calle 1*) et le **Banco Nacional de Costa Rica** (*Avenida 2, Calle 3*) sont situés au cœur de la ville de Puerto Limón.

Notez qu'il n'y a pas de banque au sud de la ville de Puerto Limón et qu'il faudra vous rendre dans le

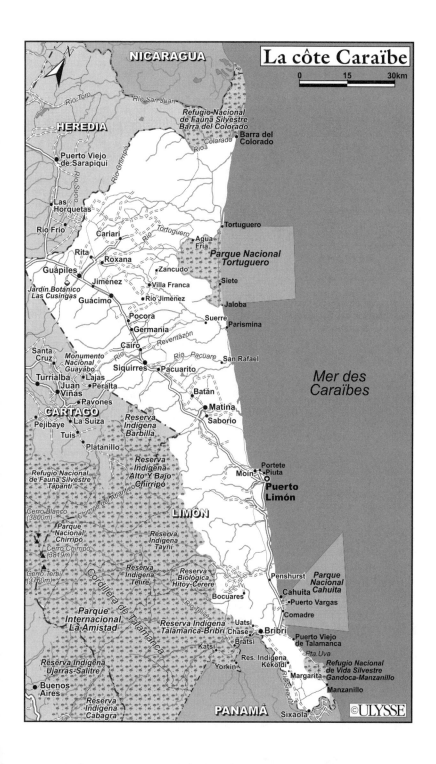

La côte Caraïbe

0   15   30km

NICARAGUA

Río Toro

Río San Juan

HEREDIA

Refugio-Nacional
de Fauna Silvestre
Barra del Colorado

Barra del
Colorado

Colorado

Río

Puerto Viejo
de Sarapiquí

Río Sucio

Río Chirripó

Las
Horquetas

Río Frío

Cariari

Río Tortuguero

Tortuguero

Agua
Fría

Parque Nacional
Tortuguero

Rita

Roxana

Zancudo

Guápiles

Jiménez

Villa Franca

Siete

Jardín Botánico
Las Cusingas

Guácimo

Río Jiménez

Jaloba

Pocora

Suerre

Germania

Parismina

Cairo

Reventazón

Santa
Cruz

Monumento
Nacional
Guayabo

Río

Río Pacuare

San Rafael

Siquirres

Pacuarito

Turrialba

Lajas

Juan
Viñas

Peralta

Batán

Pavones

Matina

CARTAGO

Saborío

Pejibaye

La Suiza

Reserva
Indígena
Barbilla

Tuis

Platanillo

Reserva
Indígena
Alto Y Bajo
Chirripó

Portete
Piuta

Refugio Nacional
de Fauna Silvestre
Tapantí

Moín

Puerto
Limón

Cerro Blanco
(3800m)

Chirripó del Atlántico

Parque
Nacional
Chirripó

LIMÓN

Mer des
Caraïbes

Cerro Chirripó
(3819m)

Reserva
Indígena
Tayni

Cerro Terbi
(3760m)

Reserva
Indígena
Telire

Reserva
Biológica
Hitoy-Cerere

Penshurst

Parque
Nacional
Cahuita

Bocuares

Cahuita

Puerto Vargas

Cordillera de Talamanca

Comadre

Parque
Internacional
La Amistad

Reserva Indígena
Talamanca-Bribri

Uatsi

Chase

Bribri

Puerto Viejo
de Talamanca

Río Telire

Brátsi

Pta. Uva

Katsi

Res. Indígena
Kékoldi

Reserva Indígena
Ujarrás-Salitre

Yorkin

Río Sixaola

Margarita

Refugio Nacional
de Vida Silvestre
Gandoca-Manzanillo

Buenos
Aires

Manzanillo

Reserva
Indígena
Cabagra

PANAMÁ

Sixaola

©ULYSSE

village de **Bribrí**, où se trouve un **Banco Nacional de Costa Rica**.

Par contre, plusieurs hôtels pourront convertir vos chèques de voyage ou vos devises américaines en colons. À Cahuita, l'agence **Cahuita Tours** (voir p 154) vous propose également ce service.

Attraits touristiques

La région de Guápiles

Passé les montagnes du Parque Nacional Braulio Carrillo, la plaine refait surface. La petite ville de **Guápiles**, située à une soixantaine de kilomètres de San José, est un centre important lié au transport des bananes. À l'est de la ville, en direction de Guácimo, le **Jardín Botánico Las Cusingas** *(5$; 4 km au sud de la route principale,* ☎/≈ *710-2652)*, appartenant à Jane Segleau et Ulyses Blanco, comprend une variété de plantes médicinales (80 espèces) et ornementales (80 espèces d'orchidées et 30 espèces de broméliacées) ainsi que des arbres fruitiers. Le site de 20 ha vise également à protéger une partie de la forêt tropicale humide et à en assurer la reforestation. Des visites guidées portant sur les plantes et leur utilisation médicinale, ainsi que sur la nature en général, sont proposées. De petits sentiers sillonnent la forêt

environnante, dont l'un mène entre autres au Río Santa Clara. À ce jour, on a recensé une centaine d'espèces d'oiseaux. De plus, on propose en location une *cabina* rustique, avec deux chambres et une cuisinette, pouvant abriter quatre personnes (voir p 169). Selon la période de l'année, le chemin menant au Jardin botanique est plus facile d'accès si vous possédez un véhicule à quatre roues motrices.

À 12 km à l'est de Guápiles, le village de **Guácimo** est le berceau de l'**Escuela de Agricultura de la Región Tropical Húmida**, ou simplement **EARTH** *(à l'est de Guácimo,* ☎ *713-0000,* ≈ *713-0001)*. L'école offre un programme de formation universitaire axé sur l'agriculture tropicale. De nombreux étudiants viennent de toute l'Amérique latine pour y acquérir une formation spécialisée. Les groupes ainsi que les visiteurs autonomes de passage sont les bienvenus (tours guidés). On trouve sur les lieux une bananeraie expérimentale où l'on explore avec succès des méthodes de culture visant principalement à respecter l'environnement. Une réserve de 400 ha de forêt humide et des sentiers pédestres complètent le décor. L'école gère également un hôtel à même les lieux (voir p 169).

Au nord de Guácimo, la **Finca Costa Flores** *(*☎ *717-6439)*, d'une superficie de 120 ha, possède plus de 600 espèces d'hélico-nidées, des plantes tropi-

cales, dont une partie est destinée à l'exportation. Des tours guidés *(15$)* renseignent les visiteurs sur cette culture particulière. La ferme abrite aussi des jardins comportant de jolies allées et des étangs, ainsi qu'un restaurant.

La petite ville de **Siquirres** était autrefois un carrefour ferroviaire important. Mais avec la venue de l'autoroute de Guápiles (1987), passant par le Parque Nacional Braulio Carrillo, et l'abandon de la ligne ferroviaire San José – Puerto Limón à la suite du tremblement de terre de 1991, Siquirres est redevenue une petite ville tranquille où peu de visiteurs s'attardent. Notez que, si vous prenez la charmante route passant par Cartago, Paraíso, Cervantes, Juan Viñas et Turrialba, vous arriverez alors à Siquirres.

Ceux qui effectuent la superbe et enivrante descente du très populaire **Río Pacuare** (voir p 167) verront leur journée se terminer aux abords de Siquirres, sous le pont de la route principale. Outre le Río Pacuare, une autre célèbre rivière coule juste au nord de Siquirres, le **Río Reventazón**, autre petit paradis de la descente de rivière et du kayak.

Entre Siquirres et Puerto Limón (58 km), la route est parsemée de petits villages comme Bristol, Boston, Stratford, Venecia, Buffalo et Liverpool, aux noms rappelant plutôt des vallées verdoyantes que des bananeraies!

La région de Puerto Limón

Puerto Limón ★, ou simplement Limón, est la capitale de la province du même nom. Lors de l'arrivée du navigateur Christophe Colomb, le 18 septembre 1502, la ville portait le nom de Cariari, nom d'un ancien village autochtone. Colomb y mouilla ses navires afin de les réparer, y séjournant ainsi plusieurs jours. Les légendes populaires racontent qu'autrefois la ville et ses environs étaient la proie de nombreuses épidémies de fièvre jaune et d'autres maladies tropicales. Mystérieusement, un unique citronnier, le seul de son essence dans la région, et situé à la place qu'occupe actuellement l'hôtel de ville, possédait des vertus miraculeuses. Les habitants venaient y cueillir non seulement les fruits mûrs, mais aussi les fruits verts dont les feuilles servaient aux infusions thérapeutiques afin de guérir la fièvre jaune. Étant donné la popularité croissante de l'arbre, qui servait même de point de repère dans la ville, le nom d'El Limón a peu à peu supplanté celui de Cariari. Or, ce n'est qu'en octobre 1852 que la ville a officiellement adopté le nom de Limón. Le canton de Limón fut créé en 1892, alors que la province de Limón vit le jour le 6 août 1902.

Aujourd'hui, la ville de Puerto Limón est le plus

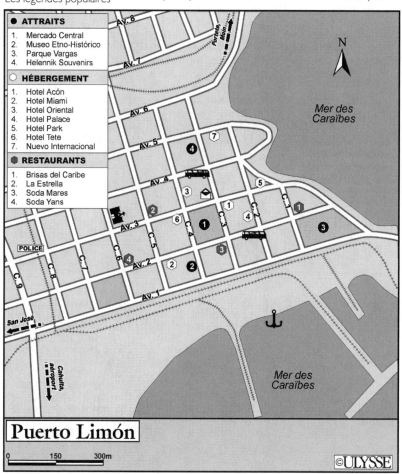

● ATTRAITS
1. Mercado Central
2. Museo Etno-Histórico
3. Parque Vargas
4. Helennik Souvenirs

○ HÉBERGEMENT
1. Hotel Acón
2. Hotel Miami
3. Hotel Oriental
4. Hotel Palace
5. Hotel Park
6. Hotel Tete
7. Nuevo Internacional

⬢ RESTAURANTS
1. Brisas del Caribe
2. La Estrella
3. Soda Mares
4. Soda Yans

Mer des Caraïbes

POLICE

San José

Cahuita, aéroport

Mer des Caraïbes

Puerto Limón

0   150   300m

©ULYSSE

Un certain 22 avril...

Le 22 avril 1991, vers 16h, un violent tremblement de terre secoua le pays, et plus particulièrement la province de Limón. Ce tremblement de terre, d'une intensité de 7,4 sur l'échelle de Richter, avait comme épicentre la petite communauté de Pandora, non loin de Cahuita. Cette catastrophe naturelle fit heureusement très peu de victimes, probablement entre 30 et 50 morts si l'on compte les personnes décédées à la suite d'un arrêt cardiaque. Si la capitale nationale, San José, fut peu endommagée, la province de Limón eut plus de 3 000 bâtiments détruits, ce qui fit plus de 12 000 sans-abri.

Par contre, plusieurs bâtiments, routes et ponts furent complètement détruits, ce qui rendit la circulation impossible en certains endroits. La ligne de chemin de fer qui reliait San José et Puerto Limón fut si durement touchée par la catastrophe que les autorités mirent fin à ce mode de transport fort populaire auprès des Costariciens, et fort exotique auprès des touristes qui venaient prendre ce «train de la jungle».

Un ami costaricien nous raconta que, quelques jours après le tremblement de terre, il retourna au bord de la mer des Caraïbes et constata avec effroi qu'elle avait baissé de 1,5 m! Il apprit plus tard que la mer ne s'était pas retirée au large, mais que c'était la côte qui fut soulevée de 1,5 m! Ce soulèvement massif fit également en sorte qu'une grande partie des récifs de corail émergea hors de l'eau, laissant les coraux à l'air libre et donc très vulnérables. De plus, la côte émergée rendit les canaux reliant Moín et Barra del Colorado, une distance de 100 km, moins profonds et, en certains endroits, carrément infranchissables.

important port du pays, malgré que ce dernier ait vu ses activités diminuer considérablement depuis quelques années. Alors qu'au début du XXe siècle la ville était l'une des plus jolies du Costa Rica, avec une architecture attrayante, de grands quais, un magnifique parc et les premières rues pavées du pays, le manque de travail, dû en partie au retrait des activités commerciales de la United Fruit Company dans les années 1940, et le tremblement de terre de 1991 ont contribué à rendre cette ville beaucoup moins agréable aux yeux des touristes de passage dans la région.

À vrai dire, la principale attraction touristique de Puerto Limón demeure son **carnaval** ★★, auquel assiste et participe une grande partie de la population. Le carnaval annuel de Puerto Limón a lieu le 12 octobre, date de l'arrivée de Christophe Colomb en Amérique, mais, en fait, il s'échelonne sur plusieurs jours de célébration. Musique en tous genres, défilés, festival de danse, costumes flamboyants et bonne humeur règnent alors sur la ville. On évalue à plus de 100 000 le nombre de participants, venus des quatre coins du pays et de l'étranger. Les hôtels de la région étant alors réservés longtemps à l'avance, le visiteur de passage aura beaucoup de difficulté à se loger convenablement.

La visite du populaire **Mercado Central** (marché central) *(Avenida 2, Calle 3/4)*, entouré de *sodas*, restaurants et hôtels à petit prix, révèle tout le dynamisme de cette ville portuaire. On y croise une population aux origines diverses parmi laquelle se côtoient des Costariciens aux ancêtres originaires d'Espagne, de Chine et des Antilles. Marché central et centre-ville étant souvent synonymes de pickpockets et d'autres petits arnaqueurs, nous vous recommandons donc d'être vigilant à toute heure du jour ou de la nuit.

Ceux qui désirent en connaître davantage sur l'histoire et la culture des gens de la région se rendront au **Museo Etno-Histórico** *(mar-sam 9h à 17h; Calle 4, Avenida 2,* ☎*758-3903)*, près du Mercado Central.

Au bout de la ville, le joli **Parque Vargas ★** *(Calle 1, Avenida 1/2)* mérite une visite. Ce parc tire son nom d'un ancien gouverneur de Limón, Don Balvanero Vargas, dont on peut observer le buste au centre du parc. Les bustes de Christophe Colomb et de son fils Fernando, érigés face à la mer, révèlent également le caractère historique de la ville. De grands palmiers ainsi qu'une flore riche et abon-

dante témoignent de l'intention, au début du XIXᵉ siècle, de faire de ce parc un modèle du genre. C'est aussi à Vargas que revenait la responsabilité d'élaborer le **brise-lames ★** pour lequel il fallut d'abord remplir de terre cette partie d'océan qui, dit-on, venait déposer ses vagues jusqu'au marché central. Une promenade le long du brise-lames est tout aussi agréable que rafraîchissante.

À environ 1 km de la ville, l'**Isla Uvita** vit débarquer Christophe Colomb (ou Cristóbal Colón) en 1502. Cette petite île peut être visitée par bateau: adressez-vous à votre hôtel ou à l'un des hôtels proposant cette excursion.

Comme il n'y a pas de plage à Puerto Limón, le lieu de baignade le plus près est situé à **Playa Bonita ★★**, à 4 km au nordouest de la ville, en direction de Moín. Entourée d'une riche végétation, cette plage est très populaire auprès des touristes venant s'y détendre, se baigner et pique-niquer. Playa Bonita est également reconnue comme étant l'une des bonnes plages de surf.

Reserva Biológica Hitoy Cerere

Située à 60 km au sud de Puerto Limón, la Reserva Biológica Hitoy Cerere *(6$; tlj;* ☎*758-5855)*, créée en avril 1978, demeure le parc le moins visité de la région, car les infrastruc-

tures d'accueil y sont très peu développées. Cependant, ceux qui désirent parcourir une région sauvage, aux nombreux cours d'eau, à la faune et à la flore abondantes, seront servis à souhait. On y a recensé 115 espèces d'oiseaux. Pour une visite guidée dans la réserve, l'organisme **Terra Aventuras** (voir p 158), de Puerto Viejo de Talamanca, vous y emmène en toute quiétude.

Le nom de la réserve provient de noms amérindiens signifiant «lit de mousse» *(Hitoy)* et «eau claire» *(Cerere)* qui caractérisent fort bien cette région humide où la végétation est d'une densité incroyable. La réserve a une superficie de 9 155 ha, où vallées et montagnes se côtoient. Le point culminant est le mont Bitarkara (1 025 m), situé à l'extrême ouest. Avec des pluies abondantes dépassant les 3,5 m annuellement, les cours d'eau et les cascades y sont nombreux. Ainsi, le Río Hitoy et le Río Cerere, descendant des montagnes, s'unissent pour ne former qu'une seule rivière.

L'activité à favoriser dans la réserve est sans contredit la randonnée pédestre. Cet endroit regorge de lieux sauvages où l'ornithologue, tout autant que le botaniste, trouvera son compte. Le réseau de sentiers est quelque peu confus et la signalisation absente (d'où l'intérêt d'une visite guidée).

Pour vous rendre à la réserve, vous devez passer par le Valle de la Estrella via Penshurst (20 km). Les nombreux petits chemins rendent l'accès difficile, et l'utilisation d'un véhicule à quatre roues motrices s'avère essentielle. Durant l'année, il pleut énormément dans ce coin de montagnes. Il n'y a donc pas de saison sèche plus propice à une visite. Ceux qui s'intéressent aux oiseaux migrateurs fréquenteront la réserve entre les mois de septembre et de décembre.

La région de Cahuita

Du petit village de **Cahuita** ★, situé à 43 km au sud de Puerto Limón, avec ses quelques rues revêtues de sable, ses petits hôtels et restaurants sympathiques et, surtout, la mer des Caraïbes pour toile de fond, se dégage un charme indéniable. Il y règne une atmosphère détendue, et chacun déambule allègrement en jetant un petit coup d'œil sur les autres, histoire de fraterniser un peu.

À y regarder de plus près, on se rend vite compte que les touristes sont en grande majorité des jeunes venus se détendre et passer un bon moment, car la région de Cahuita et de Puerto Viejo de Talamanca est sans contredit l'un des endroits du Costa Rica où l'on peut séjourner à peu de frais. Il est facile d'y dénicher une chambre à moins de 25$ (pour deux personnes) par nuitée, et les prix se négocient volontiers, surtout

pour un séjour de plusieurs nuits. Pour le dîner, nombre de petits restaurants servent une excellente cuisine locale, de type caribéen, où le poisson et la noix de coco sont à l'honneur.

Cahuita fut, durant plusieurs décennies, un petit village tranquille où rien ne semblait bousculer la vie des villageois, descendants de Jamaïquains venus s'y installer au milieu du XIXe siècle. Le nom de Cahuita provient de deux mots autochtones, *kawe* (acajou) et *ta* (pointe), signifiant «la pointe aux acajous», en référence à la pointe qui s'avance dans l'actuel Parque Nacional Cahuita. Jusque dans les années 1970, atteindre la région était une aventure en soi. Il fallait d'abord suivre une petite route pour se rendre de San José à Puerto Limón, car l'autoroute de Guápiles ne fut construite que dans les années 1980. Ensuite, le trajet entre Puerto Limón et Cahuita demandait une bonne demi-journée, car il n'y avait ni route ni pont. Il fallait prendre d'abord le train jusqu'à Penshurst, traverser le Río Estrella en pirogue, puis compléter le voyage en vieil autocar, le long d'un chemin non revêtu, jusqu'à Cahuita! De nos jours, il suffit de 45 min en voiture pour parcourir la distance entre Cahuita et Puerto Limón, et moins de quatre heures pour réaliser le trajet San José – Cahuita.

Sur la côte Caraïbe, c'est à Cahuita que vous avez le plus de chance d'entendre parler le français, plusieurs

Québécois et Français étant venus s'y installer. Ainsi, dans plusieurs restaurants et hotels, la langue de Molière tient une place de choix.

Il n'y a pas d'attractions touristiques spécifiques dans le village de Cahuita. Les plages sont situées de part et d'autre du village. Du côté nord-ouest s'étend, sur quelques kilomètres, l'agréable **Playa Negra**, de sable noir, où la baignade est agréable. Deux autres plages, de sable blanc, se trouvent du côté est du village et font partie du **Parque Nacional Cahuita** ★★★ (voir plus bas). La première plage est située à seulement quelques pas de l'hôtel Cahuita National Park. Notez que l'entrée du parc, de ce côté-ci, est gratuite.

Afin d'obtenir de l'information sur la région, les hôtels, les restaurants, les communautés autochtones, ou sur tout autre sujet, rendez-vous chez **Cahuita Tours** (*7h à 20h; au nord de la rue principale, ☎755-0232, ≈755-0082*). On y trouve des services de change, de taxi, de téléphone et de télécopieur; on y vend des billets d'autocar pour San José; on y loue des vélos et de l'équipement pour la plongée-tuba. De plus, cette agence organise plusieurs tours guidés dans la région.

Outre Cahuita Tours, les agences **Roberto Tours** (*☎/≈755-0117*) et **Turística Cahuita** (*☎/≈755-0071*), situées aussi au centre de Cahuita, proposent également de nombreux tours

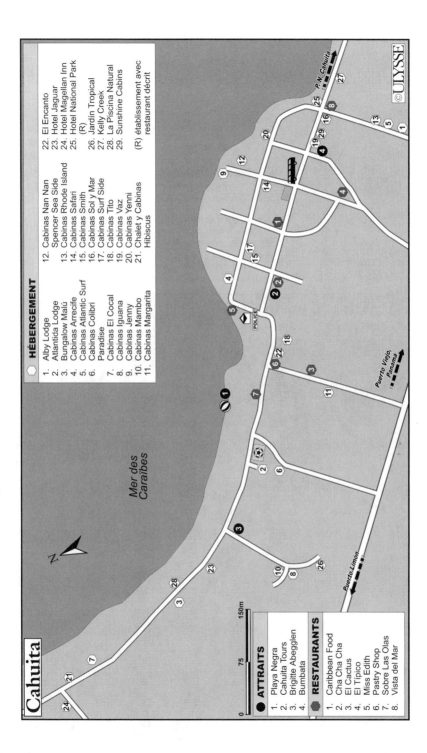

Cahuita

Mer des Caraïbes

N

P.N. Cahuita

Puerto Viejo, Panamá

Puerto Limón

© ULYSSE

● ATTRAITS

1. Playa Negra
2. Cahuita Tours
3. Brigitte Abegglen
4. Bumbata

⬢ RESTAURANTS

1. Caribbean Food
2. Cha Cha Cha
3. El Cactus
4. El Tipico
5. Miss Edith
6. Pastry Shop
7. Sobre Las Olas
8. Vista del Mar

● HÉBERGEMENT

1. Alby Lodge
2. Atlantida Lodge
3. Bungalow Malú
4. Cabinas Arrecife
5. Cabinas Atlantic Surf
6. Cabinas Colibrí
   Paradise
7. Cabinas El Cocal
8. Cabinas Iguana
9. Cabinas Jenny
10. Cabinas Mambo
11. Cabinas Margarita
12. Cabinas Nan Nan
    Spencer Sea Side
13. Cabinas Rhode Island
14. Cabinas Safari
15. Cabinas Smith
16. Cabinas Sol y Mar
17. Cabinas Surf Side
18. Cabinas Tito
19. Cabinas Vaz
20. Cabinas Yenni
21. Chalet y Cabinas
    Hibiscus
22. El Encanto
23. Hotel Jaguar
24. Hotel Magellan Inn
25. Hotel National Park
    (R)
26. Jardin Tropical
27. Kelly Creek
28. La Piscina Natural
29. Sunshine Cabins

(R) établissement avec
    restaurant décrit

0   75   150m

guidés dans la région ainsi que la location de vélos et d'équipement de plongée-tuba, approximativement aux mêmes prix.

Pour en connaître davantage sur l'histoire trépidante des habitants de Cahuita et de la côte de Talamanca, la lecture de l'excellent et amusant ouvrage de Paula Palmer, **What Happen** (*Publications in English, San José, Costa Rica, 1993*), saura ravir ceux qui s'intéressent à ces gens venus des îles des Caraïbes avec leur culture,

leur langue, leurs chansons, leur cuisine, etc. On trouve ce livre à différents endroits le long de la côte ainsi que dans les grandes librairies de San José.

Parque Nacional Cahuita

Le Parque Nacional Cahuita *(entrée libre ou 6$ selon le secteur; camping; ☎755-0060)* fut d'abord créé comme monument national en 1970, puis comme

parc national en avril 1978 dans le but premier de protéger le superbe récif de corail qui entoure la Punta Cahuita. D'une superficie terrestre de 1 067 ha, avec plus de 600 ha pour la portion marine, ce parc englobe également une superbe forêt tropicale humide ainsi que deux magnifiques plages de sable blanc.

Le récif de corail est considéré comme le plus important du pays et l'un des seuls qui soit mature. On y trouve quelque 35 espè-

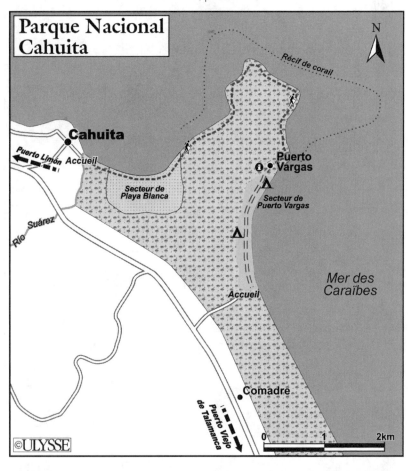

Parque Nacional Cahuita

ces de coraux, dont certains spécimens atteignent près de 2 m de diamètre, 123 espèces de poissons, 44 espèces de crustacés, 140 espèces de mollusques et 128 espèces d'algues.

Par contre, ce superbe récif est menacé, notamment par la déforestation qui sévit dans les environs, la pollution arrivant par les eaux de la rivière en provenance des plantations de bananiers. Il a été fortement endommagé par le tremblement de terre de 1991 car la côte s'est élevée d'un mètre par endroits, laissant à l'air libre une grande quantité de coraux qui n'ont pu résister à la catastrophe. Donc, en regardant ces coraux de surface, dites-vous qu'avant le 22 avril 1991 ils étaient paisiblement recouverts d'eau. Malgré tout, ce récif demeure un des hauts lieux de la plongée-tuba au Costa Rica.

Le Parque Nacional Cahuita est délimité par le Río Suárez, au nord, et le Río Carbón, au sud, ainsi que par la route reliant Cahuita et Puerto Viejo. On y trouve deux secteurs: le secteur de **Playa Blanca** et le secteur de **Puerto Vargas**. Le premier est situé dans le village de Cahuita *(accès gratuit)*, là où une superbe plage de sable blanc attend les vacanciers. Les résidants du village ont obtenu, à la suite de nombreuses revendications, l'accès gratuit à ce secteur, car la plage a, de tout temps, fait partie intégrante du village et constitue un attrait touris-

tique indéniable. Le second secteur, Puerto Vargas *(6$)*, se trouve à 5 km au sud du village. Il comprend les bâtiments administratifs ainsi que des emplacements de camping magnifiquement aménagés en bordure de la plage (voir p 171).

Comme les précipitations atteignent près de 3 m par année, il est bon de savoir que les meilleures périodes pour fréquenter le parc sont de février à mai et d'août à octobre. La température, quant à elle, est constante et se maintient autour de 25°C.

Outre la baignade, la plongée-tuba, les jeux de plage et l'observation de la nature, la randonnée pédestre constitue un excellent moyen de parcourir le parc d'un secteur à l'autre (voir p 166).

La région de Puerto Viejo de Talamanca

Puerto Viejo de Talamanca ★ est un petit village grouillant de vie où les touristes de passage, en grande majorité des jeunes Nord-Américains et Européens, prolongent volontiers leur séjour afin de profiter pleinement des merveilleuses plages de sable blanc, des petits hôtels et restaurants à prix modiques et, surtout, de cette ambiance «cool» baignée de musique reggae.

Si, il y a quelques années, Cahuita était l'endroit où l'on trouvait le plus de touristes et d'infrastructures pouvant les

accueillir, de nos jours Puerto Viejo semble tout aussi fréquenté et dispose également d'une quantité incroyable de lieux où séjourner. De plus, comme chaque petite rue débouche directement sur la plage, qui longe littéralement le village, point n'est besoin de faire plusieurs kilomètres à pied ou de prendre l'autocar afin d'aller se dorer au soleil et faire trempette. D'ailleurs, en plus de cette plage de sable blanc, une autre plage, de sable noir, s'étend sur plusieurs kilomètres à l'ouest du village. Il est même possible, mais exténuant, de marcher le long de la plage pour atteindre Cahuita (18 km).

Le village de Puerto Viejo, que l'on désigne également du nom de Puerto Viejo de Talamanca, pour ne pas le confondre avec celui de Puerto Viejo de Sarapiquí (région nord), ouvre la porte sur ce que l'on appelle la côte de Talamanca, qui s'étend vers le sud jusqu'à la frontière panaméenne en passant par Cocles, Playa Chiquita, Punta Uva, Manzanillo et Gandoca.

Au centre du village, faites une visite à l'**Asociación Talamanqueña de Ecoturismo y Conservación**, ou simplement **ATEC** *(tlj 7h à 19h; sur la rue principale, ☎/≈750-0191)*, qui loge en face du *soda* Támara, pour vous renseigner sur les efforts déployés afin de protéger l'environnement ainsi que sur la culture régionale. Cet organisme sans but lucratif fut fondé en 1990 dans le but d'encourager non seulement

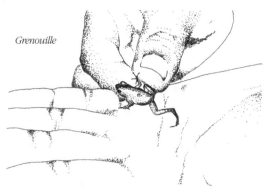

Grenouille

les guides locaux mais également les différents commerces, restaurants et hôtels de la région. Des programmes et cours sont offerts aux gens de la région afin de les sensibiliser à l'éducation environnementale. On accueille également des groupes venant de différentes universités.

L'ATEC propose des excursions et des tours guidés dans la région. Ces sorties portent, entre autres choses, sur les communautés autochtones, la culture afro-caribéenne, l'environnement, l'histoire, de même que sur la randonnée pédestre, l'ornithologie, la plongée-tuba et la pêche. Les guides sont très qualifiés et responsables.

Une autre agence mérite également une visite: le centre d'information touristique de **Terra Aventuras** *(à côté du Comisariato Manuel León, au bord de la plage,* ☎ *750-0426).* Le sympathique Juan Carlos saura vous renseigner sur les hôtels, les restaurants, les bars et les boutiques de la région. D'ailleurs, à l'intérieur du petit local, on vend de l'artisanat indigène

et afro-caribéen fabriqué dans la région de Talamanca. Terra Aventuras organise également différents tours guidés.

Parmi les guides réputés des environs, il faut souligner le professionnalisme de **Harry** (propriétaire des Cabinas Tropical), un Allemand installé au Costa Rica depuis plusieurs années, qui propose plusieurs excursions dans la région et dans le reste du pays, et les compétences de **Juppy**, de son vrai nom «Roberto Hansel», qui connaît mieux que quiconque les montagnes de Talamanca, la faune et la flore de la région, spécialement les plantes médicinales, ainsi que le mode de vie traditionnel des Bribrí.

Du côté de la plage de sable noir (Black Beach), le **Jardin botanique** ★ *(3$; jeu-dim, 10h à 16h;* ☎ *750-0046),* dont l'entrée est située à 200 m au nord du Pizote Lodge, présente une grande variété de plantes ornementales, d'arbres fruitiers et d'épices en tous genres. L'endroit s'avère excellent pour l'observation de minuscules grenouilles

venimeuses très colorées, des paresseux et d'un grand nombre d'espèces d'oiseaux. Des visites guidées sont également proposées.

Si vous n'avez jamais épié les prouesses d'habiles amateurs de surf, il faut vous rendre à **Playa Salsa Brava** ★★, située juste au sud-est du village. Cette plage de réputation internationale offre des vagues affolantes et difficiles entre les mois de décembre et de mars, ainsi qu'aux mois de juin et de juillet. Le principal danger qui guette les sportifs est le récif situé à proximité où plusieurs d'entre eux viennent fracasser leur planche tout en s'infligeant de sévères blessures. En dehors de ces mois où les vagues demeurent bouillonnantes, la mer y est plutôt calme et la baignade agréable.

Entre Puerto Viejo et Manzanillo, la côte est parsemée de magnifiques plages de sable blanc où la détente et la baignade comptent parmi les meilleures de tout le pays. Cependant, il est toujours bon de s'informer au préalable des conditions de baignade car, à certaines périodes de l'année, les vagues et les courants sont trop forts pour pratiquer une natation sécuritaire.

La petite route non revêtue, d'environ 13 km, qui relie Puerto Viejo et Manzanillo, peut être agréablement parcourue en vélo. C'est ici le moyen de transport le plus utile afin de s'imprégner de la beauté des paysages, des plages et de la mer, mais

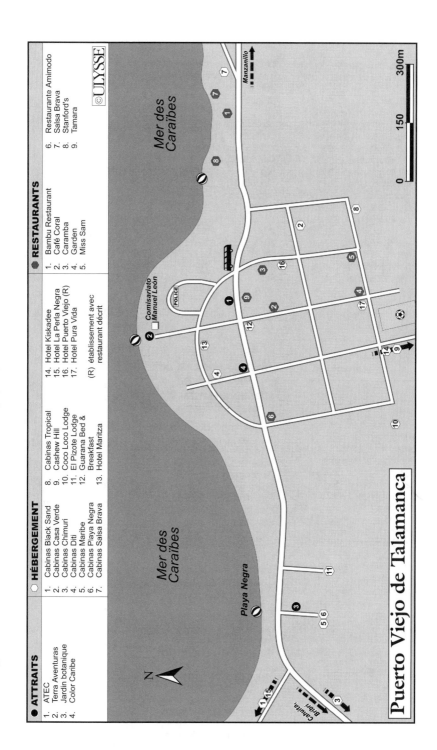

Puerto Viejo de Talamanca

● ATTRAITS

1. ATEC
2. Terra Aventuras
3. Jardin botanique
4. Color Caribe

◯ HÉBERGEMENT

1. Cabinas Black Sand
2. Cabinas Casa Verde
3. Cabinas Chimuri
4. Cabinas Diti
5. Cabinas Maribe
6. Cabinas Playa Negra
7. Cabinas Salsa Brava
8. Cabinas Tropical
9. Cashew Hill
10. Coco Loco Lodge
11. El Pizote Lodge
12. Guarana Bed & Breakfast
13. Hotel Maritza
14. Hotel Kiskadee
15. Hotel La Perla Negra
16. Hotel Puerto Viejo (R)
17. Hotel Pura Vida

(R) établissement avec restaurant décrit

● RESTAURANTS

1. Bambu Restaurant
2. Café Coral
3. Caramba
4. Garden
5. Miss Sam
6. Restaurante Amimodo
7. Salsa Brava
8. Stanford's
9. Tamara

© ULYSSE

Mer des Caraïbes

Playa Negra

Comisariato Manuel León

POLICE

Manzanillo

0   150   300m

aussi pour prendre le temps de s'arrêter à une *pulpería*, à un café ou à un restaurant pour discuter de tout et de rien avec les gens de l'endroit, notamment avec les sympathiques personnes âgées qui ont toujours quelques anecdotes savoureuses à raconter. Une halte à **Punta Uva ★**, par le petit chemin sur la gauche, près de la *pulpería* Uva, permet de découvrir un agréable lieu de repos sous les cocotiers ou sur la plage pour contempler cette magnifique pointe qui s'avance dans la mer. La baignade s'avère ici l'une des plus agréables de toute la côte.

La région de Manzanillo

Le petit village de **Manzanillo** n'a pas encore subi l'effet d'envahissement d'un tourisme saisonnier. Mais en observant le nombre grandissant d'hôtels échelonnés le long de la route Puerto Viejo de Talamanca – Manzanillo, il est à prévoir que d'ici quelques années ce petit village côtier deviendra assurément une destination touristique de choix. Pour l'instant, on y trouve peu d'infrastructures touristiques. Le calme des lieux et la bonne humeur des enfants, jouant sur le chemin ou la plage, n'ont d'égal que la beauté sauvage des lieux. L'agence **Aquamor Adventures** (☎ 759-0612, ✍ 759-0611) propose des tours guidés, des excursions en mer (observation des dauphins), des sorties dans les environs et des cours en

plongée sous-marine, ainsi que la location de kayaks et d'équipement de plongée-tuba.

Au bout du village, près de l'entrée du **Refugio Nacional de Vida Silvestre Gandoca-Manzanillo ★ ★** (voir ci-dessous), **Willy Burton**, un guide sympathique et expérimenté, habite une petite maison. Willy peut vous emmener, en bateau, à la pêche ou aux récifs de corail du parc afin d'y pratiquer la plongée-tuba. Vous pouvez également y stationner votre voiture avant de partir à pied dans le sentier menant à Punta Una.

Refugio Nacional de Vida Silvestre Gandoca-Manzanillo

Le Refugio Nacional de Vida Silvestre Gandoca-Manzanillo fut créé en octobre 1985 dans le but de protéger l'une des plus belles régions du Costa Rica d'un développement touristique anarchique et dévastateur. Le parc s'étend sur 5 013 ha de terres et 4 436 ha de mer, au sud de Puerto Viejo de Talamanca et jusqu'au Río Sixaola, soit à la frontière avec le Panamá.

Relativement peu visité, probablement à cause du manque d'infrastructures d'accueil, le parc demeure un site exceptionnel servant à protéger une flore et une faune menacées. On y trouve des récifs de corail (Punta Uva, Manzanillo et Punta Mona) d'une grande richesse, un marais

d'huîtres, une mangrove, des champs, une riche et dense forêt tropicale humide, ainsi que des plages de sable blanc à faire rêver, bordées de cocotiers. La faune, quant à elle, compte quelque 360 espèces d'oiseaux, dont des pélicans, des toucans, des perroquets et des aigles, des singes hurleurs et des capucins, des paresseux, des tapirs, des caïmans, des crocodiles, etc. Le parc reçoit également la visite de quatre espèces de tortues, dont l'impressionnante tortue luth, la plus grande tortue du monde, qui vient pondre ses œufs entre les mois de mars et de juillet.

Le parc porte ce nom car il englobe les minuscules villages de Manzanillo et de Gandoca, plus au sud, qui existaient bien avant l'idée de faire de cette région un territoire protégé. Si vous décidez d'explorer ce parc par vous-même, arrêtez-vous d'abord au petit bureau d'information *(oficina de información)* situé à Manzanillo. Le camping est toléré dans le parc, mais aucun service n'est offert (pas de stationnement ni de toilettes). De plus, la chaleur, les moustiques et les serpents semblent repousser les campeurs sur la plage ou au village.

Comme il y a tant à apprendre et à découvrir sur la richesse des lieux, nous vous recommandons fortement de vous joindre à un groupe ou de faire appel à un guide expérimenté qui saura vous révéler les mille et un secrets de cette réserve

Véritable paradis ornithologique et botanique, la région de Monteverde attire autant les amants de la nature venus faire de méthodiques observations que les touristes de passage à la recherche du rarissime quetzal.
- *Roger Michel*

Montezuma, un petit village de la péninsule de Nicoya profitant de plages magnifiques qui semblent s'étendre sans fin.
- *Roger Michel*

L'aigrette, un des
nombreux
représentants de
la faune ailée du
pays.
- *Didier Raffin*

À perte de vue: les
champs de canne à
sucre qui dansent au
vent...
- *Stéphane G.
Marceau*

Coucher de soleil sur la magnifique plage Panamá, nichée dans une belle région boisée.
- *Roger Michel*

L'une des belles
églises de la
Vallée centrale
entourée de
bougainvillées
magenta.
- *Didier Raffin*

Le char à bœufs,
encore utilisé dans
certaines régions du
pays.
- *Didier Raffin*

naturelle (voir plus haut sous «Manzanillo» et «Puerto Viejo»).

Les activités principalement pratiquées dans le parc sont la randonnée pédestre et la plongée-tuba, qu'il est facile de combiner dans la même journée. La pêche au tarpon, ce poisson très combatif, est aussi excellente près du Río Sixaola. Le sentier principal mène de Manzanillo à Punta Mona, sur 5,5 km (aller seulement). N'oubliez pas d'apporter suffisamment d'eau et d'insectifuge. Le sentier parcourt la forêt et débouche sur plusieurs petites plages paradisiaques et bien isolées. Ceux qui ont l'occasion de faire de la plongée-tuba découvriront un récif de corail d'une beauté insoupçonnée. Les coraux étant ici en meilleure santé qu'à Cahuita, en raison de la situation géographique, et souffrant moins de la pollution, y grouille donc une vie sous-marine captivante. Les vagues et les courants y sont cependant plus forts. Les plages regorgent de coquillages plus fascinants les uns que les autres. Dans la forêt, il est relativement facile d'apercevoir des toucans et plus facile encore d'observer de minuscules grenouilles venimeuses aux couleurs flamboyantes. Le sentier débouche finalement sur Punta Mona (pointe du singe), où se trouve une jolie plage et d'où la vue porte jusqu'au Panamá.

La région de Bribrí

Le village de **Bribrí**, situé à une douzaine de kilomètres de Puerto Viejo de Talamanca, comporte très peu d'attraits touristiques. Ce village est en fait le centre administratif de cette région aux vallées verdoyantes. On y trouve une banque, des bureaux, une clinique ainsi que quelques commerces. Au sud du village, une route de 34 km parcourt les bananeraies et mène à la frontière panaméenne. Le petit village frontalier de **Sixaola** n'est pas non plus d'un grand intérêt, sauf pour ceux qui désirent poursuivre leur voyage au Panamá.

La région de Tortuguero

La région de Tortuguero inclut le village de Tortuguero, de nombreux canaux ainsi que le Parque Nacional Tortuguero. Cette région est sans contredit l'une des plus formidables de tout le pays. Si vous êtes un amant de la nature et que vous désiriez facilement observer une flore et une faune abondantes, c'est l'endroit tout désigné. Par bonheur, la région est relativement difficile d'accès (par avion ou par bateau seulement), ce qui lui préserve cette sensation de bout du monde où la nature dicte encore le mode de vie des habitants. Cette destination, sise à seulement 250 km de San José et 80 km de Puerto Limón, s'avère toutefois

très populaire et compte un bon nombre d'hôtels.

Nous vous recommandons fortement d'y séjourner au moins trois jours (et deux nuits) afin d'avoir le temps de vous balader le long des canaux, de parcourir le village, de flâner sur la plage, de visiter le musée consacré aux tortues de mer ou simplement de vous prélasser dans un hamac en contemplant la riche et dense végétation environnante. Il faut également souligner que le voyage par bateau (de Moín, ou par autocar et bateau de San José) dure facilement une demi-journée.

Les canaux de la région de Tortuguero ont été construits afin d'éviter aux habitants de la région, dont plusieurs ne disposent que de très petites embarcations, d'avoir à voguer sur la mer. Le réseau de canaux, qui s'étend sur 100 km entre **Moín**, tout près de Puerto Limón, et Barra del Colorado, fut complété en 1974. Mais depuis le tremblement de terre de 1991, le sol s'est élevé en maints endroits, ce qui rend parfois la navigation difficile.

La région de Tortuguero se révèle riche d'une faune et d'une flore exceptionnellement abondantes grâce à son climat particulier. Ainsi, la région reçoit plus de 5 m de pluie annuellement, soit l'un des taux annuels les plus élevés au monde. Il n'y a pas à proprement dit de saison sèche, bien que les mois de février, mars et septembre soient ceux

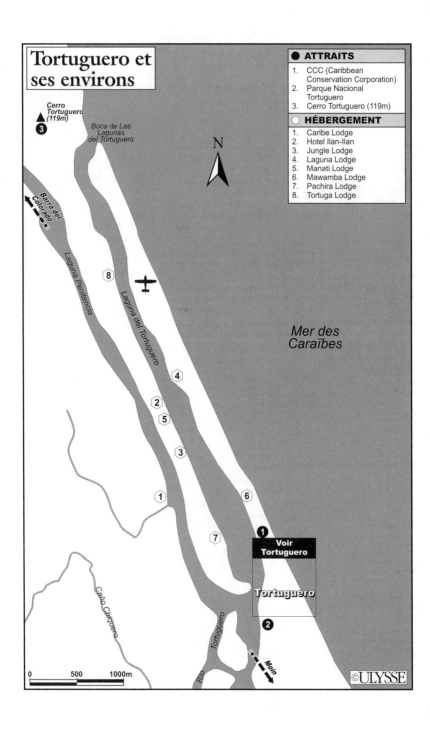

Tortuguero et ses environs

● ATTRAITS
1. CCC (Caribbean Conservation Corporation)
2. Parque Nacional Tortuguero
3. Cerro Tortuguero (119m)

⬡ HÉBERGEMENT
1. Caribe Lodge
2. Hotel Ilan-Ilan
3. Jungle Lodge
4. Laguna Lodge
5. Manati Lodge
6. Mawamba Lodge
7. Pachira Lodge
8. Tortuga Lodge

Cerro Tortuguero (119m)

Boca de Las Lagunas del Tortuguero

N

Barra del Colorado

Laguna Penitencia

Laguna del Tortuguero

Mer des Caraïbes

Voir Tortuguero

Tortuguero

Caño Chiquero

Río Tortuguero

Moín

0   500   1000m

©ULYSSE

recevant le moins de précipitations. Il est donc vital d'apporter des bottes (de pluie ou de randonnée) ainsi qu'un imperméable. Notez que la plupart des hôtels disposent de bottes de pluie et d'imperméables (en forme de ponchos) pour leur clientèle. Un parapluie est également très utile, autant pour se protéger de la pluie que du soleil qui, lorsqu'il apparaît après une pluie soudaine, semble briller encore davantage. Le taux d'humidité est aussi très élevé dans la région, mais heureusement la température y est rarement suffocante. La moyenne annuelle des températures est de 26°C, et les nuits sont fraîches. Si vous prévoyez vous promener dans la forêt, n'oubliez surtout pas votre insectifuge car, sans ce précieux produit, vos photos de petites grenouilles aux couleurs flamboyantes seront assurément floues!

Finalement, notez que la baignade dans la région de Tortuguero n'est pas des plus sécuritaires. Dans la mer, les vagues et les courants sont souvent très forts, et les requins s'y baladent à l'occasion. Dans les canaux, l'eau brune n'est pas invitante, et les caïmans savent décourager les touristes. Par contre, près du village de Tortuguero, il n'est pas rare de voir des enfants s'amuser dans les eaux troubles du canal ou dans les premières vagues de la mer des Caraïbes!

Le petit village de **Tortuguero** ★★ fut fondé dans les années 1920, mais n'obtint l'électricité qu'au début des années 1980. Il est bordé d'un côté par le Río Tortuguero et de l'autre par la mer des Caraïbes. Les quelque 500 villageois vivent paisiblement et tranquillement, la plupart tirant leur revenu du tourisme. Les quelques rues du village ne sont pas revêtues et font, au plus, 1 m de largeur, ce qui leur confère un caractère irrésistible. La jolie petite **église catholique**, tout de jaune revêtue, se dresse fièrement au centre du village, où l'on trouve également de petits restaurants sympathiques ainsi que deux boutiques de souvenirs.

L'attrait principal de la région demeure les canaux grouillants de vie, et vous trouverez dans le village guides et pirogues pour explorer les environs (informez-vous auprès de La Culebra, de la *pulpería* ou du centre d'accueil du Parque Nacional Tortuguero). Notez cependant que la grande majorité des hôtels proposent des tours guidés sur les canaux ou la location d'embarcations.

Passé l'extrémité nord du village, du côté du Río Tortuguero, se trouve la **Caribbean Conservation Corporation**, ou simplement **CCC** ★★ *(contribution volontaire; lun-sam 10h à 17h30, dim 14h à 17h; ☎710-0547)*, qui possède un musée d'histoire naturelle axé principalement sur les tortues de mer. Depuis 1959, la CCC s'active à la sauvegarde des tortues marines, dont quatre espèces fréquentent la région (tortue verte, tortue luth, tortue Hawksbill et tortue caouane). Le musée présente ces différentes espèces de tortues et sensibilise le visiteur à la protection dont elles ont besoin afin de continuer à vivre et à se reproduire normalement. Un documentaire de 18 min présente également la faune et la flore de la région. Le musée abrite aussi une petite boutique de souvenirs (documentation, vidéos, livres, t-shirts, etc.) qui sert à le financer.

Derrière le village s'étend une **plage de sable noir** qui borde la mer. Une balade le long de cette plage, qui s'étend sur 5 km

Église de Tortuguero

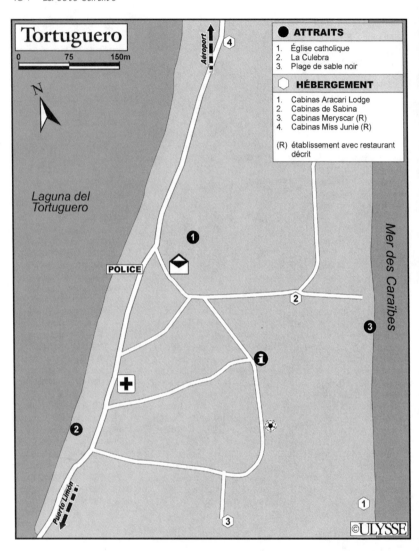

Tortuguero

0   75   150m

N

Laguna del Tortuguero

POLICE

Aéroport

Puerto Limón

Mer des Caraïbes

● ATTRAITS

1. Église catholique
2. La Culebra
3. Plage de sable noir

⬡ HÉBERGEMENT

1. Cabinas Aracari Lodge
2. Cabinas de Sabina
3. Cabinas Meryscar (R)
4. Cabinas Miss Junie (R)

(R) établissement avec restaurant décrit

©ULYSSE

en direction nord, soit jusqu'à l'embouchure du Río Tortuguero, est des plus agréables. La riche forêt qui la côtoie est source de découvertes innombrables. Vous apercevrez également le petit aéroport de Tortuguero, animé chaque matin entre 7h et 8h. Au bout de la plage, soit à l'embouchure du Río Tortuguero, il n'est pas rare d'observer des pêcheurs, dans l'eau jusqu'aux cuisses, tentant de capturer d'énormes poissons. Face à l'embouchure, de l'autre côté, se dresse le Cerro Tortuguero, le plus haut sommet de la région.

Le **Cerro Tortuguero** ★★, qui domine la région de Tortuguero du haut de ses 119 m, est situé à 5 km du village; on y accède seulement par bateau. Le sentier menant à son sommet est relativement court mais abrupt. Comptez environ 30 min de marche pour la montée, d'autant plus que de nombreux arrêts s'imposent afin d'admirer les singes, les petites grenouilles venimeuses et colorées, ainsi que les arbres et plantes multiples de la dense forêt. Au sommet, la vue donne sur le sud, où les canaux, la mer et la forêt s'étendent à l'infini. Tout en bas, l'embouchure du Río Tortuguero est facilement repérable.

Parque Nacional Tortuguero

Le Parque Nacional Tortuguero *(7$; accueil Cuatro Esquinas, au sud du village de Tortuguero, et accueil Jalova, au sud du canal, près de Parismina)* est l'un des endroits les plus visités de la côte Caraïbe, mais, comme on y trouve différents canaux et sites d'intérêt (rivière, plage, sentiers, etc.), les visiteurs demeurent dispersés dans le parc. La faune et la flore y étant d'une qualité et d'une quantité exceptionnelles, les visiteurs n'ont aucun mal à se retrouver seuls sur un petit canal à observer des paresseux accrochés à leur branche, des singes hurleurs ou capucins, des tortues d'eau douce, des iguanes, des lézards, des grenouilles venimeuses, ou encore des caïmans se camouflant au bord de l'eau.

Le Parque Nacional Tortuguero, d'une superficie terrestre de 18 946 ha et marine de 52 266 ha, fut créé en 1975 afin de protéger les tortues de la région, mais également la forêt et les canaux qui font immédiatement penser à ceux que l'on trouve en Amazonie. D'ailleurs, le mot d'origine espagnol *tortuguero* signifie «chasseur de tortues». Depuis des lunes, mais surtout au début du XXᵉ siècle, on vint en grand nombre y chasser les tortues pour l'exportation mais aussi pour la consommation des œufs, qui était très prisée jusqu'à tout récemment. Il

en revint entre autres au docteur Archie F. Carr, spécialiste en la matière et fondateur de la **Caribbean Conservation Corporation** ou **CCC** (voir p 163), d'alerter la population et d'entamer un travail d'éducation et de sensibilisation qui se poursuit encore de nos jours. Ainsi, plusieurs chasseurs de tortues sont devenus d'excellents guides, embauchés par le parc national ou engagés par les différents hôtels de la région.

Si vous envisagez d'assister à la ponte des œufs sur la plage, sachez que vous devez faire appel à un guide et respecter certaines consignes (éviter de parler, ne pas gêner la tortue, ne pas utiliser le flash de l'appareil photo, etc.) afin de ne pas incommoder la tortue qui vient, une fois la nuit tombée et à marée haute, pondre ses œufs toutes les deux ou quatre années et même davantage. Chaque femelle déposera entre une et six portées d'œufs à intervalles de 10 à 14 jours. Les tortues vertes viennent pondre entre les mois de juillet et d'octobre, alors que les tortues luth s'amènent entre février et juin.

Outre les quatre espèces de tortues qui fréquentent la région de Tortuguero, on trouve 107 autres espèces de reptiles, 57 espèces d'amphibiens, 55 espèces de poissons d'eau douce, 60 espèces de mammifères et plus de 300 espèces d'oiseaux. Facilement observables, différentes espèces de toucans, trogons, perroquets, hérons et autres aigrettes, sauront ravir les ornithologues de passage. D'ailleurs, se promener sur les canaux de Tortuguero sans ses jumelles serait comme aller à la pêche sans sa ligne! On peut aussi y faire d'agréables randonnées pédestres du côté du centre d'accueil de Cuatro Esquinas, près du village de Tortuguero, ainsi que du côté du secteur Jalova, au sud du parc (voir ci-dessous).

Barra del Colorado

La région de Barra del Colorado regorge de canaux, de lagunes et de rivières. Cette région située au nord de Tortuguero demeure sauvage et peu visitée. En fait, elle est surtout connue pour son excellente réputation pour la pêche sportive en mer. À cet effet, on trouve plusieurs *lodges* proposant un éventail de forfaits. Bien que cette région soit l'une des plus reculées du Costa Rica, on estime à environ 2 000 le nombre d'habitants vivant principalement sur le territoire.

La portion terrestre de la région est protégée depuis 1985 par le **Refugio Nacional de Fauna Silvestre Barra del Colorado ★**. Ce parc couvre une superficie de 92 000 ha, ce qui en fait la plus vaste réserve nationale de faune du pays. Le terrain y est en grande majorité constitué de marécages ainsi que de forêts tropicales humides. Le parc s'étend, au nord, jusqu'à la frontière avec le Nicaragua, le Río San Juan

délimitant les deux pays. Le Río Colorado, quant à lui, traverse le parc d'ouest en est, pour aller se jeter dans la mer des Caraïbes, près du petit aéroport, au sud, et de l'île Machuca, au nord.

Le visiteur désirant séjourner dans la région a tout intérêt à réserver son séjour, car on y trouve très peu d'infrastructure touristique, et la plupart des hôtels sont dispersés sur le territoire. De plus, un tel séjour est, pour l'instant, assez cher et surtout axé sur la pêche; la région jouit d'une réputation internationale pour la pêche au tarpon. Si vous désirez parcourir les canaux et observer la faune et la flore tout en étant accompagné d'un guide, nous vous conseillons de bien le mentionner lors de votre réservation, car certains hôtels ne proposent pas de tels tours guidés ou réservent prioritairement les guides pour la pêche sportive.

Activités de plein air

Vélo

L'une des plus jolies balades de la région consiste à parcourir la petite route non revêtue entre Puerto Viejo de Talamanca et Manzanillo (13 km) en passant par de superbes

plages de sable blanc où il fait bon s'arrêter pour se reposer et se baigner. De petits restaurants, *sodas* et *pulperías* sont situés çà et là le long de la route. À Cahuita, l'agence **Cahuita Tours** (*7h à 20h; au nord de la rue principale*, ☎ 755-0232, ≠ 755-0082) loue des vélos.

Randonnée pédestre

La **Reserva Biológica Hitoy Cerere** (voir p 153) compte trois sentiers de marche qui parcourent la forêt humide dans les alentours des bureaux de l'administration, lesquels servent aussi de centre d'accueil: le sentier **Tepescuintle** propose une randonnée d'environ une heure, passant près du Río Cerere; le sentier **Espavel**, lui, demande un peu plus de deux heures et pénètre dans une forêt dense et riche où des arbres atteignent jusqu'à 50 m; enfin, le sentier **Bobócara**, une balade d'une durée de 2 heures 30 min, s'enfonce dans une forêt tropicale humide où abonde une grande variété de plantes épiphytes, telles les fougères, les orchidées et les broméliacées.

Au **Parque Nacional Cahuita** (voir p 156), un sentier de 7 km (aller seulement) permet de couvrir la distance entre le village de Cahuita et la plage de Puerto Vargas en moins de deux heures. Le sentier est large, bien entretenu, et la dénivellation y est nulle. Partant du village *(accès gratuit)*, le sentier longe, dans la forêt, une magnifique plage de sable blanc. Au bout de seulement quelques minutes, vous verrez la faune et la flore révéler toute leur splendeur. Le parc abrite entre autres des singes hurleurs et capucins, des *pizotes* (blaireaux), des coatis, des ratons laveurs et des paresseux, facilement observables à condition de les repérer en silence.

À mi-chemin, le sentier longe Punta Cahuita, là où se trouve l'un des plus importants récifs de corail de tout le pays. Le sable fin est ici remplacé par des milliards de petits morceaux de corail. Le sentier se termine près des bureaux administratifs du parc et des emplacements de camping situés au bord de la superbe plage qui s'étend loin devant, en direction sud. Si vous n'avez pas de moyen de transport pour retourner à Cahuita, vous devez soit revenir sur vos pas, soit sortir du parc et attendre l'autocar (ou un taxi) ou marcher le long de la route jusqu'au village (7,5 km). **Prudence:** malheureusement, ce sentier attire bon nombre de malfaiteurs qui se cachent dans la forêt pour ensuite dérober aux randonneurs appareils photo, bijoux et argent. Il est donc recommandé d'apporter avec soi le strict minimum et d'effectuer le trajet en groupe. Informez-vous auprès des hôteliers de la région ou à l'agence Cahuita Tours pour former un groupe.

Au **Refugio Nacional de Vida Silvestre Gandoca-Manzanillo** (voir p 160), le sentier principal mène de Manzanillo à Punta Mona en 5,5 km (aller seulement).

Le **Cerro Tortuguero** (voir p 165) domine la région de Tortuguero du haut de ses 119 m et est situé à 5 km du village; on y accède seulement par bateau. Le sentier menant à son sommet est relativement court mais abrupt. Comptez environ 30 min de marche pour la montée.

Bien que l'activité principale du **Parque Nacional Tortuguero** (voir p 165) soit l'observation de la faune et de la flore à bord d'une embarcation, quelques randonnées sont également possibles. Du côté du centre d'accueil de Cuatro Esquinas, près du village de Tortuguero, le sentier **Gavilán** (2 km, 30 min) permet de parcourir la forêt tropicale humide et la plage où certaines tortues viennent pondre une fois la nuit venue (de juillet à octobre). Un autre sentier, dénommé **La Ceiba** (500 m), propose une jolie balade aquatique et terrestre (environ 2 heures), car il faut d'abord parcourir le petit canal Chiquero en pirogue afin de se rendre au point de départ de ce court sentier. Le long du sentier, vous aurez peut-être l'occasion d'observer des singes (hurleurs et capucins), des papillons, des chauves-souris, des grenouilles venimeuses et même les traces d'un jaguar, en plus d'une forêt

tropicale humide dense et grouillante de vie. Du côté du secteur Jalova, au sud du parc, le sentier **El Tucán** (1,5 km; 30 min) permet de découvrir la végétation de ce secteur où l'on dénombre plus de 50 espèces de poissons d'eau douce.

Pour des randonnées guidées dans les parcs de la région, communiquez avec les agences **Cahuita Tours** (☎755-0232, *Cahuita*), **ATEC** (☎750-0191, *Puerto Viejo*) et **Terra Aventuras** (☎750-0426, *Puerto Viejo*) afin de connaître les différents circuits qu'elles proposent.

Rafting

Deux rivières situées dans la région de Siquirres, le **Río Pacuare** et le **Río Reventazón**, offrent la possibilité d'effectuer de superbes descentes. Bien que la plupart des entreprises de rafting soient situées à San José, il est possible de faire ces descentes à partir de la côte Caraïbe. À Cahuita, l'agence **Cahuita Tours** (*7h à 20h; au nord de la rue principale,* ☎755-0232, ≈755-0082) propose des descentes d'une journée sur le Río Reventazón ou le Río Pacuare. À Puerto Viejo, l'agence **Terra Aventuras** (*à côté du Comisariato Manuel León, au bord de la plage,* ☎750-0426) organise aussi du rafting sur le Río Pacuare.

Kayak

Aquamor Adventures
☎ *759-0612*
Le kayak d'eau vive se
pratique sur le Río Pacuare
et le Río Reventazón. À
Manzanillo, l'agence Aquamor Adventures propose
des tours guidés ainsi que
la location de kayaks.

Surf

À 4 km au nord-ouest de
la ville de Puerto Limón,
en direction de Moín,
Playa Bonita est reconnue
comme étant l'une des
bonnes plages de surf.

À Cahuita, **Black Beach** a
gagné la faveur des ama-
teurs de surf.

Cependant, la plage de
surf la plus célèbre de la
côte Caraïbe est sans
contredit **Playa Salsa
Brava**, située juste au sud-
est du village de Puerto
Viejo de Talamanca. Cette
plage de réputation internationale offre des vagues
bouillonnantes et difficiles
entre les mois de dé-
cembre et de mars ainsi
qu'aux mois de juin et de
juillet.

Pêche

La majorité des hôtels de
la région de **Tortuguero**,
et davantage de la région
de **Barra del Colorado,**
proposent des forfaits de
pêche. Ces régions jouis-
sent d'une excellente
réputation pour la pêche
sportive en mer et en
rivière, notamment pour la
pêche au tarpon.

ATEC
☎/≈ *750-0191*
À Puerto Viejo, l'ATEC
organise des excursions de
pêche.

À Manzanillo, **Willy Burton**
peut vous emmener en
bateau à la pêche en mer.
Pour vous joindre à lui, il
faut vous présenter directement à sa maison, la
dernière du village, située
tout près du sentier me-
nant à Punta Mona.

Plongée sous-marine
et plongée-tuba

Cahuita Tours
7h à 20h
au nord de la rue principale
☎ *755-0232*
≈ *755-0082*
À Cahuita, l'agence Cahuita Tours loue de
l'équipement de plongée-
tuba.

À Puerto Viejo, l'**ATEC**
(☎/≈ 750-0191) organise
des sorties de plongée-
tuba. Dans le même
village, l'agence **Terra
Aventuras** *(à côté du
Comisariato Manuel León,
au bord de la plage,* ☎ *750-
0426)* loue de
l'équipement de plongée-
tuba.

À Manzanillo, l'agence
Aquamor Adventures
(☎759-0612) propose des
sorties et des cours de
plongée sous-marine, et
loue de l'équipement de
plongée-tuba. Toujours à
Manzanillo, **Willy Burton**
peut vous emmener en
bateau aux récifs de corail
du parc afin d'y pratiquer la
plongée-tuba. Pour vous
joindre à lui, il faut vous
présenter directement à sa
maison, la dernière du
village, située tout près du
sentier menant à Punta
Mona.

Baignade

Comme il n'y a pas de
plage à Puerto Limón, le
lieu de baignade le plus
près est situé à **Playa
Bonita**, à 4 km au nord-
ouest de la ville.

Le sud de la côte, plus
particulièrement entre
Cahuita et Manzanillo,
dispose de nombreuses
plages de sable noir ou de
sable blanc où la baignade
est des plus agréables. Ces
plages comptent même
parmi les plus belles du
pays. Cependant, à cer-
tains endroits, il faut être
vigilant car on y trouve des
récifs de corail.

Équitation

Brigitte Abegglen
50 m à l'ouest du restaurant
Ancla, Playa Negra
☎ *755-0053*
À Cahuita, Brigitte Abeg-
glen loue des chevaux et
propose deux tours guidés
dont l'un mène dans la

montagne jusqu'à une chute de 10 m au pied de laquelle on peut se baigner et l'autre longe la plage puis parcourt la forêt.

Hébergement

La région de Guápiles

Guápiles

Jardín Botánico
Las Cusingas
$$$
bp, ℂ
☎/≈*710-2652*
Au **Jardín Botánico Las Cusingas** (voir p 150), il est possible de loger dans une *cabina* rustique mais confortable comprenant deux chambres à coucher, une cuisinette, une salle de séjour et un four à bois, tout cela créant une atmosphère familiale.

Casa Río Blanco
$$$$ pdj
bp, ec
6 km à l'ouest de Guápiles, empruntez le petit chemin, sur la droite, passé le restaurant La Ponderosa
☎*382-0957*
≈*710-6161*
Le chaleureux gîte touristique Casa Río Blanco est tenu par les sympathiques Thea Gaudette et Ron Deletetsky, qui sauront vous faire apprécier les merveilles de la nature environnante. Les chambres sont propres et confortables. Des sentiers parcourent la forêt, et la rivière permet d'agréables baignades. Des tours guidés, notamment une ran-

donnée «découverte matinale», sont proposés.

Hotel Country Club Suerre
$$$$$
bp, ec, ≡, ⊛, *tvc*, ℜ, ◔, △, ≈
☎*710-7551*
≈*710-6376*
www.suerre.com
L'Hotel Country Club Suerre présente toutes les caractéristiques d'un hôtel nord-américain, avec l'air conditionné dans les chambres et un complexe sportif élaboré. On y trouve une piscine aux dimensions olympiques, une piscine pour les enfants, des glissades d'eau, une aire de jeux pour les enfants, des courts de tennis et des terrains de basket-ball et un sauna; on y propose diverses balades dans les réserves et jardins avoisinants. Les 30 chambres sont spacieuses et confortables.

Guácimo

EARTH
$$
bp, ec, ◔, ⊛, ≈
☎*255-2000*
www.earth.ac.cr
La **EARTH** (voir p 150) possède son propre hôtel et dispose de chambres simples mais propres. On y trouve également une piscine ainsi que des appareils de conditionnement physique.

Hotel Río Palmas
$$$
bp, ec, ⊛, *tv*, ≈, ℜ
☎*760-0305*
≈*760-0296*
Un peu plus d'un demi-kilomètre passé la EARTH, soit à l'est de Guácimo, l'Hotel Río Palmas, bien que situé sur la très achalandée route de Limón, représente un excellent

choix pour ceux qui ne désirent pas se rendre directement sur la côte Caraïbe ou à San José. Les chambres sont grandes, propres, confortables et joliment décorées. La cuisine du restaurant y est réputée excellente. On y trouve également une piscine ainsi que de petits sentiers de randonnée pédestre.

La région de Puerto Limón

Puerto Limón n'a malheureusement pas la réputation d'être la ville la plus sécuritaire ni la plus agréable où séjourner. La plupart des vacanciers désireux de visiter la ville le feront au départ de Cahuita ou de Puerto Viejo, avec retour en fin de journée. Néanmoins, on trouve plusieurs types d'hébergement à Puerto Limón, pour tous les goûts et tous les budgets. Les adeptes du surf et les autres qui désirent se rendre à Tortuguero en bateau opteront pour un séjour dans la région de Playa Bonita, de Portete et de Moín, soit à moins de 7 km de Puerto Limón.

Puerto Limón

Hotel Palace
$-$$
bc/bp, ⊛
Calle 2, Avenida 2/3
☎*758-0419*
L'Hotel Palace, qui propose différentes catégories de chambres, est correct pour le prix.

Hotel Oriental
$$
bc, ⊗
Calle 4, Avenida 3/4, au nord du marché
☎*758-0117*
L'Hotel Oriental est l'un des établissements les moins chers à Puerto Limón, quoique relativement propre.

Hotel Acón
$$
bp, ec, ≡, ℜ
Avenida 3, Calle 3, près du marché
☎*758-1010*
⇌*758-2924*
L'Hotel Acón dispose de 39 chambres, d'un restaurant ainsi que d'une discothèque. Bruyant les fins de semaine.

Hotel Miami
$$
bp, ≡, ⊗, tv
Avenida 2, Calle 4/5, à l'ouest du marché
☎/⇌*758-0490*
L'Hotel Miami propose 30 chambres bien entretenues, avec air conditionné mais sans eau chaude.

Hotel Tete
$$
bp, ec, ≡, ⊗
Avenida 3, Calle 4
☎*758-1122*
⇌*758-0707*
L'Hotel Tete est situé près du marché et compte 14 chambres propres. Les chambres donnant sur la rue disposent d'un balcon mais sont plus bruyantes.

Nuevo Internacional
$$
bp, ec, ⊗, ≡
Avenida 5, Calle 2/3
☎*798-0532*
Le Nuevo Internacional, situé au nord de la ville, dispose de chambres très

propres, avec ou sans air conditionné.

Hotel Park
$$-$$$
bp, ec, ≡, tv, ℜ
Avenida 3, Calle 1, au nord du Parque Vargas
☎*758-3476*
⇌*758-4364*
L'Hotel Park, à l'allure vieillot, est l'un des établissements les plus appréciés des voyageurs séjournant à Puerto Limón. Situé face à la mer et près du parc Vargas, il propose différentes catégories de chambres dont les moins chères n'ont pas l'eau chaude. Les chambres avec vue sur la mer, eau chaude et télévision sont évidemment les plus intéressantes. On y trouve également un bon restaurant.

Playa Bonita

Apartotel Cocori
$$-$$$
bp, ≡, ⊗, ℂ, ≈
☎*798-1670*
☎/⇌*758-2930*
En sortant de Puerto Limón en direction nordouest, on trouve à Playa Bonita l'Apartotel Cocori, qui compte 21 chambres propres et équipées de cuisinette, avec ou sans air conditionné. Du restaurant, la vue sur la mer est fort jolie.

Hotel Matama
$$$$
bp, ec, ≡, ≈, ℜ
☎*758-1123*
⇌*758-4499*
www.matama.com
À l'Hotel Matama, situé en face de l'Apartotel Cocori, les 16 chambres sont jolies et très propres. L'endroit est ravissant avec ses jar-

dins tropicaux et son magnifique panorama.

Hotel Maribú Caribe
$$$$-$$$$$
bp, ec, ≡, ≈, ℜ
☎*758-4543*
⇌*758-3541*
L'Hotel Maribú Caribe, situé à 3 km de Puerto Limón, tout près de Playa Bonita, et construit sur une colline, présente sans contredit le plus beau panorama de toute la région. Les 17 *cabinas* rondes sont fort jolies et très propres. On y trouve un casino, un restaurant à aire ouverte offrant le plus beau point de vue, deux piscines ainsi que de nombreuses excursions organisées.

Moín

Hotel Moín Caribe
$$
bp, ec, ⊗, ≈, ℜ
☎*758-1112*
⇌*758-2436*
À Moín, l'Hotel Moín Caribe dispose de 15 chambres sans éclat. La fin de semaine, la discothèque y est fort populaire.

Au sud de Puerto Limón

🦫 **Los Aviarios del Caribe**
$$$$ pdj
bp, ec, ⊗
☎/⇌*382-1335*
À 10 km au nord de Cahuita, et à 1 km du Río Estrella, Los Aviarios del Caribe se présente comme un «sanctuaire» sauvage et privé de 75 ha, où l'on trouve plus de 250 espèces d'oiseaux, des singes, des paresseux, des caïmans, des tortues de rivière, des grenouilles venimeuses, etc. De petits

Hébergement 171

sentiers pédestres permettent de découvrir une forêt riche et dense. Des tours guidés, notamment en canot, axés sur l'ornithologie et la découverte de la nature, sont également proposés. Les chambres se révèlent modernes, propres et joliment décorées. Les responsables de l'endroit, Judy et Luis Arroyo, se feront un plaisir de vous faire partager leurs connaissances.

Selva Bananito Lodge
$$$$ pdj
bp, ec
☎/≈*253-8118*
www.selvabananito.com
Le Selva Bananito Lodge est, quant à lui, situé en pleine forêt, au pied de la cordillère de Talamanca. Pour atteindre cette réserve privée de 850 ha, il faut prendre le petit chemin se dirigeant vers l'ouest à partir du Río Bananito. Ce chemin pouvant être en très mauvais état, il est préférable de téléphoner à l'avance, car il est possible que l'on puisse venir vous chercher. Les *cabinas* sont très jolies et sont munies de chauffe-eau solaire. Les terrasses dotées de hamacs offrent une magnifique vue sur la forêt tropicale. Des activités telles que des marches en forêt et le long de la rivière jusqu'aux cascades, de l'équitation et des excursions dans la canopée sont proposées.

Cahuita

Dans le petit village de Cahuita, il est facile de trouver une chambre

correspondant à son budget. Plusieurs hôtels et *cabinas*, situés en dehors du village, offrent d'aller vous cueillir à l'arrêt d'autobus du village. Il suffit de bien s'informer lors de la réservation et de connaître l'heure d'arrivée de l'autobus.

Parque Nacional Cahuita
2$/pers./jour
Au Parque Nacional Cahuita, on trouve de superbes emplacements de camping aménagés en bordure de la plage de sable fin. Des 50 emplacements de camping, plusieurs ont un «foyer-cuisine» et un abri protégeant de la pluie la table de pique-nique. Des douches et des toilettes sont situées derrière les emplacements.

Les **Cabinas Atlantic Surf** (*$; bc, ⊗; ☎755-0086*) et les **Cabinas Rhode Island** (*$; bc, ⊗; ☎/≈755-0264*), situées derrière le restaurant Sol y Mar, proposent respectivement six et huit chambres, sans éclat mais à petit prix.

Cabinas Smith
$
bc, ec, ⊗
☎*755-0068*
Les Cabinas Smith, situées près de l'école, proposent six petites chambres propres à bon prix.

Cabinas Sol y Mar
$
bc, ec, ⊗
☎*755-0237*
Les Cabinas Sol y Mar se trouvent en face de l'hôtel Cahuita et louent 11 chambres à prix économiques. On y trouve également un *soda* spécialisé dans les petits déjeuners.

Cabinas Surf Side
$
bp, ec
☎*755-0246*
Les Cabinas Surf Side sont situées directement en face de l'école. On y trouve 23 chambres propres en plus d'un stationnement gardé. C'est assurément l'endroit le moins cher à Cahuita.

Cabinas Vaz
$
ec, ⊗, ℜ
☎*755-0218*
≈*755-0283*
Les Cabinas Vaz sont localisées au centre du village. L'établissement dispose de 14 chambres correctes et à petit prix, mais peut devenir bruyant lorsque la musique du restaurant se fait moins discrète.

Cabinas Jenny
$-$$
bp, ec, ⊗
☎*755-0256*
≈*755-0038*
Les Cabinas Jenny est l'une des bonnes adresses où loger à Cahuita à petit prix. Littéralement collées sur la mer, avec vue sur la pointe et la magnifique plage du Parque Nacional Cahuita, les Cabinas Jenny comptent huit chambres avec salle de bain privée, eau chaude, hamacs, etc. Les quatre chambres du haut, avec leur balcon et la vue sur la mer, valent amplement les quelques dollars de plus.

Cabinas Nan Nan Spencer Sea Side
$-$$
bp, ℝ, ⊗
☎/≈*755-0027*
Les Cabinas Nan Nan Spencer Sea Side, situées tout juste à côté des Cabi-

Côte Caraïbe

nas Jenny, constituent aussi un excellent endroit où séjourner dans le village tout en étant près de la mer. Ici également, les chambres du haut, dont certaines avec réfrigérateur, présentent beaucoup plus d'attraits. Elles sont aérées, confortables, et invitent à la détente.

Cabinas Margarita
$-$$
bp, ec, ⊗
☎*755-0205*
Les Cabinas Margarita, situées un peu en retrait, près de la pizzeria El Cactus, proposent 10 *cabinas* simples et peu chères.

La Piscina Natural
$-$$
bp, ec, ⊗
La Piscina Natural tire son nom d'une cavité naturelle où l'eau reste emprisonnée à marée basse. L'établissement est situé à 1,5 km du village, le long de Playa Negra, et dispose de cinq chambres en plus d'un jardin et de hamacs.

Cabinas Arrecife
$$
bp, ec, ⊗, ℜ
☎/⇌*755-0081*
Les Cabinas Arrecife disposent de 10 chambres ainsi que d'une jolie vue sur la mer. De construction récente, les chambres sont propres et bien entretenues. Le vent du large vient parfois rafraîchir les lieux. Peu cher et recommandable.

Cabinas Mambo
$$
bp, ec, ⊗, ℜ
Les Cabinas Mambo abritent quatre jolies chambres avec balcon.

Cabinas Safari
$$
ℂ, ⊗
☎*755-0078*
⇌*755-0020*
Les Cabinas Safari proposent sept chambres, certaines avec cuisinette.

Cabinas Yenni
$$
bp, ec, ⊗
☎*755-0256*
Les Cabinas Yenni sont localisées à 200 m à l'ouest du parc, face à la mer. On y trouve sept chambres avec salle de bain privée, eau chaude, balcon et hamacs.

Jardín Tropical
$$
bp, ec, ⊗, ℂ
☎/⇌*755-0033*
Le Jardín Tropical, situé en retrait du village près des Cabinas Iguana, dispose de trois *cabinas* dont une pouvant accueillir plusieurs personnes et qui sont toutes équipées de cuisinette. L'endroit est tenu par Jimi et Arlene, qui gèrent également un petit *soda* ainsi qu'un bar très fréquenté en soirée.

Hotel National Park
$$
bp, ec, ⊗, ℜ
☎*755-0244*
⇌*755-0065*
L'Hotel National Park est l'un des mieux situés à Cahuita. À quelques pas de l'entrée du parc national et de sa superbe plage, l'hôtel propose 13 chambres, dont certaines avec vue sur la mer, ainsi qu'un restaurant et un bar.

Cabinas Iguana
$$-$$$
bc/bp, ≈, ℂ, ℝ
☎*755-0005*
⇌*755-0054*
Les Cabinas Iguana, tenues par un couple suisse, Christina et Martin, proposent de petites maisons équipées de cuisinette et pouvant accueillir jusqu'à cinq personnes, des *cabinas* avec salle de bain privée et réfrigérateur, ainsi que trois chambres avec salle de bain commune. Un jardin de culture biologique, une petite bibliothèque ainsi qu'une jolie piscine complètent le décor, le tout à environ 200 m de la plage.

Cabinas El Cocal
$$$
bp, ⊗, ℂ
☎*755-0470*
Les Cabinas El Cocal se trouvent près de Playa Negra, à 2 km du village. Les deux *cabinas* sont équipées pour faire la cuisine, les ustensiles étant même fournis.

La Rocalla
$$$
bp, ⊗, ℂ
☎*755-0291*
La Rocalla est constituée de deux petites maisons équipées pour la cuisine avec terrasse et hamacs.

Bungalow Malú
$$$
bp, ec, ⊗
☎*755-0114*
⇌*755-0006*
Les sept Bungalow Malú, faits de bois, sont de forme sphérique.

Côte Caraïbe

🚲 Cabinas Colibri Paradise
$$$
bp, ec
☎ *755-0055*

Les Cabinas Colibri Paradise sont situées quelque peu en retrait du village, derrière le terrain de *fútbol*. Par contre, en voiture, il faut arriver par la route principale et non par le chemin longeant Playa Negra. On y découvre quatre jolies *cabinas* dans un décor paisible. Le propriétaire de l'endroit, Mario, un Québécois, a également aménagé deux emplacements de camping (*4$/jour*) dotés d'une terrasse et d'un coin pour cuisiner.

Cabinas Tito
$$$
bp, ⊗
☎ *755-0286*

En sortant de Cahuita en direction de Playa Negra, on trouve les Cabinas Tito, soit quatre *cabinas* propres et bien entretenues.

El Encanto
$$$ pdj
bp, ec, ⊗
☎ /⇌ *755-0113*
www.elencantobedand breakfast.com

El Encanto est un gîte touristique de quatre *cabinas* de bois, propres et très confortables, qui est tenu par Michael et Karen Russell. Les maisonnettes étant situées à 300 m du village, on peut y relaxer tout en étant tout près de l'action.

Kelly Creek
$$$
bp, ec, ℜ
☎ *755-0007*

Le Kelly Creek est situé à quelques mètres de l'entrée du Parque Nacio-

nal Cahuita. Les *cabinas* de bois sont très jolies, propres et confortables. Un restaurant spécialisé en cuisine espagnole complète le décor.

Sunshine Cabins
$$$
bp, ec, ⊗, ℂ
☎ *755-0368*

Les Sunshine Cabins, situées près du restaurant Sol y Mar, disposent de quatre *cabinas* équipées pour cuisiner.

Alby Lodge
$$$
bp, ec, ⊗, ♯
☎ /⇌ *755-0031*

L'Alby Lodge loue de magnifiques *cabinas* de bois à toit de paille qui peuvent accueillir jusqu'à quatre personnes. Situées à environ 200 m de l'entrée du parc national, les *cabinas* sont entourées d'arbres et de jardins tropicaux.

Chalet y Cabinas Hibiscus
$$$-$$$$
bp, ec, ℝ, ℂ, ≈
☎ *755-0021*
⇌ *755-0015*

Le Chalet y Cabinas Hibiscus, comme son nom l'indique, loue de jolies *cabinas* de bois ainsi que deux chalets tout équipés. Situé à plus de 2 km de Cahuita, le long de Playa Negra, cet établissement comporte une piscine, un terrain de volley-ball, une table de billard, un stationnement ainsi qu'un bar.

Hotel Jaguar
$$$-$$$$ pdj
bp, ec, ≈, ℜ
☎ *755-0238*
⇌ *226-4693*
www.hoteljaguar.com

L'Hotel Jaguar, avec ses 45 chambres, est le plus

grand hôtel de la région de Cahuita. Situé à plus de 1 km du village, le long de Playa Negra, il propose des chambres propres et bien aérées dont la moitié sont de catégorie supérieure, en plus d'un restaurant, d'un bar, d'une piscine, de petits sentiers pédestres et d'un jardin botanique.

🚲 Atlantida Lodge
$$$$ pdj
bp, ec, ⊗, ≈, ℜ, ☺
☎ *755-0115*
⇌ *755-0213*
www.atlantida.co.cr

L'Atlantida Lodge, situé à côté du terrain de *fútbol*, se présente comme un mini-complexe hôtelier de 30 chambres et est tenu par le Québécois Lucas Généreux. Les chambres, jolies et confortables, sont entourées d'un beau jardin tropical. On y trouve également un restaurant servant des mets nationaux et internationaux, un bar, un gymnase, une piscine et une polyclinique. L'établissement propose divers tours guidés dans la région.

🚲 Hotel Magellan Inn
$$$$ pdj
bp, ec, ⊗, ≈, ℜ
☎ /⇌ *755-0035*

L'Hotel Magellan Inn, situé à plus de 2 km de Cahuita, près de Playa Negra, offre calme et détente dans une ambiance des plus feutrées. On y découvre six jolies grandes chambres, très propres et aérées, avec terrasse individuelle et fauteuils. Le petit déjeuner, inclus dans le prix, se prend sur une terrasse commune, avec vue sur la piscine entourée d'arbres et de plantes exotiques. L'aménagement paysager est à ce point réussi qu'il est possible d'y observer, tranquillement, de nombreuses espèces d'oiseaux venant s'y pavaner pour le plus grand plaisir de la clientèle.

La région de Puerto Viejo de Talamanca

Tout comme Cahuita, le village de Puerto Viejo de Talamanca offre de nombreuses possibilités d'hébergement et de restauration. Depuis quelques années, le nombre d'établissements n'a cessé de croître, notamment le long de la route qui descend jusqu'à Manzanillo.

Il est possible de téléphoner à **Terra Aventuras** (☎*750-0004*) ou à l'**ATEC** (☎/⇄*750-0191*) afin d'obtenir divers renseignements au sujet des hôtels des environs. Autrefois, il était difficile de trouver une chambre libre sans avoir fait préalablement une réservation. Aujourd'hui, il semble que le nombre grandissant d'hôtels dans la région ait changé cette situation.

Puerto Viejo de Talamanca

Dans le village de Puerto Viejo de Talamanca, il est possible de camper tout juste à côté des **Cabinas Salsa Brava**. Informez-vous également auprès de l'**Hotel Puerto Viejo**, qui propose parfois quelques emplacements de camping.

Ceux qui voyagent avec un budget limité, et qui désirent demeurer à Puerto

Viejo, iront d'abord à l'**Hotel Kiskadee** (*$; bc,* ℂ; ☎*750-0075*), situé à quelques minutes de marche derrière le terrain de *fútbol*, ou au **Cashew Hill** (*$-$$; bc,* ℂ; ☎*750-0256*), situé juste à côté de ce terrain. Ces deux établissements, avec leurs chambres de type dortoir, l'accès à la cuisine et l'ambiance chaleureuse qui s'y dégage, ressemblent de près à certaines auberges de jeunesse.

Cabinas Diti
$
bp
☎*750-0311*
Les Cabinas Diti, situées près de l'Hotel Maritza, proposent quatre *cabinas* avec salle de bain privée, parmi les moins chères de la région.

Cabinas Salsa Brava
$-$$
bp, ⊗, ℜ
☎/⇄*750-0241*
Les Cabinas Salsa Brava comptent parmi les seules *cabinas* à prix abordables avec salle de bain privée et vue sur la mer. On y trouve également un café ouvert toute la journée.

Hotel Puerto Viejo
$-$$
bp/bc
Au centre du village, l'Hotel Puerto Viejo dispose d'une trentaine de chambres, dont quelques-unes avec salle de bain privée. Peu cher et très fréquenté par les adeptes du surf, l'établissement peut s'avérer assez bruyant par moments. Il est préférable de choisir une chambre à l'étage.

Cabinas Black Sand
$$
bc, ℝ, ℂ, ♯
☎*750-0124*
⇄*750-0188*
Ceux qui voyagent avec un petit budget, et qui désirent demeurer en retrait du village et préparer eux-mêmes leurs repas, opteront pour les Cabinas Black Sand, situées à environ 2 km à l'ouest du village, face à la mer. La petite maison de style *bribrí* dispose de quatre chambres rustiques et d'une cuisine communautaire. Que l'on y vienne en groupe (prix avantageux) ou seul, l'accueil des gérants californiens Darcy et Victor saura vous mettre à l'aise.

Cabinas Chimuri
$$
bc, ℂ
☎/⇄*750-0119*
Les Cabinas Chimuri, localisées en montagne, à plus de 2 km de Puerto Viejo de Talamanca, ont longtemps joui d'une réputation favorable. On y trouve des *cabinas* rustiques de bambou avec toit de chaume, inspirées des maisons typiques des Bribrí, et avec cuisine communautaire.

À l'ouest du village, sur une petite rue tranquille menant au Jardin botanique, se trouvent les **Cabinas Maribe** (*$$; bc,* ⊗; ☎*750-0182*), aux chambres simples et correctes, ainsi que les **Cabinas Playa Negra** (*$-$$; bp,* ℂ; ☎*750-0063*), où quelques petites maisons de deux ou trois chambres, pourvues d'une cuisine, peuvent être louées. Prix très avantageux pour groupe de quatre à six personnes.

 **Coco Loco Lodge**
$$
bp, ec, ⊗, ♯
☎/⇌*750-0281*
puertoviejo.net/cocoloco lodge.htm
Le Coco Loco Lodge, magnifiquement situé juste en retrait du village, respire la fraîcheur et le calme. Les deux sympathiques propriétaires, Sabine et Helmut, d'origine autrichienne, ont su donner aux trois jolies *cabinas* un décor où végétation rime avec relaxation.

Hotel Maritza
$$
bp, ec, ⊗, ℝ
☎/⇌*750-0003*
L'Hotel Maritza, situé également au cœur de Puerto Viejo de Talamanca mais face à la mer, dispose de chambres simples et confortables.

Hotel Pura Vida
$$
bc/bp, ec, ⊗, ℂ
☎*750-0002*
⇌*750-0296*
L'Hotel Pura Vida compte 10 chambres propres et jolies, et offre la possibilité de se servir de la cuisine. La grande terrasse et le jardin font de cet établissement un excellent choix au cœur de Puerto Viejo de Talamanca.

Cabinas Casa Verde
$$-$$$
bc/bp, ec, ⊗, ♯, ℂ
☎*750-0015*
⇌*750-0047*
www.cabinascasaverde.-com
Les Cabinas Casa Verde, fort bien entretenues, offrent l'un des meilleurs rapports qualité/prix de la région. Très propres et sobrement décorées, les chambres ont un balcon où il fait bon se détendre dans un hamac. Une petite maison, avec cuisine, est également proposée à prix abordable. Jardin tropical et minuscules grenouilles venimeuses complètent le décor.

Guarana Bed & Breakfast
$$-$$$ pdj
bp, ec, ♯
☎/⇌*750-0024*
www.cabinasguarana.com
Au centre de Puerto Viejo de Talamanca, près de la Mr. Pratt's Bakery, le Guarana Bed & Breakfast compte 12 chambres avec balcon. Les chambres sont confortables et très propres. En plus de parler l'espagnol, on pourra vous y accueillir en français, en anglais ou en italien.

Hotel La Perla Negra
$$$
bp, ec, ⊗, ℜ, ≈
☎*750-0111*
⇌*750-0114*
www.perlanegra-beach resort.com
L'Hotel La Perla Negra, situé à environ 2 km à l'ouest du village, le long d'une plage de sable noir, dispose de trois magnifiques bâtiments de bois, chacun comportant huit chambres immenses, bien entretenues et pourvues de balcon. Doté d'une piscine face à la mer, d'un restaurant et d'un bar, et situé dans un environnement tranquille, cet hôtel représente un bon choix pour ceux qui désirent être en retrait du village.

Cabinas Tropical
$$$
bp, ⊗
☎/⇌*750-0283*
www.cabinastropical.com
Les Cabinas Tropical proposent cinq jolies chambres, propres et bien entretenues. Un petit déjeuner, de style buffet (*$*), permet de démarrer la journée en force. Prix très avantageux si l'on y demeure plus d'une nuit. Le propriétaire, Harry, guide réputé dans toute la région, organise également plusieurs sorties dans les environs, dans le pays et même dans les magnifiques îles du Parque Nacional Bastimentos Marine, au Panamá.

El Pizote Lodge
$$$-$$$$
bp/bc, ⊗, ℜ
☎*221-0986 ou 750-0088*
⇌*223-8838*
El Pizote Lodge est situé à environ 1 km à l'ouest du village et est entouré de jardins et de nature sauvage. On y trouve huit chambres, six *cabinas* ainsi qu'une maison. Un bar et un restaurant complètent l'aménagement.

Entre Puerto Viejo de Talamanca et Playa Salsa Brava

Cabinas Calalú
$$-$$$
bp, ℂ, ℜ
☎*750-0042*
Les Cabinas Calalú disposent de certaines *cabinas* équipées d'une cuisinette. Toutes sont propres et confortables, entourées d'une végétation tropicale luxuriante et fort jolie.

Cabinas David
$$-$$$
☎*750-0542*

L'entrée des Cabinas David, avec sa grosse clôture et son enseigne, ne peut porter à confusion. On y trouve huit *cabinas* rattachées, jolies et propres.

Cabinas Yucca
$$-$$$
bp
☎*750-0285*

Situées de l'autre côté de la rue, face aux Cabinas David, les Cabinas Yucca proposent quatre *cabinas* avec très grand lit ainsi qu'une véranda donnant sur la plage et la mer.

Costa de Papito
$$$
bp, ⊗
☎*/⇌750-0080*

La Costa de Papito loue quatre charmantes *cabinas* entourées de verdure.

Escape Caribeño Bungalows
$$$
bp, ec, ⊗, ♯
☎*750-0103*

Les Escape Caribeño Bungalows disposent de jolies petites *cabinas* avec terrasse carrelée de céramique, moustiquaire et hamac.

Cariblue Bungalows
$$$$ pdj
bp, ec
☎*/⇌750-0057*
www.cariblue.com

Les Cariblue Bungalows sont tenus par un couple italien, Sandra et Leonardo. Les *cabinas* sont simples mais confortables, entourées d'arbres fruitiers et d'un jardin.

Playa Salsa Brava et Playa Cocles

Cabinas Surf Point
$-$$
bc/bp, ⊗
☎*750-0123*

Les Cabinas Surf Point sont tenues par Nelida, une dame de la région. Des six *cabinas*, trois ont une salle de bain privée. Situées face à la très réputée plage de surf qu'est Playa Salsa Brava, les *cabinas* ont gagné la faveur de nombreux amateurs de surf de la planète.

Cabinas Eltesoro
$$$
bp, ec
☎*/⇌750-0128*

Les Cabinas Eltesoro, au nombre de trois, peuvent accueillir de deux à cinq personnes chacune. Les *cabinas* sont récentes, grandes et propres. On y sert le petit déjeuner (non inclus), avec pain maison à l'honneur. On y vend également des bijoux fabriqués par Carmen, l'une des propriétaires.

Playa Chiquita

Près de Playa Chiquita, il est possible de faire du **camping** à côté des **Irie Cabinas** *($)*, qui proposent des *cabinas* bas de gamme.

Cabinas Villa Paradiso
$$$
bp, ec
☎*/⇌750-0322*

Les Cabinas Villa Paradiso comptent huit *cabinas* entourées d'un jardin.

Hotel Kashá
$$$
bp, ec
☎*/⇌750-0205*
www.costarica-hotelkas-ha. com

L'Hotel Kashá, entouré d'un joli jardin, loue six chambres et deux maisons. Les chambres sont grandes et propres, avec des hamacs sur la terrasse.

Yaré
$$$
bp, ec, ⊗, ℜ
☎*750-0106*
⇌*221-3742*
www.hotelyare.com

L'hôtel-restaurant Yaré propose 21 *cabinas* ainsi qu'une grande maison. Les *cabinas*, de couleur éclatante, sont propres et bien entretenues. On va d'une *cabina* à l'autre en utilisant les trottoirs de bois surélevés qui sillonnent la végétation dense et «apaisante».

🦎 Playa Chiquita Lodge
$$$ pdj
bp, ⊗
☎*750-0062*
⇌*750-0408*
www.playachiquitalodge. com

Le Playa Chiquita Lodge, un ensemble de *cabinas* de bois bien intégré à la forêt, se trouve à seulement 50 m de la mer et d'une superbe plage de sable blanc. Chaque *cabina*, très propre, dispose d'une salle de bain privée ainsi que d'une véranda où hamacs et chaises berçantes permettent une détente savoureuse. En plus des *cabinas*, trois maisons bien équipées peuvent également être louées. Wanda Bissinger, qui gère l'établissement, est également la fondatrice et l'éditrice du très intéressant petit journal *Talamanca's Voice*, une publication en langue anglaise.

Cabinas La Caracola
$$$$
bp, ec, ⊗, ℂ
☎*750-0135*
⇄*750-0248*
Les Cabinas La Caracola, faisant face à la mer, proposent des chambres doubles aux couleurs attrayantes, avec cuisinette.

Casa Camarona
$$$$
bp, ec, ℛ
☎*750-0151*
⇄*750-0210*
La Casa Camarona dispose de 18 jolies chambres avec vue sur la mer.

Hotel Punta Cocles
$$$$
bp, ec, ≡, ⊗, ≈ ℛ, tvc
☎*234-8055*
⇄*234-8033*
L'Hotel Punta Cocles dispose de 60 chambres avec air conditionné, d'une piscine, d'un bassin à remous, d'une aire de jeux pour les enfants ainsi que d'un coin de plage privé situé à 500 m de l'hôtel où l'on trouve des douches, un bar et un restaurant. Bref, toutes les normes nord-américaines en matière d'hôtellerie y sont respectées.

Miraflores Lodge
$$$$ pdj
bp/bc, ⊗
☎/⇄*750-0038*
www.mirafloreslodge.com
Le Miraflores Lodge propose huit chambres, dont certaines sont vastes et possèdent une salle de bain privée. Ce gîte touristique est très agréable et décoré de plantes exoti-

ques (innombrables *helicomias*). L'établissement est tenu par Pamela Carpenter, qui s'intéresse vivement à l'environnement, à l'agriculture et à la culture de la région. Elle organise différentes sorties dans la communauté autochtone de KéköLdi.

Villas del Caribe
$$$$
bp, ec, ⊗
☎*750-0202*
⇄*221-2801*
www.villascaribe.net
Les Villas del Caribe proposent 12 appartements avec balcon qui offrent une excellente vue sur la plage et la mer.

Hotel Shawandha
$$$$$ pdj
bp, ec, ℛ
☎*750-0018*
⇄*750-0037*
www.shawandhalodge.com
Les 12 grandes *cabinas* au toit de palmes de l'Hotel Shawandha invitent au calme, à la détente et à l'harmonie. Chaque *cabina*, très joliment décorée, offre une saveur particulière ainsi qu'une salle de bain éclatante, œuvre du céramiste français Filou Pascal. Un petit sentier de 200 m mène à une superbe plage de sable blanc.

Punta Uva

Selvin's Restaurant & Cabinas
$
bc, ℛ
Les Selvin's Restaurant & Cabinas proposent des chambres modestes, mais on y savoure une excellente cuisine dont la réputation a vite fait le tour de la région (voir p 183).

Cabinas Casa Angela
$$-$$$ pdj
bp, ec
⇄*750-0291*
Non loin de Punta Uva se trouvent les Cabinas Casa Angela, tenues par une dame fort sympathique, Angela, d'origine suisse, qui veille au bon fonctionnement de l'établissement.

La région de Manzanillo

À Manzanillo, le camping est toléré dans le Refugio Nacional de Vida Silvestre Gandoca-Manzanillo, mais comme il n'y a pas d'endroits désignés à cet effet et aucun service offert, la plupart des campeurs préfèrent dormir dans le village ou à Puerto Viejo de Talamanca.

Cabinas Maxi
$
bc, ℛ
☎*759-0661*
près de l'arrêt de l'autocar
Les Cabinas Maxi, situées dans le minuscule village de Manzanillo, proposent des chambres en plus d'un restaurant, d'un bar et d'une discothèque ouverte la fin de semaine, ce qui n'en fait sûrement pas l'endroit le plus calme sur la côte Caraïbe.

Almonds and Corals Lodge Tent Camp
$$$$
bp, ⊗, ℛ
8 km au sud de Puerto Viejo
☎*272-2024*
⇄*272-2220*
www.almondsandcorals.com
Le Almonds and Corals Lodge Tent Camp, situé à 300 m de la route de la plage, propose une expé-

rience de camping quatre-étoiles. Chacune des 20 *cabinas* se compose en fait d'une immense moustiquaire dotée d'un toit sous lequel on a installé une tente, une table, une salle de bain et un hamac. Chaque *cabina* est reliée aux autres par un trottoir de bois qui mène également au restaurant ainsi qu'à une superbe plage de sable blanc. Dans cet établissement appartenant à l'organisme Geo Expediciones, une foule d'activités, dans la mer comme sur la terre ferme, sont proposées aux touristes.

La région de Tortuguero

Le camping dans la région de Tortuguero peut se pratiquer tout près du centre d'accueil du **Parque Nacional Tortuguero**. Notez cependant qu'il pleut énormément dans la région et qu'il est facile de se trouver une *cabina* à très petit prix.

La région de Tortuguero, qui comprend également Parismina et Barra del Colorado, étant d'accès plutôt difficile (avion ou bateau seulement), le visiteur devrait tout naturellement réserver son séjour à l'avance. La grande majorité des hôtels propose des forfaits «tout compris» (transport, logement, nourriture, activités guidées, etc.) de deux ou trois jours. À ce sujet, notez que le voyage par bateau implique également un assez long trajet en autobus, le tout pouvant

durer une bonne partie de la journée.

Ceux qui voyagent avec un petit budget opteront davantage pour un séjour dans l'un des petits hôtels situés dans le village de Tortuguero. En ce cas, le transport par bateau s'effectue généralement au départ de Moín (près de Puerto Limón). Notez également que plusieurs forfaits, très peu chers, sont proposés par des agences à Cahuita ou Puerto Viejo.

Caribe Lodge
$$
bc, ℜ
☎*385-4676*
Le Caribe Lodge, situé le long du Penitencia Lagoon, compte neuf *cabinas* très rustiques avec salle de bain commune qui peuvent loger jusqu'à 30 personnes. Le transport au village est gratuit, et des balades sur les différents canaux sont proposées.

Manati Lodge
$$$ pdj
bp, ⊗, ℜ
☎*383-0330*
Le petit Manati Lodge a vu le jour en 1980. Les six chambres s'avèrent toutes simples mais agréables, et surtout abordables compte tenu que l'hôtel s'élève le long du canal Tortuguero. Le propriétaire, Fernando Figuls, propose différentes activités sur les canaux et dans le parc national. L'ambiance y est très familiale, avec sa salle de jeu et son petit bar.

Hotel Ilan-Ilan
$$$$ pc
bp, ⊗, ℜ
Agencia Mitur
☎*222-2753*
⇆*255-1946*
www.ilanlodge.com
L'Hotel Ilan-Ilan est situé à environ 3 km du village, dans une nature riche et dense. Le nom de cet hôtel construit en 1989 vient d'un arbre presque exclusif à la région, le *Cananga odorata*, qui produit de jolies fleurs jaunes – *Ilan-Ilan* étant le nom indigène de l'arbre. On y trouve 24 *cabinas* alignées, propres et confortables.

Jungle Lodge
$$$$
bp, *ec*, ⊗, ℜ
☎*233-0133 ou 233-0155*
⇆*233-0778*
Le Jungle Lodge présente un aspect quelque peu vieillot mais charmant. Ses 50 chambres se révèlent propres et confortables. Un sentier de 400 m permet de se balader près de l'hôtel. Plusieurs activités d'observation y sont proposées.

Laguna Lodge
$$$$
bp, ⊗, ℜ
☎*710-0355*
⇆*283-8031*
www.lagunalodge tortuguero.com
Le Laguna Lodge, l'un des deux seuls *lodges* situés du côté du village, donne accès directement à la mer des Caraïbes et à la plage. On y trouve 28 chambres, divisées en sept blocs de quatre chambres, très jolies et très propres. L'endroit est tranquille; l'établissement, bien tenu.

⚓ Mawamba Lodge

$$$$
bp, ec, ⊗, ≈, ℜ
☎*223-2421 ou 710-7282*
⇄*222-5463*
www.grupomawamba.com

Le Mawamba Lodge est le seul *lodge* situé assez près du village (à environ 1 km) pour s'y rendre à pied. La mer des Caraïbes et la plage sont également situées tout près, accessibles par un petit sentier. Les 36 chambres, où tout est en bois, se révèlent très accueillantes et très propres. On y trouve également un restaurant, un bar, une boutique de souvenirs ainsi qu'une salle de conférences servant aussi à présenter divers diaporamas sur la flore et la faune de la région. Mais l'ultime atout du Mawamba est sans contredit sa superbe piscine avec son petit pont où il fait bon se reposer entre deux excursions.

⚓ Pachira Lodge

$$$$
bp, ec, ⊗, ℜ
☎*256-7080*
⇄*223-1119*
www.pachiralodge.com

Le Pachira Lodge se trouve presque en face du village de Tortuguero. C'est l'un des hôtels les plus charmants et les plus jolis de la région, comptant 34 chambres extrêmement propres et bien décorées de tons pastel. Le bois, partout présent, révèle la fraîcheur de cet hôtel construit en 1995. Un superbe restaurant, un bar, une petite boutique de souvenirs, une salle de jeu ainsi que deux petits sentiers pédestres complètent l'aménagement.

⚓ Tortuga Lodge

$$$$$
bp, ec, ⊗, ℜ
☎*257-0766 ou 222-0333*
⇄*257-1665*
www.tortugalodge.com

Le Tortuga Lodge, qui appartient à la célèbre entreprise Costa Rica Expeditions, est fidèle à sa réputation en offrant un environnement, des chambres, une nourriture et un service hors pair. Ici, tout est mis en œuvre pour que le visiteur puisse passer un séjour tout aussi mémorable qu'agréable. En 1996, l'hôtel a complètement été redessiné et reconstruit de façon à mieux s'intégrer à la nature et à offrir des chambres de qualité supérieure. Le résultat est tout simplement formidable. Les chambres, au nombre de quatre par bâtiment, sont d'une propreté impeccable, immenses et très lumineuses grâce à une abondante fenestration sur trois côtés. La salle de bain est grande, pratique et luxueuse. Les chambres du haut disposent d'une grande terrasse recouverte faisant le tour de la chambre et offrant une vue apaisante sur le canal ou sur la forêt. Un petit sentier situé derrière l'hôtel (il ne faut pas oublier son insectifuge) permet d'observer une forêt dense et remplie de secrets. On y rencontre, entre autres espèces, de magnifiques petites grenouilles venimeuses aux couleurs éclatantes. Le restaurant, doté d'une longue terrasse, est situé au bord de l'eau. C'est dans ce lieu sobre et de bon goût que l'on vous sert des repas comptant parmi les meilleurs de tout le pays. Les grandes tables permettent d'agréables rencontres avec les autres voyageurs. Le Tortuga Lodge dispose également des meilleurs guides de la région, qui vous feront découvrir à coup sûr une faune et une flore impressionnantes. Les activités proposées sont nombreuses, allant de l'observation des tortues de mer à la pêche au tarpon, en passant par l'observation de la nature le long des canaux et la montée du Cerro Tortuguero.

Tortuguero

Cabinas Aracari Lodge

$
bp
☎*798-3059*

Les Cabinas Aracari Lodge, situées derrière le terrain de *fútbol*, proposent des chambres avec salle de bain.

Les **Cabinas de Sabina** *($; bc/bp, ℜ)* disposent de plusieurs chambres dont trois avec salle de bain privée. Quant à elles, les **Cabinas Meryscar** *($; bc;* ☎*290-2804)* proposent des chambres très simples à petit prix.

Cabinas Miss Junie

$$$
bp, ℜ ⊗
☎*710-0523*

Situées au bout du village, les Cabinas Miss Junie disposent de chambres très propres avec salle de bain privée, en plus d'un excellent restaurant (voir p 183).

Parismina

Río Parismina Lodge
$$$$$
bp, ec, ≡, ℜ, ≈
☎*236-0348*
⇋*229-7597*
www.riop.com
Le Río Parismina Lodge est un hôtel réputé pour ses forfaits de pêche. Un séjour de trois jours comprenant les transports, la chambre, les repas et les excursions de pêche coûte environ 1 500$ par personne. Les 12 chambres sont très propres et confortables. On y trouve également de magnifiques jardins tropicaux ainsi que de petits sentiers pédestres parcourant une forêt primaire.

Barra del Colorado

Río Colorado Fishing Lodge
$$$$
bp, ec, ⊗, ℜ
☎*232-4063*
⇋*231-5987*
www.riocoloradolodge.-com
Le Río Colorado Fishing Lodge, situé du côté sud de la rivière du même nom, est le plus célèbre hôtel de la région. Fondé par Archie Fields mais désormais tenu par Dan Wise, c'est l'un des établissements réputés où il fait bon relaxer, s'offrir un excellent repas, mais surtout organiser une excursion de pêche afin de tenter de capturer l'un des fameux énormes tarpons qui font la réputation de la région. Les forfaits de pêche, accompagnés d'un guide, coûtent environ 360$ par jour par personne. Le forfait «Nature»,

c'est-à-dire sans la pêche, comprend les repas, la chambre et le transport par bateau de Puerto Viejo de Sarapiquí à Barra del Colorado, le premier jour, puis de l'hôtel à Moín (près de Puerto Limón) en passant par le Parque Nacional de Tortuguero, le second jour.

Casa Mar Fishing Lodge
$$$$$
bp, ec, ⊗, ℜ
☎*381-1380*
⇋*367-2299*
Le Casa Mar Fishing Lodge, situé au nord de Barra del Colorado, le long de la lagune Agua Dulce, propose des *cabinas* propres et confortables. Cet hôtel, spécialisé dans les séjours de pêche d'une semaine, propose également des séjours plus courts. L'hôtel n'est pas ouvert toute l'année, mais seulement durant les saisons de pêche, soit de janvier à la mi-mai et en septembre et octobre.

Isla de Pesca
$$$$$
bp, ec, ⊗, ℜ
☎*239-1025*
⇋*239-2405*
Située juste au sud du Casa Mar Fishing Lodge, l'Isla de Pesca dispose d'une vingtaine de *cabinas* en forme de *A*, avec toit de chaume. On y propose des forfaits de pêche de trois jours à sept jours ainsi que des forfaits portant sur la découverte de la nature, notamment dans le Parque Nacional Tortuguero.

Rain Goddess
$$$$$
bc, ec, ≡, ℜ
☎*231-4299*
⇋*231-3816*
Le *Rain Goddess* est un luxueux bateau de 20 m de longueur appartenant au médecin Alfredo López. On y trouve six grandes *cabinas* confortables ainsi qu'un restaurant bien équipé où l'on sert des plats raffinés. Les excursions portent sur la pêche ou sur la découverte de la nature.

Silver King Lodge
$$$$$
bp, ec, ⊗, ≈, ℜ
☎*309-8125*
⇋*369-7912*
www.silverkinglodge.com
Le Silver King Lodge, situé au sud du Río Colorado Fishing Lodge, jouit d'une grande réputation dans la région pour la pêche ainsi que pour le confort qu'il offre. Il propose des chambres très grandes et propres, l'alimentation y est de bonne qualité, et de nombreuses petites attentions (boissons gazeuses, bière et café gratuits, cafetières dans les chambres, etc.) rendent le séjour agréable. L'hôtel dispose de plusieurs guides et de bateaux pour les excursions de pêche, notamment au tarpon, très réputée dans les environs. On peut également y louer des canots, avec ou sans guide, afin d'aller explorer la flore et la faune des alentours.

Restaurants

Puerto Limón

On trouve à Puerto Limón une assez bonne quantité de petits restaurants et *sodas*. La cuisine de type caribéen est ici à l'honneur, de même que les plats de poisson à petit prix. Plusieurs hôtels ont leur propre restaurant, également ouvert à tous les visiteurs.

Parmi les *sodas* les plus populaires auprès des résidants et des voyageurs figurent **La Estrella** (*$-$$; Calle 5, Avenida 3*), où l'atmosphère, le service, la nourriture et les prix sont excellents; le **Soda Mares** (*$; Avenida 2, Calle 3/4*), très joli et proposant un menu varié à petit prix, en plus de l'atmosphère excitante du *mercado* situé tout près; le **Soda Yans** (*$; Avenida 2, Calle 5/6*), très populaire auprès de la population locale et très abordable.

Brisas del Caribe
$-$$
Calle 1, Avenida 2
Le restaurant Brisas del Caribe, à côté du parc Vargas, est un bon endroit pour manger un sandwich ou un *casado*, ou simplement prendre un café à bon prix. Le soir venu, la musique couronne la douceur de la journée.

Springfield
$$
☎758-1203
Juste un peu plus loin, le restaurant Springfield attire bon nombre de résidants et de touristes grâce à ses excellents plats caribéens, ses poissons et ses fruits de mer.

Cahuita

Le petit village de Cahuita abrite des restaurants pour tous les goûts et tous les budgets. Bon nombre d'entre eux servent une cuisine typique des Caraïbes dans laquelle le poisson et la noix de coco sont à l'honneur. On y trouve également des saveurs du monde entier, notamment de Chine, de France, du Québec, d'Italie, de Suisse, d'Espagne et d'Allemagne.

Outre les restaurants mentionnés ci-dessous, il est bon de noter que plusieurs hôtels possèdent leur propre restaurant ou *soda*.

Pastry Shop
$
9h à 18h
☎755-0275
Si vous avez envie de vous offrir un bon gâteau ou d'autres pâtisseries, allez au Pastry Shop, près de Playa Negra, à environ 350 m du village.

El Cactus
$-$$
17h à 22h
☎755-0276
La pizzeria El Cactus, située en retrait du village, sert aussi de bonnes pâtes.

Hotel National Park
$-$$
7h à 22h
☎755-0244
Le restaurant de l'Hotel National Park propose une cuisine nationale et internationale à bon prix. On y vient surtout pour le «4 à 7» afin de prendre une consommation tout en profitant de la superbe vue sur la mer et la plage.

Miss Edith
$-$$
7h à 21h, fermé dim
☎755-0248
Le restaurant Miss Edith, situé près du bureau de poste et du poste de police, est réputé et passablement fréquenté. Avec raison d'ailleurs, car on y sert une excellente cuisine locale à petit prix. Le décor y est très rudimentaire, composé simplement de quelques tables en bois rapprochées les unes des autres, mais l'endroit est propre et peint de couleur orange.

Caribbean Food
$-$$
7h30 à 19h
Également situé à côté du parc municipal, mais sur la rue principale, le restaurant Caribbean Food sert une très bonne cuisine typique du pays, à petit prix.

Sobre Las Olas
$-$$
☎755-0109
Le restaurant Sobre Las Olas, situé à 600 m du village, propose une cuisine internationale continentale. Ce restaurant à l'abondante fenestration offrant une superbe vue sur la mer constitue l'un des bons endroits pour un «4 à 7» agréable.

El Típico
$-$$
17h à 22h
☎**755-0118**
Le restaurant El Típico, au sud-ouest du village, propose une cuisine caribéenne et internationale pour tous les budgets.

Vista del Mar
$-$$
7h30 à 22h
☎**755-0008**
Au restaurant Vista del Mar, tout près de l'entrée du parc national, il est possible de s'offrir une gigantesque assiette de mets chinois à très petit prix. Par contre, le service est souvent d'une lenteur exaspérante.

Cha Cha Cha
$$-$$$
le soir seulement
☎**394-4153**
Le restaurant Cha Cha Cha, situé à côté de Cahuita Tours, est tenu par des Québécois. On y sert une cuisine *del mundo* composée de pâtes, de fruits de mer et de steaks. Le décor tout en bleu et blanc est fort joli, mais les chaises, des troncs d'arbres, s'avèrent terriblement inconfortables.

La région de Puerto Viejo de Talamanca

Puerto Viejo de Talamanca

Bambu Restaurant
$
à la sortie est du village, à côté du restaurant Stanford's
Au Bambu Restaurant, on mange à peu de frais, mais surtout on vient y passer quelques heures en écoutant du reggae.

Café Coral
$
une rue à l'ouest de l'ATEC puis en direction sud
Le Café Coral est l'endroit par excellence pour le petit déjeuner. On y sert d'excellents pains maison, yaourts, mueslis et crêpes. De plus, son gâteau au chocolat est considéré comme le meilleur en ville!

Monchies
$
Le Monchies est une pâtisserie ouvrant dès 6h et proposant un excellent pain au blé entier ainsi que des petits déjeuners.

Miss Sam
$
une rue à l'est et deux rues au sud de l'ATEC
☎**750-0101**
Chez Miss Sam, on prépare d'excellents mets caribéens, du poisson, du riz et des haricots, tous à petit prix. Une valeur sûre.

Salsa Brava
$
☎**750-0241**
À côté du restaurant Bambu, le restaurant-café Salsa Brava sert le petit déjeuner.

Stanford's
$-$$
juste à la sortie est du village, près de la mer
Le restaurant Stanford's sert des poissons et fruits de mer à prix raisonnable, ainsi qu'une cuisine caribéenne. Les fins de semaine, l'endroit est réputé pour sa discothèque.

Tamara
$-$$
en face de l'ATEC
☎**750-0148**
Le *soda* Tamara propose des petits déjeuners ainsi

que divers plats locaux dont le Rundown, une soupe aux fruits de mer. On y déguste également des langoustes à prix raisonnable.

Caramba
$$
une rue à l'est de l'ATEC, sur la droite
☎**750-0467**
Au restaurant Caramba, on sert d'immenses pizzas ainsi que de bons desserts.

Garden
$$
☎**750-0069**
Le restaurant Garden, près du terrain de *fútbol*, a gagné la faveur des gens de la région ainsi que des touristes. On y mange d'excellents mets caribéens, asiatiques et végétariens. Les desserts et les fruits sont également fort appréciés ici.

Restaurante Amimodo
$$
☎**750-0257**
Le Restaurante Amimodo, situé à l'entrée ouest du village, se spécialise dans les mets italiens, mais aussi dans les poissons et fruits de mer.

Playa Salsa Brava

Beach Creak
$-$$
Juste à côté des Cabinas Surf Point et en face de la célèbre plage de surf qu'est Playa Salsa Brava, le restaurant Beach Creak propose le petit déjeuner ainsi que des sandwichs.

Playa Cocles

Lapalapa
$$-$$$
☎ *750-0151 ou 224-3050*
L'excellent restaurant Lapalapa est situé à côté de l'hôtel La Casa Camarona. La grande terrasse présente un décor feutré et relaxant. Au menu, des plats de poisson et de fruits de mer frais, ainsi que des mets typiquement caribéens et jamaïquains.

Playa Chiquita

Elena's Restaurante
$-$$
☎ *750-0265*
L'Elena's Restaurante, tenu par Elena Brown, sert de très bons mets locaux ainsi que du poisson.

Punta Uva

Selvin's
$-$$
mer-dim
Le restaurant Selvin's jouit d'une réputation enviable dans la région. Très bien et abordable, il sert d'excellents poissons et une cuisine caribéenne des plus délicieuses. Le restaurant, à aire ouverte, est plutôt petit, mais il y règne une agréable ambiance.

La région de Tortuguero

Pour un aussi petit village que Tortuguero, il est étonnant d'y trouver nombre de *sodas*, en plus des restaurants, des hôtels et *lodges* de la région immédiate. Entre autres le restaurant **Meryscar** *($-$$; au sud-ouest du terrain de foot)* sert une excellente nourriture maison à saveur

des Caraïbes, mais également des sandwichs et d'autres plats plus nord-américains. Le restaurant **Miss Junie** *($-$$; au nord du village)* prépare d'excellents plats de poulet et de poisson, ainsi que de très bons steaks.

Sorties

Cahuita

L'endroit le plus populaire à Cahuita, spécialement le samedi soir, est sans contredit le **Cocos**, où l'on entend de la musique reggae mais également de la salsa et du *merengue*.

Puerto Viejo de Talamanca

Bambú
à la sortie est du village
Le Bambú est un bar où la musique reggae est à l'honneur.

Stanford's
juste à la sortie est du village, près de la mer
Les gens de la région fréquentent volontiers le Stanford's, une discothèque où se côtoient les musiques reggae, calypso et salsa.

Jonny's Place
près du poste de police
La discothèque la plus fréquentée dans la région est Jonny's Place, où tout le monde se retrouve après 22h! Avec sa musique de type international, l'établissement attire un

grand nombre de vacanciers.

Manzanillo

Maxi
près de l'arrêt d'autocar
À Manzanillo, le bar Maxi se transforme en discothèque la fin de semaine.

Achats

Puerto Limón

Helennik Souvenirs
Calle 3, Avenida 4/5
Helennik Souvenirs vend de l'artisanat et des vêtements.

Cahuita

Des t-shirts, des vêtements originaux, ainsi que des bijoux et une bonne quantité d'articles à la mode reggae, sont en vente dans les boutiques **Bumbata**, **Cahuita Soul** et **Coco Miko**.

Puerto Viejo de Talamanca

La boutique **Color Caribe** *(sur la rue principale,* ☎ *750-0075)* présente des t-shirts originaux, des bijoux, des hamacs et de l'artisanat. Quelques livres, des cartes et de la documentation sur la région sont en vente à l'**ATEC** *(sur la rue principale,* ☎ *750-0191)*. L'agence **Terra Aventuras** *(à côté du Comisariato Manuel León, au bord de la plage,* ☎ *750-*

0004) vend également de l'artisanat fabriqué par les habitants de la côte.

Tortuguero

La visite des boutiques **Paraíso Tropical**, **Jungle**

Shop et **Tienda de Artesanía**, toutes trois situées au centre du village, vous donnera l'occasion d'acheter quelques souvenirs de la région.

CCC
juste à l'extérieur du village
Le musée d'histoire naturelle de la **CCC** (voir p 163) gère une petite boutique de souvenirs (documentation, vidéos, livres, etc.).

Le nord du pays

Le nord du Costa Rica

demeure une région méconnue du pays. Pendant longtemps, il ne fut pas sur les circuits préférés des touristes, mais les choses sont en train de changer.

Bien sûr, il n'y a pas de plages dans cette région, mais c'est dans le nord que l'on retrouve le plus grand lac du pays, où l'on dit faire la meilleure planche à voile de toute l'Amérique centrale! Le nord encore, où l'on peut voir un volcan en activité! Le nord toujours, où l'on peut visiter quelques-unes des plus belles réserves de forêts inaltérées du pays!

Le nord que nous vous décrirons se compose en réalité de quatre grands secteurs situés au nord-ouest de la Vallée centrale: la région de Puerto Viejo de Sarapiquí, celle de Monteverde ainsi que celle de Caño Negro (à l'extrême nord du pays, avoisinant le Nicaragua), connues toutes trois pour leurs grands espaces verts protégés, et la région d'Arenal, au centre de ce triangle, qui est plus qu'intéressante à visiter pour son volcan toujours

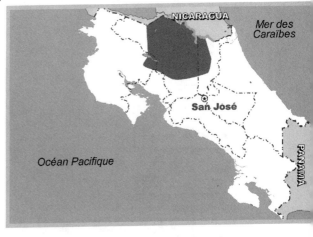

grondant et son immense lac artificiel. Cette dernière région est incluse dans la vaste *llanura* (plaine basse) de San Carlos, région agricole et d'élevage dont Ciudad Quesada est le chef-lieu et que nous décrirons également.

Cette vaste région, située au-delà de la Cordillère centrale et de la cordillère de Tilarán, connaît bien des climats, du temps chaud et pluvieux de la région de Sarapiquí ou humide de la *llanura* de San Carlos au secteur plus frais de Monteverde ou plus sec et

venteux de l'extrême nord-ouest de la région d'Arenal. Il y en a pour tous les goûts. Jadis, toute la région était une forêt immense. Alors que de vastes espaces de la *llanura* ont été convertis en terres de pâturages (ou en bananeraies dans la région de Sarapiquí), les autres secteurs de ce nord costaricien révèlent quand même encore — grâce notamment à quelques écologistes et amants de la nature convaincus — de grandes étendues de forêts tropicales humides denses où logent des milliers de plantes, d'oiseaux et autres animaux que l'on ne cesse de découvrir et d'identifier. Bien que la conversion à des fins agricoles ait des conséquences certaines sur l'environnement du secteur, le spectacle en «patchwork» qu'offrent tous ces espaces où alternativement paissent les animaux et croissent les végétaux est quand même bien joli à voir pour qui parcourt le territoire.

Pour s'y retrouver sans mal

En voiture

La région de Puerto Viejo de Sarapiquí

Puerto Viejo de Sarapiquí: au départ de la Vallée centrale, vous avez le choix entre deux routes pour atteindre Puerto Viejo de Sarapiquí. L'une débute au nord de Heredia et d'Alajuela, pour passer entre les volcans Barva et Poás, et ainsi atteindre Puerto Viejo par l'ouest, après avoir traversé San Miguel et La Virgen. Cette route est très belle et permet, si on le désire, de s'arrêter au volcan Poás ainsi qu'aux quelques magnifiques chutes (notamment celles de La Paz) qui ponctuent le trajet. Il faut compter quelque 2 heures 30 min pour

effectuer le voyage sans s'arrêter.

Pour se rendre plus rapidement, il suffit de prendre l'autoroute de Guápiles menant à la côte Caraïbe et ainsi traverser le magnifique Parque Nacional Braulio Carrillo avant de tourner à gauche près de Santa Clara afin, par la suite, de se diriger pratiquement plein nord. Cette route passe, en outre, à 2 km de la réserve écologique La Selva, située à 4 km au sud de Puerto Viejo.

Si vous arrivez du Guanacaste par La Fortuna ou encore de Ciudad Quesada, vous n'avez pas à passer par la Vallée centrale pour rejoindre Puerto Viejo de Sarapiquí. Dirigez-vous vers Aguas Zarcas et San Miguel, situées au nord du volcan Poás, et poursuivez votre chemin vers le nord en traversant La Virgen.

Rara Avis

Rara Avis est située à une quinzaine de kilomètres au sud-ouest de Las Horquetas, elle-même localisée au sud-est de Puerto Viejo de Sarapiquí. Prévoyez fixer avec Rara Avis les modalités de votre visite, car le chemin menant à la réserve est très difficile et grimpe dur: le trajet se fait d'ailleurs en partie en tracteur ou à dos de cheval (en location)! On peut parcourir maintenant une bonne section du chemin en véhicule à quatre roues motrices et parcourir ainsi quelque 12 km des 15 km nécessaires pour se rendre à la réserve, mais pas plus.

Comptez 2 heures pour effectuer le trajet.

La région de Ciudad Quesada

Ciudad Quesada: on atteint San Carlos (Ciudad Quesada) en passant par Naranjo et Zarcero sur une route qui se dirige plein nord depuis l'autoroute General Cañas, à quelque 25 km à l'ouest d'Alajuela. La sortie sur l'autoroute est bien indiquée pour Naranjo.

La région d'Arenal

La Fortuna: de la Vallée centrale, on atteint La Fortuna par la route de Zarcero et de San Carlos (Ciudad Quesada) qui se dirige plein nord vers Muelle. Parvenu à cet endroit, vous tournez à gauche pour continuer plein ouest. La route est belle, et vous verrez le volcan Arenal surgir des environs plats de la *llanura* de San Carlos.

Une petite route permet de franchir la distance entre **Monteverde** et La Fortuna. Si vous partez de Monteverde, dirigez-vous d'abord vers Santa Elena. De là, empruntez la petite route non revêtue en direction nord, soit vers la ville de Tilarán. Cette route, parfois en très mauvais état (renseignez-vous à l'avance), zigzague entre de formidables hautes vallées, offrant de superbes points de vue sur la région. Peu avant Tilarán, la route est revêtue. À Tilarán, prenez la direction du lac Arenal, puis suivez la route qui contourne le lac, pour ensuite en longer le côté nord. Passé le village de Nuevo Arenal, la route est complètement défoncée sur une dizaine de kilomètres, puis redevient soudainement excellente.

Nuevo Arenal: vous pouvez rejoindre Nuevo Arenal par le Guanacaste, à l'ouest, ou par La Fortuna, à l'est du lac Arenal. Par le Guanacaste, vous traverserez Tilarán et longerez le côté ouest du lac et son secteur venteux, propice aux sports nautiques. Par l'est, vous vous trouverez à longer le lac Arenal sur pratiquement toute sa longueur; le chemin est en assez bon état, à l'exception des derniers kilomètres avant Nuevo Arenal. Là, la route est en terre et plutôt quelconque: à éviter la nuit.

Parque Nacional Arenal

L'entrée du Parque Nacional Arenal est située du côté sud du volcan, donc à l'opposé du village de La Fortuna. De ce dernier (15 km, environ 30 min), il faut contourner le volcan, passer près des eaux thermales de Tabacón et, près du lac, prendre la petite route non revêtue en très mauvais état qui mène à l'entrée du parc ainsi qu'à l'Arenal Observatory Lodge.

La région de Monteverde

De San José, prenez l'Interaméricaine vers le nord en direction de la ville de Puntarenas. Près de Puntarenas, demeurez sur l'autoroute (ne bifurquez pas vers la ville) en direction de Cañas. Moins

de 20 km après cette intersection, à la hauteur de Rancho Grande, un panneau indique la route à suivre (sur la droite) vers Monteverde. Cette route non revêtue (32 km) est régulièrement en très mauvais état, et il faut être prudent car les précipices sont nombreux et la circulation est parfois intense. La longue montée débouche enfin sur le village de Santa Elena. De là, une petite route d'environ 5 km descend vers Monteverde, pour se terminer à la réserve du même nom. De San José, comptez autour de 4 heures de route, selon la saison, l'état de la route et votre véhicule (idéalement à quatre roues motrices).

Monteverde n'est pas un village, à proprement parler, où l'on s'attend à trouver un quadrillage de rues et une place centrale. Les maisons, les hôtels, les restaurants et les magasins sont dispersés le long d'une petite route non revêtue, d'un peu plus de 5 km, qui débute au village de Santa Elena pour se terminer à la réserve de Monteverde.

Refugio Nacional de Vida Silvestre Caño Negro

Cette réserve est située à 165 km de San José et à 21 km de Los Chiles. De San José, la route passe par Naranjo, Zarcero, Ciudad Quesada (San Carlos), Florencia, Muelle de San Carlos et Los Chiles. Si vous êtes dans la province du Guanacaste, vous pouvez passer par la petite ville d'Upala, située

à 36 km à l'ouest de Caño Negro. D'Upala, prenez la route en direction de San Rafael et, après environ 10 km, à Colonia Puntarenas, empruntez la petite route (indiquée) vers Caño Negro.

En autocar

La région de Puerto Viejo de Sarapiquí

Puerto Viejo de Sarapiquí: entre San José et Puerto Viejo de Sarapiquí, il y a plusieurs départs chaque jour (plus de six). Les départs de San José se font de l'Avenida 11 entre la Calle Central et la Calle 1. Les cars passent soit par la route de Heredia, soit par l'autoroute de Guápiles (durée du trajet: 4 heures). Sachez qu'un certain nombre de cars prenant l'autoroute de Guápiles passent par Río Frío, ce qui élimine quelque peu l'avantage de ce trajet normalement plus court.

Il y a également trois départs à **Heredia**. Enfin, il existe également des cars faisant le trajet **San Carlos – Puerto Viejo de Sarapiquí** plusieurs fois par jour (pratiquement toutes les 2 heures). Comptez une bonne heure de déplacement.

La région de Ciudad Quesada

Ciudad Quesada: cette destination est très bien desservie depuis San José (Terminus Coca Cola); il y a en effet des départs aux heures entre 5h et 19h. Comptez 3 heures de route.

Nord du pays

La région d'Arenal

La Fortuna: entre San José et La Fortuna, ce sont trois départs (du Terminus Coca Cola) qui sont proposés, et ce, le matin. Il y a un retour vers San José en milieu d'après-midi. Il faut 4 bonnes heures et demie pour effectuer le trajet. De **Ciudad Quesada**, il y a des départs pratiquement toutes les deux heures vers La Fortuna. Comptez une heure de déplacement.

Nuevo Arenal: il y a deux départs, l'un tôt le matin et l'autre l'après-midi, entre Ciudad Quesada et Arenal – Tilarán.

La région de Monteverde

De San José *(Calle 14, Av. 9/11)*, départs quotidiens à 6h30 et 14h30. Le voyage dure environ 4 heures *(5,30$; Transportes Tilarán, ☎222-3854)*.

Refugio Nacional de Vida Silvestre Caño Negro

De San José *(Calle 12, Av. 9)*, départs quotidiens à 5h30 et 15h30. Le voyage San José–Los Chiles dure environ 2 heures 30 min *(2,20$; Autotransportes, ☎460-5032)*.

Renseignements pratiques

La région de Monteverde

Bien que difficile d'accès, Monteverde est bien pourvue en services de toutes sortes. Vous y trouverez une banque (sans guichet automatique toutefois), une station-service, une pharmacie, une épicerie ainsi que des services Internet et des taxis.

Tours guidés

Aventuras Arenal
☎479-9133
⇋479-9295
Aventuras Arenal, sur la rue principale de La Fortuna, peut vous proposer toutes sortes de randonnées dans la région, en voiture, à bicyclette, à cheval ou même à pied. De plus, il est possible de visiter le parc Caño Negro avec eux ainsi que de pêcher sur le lac Arenal.

AveRica
☎479-9076
⇋479-9456
AveRica de La Fortuna propose des sorties d'observation des oiseaux dans la région (lac Arenal, La Fortuna, Refugio Nacional de Vida Silvestre Caño Negro, Río Frío et Parque Nacional Juan Castro Blanco).

Albergue Tío Henry
San Rafael de Guatusi, au nord de Nuevo Arenal
☎464-0211
L'agence de tourisme de l'Albergue Tío Henry propose des tours organisés au Refugio Nacional de Vida Silvestre Caño Negro et à la chute du Río Celeste (accessible à cheval) de même qu'aux Cavernas de Venado, longues de 2 km, et à la ferme d'élevage de caïmans et de crocodiles d'Ujuminica.

Eco Tours
Playa Hermosa, Guanacaste
☎/⇋672-0175
L'agence Eco Tours propose des tours guidés dans le **Refugio Nacional de Vida Silvestre Caño Negro** afin d'y observer un grand nombre d'espèces d'oiseaux. Le guide québécois Marc Fournier saura vous communiquer son amour de la nature costaricienne.

Stable
3 km à l'ouest de Nuevo Arenal
⇋694-4092
Stable se spécialise dans les randonnées à cheval, que vous soyez débutant ou expérimenté.

Attraits touristiques

La région de Puerto Viejo de Sarapiquí

L'idée de visiter la région de Puerto Viejo de Sarapiquí réside pour l'essentiel dans le désir de mieux connaître l'écologie fragile

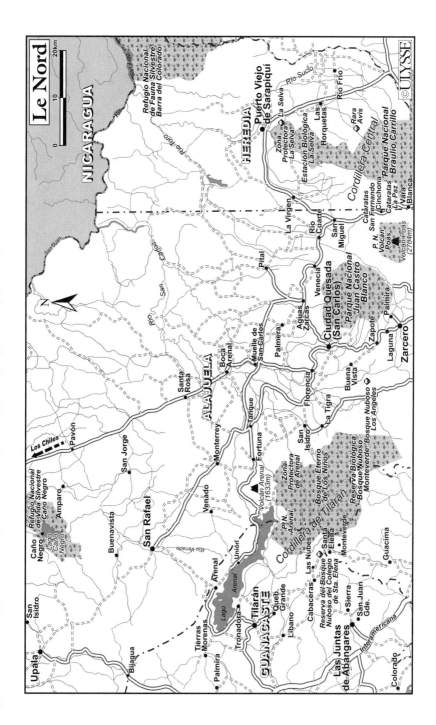

de notre planète. En effet dans la région, ce sont les réserves, parcs et autres aires naturelles qui attirent l'attention et méritent le détour, puisqu'ils ont contribué et contribuent toujours à préserver de l'exploitation des écosystèmes entiers abritant des milliers d'espèces végétales et animales. À vous de les sillonner tout en sachant qu'ici ce ne sont pas les journées ensoleillées et fraîches qui caractériseront votre visite! Le secteur est en effet situé en grande partie au début de la zone caribéenne du pays, région chaude et humide, qui favorise cependant une végétation luxuriante.

Puerto Viejo de Sarapiquí n'est pas d'un énorme intérêt sur le plan visuel, mais il est étonnant de savoir que cette ville fut un temps pourtant le principal port du pays, à l'époque où les routes et les chemins de fer n'étaient pas ce qu'ils sont aujourd'hui. Les navires empruntaient alors le Río Sarapiquí en direction nord, vers le Río San Juan (qui sert de frontière naturelle entre le Costa Rica et le Nicaragua), pour atteindre ensuite l'océan Atlantique.

À quelques kilomètres au sud-ouest de Puerto Viejo, vous pouvez visiter la coopérative **MUSA** ★ *(El Tigre, sur la route de Horquetas)*, une sorte de ferme communautaire gérée par des femmes s'employant à la culture et à la commercialisation d'herbes à des fins diverses (médicinales, cosmétiques et autres). Il est évidemment plaisant et instructif

de visiter cette ferme. Un droit d'entrée minime est demandé pour la visite. Il est également possible d'acheter des produits dérivés pour l'utilisation de ces herbes dans notre quotidien.

Trois chutes sont aussi à visiter dans la région. À La Cinchona, une petite localité à peu près à mi-chemin entre San José et Puerto Viejo, on trouve d'abord la spectaculaire **Catarata San Rafael** ★.

Les **Cataratas La Paz** ★, du nom de la rivière qui les forme, sont situées sur le chemin menant à la région de Puerto Viejo de Sarapiquí et partant de Poás. En s'éloignant quelque peu des chutes sur le chemin passant devant elles (donc en traversant le pont qui enjambe la rivière à cet endroit), on pourra apercevoir une deuxième chute au-dessus de la première. Le portrait ainsi créé d'une chute d'eau en deux temps est assurément très joli. De plus, dans ce climat relativement chaud, la bruine créée par les chutes est très agréable. La nuit, le tout est illuminé, ce qui ajoute à la beauté de l'endroit, lumière produisant un très bel effet avec la verdure environnante. Il ne faut pas s'aventurer derrière les chutes car, bien qu'un petit chemin y mène, c'est très glissant.

Les **Cataratas San Fernando** ★, situées un peu plus loin que celles de La Paz sur le chemin menant à la région de Puerto Viejo de Sarapiquí et partant de

Poás, sont également à voir. Elles peuvent être admirées depuis une maison privée, **El Parador**, ouverte aux touristes de passage. Les propriétaires nourrissent en parallèle une flopée d'oiseaux-mouches qu'il est saisissant d'observer, particulièrement lorsque les colibris boivent l'eau sucrée nécessaire à leur survie dans les fontaines aménagées à cette fin à l'extérieur de la maison.

Rara Avis

Rara Avis (☎ 764-3131, *www.rara-avis.com)* est une réserve naturelle privée créée par un jeune biologiste américain du nom d'Amos Bien. Venu pour la première fois au Costa Rica en 1977 et fasciné par la grande richesse de l'écosystème de ce coin de planète, il prit rapidement conscience que ces systèmes étaient menacés par les coupes à blanc et les conversions à outrance des terres en pâturages, comme au Guanacaste et le long du Río Sarapiquí. Il créa donc en 1983 la réserve Rara Avis tout à côté de celle de La Selva et du parc national Braulio Carrillo. La réserve de 1 300 ha est destinée à faire la preuve que la conservation des aires naturelles est tout aussi, sinon plus, profitable à la société que leur conversion en espaces de culture. Comme centre de recherche et de préservation de la nature, cette réserve relativement éloignée des circuits touristiques est plutôt faite pour les personnes aventureuses et animées de la passion écologique. D'abord parce que parvenir à la réserve demande beaucoup de patience et d'endurance sur un chemin très difficile à parcourir (voir p 186); ensuite parce que les conditions climatiques font en sorte qu'il pleut très souvent toute l'année; finalement parce que les normes en matière d'hébergement ne sont pas celles des plus grands hôtels. Cependant, on s'en doute bien, les espèces animales et végétales à voir dans la région sont très intéressantes. Il existe en plus une magnifique chute dans la jungle de la réserve, haute de 55 m. Il est possible de se promener dans les sentiers de la réserve, seul ou accompagné d'un guide.

La Selva

La Selva *(3 km au sud de Puerto Viejo de Sarapiquí,* ☎ *766-6565, ou par l'OTS* ☎ *240-6696)* est une réserve écologique de 1 600 ha gérée par l'Organisation for Tropical Studies (OTS), organisation vouée aux études des espaces climatiques tropicaux et subtropicaux regroupant des universités et des centres de recherche des États-Unis, de Puerto Rico et du Costa Rica. C'est-à-dire que l'endroit est essentiellement un centre de recherche et d'études qui attire de nombreux spécialistes et étudiants en écologie du monde entier. Des installations leur

permettent de suivre des cours sur place et d'étudier la nature environnante. Il est quand même possible pour le public de visiter La Selva et même d'y séjourner en réservant à l'avance. Mais il faut avoir à l'esprit que, quoique plus accessible que Rara Avis, la visite de La Selva se fait dans un climat tout aussi pluvieux et chaud; il faut donc s'habiller en conséquence. Le nombre d'espèces animales et végétales identifiées à ce jour dans la réserve est impressionnant: notamment la région hébergerait plus de 400 espèces d'oiseaux. Pas si mal pour 1 600 ha! L'essentiel de ce que vous pouvez explorer sur le site se fait avec accompagnement professionnel *(20$ par personne, rabais pour les enfants)*, cela pour éviter les conflits entre une fréquentation touristique tous azimuts et la raison d'être de la réserve. Il faut donc réserver pour ces randonnées dans la nature. Les sentiers sont cependant très bien entretenus, et il est même possible pour les personnes se déplaçant en fauteuil roulant d'en parcourir une bonne partie.

Enfin, vous pouvez y demeurer pour la nuit (voir p 208). Bref, un séjour à La Selva fait partager l'idéal écologique noble des responsables de cette station.

La région de Ciudad Quesada

La région de **Ciudad Quesada** (plus souvent désignée du nom de **San Carlos** par ses habitants), se trouve dans la *llanura* (plaine basse) de San Carlos, laquelle s'étend vers le nord jusqu'au Nicaragua. C'est l'une des régions agricoles les plus productives du Costa Rica, et vous serez à même de le constater, notamment si vous passez par San Ramón et Zarcero pour vous y rendre. En effet, la **région entre Zarcero et Ciudad Quesada ★★** est magnifiquement vallonnée, et les verts pâturages où paissent les vaches laitières et où s'étendent les champs de culture et les rivières contribuent à créer le merveilleux paysage du secteur. Il faut se souvenir cependant de toujours faire attention sur la route, qui n'offre que peu d'endroits pour s'arrêter afin d'admirer les environs.

Quoique Ciudad Quesada soit d'une certaine importance (elle avoisine les 35 000 habitants), il n'en demeure pas moins que l'intérêt premier du secteur loge dans la campagne environnante, où se trouvent un certain nombre de complexes touristiques intéressants.

De plus, la ville peut constituer une halte naturelle à mi-chemin entre San José et la région d'Arenal, ou encore constituer une étape avant de se rendre dans la région de Puerto Viejo de Sarapiquí et ainsi éviter le chemin passant par le volcan Poás.

La région de **Zarcero** est décrite dans le chapitre de «La Vallée centrale», voir p 116.

Nord du pays

La région d'Arenal

Deux éléments de base caractérisent la région d'Arenal: son volcan, toujours actif, et son lac, le plus grand du pays. Les deux contribuent, ensemble et séparément, à modeler un paysage grandiose qui, mis en valeur par la topographie (plane à l'est, doucement vallonnée à l'ouest), s'apprécie d'autant plus que l'accès routier au territoire est facilité d'année en année.

Alors que l'on s'achemine vers la région, le **Volcán Arenal ★★** s'impose à la vue. Du moins, par temps clair, car sachez que le volcan garde assez souvent la tête dans les nuages (on parle d'environ 60% du temps). Avec ses 1 633 m d'altitude, sa masse parfaitement conique, souvent coiffée d'un nuage blanc et assise sur la plaine, ne peut que saisir. C'est la parfaite image que l'on se fait du volcan typique, grondements et fumerolles inclus! On comprendra qu'à la nuit tombée, et avec un peu de chance (le temps ne s'y prêtant pas toujours et le volcan n'étant quand même pas toujours actif), le spectacle est à couper le souffle. On peut même voir quelquefois des coulées de lave descendre du cratère. Difficile d'avoir mieux comme volcan! (Voir «Parque Nacional Arenal», p 195).

Le volcan Arenal est en effet un volcan actif, mais cela depuis peu, bouleversant la vie des habitants de la région lorsqu'il se réveilla à la fin des années 1960.

Soixante-dix-huit personnes ont perdu la vie à ce moment-là, alors que les villes de Pueblo Nuevo et de Tabacón ont été détruites. Tremblements de terre, chutes de pierre, émanations de gaz et de fumée ont caractérisé ces moments de terreur, et la végétation luxuriante aux abords de la montagne a fait place à une couverture de cendres. Depuis ce jour, le volcan crache et mugit épisodiquement au cours de l'année.

Avec les années, les gens ont tiré profit du réveil de la montagne et du nouveau grand lac qu'ils avaient à proximité pour développer toute une série d'activités d'intérêt et d'infrastructures d'accueil pour le visiteur désireux de connaître la région. Tant et si bien qu'il peut être agréable pour un touriste de demeurer plus d'une journée dans le secteur.

La région de La Fortuna

La Fortuna demeure la ville la plus proche du volcan. Elle fut d'abord un centre agricole, mais sa nouvelle vocation touristique fait en sorte que vous trouverez de plus en plus de restaurants en tout genre dans ses limites (de même que sur le chemin menant au volcan) ainsi qu'un nombre croissant de lieux d'hébergement aux prix et au confort honnêtes. La multiplication des hôtels et *cabinas* dans la ville et ses alentours fait en sorte que vous pouvez bien vous loger dans le secteur sans trop vous

vider les poches. Pour le prix, vous avez donc un certain embarras du choix. Sachez cependant que La Fortuna n'étant qu'à 250 m au-dessus du niveau de la mer, la ville est relativement chaude. Une piscine attenante aux *cabinas* où vous logerez pourrait être la bienvenue! De même, vous ne devriez pas avoir de problème à organiser une sortie dans les environs; il existe maintenant plusieurs organismes et hôtels proposant des excursions dans la région. Il est possible également de louer divers équipements de randonnée dans le voisinage.

À 5,5 km au sud de La Fortuna se trouve la **Catarata La Fortuna ★** *(accès au départ de la ville par la première rue à l'ouest de l'église, celle qui enjambe le Río Burío)*, que vous pouvez atteindre en voiture ou à cheval ou même à pied. Soyez vigilant car le chemin est assez ardu en certains points (particulièrement durant la saison des pluies) et mal balisé. Mais la chute est très jolie, tombant en gradins le long d'une paroi abrupte. Vous la verrez dès que vous atteindrez le stationnement, mais vous pouvez vous en approcher en descendant un chemin relativement raide pour vous retrouver à son pied. Bien que vous puissiez apercevoir certaines personnes se baignant à cet endroit, nous vous le déconseillons car la force du courant peut être dangereuse.

L'établissement thermal **Tabacón Resort ★★★**

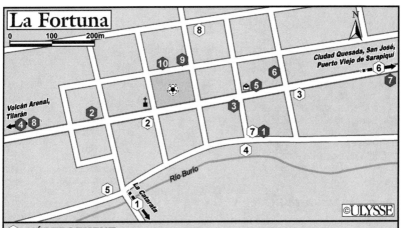

La Fortuna

0   100   200m

Volcán Arenal,
Tilarán

Ciudad Quesada, San José,
Puerto Viejo de Sarapiquí

Río Burío

La Catarata

©ULYSSE

Nord du pays

◯ HÉBERGEMENT

1. Arenal Country Inn	4. Cabinas Mayol	7. Hotel La Fortuna
2. Cabinas Carmela	5. Cabinas Sissy	8. San Bosco
3. Cabinas Guacamaya	6. Cabinas Villa Fortuna	

● RESTAURANTS

1. Casa de la Tía Ara	5. Musmanni	8. Pizzería/Spaghettaría Vagabondo
2. Choza de Laurel	6. Nene's	9. Rancho La Cascada
3. El Jardín	7. Pizzería Luygi's	10. Wall's
4. La Pradera		

(17$; tlj 10h à 22h; 13 km à l'ouest de La Fortuna sur le chemin du volcan Arenal, ☎256-1500) est une fameuse idée! Une dizaine de piscines d'eaux thermales provenant du Río Tabacón, des chutes, deux restaurants (voir p 219) et deux bars (dont l'un dans l'eau d'une des piscines) invitent à la détente. Chaque piscine offre en outre une température spécifique, allant de 23°C à 40°C, le tout dans un aménagement de luxe et entouré d'une belle végétation, avec vue sur le volcan! Il faut essayer ces eaux ou ces restaurants la nuit venue, alors que tout est noir à l'extérieur, quelquefois même brumeux! Un adorable petit lieu d'animation dans la forêt dense. Notez qu'il béné-

ficie aussi d'un joli relaissanté (spa), Iskandria, qui propose une belle gamme de soins santé et beauté pour hommes et femmes qui ajoutera à votre plaisir. L'endroit peut cependant être très fréquenté, même en basse saison.

Un autre établissement thermal a ouvert ses portes, sur la même route que le Tabacón, un peu plus près de La Fortuna. **Baldi Termae** *(7$; 10h à 22h; ☎479-9651 ou 479-9652)* n'a pas l'envergure de son concurrent. Mais ses piscines sont certifiées et son accès est beaucoup plus abordable. Il possède quatre piscines dont l'eau se maintient entre 37°C et 63°C. Ses installations, simples, se révèlent un peu dénudées. On ne

peut pas y amener de nourriture de l'extérieur; le restaurant et le bar vous fourniront ce dont vous avez besoin.

Autrefois, la lave crachée par l'Arenal coulait le long de ses flancs principalement du côté de l'**Arenal Observatory Lodge** (voir p 211). Aujourd'hui, autre caprice de volcan, la lave a un peu changé sa trajectoire, et on la voit glisser plutôt du côté du domaine Los Lagos. **Los Lagos** *(7$; ☎479-8000 ou 479-9126)*, une vaste propriété, se consacre donc maintenant à la clientèle touristique. On peut y loger (voir p 212) ou y venir pour la journée afin de profiter de ses nombreuses activités. Entre autres possibilités, on retrouve la pêche au *tilapia* sur l'un des deux lacs qui lui a donné son nom, la baignade dans une piscine munie de toboggans pour les enfants, la détente dans une piscine d'eaux thermales, l'observation des crocodiles dans un étang aménagé, etc. Sans oublier, bien sûr, la balade en sentier pour aller voir la fameuse lave de plus près, mais, bien entendu, à une distance respectable.

Autour du Lago Arenal

En s'éloignant du Tabacón Resort et du chemin du parc pour se diriger vers l'ouest, on arrive éventuellement à une digue de retenue des eaux du **Lago Arenal ★**, que l'on commence alors à longer. Originalement plus petit, ce lac est en fait un grand réservoir servant à alimenter un certain nombre de rivières d'irrigation des environs et à produire de l'électricité pour le pays. L'eau y est propre, le *guapote* (perche arc-en-ciel) y est abondant, et le vent y souffle régulièrement, de façon particulièrement forte dans sa partie ouest. Pas étonnant alors de retrouver baigneurs, pêcheurs, canoteurs et véliplanchistes utilisant ce plan d'eau pour ses nombreux avantages. Les coups d'œil superbes que l'on peut avoir sur le lac depuis la route (avec pour toile de fond le volcan Arenal) de même que les nombreuses activités que l'on peut y pratiquer font en sorte qu'un certain nombre d'établissements hôteliers ont été construits ces dernières années sur ses rives ou dans les hauteurs à proximité.

Les **Cavernas de Venado** *(15$; depuis une route située à quelques kilomètres à l'est de Nuevo Arenal)* se trouvent à une heure de route au nord du lac Arenal et forment une grotte longue de quelque 2 km où vous trouverez tout ce qui peuple l'imagination à l'égard de ces formations géologiques: stalactites, stalagmites et... chauves-souris! Les visites se font avec guide.

Le **Lago Coter** se trouve également au nord du lac Arenal (à 4 km), mais vous l'atteindrez par une route située à quelques kilomètres à l'ouest de Nuevo Arenal. Comme au lac Arenal, vous pouvez pratiquer toutes sortes de sports nautiques sur ce plan d'eau mais particulièrement la baignade (voir «Lago Coter Eco-Lodge», p 213).

Le **Jardín Botánico Arenal ★** *(6$; tlj 9h à 17h; sur le chemin La Fortuna–Nuevo Arenal, 5 km à l'est de Nuevo Arenal et 25 km à l'ouest de la digue du lac Arenal, ☎694-4273)* est ce que l'on peut appeler un beau petit jardin de plantes. Dans les sentiers à travers la petite réserve que constitue ce jardin, ce sont plus de 1 200 plantes que l'on peut admirer, provenant d'un peu partout dans le monde. Évidemment, plusieurs espèces d'oiseaux et de papillons fréquentent les lieux. Il y a même une petite ferme d'élevage de papillons. La visite ne nécessite pas de guide.

La région de **Nuevo Arenal** *(à mi-chemin entre La Fortuna et Tilarán)*, sur la rive nord-ouest du lac, profite d'un climat particulièrement agréable, qui change du climat chaud et quelquefois étouffant des environs de La Fortuna. Ce village, aussi appelé tout simplement **Arenal**, remplace celui du même nom qui se trouve... sous l'eau à la suite de l'agrandissement artificiel du lac Arenal (de là l'épithète «Nuevo», accrochée au nouveau village). Le village se développe quelque peu, mais demeure tranquille puisqu'il n'existe pas encore beaucoup de lieux d'hébergement pour accueillir les touristes. Il peut être agréable cependant de s'y promener.

Plus vous vous dirigez vers la partie extrême ouest du lac Arenal, plus vous serez à même de constater que le secteur devient carrément venteux. Le soir, le vent peut rendre l'air même assez frais. Du côté sud du lac Arenal, vers l'extrémité ouest, on remarquera de nombreuses **éoliennes** tirant profit de cette énergie très présente et peu dispendieuse. Ces géants dynamiques en même temps que silencieux créent d'ailleurs un paysage bien spécial sur les crêtes où l'on peut les voir (depuis la route Arenal–Tilarán, à l'extrémité nord-ouest du lac). C'est dans ce secteur du lac que se fait l'essentiel de la planche à voile à Arenal. Un certain nombre d'accès au plan d'eau sont disponibles à cet endroit, notamment un quai du gouvernement *(peu après l'hôtel Rock and Surf, à quelque 4 km en direction de Tilarán).*

Parque Nacional Arenal

Le volcan Arenal représente l'image parfaite que l'on se fait d'un volcan en éruption. D'abord parce que cette montagne est bien isolée et se démarque des montagnes avoisinantes par son élégance et sa forme conique. (Avec ses 1 633 m d'altitude, le volcan Arenal est facilement repérable, de toutes directions, et particulièrement du côté ouest, là où se trouve le lac Arenal.) Ensuite parce que cette montagne est considérée comme l'un des volcans les plus actifs au monde. On vient d'ailleurs de partout sur la planète pour admirer cet immense cône bouillonnant, espérant profiter d'une soirée dégagée pour contempler les explosions de lave qui dévalent ses flancs.

Le Parque Nacional Arenal *(6$; tlj 8h à 22h; ☎460-1412 ou 461-8499)*, d'une superficie de 12 016 ha et créé en septembre 1994, fait partie de l'Area de Conservación Arenal. Ce jeune parc vise à protéger cette région, mais également à renseigner les visiteurs sur ce volcan fort actif. On tente aussi de décourager les intrépides qui veulent à tout prix se rendre au sommet. Au fil des années, des dizaines d'accidents, parfois mortels, se sont produits sur les flancs du volcan, impliquant des randonneurs trop intrépides et inconscients du danger qui les guette.

À l'entrée du parc se trouve désormais un centre d'information (stationnement, toilettes, téléphone, eau potable, carte du parc, etc.) où l'on vous renseignera sur le volcan et sur les différents sentiers.

L'endroit le plus visité du parc est le **Mirador**, situé à 1,3 km de l'entrée. Il est possible d'y accéder à pied, par un petit sentier, ou en voiture (stationnement). Ce point de vue, basé au pied du constitue un exce... endroit où admirer, écouter et sentir toute sa puissante activité. On distingue aisément les nombreuses coulées de lave qui se sont frayé un chemin jusqu'à la base de la montagne, consumant tout sur leur passage. Selon le jour, vous apercevrez peut-être des envolées de poussière et de cendre jaillir du sommet. De plus, il n'est pas rare de ressentir une secousse terrestre accompagnée de grondements très perceptibles, comme si le volcan Arenal voulait ne laisser aucun doute sur sa puissance et sa capacité destructrice effroyable.

Le réveil de l'Arenal

Le volcan Arenal n'a pas toujours eu cette réputation de monstre qui crache continuellement de la fumée et parfois même des pierres. En effet, jusqu'à la fin des années 1960, cette montagne était silencieuse, et les habitants vivant autour la croyaient endormie à jamais. Mais, le 29 juillet 1968, la montagne se réveilla subitement, et une très violente explosion souffla son cône pour projeter, dans le ciel, des tonnes de pierres et, sur ses flancs, des coulées de lave. L'impact fut si puissant que les villages de Pueblo Nuevo et de Tabacón furent détruits, de même qu'une grande partie de la forêt avoisinante. Et 78 personnes trouvèrent la mort lors de cette tragédie, alors que des centaines d'autres durent évacuer les lieux. On dit même que l'explosion fut d'une telle violence que des ondes de choc furent captées à Boulder, au Colorado (États-Unis)!

Les quakers de Monteverde

La secte protestante des quakers fut fondée par le cordonnier anglais George Fox (1624-1691). Ce dernier, persuadé d'être appelé par le Saint-Esprit, prêcha à partir de 1647. Ses disciples se réunirent sous le nom de la Société des Amis ou quakers (trembleurs), en référence à l'expression *«trembler devant la parole de Dieu»* que George Fox formula devant un juge. Les quakers n'attachent

d'importance qu'à la présence de l'Esprit saint dans l'homme, refusant ainsi tout clergé et toute liturgie.

De nos jours, les quakers de Monteverde se font relativement discrets parmi les nombreux nouveaux résidants et touristes de passage. Plusieurs travaillent à la ferme, alors que d'autres travaillent comme guides naturalistes, notamment à la réserve de Monteverde.

Les employés du parc ont aménagé de petits sentiers pédestres permettant de fouler la base du volcan et même de se balader jusqu'aux coulées de lave. Le sentier **Las Heliconias** (1 km) mène jusqu'au point de vue (*mirador*) tout en donnant l'occasion d'observer la flore qui a repris vie à la suite de l'explosion de 1968. Ce sentier permet également de rejoindre le sentier **Las Coladas** (2 km), qui conduit aux coulées de lave, bien distinctes. Les différents points de vue donnent sur le volcan lui-même ainsi que sur le volcan Chato, vers l'est, et la digue du lac Arenal, vers l'ouest. Le sentier **Los Tucanes** (2 km), quant à

lui, permet de découvrir une flore exotique de même qu'une faune variée composée, entre autres, de toucans, de singes et d'*armadillos* (tatous). Finalement, le sentier **Los Miradores** (1,2 km), situé du côté du lac Arenal, est en fait l'ancien chemin de service qui menait au barrage hydroélectrique.

Situé aux limites du Parque Nacional Arenal, l'**Arenal Observatory Lodge ★ ★** (*3,50$; bar-restaurant; passé le parc, suivre les indications*, ☎695-5033 ou 296-7757) (voir aussi p 211) constitue un formidable emplacement pour observer le volcan. L'endroit fut d'ailleurs, durant plus de 25 ans,

réservé aux chercheurs de l'Institut de sismologie de l'université nationale du Costa Rica. Depuis, cet hôtel, considéré comme celui offrant la plus fabuleuse vue sur le volcan, permet aux visiteurs de venir passer une journée ou une soirée mémorables, d'autant plus agréables si le ciel est dégagé. À la tombée de la nuit, s'il n'y a pas de nuages et que le volcan se met à cracher le feu, tous les visiteurs se retrouvent sur la terrasse du restaurant, pour admirer, sentir et écouter ce monstre rugissant. La plupart des excellentes photos montrant le volcan en éruption, avec d'immenses coulées de lave orangées, ont été prises de nuit depuis cette terrasse. Sur le site même de l'hôtel, un réseau de cinq sentiers permet d'explorer la riche et dense forêt de la région. Vous pouvez donc y passer une agréable journée, à moins que vous ne décidiez d'y rester quelques jours. La route menant à l'hôtel est très accidentée. Si vous ne possédez pas de véhicule à quatre roues motrices, appelez à l'avance pour en connaître l'état.

La région de Monteverde

La région de Monteverde se compose de vastes forêts, de grands vallons et de luxuriantes montagnes dont l'altitude se situe entre 800 m et 1 800 m. D'ailleurs, l'arrivée en voiture ou en autocar dans la région est déjà une expérience en elle-même,

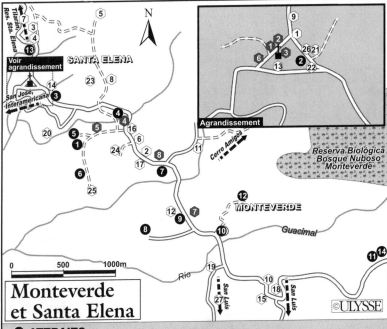

Monteverde et Santa Elena

©ULYSSE

● ATTRAITS

1. Aventuras Aéreas
2. Chunches
3. Serpentario
4. Proyecto de Investigación Orquideas de Monteverde
5. Finca Ecológica
6. Jardín de Mariposas
7. Bosque Eterno de los Niños
8. Bajo del Tigre
9. CASEM
10. La Lechería
11. Galería Colibrí (Hummingbird Gallery)
12. Galería Sarah Dowell
13. Reserva del Bosque Nubosco del Colegio de Santa Elena (information)
14. Reserva Biológica Bosque Nuboso Monteverde (accueil)

◐ HÉBERGEMENT

1. Albergue Marbella
2. Cabañas Los Pinos
3. Cabinas Don Taco
4. Cabinas Marín
5. Cloud Forest Lodge
6. El Establo
7. El Gran Mirador Lodge
8. El Sapo Dorado (R)
9. Hospedaje El Banco
10. Hospedaje Mariposa
11. Hotel Belmar (R)
12. Hotel El Bosque
13. Hotel El Sueño
14. Hotel Finca Valverde
15. Hotel Fonda Vela (R)
16. Hotel Heliconia
17. Hotel Montaña
18. Hotel Villa Verde
19. La Colina
20. Monteverde Lodge (R)
21. Pensión Colibrí
22. Pensión El Tucán
23. Pensión La Flor de Monteverde
24. Pensión Manakín
25. Pensión Monteverde Inn
26. Pensión Santa Elena
27. San Luis Ecolodge and Biological Station

(R) établissement avec restaurant décrit

● RESTAURANTS

1. El Daiquiri
2. Morphos
3. Panadería Jiménez
4. Pizzería de Johnny
5. Restaurante de Lucía
6. Soda Central
7. Stella's Bakery
8. Tingo's

ce qui ajoute à l'impression d'aller se réfugier au bout du monde. Mais, deux heures après avoir sillonné cette petite route en lacet, c'est avec un certain étonnement que l'on découvre une région remplie d'hôtels (de toutes catégories) et grouillante d'activités. C'est que l'endroit est fort populaire auprès des visiteurs venus de partout au pays, mais également des quatre coins de la planète. Véritable paradis ornithologique et botanique, la région de Monteverde attire, toute l'année durant, autant les amants de la nature venus faire de méthodiques observations que les touristes de passage à la recherche du rarissime **quetzal**, un superbe grand oiseau vert émeraude, rouge et bleu azur qui habite la forêt tropicale humide d'altitude.

La région de Monteverde fut, durant des siècles, un territoire extrêmement sauvage et reculé où à peine quelques familles vivaient dans de petites fermes. Mais, en 1951, la région vit arriver 44 personnes déterminées à y vivre en harmonie avec la nature. Ce groupe était constitué de 11 familles de **quakers** qui avaient fui les États-Unis au début des années 1950. Dans leur Alabama natal, ces pacifistes étaient jetés en prison parce qu'ils refusaient d'effectuer leur service militaire. Ces quakers élurent domicile au Costa Rica, car ce pays ne possédait pas d'armée et présentait un climat politique stable. Mais pour être certains de pouvoir vivre

Le quetzal

Ceux qui désirent observer le quetzal (*Pharomachrus moccinno*) visiteront la réserve de Monteverde entre les mois de mars et de mai, alors qu'il se reproduit et fait son nid à une dizaine de mètres du sol. Le reste de l'année, le quetzal n'est pas aussi présent, bien qu'un guide expérimenté sache plus facilement vous amener là où il est le plus fréquemment observé. Ainsi, au début du mois de décembre, nous avons eu la chance de pouvoir admirer, durant de longues minutes, un quetzal mâle puis un quetzal femelle.

Le quetzal fait partie de la famille des trogons et est un oiseau d'une taille plutôt remarquable. Il mesure en moyenne 35 cm, auxquels s'ajoute une formidable traîne émeraude, tel un prolongement de la queue, pouvant atteindre 60 cm de longueur! Le quetzal fréquente les hautes forêts tropicales humides, situées entre 1 200 m et 3 000 m d'altitude, du sud du Mexique jusqu'au Panamá.

selon leurs principes, les quakers décidèrent d'acheter des terres dans la région de Monteverde, où aucune route ne menait à l'époque mais où seulement un petit chemin pouvait laisser passer chevaux et charrettes.

Aujourd'hui, ce que l'on dénomme le Monteverde comprend un petit village, **Santa Elena**, Monteverde même, région située aux environs de la réserve et appartenant encore en grande partie aux quakers, ainsi que la zone se trouvant entre les deux, appelée le Cerro Plano puisque le paysage est ici un tout petit peu plus plat qu'ailleurs! Ne vous attendez donc pas à retrouver de village autre que Santa Elena dans la région, mais plutôt une route principale et quelques routes secondaires la sillonnant et le long desquelles s'élèvent hôtels, restaurants et autres services. La route principale aboutit, à une extrémité, à la réserve de Santa Elena et à l'autre, à celle de Monteverde.

Étant donné le va-et-vient perpétuel des touristes qui se déplacent à pied, à vélo, à cheval ou en voiture, il est aisé de comprendre pourquoi les résidants de la région s'opposent à ce que la route, qui mène de l'Interaméricaine à la réserve, soit revêtue. Voulant préserver une certaine tranquillité et une qualité de vie, les habitants de Monteverde ne tiennent aucunement à ce que la région soit envahie par des autocars débordant de touristes venus prendre des photos, le temps d'une halte de quelques heures entre deux destinations exotiques.

Sachez que la région située entre la région d'Arenal et celle de Monteverde est tout simplement magnifique. On y croise des paysages bucoliques de campagne verdoyante et de pâturages tranquilles, des champs accrochés à flanc de montagne, sans oublier les petits villages pittoresques. Une route, généralement assez facile à parcourir (voir p 186), mène de Santa Elena à Tilarán, pour vous permettre d'embrasser du regard la région. Notez aussi que, bien que ce trajet s'effectue en huit heures en autocar et cinq heures en voiture, il ne faut que trois heures pour traverser à la région cheval… Plusieurs entreprises, aux deux extrémités du trajet, proposent cette balade, que vous ne regretterez certainement pas.

La petite réserve privée de quelque 80 ha, dénommée la **Reserva Sendero Tranquilo** *(20$, visite guidée incluse d'une durée de 3 heures 30 min; information à l'hôtel El Sapo Dorado, ☎645-5010)* assure aux visiteurs, comme son nom l'indique en espagnol (sentier tranquille), qu'ils seront au calme pour explorer cette forêt aux mille et un secrets. Obligatoirement accompagnés d'un guide, les visiteurs seront également séparés en groupes de deux à six personnes chacun, afin d'offrir toute la tranquillité requise pour une découverte maximale et enrichissante.

Monteverde est bien sûr frappée de plein fouet par la vague des «excursions dans la canopée». On y retrouve quelques entreprises proposant des activités variées qui permettent d'admirer la forêt tropicale de plus près. Reportez-vous à la section «Activités de plein air» pour connaître les plus acrobatiques d'entre elles. Parmi les plus accessibles figure le **Sky Walk** *(15$; tlj 6h à 17h; ☎645-5238)*. Il s'agit d'un parcours en forêt tropicale humide, agrémenté de ponts suspendus qui dominent la cime des arbres. Le sentier du Sky Walk a vu le jour en mars 1997 dans le but d'offrir aux touristes la possibilité de se promener en forêt, en toute quiétude, pour y

observer la complexité de cette riche et dense nature où chaque arbre est décoré de lianes, de mousses, de fleurs et de plantes épiphytes. Le sentier forme une boucle de près de 2 km où le visiteur doit franchir cinq ponts suspendus à une quarantaine de mètres du sol. Chaque pont est large d'environ 1 m et fait, en moyenne, 100 m de longueur. Pour vous y rendre, prenez la route principale de Santa Elena vers le nord, en direction du Colegio Santa Elena, puis suivez les indications.

De son côté, **Aventuras Aéreas** *(12$; 7h à 18h; ☎645-5960)* propose des balades en télé-siège tout à fait intéressantes. Le circuit où circulent les sièges motorisés vous fera voyager à diverses hauteurs dans la forêt tropicale, entre autres à la limite supérieure des arbres de la Finca Ecológica et au-dessus de la campagne de Monteverde. Magnifique! Le parcours prend environ une heure à effectuer et le plus beau, c'est que chaque siège, dirigé individuellement, peut être arrêté par son passager afin de lui permettre de mieux observer un papillon multicolore ou un oiseau rare. De toute façon, la vitesse de croisière étant de 1,6 km/h, cela laisse amplement le temps de repérer les trésors de la forêt!

Situé aux abords du village de Santa Elena et tout près de l'hôtel Finca Valverde, le **Serpentario** *(3$; tlj 9h à 17h; ☎645-5238)* présente plusieurs espèces de serpents du Costa Rica, notamment de la région de Monteverde. C'est l'occasion, non pas de se faire peur, mais d'apprendre à reconnaître les plus dangereuses espèces, tels les vipères venimeuses et surtout l'effroyable «fer-de-lance» d'Amérique centrale (*Bothrops asper*). Ainsi, lors de vos randonnées, vous saurez mieux vous comporter si jamais vous avez l'occasion (!) de croiser l'un de ces reptiles.

Sur la route de Monteverde, un petit jardin devrait retenir votre attention. Le **Proyecto de Investigación Orquídeas de Monteverde** ★★ *(5$; 8h à 17h; ☎645-5510)* ouvre ses portes aux visiteurs désireux d'en apprendre plus sur cette fleur fascinante qu'est l'orchidée. Le botaniste qui s'en occupe, un passionné, a lui-même découvert six espèces d'orchidées. C'est qu'elle est prolifique cette famille de fleurs dont plusieurs des spécimens sont indigènes du Costa Rica! Seulement dans ce jardin de Monteverde, plus de 400 espèces poussent bon an mal an. La beauté du jardin est rehaussée par le fait que tous les mois de l'année se voient embellir par des espèces différentes. À l'entrée, ne soyez pas supris de vous voir remettre une loupe. En effet, plusieurs de ces fleurs demeurent toutes petites, mais non moins jolies. Faire le tour des différen-

tes sections du jardin, à travers les sentiers aménagés, vous prendra environ une heure.

La **Finca Ecológica** *(7$; tlj 7h à 17h; ☎645-5363)* est une réserve faunique privée de 17 ha où il est aisé d'observer un grand nombre d'espèces d'oiseaux (on vous en fournit une liste) et de papillons, mais également plusieurs animaux sauvages tels que coatis, agoutis, paresseux et singes capucins. La réserve de cette ferme (*finca*) écologique comprend différents types de forêts, de plus basse altitude que la forêt tropicale humide, où il pleut moins et où la végétation est moins dense. On y trouve même de petites plantations de bananiers et de caféiers. Le site est parcouru par quatre sentiers pédestres qui mènent à différents points de vue ainsi qu'à une chute. Des tours guidés, dont des visites nocturnes, y sont proposés. Si vous logez au très élégant **Monteverde Lodge** (voir p 217), sachez qu'un sentier (10 min) mène de l'hôtel à la ferme.

Le **Jardín de Mariposas** ★★ *(7$, tour guidé inclus; tlj 9h30 à 16h; aire de pique-nique, boutique de souvenirs; ☎645-5512)* est le lieu par excellence pour connaître et apprécier la beauté et l'originalité des papillons de la forêt tropicale. Les guides, fort sympathiques, vous feront d'abord découvrir le processus complexe et captivant des

différentes étapes de la vie des papillons. À l'intérieur du centre d'interprétation, vous verrez une grande collection de papillons et comprendrez le rôle des formes et couleurs qu'ils arborent. Alors que certains d'entre eux ont des «yeux» sur leurs ailes afin d'effrayer les prédateurs, d'autres ont un camouflage ressemblant à s'y méprendre à des feuilles. Dans l'un des présentoirs, il est même possible d'observer des chenilles se changer en chrysalides, pour ensuite éclore en jolis papillons. Et si vous êtes chanceux, vous assisterez peut-être à la mise en liberté et aux premiers battements d'ailes de nouveaux papillons!

Après la visite du centre d'interprétation, vous serez invité à parcourir quatre jolis jardins où les différentes variétés de plantes et de climats représentent l'habitat naturel des nombreuses espèces de papillons. Ces quatre jardins, au sein d'une volière, abritent des centaines de papillons provenant de plus de 40 espèces locales: excellent endroit pour la photo. L'une des espèces les plus spectaculaires est sans contredit le «morpho bleu», un papillon d'une dizaine de centimètres qui dévoile un côté tout bleu ainsi qu'un côté brun tacheté de cercles rappelant des yeux.

Après la visite guidée, vous êtes libre de vous balader à nouveau parmi les jardins, de pique-niquer à côté du centre d'interprétation ou simplement de vous détendre au soleil en observant les nombreuses espèces d'oiseaux qui fréquentent l'endroit. Bien que vous puissiez effectuer cette visite en une heure, nous vous recommandons d'y consacrer une demi-journée (amenez votre casse-croûte), car on ne se lasse pas d'admirer les éclatantes couleurs ainsi que la grâce de ces papillons.

Le **Bosque Eterno de los Niños** *(tlj 8h à 17h; en face de la station-service, ☎645-5003)*, la «forêt éternelle des enfants», constitue un magnifique projet de protection de la nature par l'acquisition de forêts autour de la Reserva Biológica Monteverde. Administrée par la Ligue pour la conservation de Monteverde, cette forêt ne cesse de s'agrandir au fil des années, dépassant aujourd'hui les 18 500 ha de superficie. L'association vit le jour en 1986, et, dès 1987, grâce à un don en argent amassé par des enfants suédois, elle se mit à acheter les terrains entourant la réserve afin d'assurer un corridor naturel, essentiel à la survie de la faune et de la flore exceptionnelles de la région de Monteverde.

Depuis, des enfants et des adultes de 44 pays ont ainsi récolté des fonds servant à protéger, pour les générations futures, une partie de cette forêt tropicale humide. Travaillant de concert avec les communautés locales, la Ligue pour la conservation de Monteverde s'occupe également de recherche et d'éducation. Elle dispose de deux centres éducatifs

(Poco Sol et San Gerardo) situés en pleine forêt où se trouvent des installations pour l'hébergement, des salles de classe, des laboratoires ainsi qu'un réseau de sentiers pédestres bien aménagé. Ces deux centres éducatifs font partie de la zone Atlantique de la cordillère de Tilarán, la ligne de partage des eaux passant tout juste à l'est de Monteverde et de Santa Elena.

Plus facilement accessible, le **Bajo del Tigre ★** *(5$; tlj 8h à 16h30; près de la CASEM, voir ci-dessous)*, relevant également de la Ligue pour la conservation de Monteverde, propose un réseau de courts sentiers (3,3 km) qui parcourent une forêt moins dense mais tout autant grouillante de vie animale et végétale. Faisant partie de la zone Pacifique de la cordillère de Tilarán, les lieux procurent de jolis points de vue sur le golfe de Nicoya. La visite débute au petit centre d'interprétation de la nature, où l'on explique ce qu'il y a à voir et à faire dans les environs. Des jeux éducatifs permettent aux enfants de s'initier à l'écologie de la forêt tropicale. L'endroit est réputé entre autres pour l'ornithologie, car plus de 200 espèces d'oiseaux y ont été recensées. Avant de partir à la découverte des sentiers, qui mènent jusqu'au canyon du Río Máquina, on vous remettra un excellent petit livret d'accompagnement dans lequel 22 stations d'auto-interprétation portant sur la faune et la flore du site sont présentées.

Plusieurs femmes de la région de Monteverde se sont unies afin de créer une coopérative d'artisanat local, dénommée **CASEM** *(tlj 8h à 17h; ☎645-5190)*. On y confectionne, à la main, des vêtements et d'autres articles ayant pour thème la faune et la flore de la région. Les profits découlant de la vente de ces produits d'artisanat servent à renflouer les artisans et la communauté de Monteverde.

La fabrique de fromage **La Lechería** *(lun-sam 7h30 à 16h, dim jusqu'à 12h30; ☎645-5136)*, située à mi-chemin entre Santa Elena et la réserve, fut fondée en 1953 par des quakers. La visite de la fabrique vous permettra de voir le procédé de fabrication d'une dizaine de sortes de fromages (edam, gouda, emmental, cheddar, etc.) dont le fameux et très populaire *monterico*. Alors que, dans les années 1950, on y fabriquait 10 kg de fromage par jour, cette production dépasse aujourd'hui les 1 000 kg. La fabrique, qui distribue désormais ses fromages à travers tout le pays, emploie plus de 100 personnes.

À deux pas de l'entrée de la réserve, la **Galería Colibrí ★**, ou Hummingbird Gallery *(tlj 10h à 16h30; ☎645-5030)*, présente les superbes photos de Michael et Patricia Fogden, de réputés photographes anglais résidant désormais dans la région. Outre les photos et diapositives, la boutique vend toutes sortes d'objets d'art, de vêtements et de bijoux ayant comme thème principal la nature, avec sa faune et sa flore. À 16h30, un diaporama est présenté par un biologiste de la région *(3$)*. À l'extérieur de la galerie, plusieurs mangeoires attirent des dizaines d'oiseaux-mouches comptant parmi les neuf espèces qui fréquentent la région. Le spectacle visuel et sonore des colibris, qui se baladent allègrement tout autour, constitue une expérience tout aussi agréable qu'unique. C'est l'endroit rêvé pour prendre d'excellents clichés de ces petits oiseaux sympathiques.

Reserva del Bosque Nuboso del Colegio de Santa Elena

Ceux qui désirent parcourir une forêt tropicale humide moins achalandée que celle de la réserve de Monteverde opteront pour la Reserva del Bosque Nuboso del Colegio de Santa Elena *(8$; tlj 7h à 16h; ☎645-5390)*. Cette réserve de 310 ha est située à 6,5 km au nord du village de Santa Elena, à une altitude de 1 670 m. Elle reçoit donc beaucoup de précipitations, et il est préférable de se vêtir en conséquence (location de bottes de pluie sur place).

La réserve de Santa Elena a ouvert ses portes au public le 1er mars 1992. Avant cette date, on tenta, sans succès, d'établir une ferme expérimentale d'agriculture pour la re-

cherche et l'éducation. C'est en 1989 que l'on décida d'en faire une réserve de forêt tropicale humide, soutenue par la Youth Challenge International, une organisation canadienne sans but lucratif. La réserve est administrée par le collège de Santa Elena, et les profits obtenus (droits d'accès, location de bottes, guides, souvenirs, transport, etc.) servent à entretenir ce précieux territoire, mais également à améliorer l'éducation environnementale des étudiants de la région. D'ailleurs, plusieurs groupes d'étudiants de plusieurs pays, ainsi que des volontaires canadiens et américains, viennent prêter main-forte afin d'entretenir les sentiers et le centre d'accueil.

Pour vous rendre à la réserve, prenez la route principale de Santa Elena vers le nord, en direction du Colegio Santa Elena, puis suivez les indications. La réserve est située à 6,5 km au nord du village. Désormais, du bureau d'information de Santa Elena, on propose le service de transport *(1,70$; départ tlj à 7h)* jusqu'à la réserve. Sur place, vous trouverez un centre d'accueil et d'information, un casse-croûte, une boutique de souvenirs, de la documentation et des toilettes.

La réserve compte quatre sentiers de randonnée pédestre, pour un total de 12 km. Chaque sentier forme une boucle que l'on parcourt en 45 min et quatre heures. Les différents points de vue *(mira-*

dores) s'ouvrent sur la forêt tropicale humide et permettent d'admirer entre autres le célèbre volcan Arenal (1 633 m), l'un des volcans les plus actifs au monde. En revanche, il ne faut pas avoir trop d'attente en ce qui concerne les points de vue, car la région demeure souvent couverte de nuages ou de brume. Cependant, on nous affirme qu'il est possible de distinguer, par temps clair, non seulement le lac et le volcan Arenal, mais aussi les volcans Tenorio (1 916 m), Miravalles (2 028 m) et Rincón de la Vieja (1 895 m), en direction nord-ouest, ainsi que le golfe de Nicoya, en direction sud!

Parmi les sentiers proposés, celui dénommé **The Youth Challenge** (0,8 km) est fort instructif. N'oubliez pas de demander la petite brochure d'accompagnement, car elle vous servira tout au long de ce sentier d'auto-interprétation où 15 stations numérotées vous permettront de découvrir les richesses floristiques et fauniques de ces forêts primaire et secondaire. La réserve de Santa Elena est composée à 80% de forêt primaire et à 20% de forêt secondaire, où les arbres sont moins gros et moins grands, et où la lumière pénètre davantage. Pour qu'une forêt secondaire, donc plus jeune, parvienne à maturité et que l'on puisse la classer dans la catégorie des forêts primaires, il faut compter en moyenne 80 années de croissance.

Bien qu'il soit rare de pouvoir surprendre un animal, il est cependant fréquent d'observer les traces de certains animaux qui habitent la réserve, tels le pécari, l'agouti, le kinkajou, l'ocelot et le puma. La faune aviaire est également bien représentée, et certains ornithologues préfèrent cette réserve à celle de Monteverde, car la tranquillité des lieux leur assure de meilleures observations. Et tout comme à Monteverde, le randonneur a la possibilité, avec de la chance bien sûr, de pouvoir admirer l'un des fabuleux quetzals de la région.

Reserva Biológica Bosque Nuboso Monteverde

Constituant le principal attrait touristique de la région, la Reserva Biológica Bosque Nuboso Monteverde *(10$; tlj 7h à 16h; accueil, restaurant, boutique de souvenirs, guides, documentation, location de bottes de pluie;* ☎*645-5122)* attire, à juste titre, de nombreux visiteurs venus, pour la grande majorité, découvrir les fabuleux trésors et les particularités de la forêt tropicale humide. La réserve de Monteverde est en fait une réserve écologique privée appartenant au Centro Científico Tropical de San José. Cet organisme sans but lucratif, qui

s'occupe de recherche scientifique et d'éducation écologique, gère également la réserve de façon à ce qu'un grand nombre de visiteurs puissent être sensibilisés à la nécessité de préserver ces forêts tropicales humides qui comptent parmi les plus grandes richesses du pays. Or, la forêt tropicale humide, en plus de protéger une faune et une flore aussi abondantes (dans la réserve) que rares (dans le pays), alimente également en eau les multiples vallées qui s'étendent dans toutes les directions.

L'idée de préserver cette forêt tropicale humide commença en 1972, lorsque les scientifiques George et Harriet Powell visitèrent la région. Ils décidèrent, de concert avec Wilford Guindon, un résidant de la région, de promouvoir l'urgence de préserver la forêt par l'acquisition de terres et la fondation d'une réserve. Le Centro Científico Tropical de San José accepta d'acquérir des terres et d'en faire des zones protégées. Au début, la réserve avait une superficie de 328 ha mais, en 1975,

elle s'agrandit grâce aux nouveaux 554 ha qui font suite à une entente avec les membres de la communauté quaker. De nos jours, la réserve de Monteverde s'étend sur 10 500 ha de forêt tropicale humide. Compte tenu du **Bosque Eterno de los Niños** (voir p 201), qui l'entoure, ainsi que d'autres réserves ou forêts protégées des alentours, il est agréable de constater que la région de Monteverde se porte bien et qu'elle sert de modèle en matière de préservation environnementale.

Le parc est situé de part et d'autre de la ligne continentale de partage des eaux. Ainsi, du côté ouest de la ligne, l'eau coule vers le Pacifique, alors que, du côté est, elle dévale vers la mer des Caraïbes. On y rencontre donc des conditions climatiques et géographiques très diversifiées et facilement observables, car le visiteur a l'occasion de parcourir différents secteurs de la réserve sans avoir à effectuer de longs déplacements, la ligne continentale de partage des eaux passant à environ 2 km à l'est du centre d'accueil et d'information. Ainsi, lorsqu'on parcourt les sentiers de la réserve, il faut s'attendre à rencontrer des conditions météorologiques variables (pluie, soleil, vent, encore de la pluie, beaucoup d'humidité, etc.) et donc prévoir des

Ocelot

vêtements supplémentaires, des bottes et un imperméable, en plus d'un appareil photo, de l'insectifuge et des indispensables jumelles. La réserve étant située en montagne, le centre d'accueil se trouve à 1 530 m d'altitude; les matinées peuvent donc être fraîches et humides. La température moyenne tourne autour de 17°C, et les précipitations annuelles dépassent les 3 m.

Les paysages sont façonnés par les variations d'altitude qu'on y rencontre. La section la moins élevée (600 m) se situe près du Río Peñas Blancas, alors que la plus élevée est atteinte au sommet du Cerro Tres Amigos (1 842 m), au nord-ouest de la réserve. Entre ces deux extrêmes, la végétation se compose de riches forêts aux arbres parfois immenses, mais toujours garnis de mousses, de lianes et de milliers de plantes épiphytes, où le soleil à peine à toucher le sol. Parmi les quelque 2 500 espèces de plantes, on dénombre pas moins de 420 différentes espèces d'orchidées. La réserve englobe six différentes zones de vie ainsi qu'une biodiversité si complexe que les scientifiques ne cessent d'y faire des découvertes.

La réserve est habitée par une centaine d'espèces de mammifères, entre autres le jaguar, l'ocelot et le tapir de Baird, difficilement observables mais dont on peut parfois croiser les traces. En revanche, il est relativement aisé de surprendre des singes hurleurs ou capucins. La réserve compte également 120 espèces d'amphibiens et de reptiles, ainsi que plus de 400 espèces d'oiseaux, constituant ainsi un véritable paradis ornithologique.

Les sentiers

La réserve de Monteverde compte sept sentiers de randonnée pédestre, pour une longueur totale de 12,4 km (en plus des sentiers où l'accès est limité). Le nombre de visiteurs fréquentant les sentiers en même temps est limité à 120. Il est donc préférable de réserver la veille de votre visite (la plupart des hôtels peuvent réserver votre entrée et les services d'un guide). Ainsi, vous pourrez arriver très tôt et profiter des premières heures pour observer les oiseaux, à moins que vous ne passiez la nuit dans un des trois abris situés le long des sentiers ou au refuge qui se trouve près de l'entrée (les groupes et les chercheurs ont cependant la priorité). De plus, nous vous recommandons fortement de faire appel à l'un des guides naturalistes de la réserve afin d'en apprendre davantage sur la faune et la flore des lieux. La **visite guidée** *(de jour ou de nuit, dès 7h30, réservations recommandées, 15$ par personne, plus les droits d'accès)* dure environ trois heures et débute à la Galería Colibrí (Hummingbird Gallery) par un court (10 min) diaporama présentant la réserve. Par la suite, le guide naturaliste vous fera parcourir de très courts sentiers en vous faisant découvrir la diversité de la flore, tout en vous montrant les oiseaux et les autres animaux de la réserve. Après la visite, vous serez invité de nouveau à regarder un autre diaporama (30 min) à la Galería Colibrí. Le reste de la journée, vous êtes libre d'explorer les sentiers de la réserve.

Très bien balisés et entretenus, les sentiers de randonnée pédestre de la réserve permettent de pénétrer en toute quiétude dans la forêt tropicale humide (on vous remet une carte des sentiers à l'entrée). Les sentiers les plus visités forment un triangle (El Triangulo) qui s'étend vers l'est. Le sentier **Río** mène au Río Cuecha et à sa petite cascade naturelle. Le sentier **Chomogo**, quant à lui, grimpe à 1 680 m d'altitude et permet d'atteindre le point de vue du sentier **Roble**. Finalement, le sentier d'auto-interprétation **Bosque Nuboso** (procurez-vous la petite brochure à l'accueil) se compose de 28 stations numérotées portant sur la faune et la flore de la réserve. Ce sentier se termine au point de vue dénommé **La Ventana**, où l'on embrasse d'un coup d'œil toutes les directions.

Ceux qui désirent aller dormir dans un des **trois refuges** de la réserve *(5$/pers./nuitée; réservations requises)* devront marcher entre deux et six heures selon le refuge choisi. Chaque refuge peut accueillir jusqu'à 10 randonneurs et est pourvu d'un poêle, d'ustensiles de cuisine, d'eau potable et d'une douche (pas d'électricité).

Refugio Nacional de Vida Silvestre Caño Negro

Le Refugio Nacional de Vida Silvestre Caño Negro *(6$; tlj 8h à 16h; ☎460-1412 ou 460-6484)* est situé à l'extrême nord du pays, à proximité du Nicaragua. D'une superficie de 9 969 ha, cette réserve a bonne réputation grâce à son lac de 800 ha, dont l'importance varie selon la saison des pluies qui gonflent considérablement le Río Frío. Lors de la saison sèche, soit entre janvier et avril, le lac Caño Negro, d'une profondeur maximale de 3 m, diminue graduellement en superficie, pour parfois disparaître complètement!

Bien que la réserve soit surtout fréquentée par les ornithologues, biologistes et autres naturalistes, elle attire de plus en plus des groupes organisés qui viennent y passer la journée et découvrir une densité faunique des plus remarquables.

La plupart des visiteurs aimeront découvrir la réserve en canot ou en bateau, au départ de Los Chiles, par le Río Frío. Une telle excursion permet d'observer, entre autres animaux, des caïmans, des tortues, des iguanes et des singes. Parmi l'abondante faune aviaire qui fréquente la réserve, notons l'anhinga d'Amérique *(Anhinga anhinga)*, la spatule rose *(Ajaia ajaja)*, l'ibis blanc *(Eudocimus albus)*, le jacana d'Amérique *(Jacana spinosa)*, le tantale d'Amérique *(Mycteria americana)*, le dendrocyne *(Dendrocygna autumnalis)* et le jabiru américain *(Jabiru mycteria)*. De plus, la réserve abrite la plus grande colonie de cormorans olivâtres *(Phalacrocorax olivaceus)* au Costa Rica ainsi que la seule colonie de quiscales du Nicaragua *(Quiscalus Nicaraguensis)*.

Outre les balades en bateau et l'observation de la faune, la réserve offre peu d'intérêt aux amateurs d'activités de plein air. Lors de la saison sèche, alors que le lac a presque disparu, il est possible de découvrir la région à pied. Aussi, le camping est permis, et la petite maison des

Il se réveille...

Notez que le volcan Arenal, qui est toujours en activité, a connu des irruptions assez importantes à l'été 2000, faisant même quelques victimes. Souvenez-vous de respecter scrupuleusement les consignes de sécurité et de ne pas vous aventurer dans les zones interdites.

gardiens du parc sert de lieu d'accueil et d'information. Nous vous recommandons fortement de visiter la réserve en faisant appel à une agence (à San José ou à La Fortuna) ou à un guide (à Los Chiles).

Activités de plein air

Randonnée pédestre

Le **Parque Nacional Arenal** (voir p 195) dispose de courts mais fort intéressants sentiers qui mènent à de jolis points de vue sur le volcan ainsi que sur les coulées de lave.

Tout près du parc, l'**Arenal Observatory Lodge** (voir p 211) offre également un réseau de sentiers pédestres en plus d'une vue incroyable sur le volcan.

La région de **Monteverde** a tout pour plaire aux adeptes de la randonnée pédestre. La flore et la faune de la forêt tropicale humide attirent des randonneurs du monde entier. En plus de visiter la célèbre réserve de Monteverde, il est possible de marcher dans les sentiers de la réserve de Santa Elena, de la Finca Ecológica, du Bosque Eterno de los Niños et de la réserve Sendero Tranquilo.

Nord du pays

Observation des oiseaux

La région de **Monteverde** compte plus de 400 espèces d'oiseaux, dont le fameux et très recherché quetzal.

Le **Refugio Nacional de Vida Silvestre Caño Negro** (voir p 205) est considéré par les ornithologues comme l'un des secrets bien gardés du Costa Rica. La faune aviaire y est abondante et diversifiée, avec plusieurs espèces d'oiseaux aquatiques.

Rafting

Aguas Bravas
☎*229-4837 à La Fortuna*
☎*292-2072 à San José*
L'agence Aguas Bravas vous emmène sur le Río Sarapiquí (classe III) ou le haut Sarapiquí (classes IV et V), dans la région de Puerto Viejo, de même que sur le Río Peñas Blancas (classes II et IV), près du volcan Arenal.

Équitation

Dans la région d'Arenal et de Monteverde, il est facile de louer des chevaux, avec ou sans guide. Il en coûte entre 8$ et 12$ l'heure, et il vous suffit d'en faire la demande à votre hôtel. À Monte-

verde, **Meg's Stables** (☎*645-5560 ou 645-5052*) et **Caballeriza El Palomino** (☎*645-5479*) proposent des tours guidés fort appréciés.

Sports nautiques

Le **Tilawa Windsurf Spots & Boat Rental** de même que le **Tico Winds Windsurf Spot & Equipment Rental**, situés à l'extrémité ouest du lac Arenal, proposent services et équipements pour pratiquer différents sports nautiques sur le lac.

Excursions dans la canopée

Les Canopy Tours (excursions dans la canopée) permettent aux «Tarzan» en herbe de se balancer de la cime d'un arbre à une autre, tout en étant solidement attachés à un cuissard ainsi qu'à un système de poulies. Cette activité consiste d'abord à vous hisser sur une plateforme juchée au haut d'un immense arbre, puis à glisser le long de câbles, d'un arbre à l'autre, en contemplant la riche et dense végétation qui défile sous vos pieds, une trentaine de mètres plus bas. Incluant une courte balade en forêt pour vous rendre au site, l'activité dure en moyenne 2 heures 30 min.

Monteverde Canopy Tour
45$
☎*645-5243*
Le dernier-né de ces circuits, le Monteverde Canopy Tour vous en mettra plein la vue! Arpentez la forêt tropicale, tout près de la réserve de Santa Elena, le long de 14 plates-formes juchées à des hauteurs vertigineuses et reliées par des câbles parfois longs de plusieurs mètres! Ses installations, parmi les plus importantes au pays, se révèlent sécuritaires, et le personnel est habile et compétent, ce qui rassure quelque peu! De toute façon, même les victimes du vertige oublieront vite leurs maux en se laissant absorber par la beauté des paysages.

Vous pouvez aussi prendre part aux balades de l'**Original Canopy Tour** *(45$;* ☎*645-5243)* ou du **Sky Trek** *(12$;* ☎*645-5238)*, associé au **Sky Walk** (voir p 199). Les deux proposent le même type de circuit, mais sur un parcours moins long.

Hébergement

La région de Puerto Viejo de Sarapiquí

Puerto Viejo de Sarapiquí

Cabinas Monteverde
$
bp, ⊗
☎*766-6236*
Pour les voyageurs à petit budget, les Cabinas Mon

teverde proposent des chambres au confort basique à proximité d'un petit restaurant très fréquenté.

Mi Lindo Sarapiquí
$$
ec, bp, ⊗, ℜ
du côté sud du terrain de *fútbol*
☎*766-6281 ou 766-6074*
Toujours pour les voyageurs à petit budget, Mi Lindo Sarapiquí s'avère fort recommandable dans la ville de Sarapiquí. Simplement décorées, les chambres sont propres et lumineuses. On y trouve un bon petit restaurant (voir p 217).

El Bambu
$$$$ pdj
bp, ec, ⊗, tv
du côté ouest du terrain de *fútbol*
☎*766-6005*
⇌*766-6132*
www.elbambu.com
El Bambu se révèle être le meilleur hôtel dans la ville de Puerto Viejo de Sarapiquí. Les chambres sont propres, et le design général de l'endroit témoigne d'un certaine classe pour les environs. Les enfants de moins de 12 ans y logent gratuitement s'ils partagent la chambre de leurs parents.

À l'ouest de Puerto Viejo de Sarapiquí

La Quinta de Sarapiquí Lodge
$$$$
bp, ec, ⊗, ℜ
5 km au nord de La Virgen, sur la route principale entre Puerto Viejo et La Virgen, puis 1 km à l'ouest depuis cette route
☎*761-1052*
⇌*761-1395*
www.laquintasarapiqui.com
La Quinta de Sarapiquí Lodge est un chalet d'une dizaine de chambres niché dans un beau jardin sur les rives du Río Sardinal. Son principal attrait réside dans les nombreuses activités proposées aux clients par les sympathiques propriétaires: baignade dans la rivière, vélo de montagne, observation des oiseaux, randonnées à cheval, promenades en bateau, etc.

La Selva Verde
$$$$$
ℜ
Chilamate, quelques kilomètres à l'ouest de Puerto Viejo
☎*766-6800*
⇌*766-6011*
www.selvaverde.com
L'hôtel La Selva Verde arbore un décor rustique. De belles vérandas communes ajoutent au confort de cet hôtel, tout comme la petite bibliothèque, le restaurant, les parterres bien entretenus et les possibilités de randonnées et d'excursions dans la réserve privée de 200 ha au centre de laquelle est situé l'hôtel. Les randonnées, guidées ou non, vous permettront

d'admirer oiseaux, papillons, mammifères, reptiles et compagnie. On propose également des excursions sur le Río Sarapiquí. Les enfants de moins de 12 ans y logent gratuitement s'ils partagent la chambre de leurs parents.

Au sud de Sarapiquí

Ecolodge Sarapiquí
$$$/pers. pc
bc, ⊗
immédiatement à l'est de La Selva
☎*766-6569*
⇌*236-8762*
De gestion familiale, l'Ecolodge Sarapiquí se dresse sur un terrain de 80 ha destiné à la production laitière. L'hébergement proposé se trouve à l'étage de la résidence, alors que les salles de bain sont au rez-de-chaussée. La propreté y règne, et les bons repas sont maison. Il est possible de se baigner dans le Río Puerto Viejo, qui coule à cet endroit.

El Plastico
$$$/pers. pc
ec, bc
à 12 km de Horquetas, Rara Avis El Plastico, à l'origine relié à un projet de colonie pénitentiaire dans la jungle au cours des années 1960, est maintenant associé à Rara Avis. Rustique (on se partage les chambres et les douches) mais tout de même confortable. Les repas sont plantureux. Rabais consentis aux groupes d'étudiants et aux chercheurs.

Waterfall Lodge
$$$$/pers. pc, visites guidées et transport de Horquetas
ec, bp
à 3 km d'El Plastico, Rara Avis
☎764-3131
www.rara-avis.com

Tout près d'une très jolie chute d'eau (d'où son nom) et peut-être un peu moins rustique qu'El Plastico, le Waterfall Lodge propose des chambres confortables qui, quoique sans électricité, comprennent toutes une salle de bain privée et un balcon.

Au nord de Sarapiquí

El Gavilán Lodge
$$$$ pdj
ec, bc/bp, ⊛
4 km au nord-est de Puerto Viejo
☎234-9507
≈253-6556
www.gavilanlodge.com

El Gavilán Lodge se cache dans une réserve de 100 ha de forêt tropicale humide. Le *lodge* propose des chambres et des *cabinas* assez spacieuses avec de grandes salles de bain privées (quelques chambres partagent une salle de bain). Possibilité de randonnée équestre dans la forêt tropicale environnante et d'autres expéditions à plus long cours. Les environs immédiats fournissent la maison en fruits frais pour les repas et permettent aux clients d'observer la faune aviaire.

La Laguna del Lagarto Lodge
$$$$
bp/bc, ec, ⊗, ℜ
☎289-8163
≈289-5295
www.lagarto-lodge-costa-rica.com

Juché complètement au nord du Costa Rica, à deux pas de la frontière avec le Nicaragua, dans une région sauvage à souhait où les forêts et les rivières servent d'écrin à une faune et une flore d'une richesse inouïe, La Laguna del Lagarto Lodge se révèlera, pour les écologistes en herbe, un petit paradis. Le propriétaire allemand a construit, de ses mains, un grand bâtiment dans lequel il loge et nourrit ses visiteurs avec beaucoup d'attention. Depuis une dizaine d'année, il s'affaire à créer ici une ambiance conviviale pour accueillir les amoureux de la nature. Son domaine de 500 ha est sillonné de sentiers balisés le long desquels les espèces d'arbres sont identifiées par des panonceaux. De plus, on y a recensé plus de 350 espèces d'oiseaux. Pour jouir de tout cela, une foule d'activités y sont proposées. Informez-vous lors de la réservation du chemin à suivre pour vous y rendre.

Ara

La Selva

La Selva
$$$$$ pc
bc
3 km au sud de Puerto Viejo de Sarapiquí
☎766-6565
≈766-6335
ou par l'OTS
☎240-6696
≈240-6783

Il est possible de dormir dans la réserve écologique La Selva. Il faut réserver à l'avance. Des bungalows fournissent du logement à raison de quatre lits par chambre pour l'essentiel. Le tout est très propre. Les repas sont servis dans la salle à manger que l'on partage avec les chercheurs et les étudiants.

La région de Ciudad Quesada

Hotel del Valle
$
bp, ec
200 m au nord et 50 m à l'ouest du Parque Central, Calle 3, Av. 0, Ciudad Quesada
☎460-0718
≈460-7551

L'Hotel del Valle est un petit hôtel urbain de province tout indiqué pour les gens à petit budget désirant passer la nuit dans la ville de Ciudad Quesada.

La Central
$$
ec, bp, tv
du côté ouest du Parque Central, Ciudad Quesada
☎460-0766 ou 460-0301
≈460-0391

L'hôtel-casino La Central peut être un des meilleurs endroits où loger si vous décidez de demeurer dans la ville de Ciudad Quesada. Les 48 chambres, propres, se trouvent dans un édifice aux allures de grand hôtel qui abrite également un casino.

Don Goyo
$$
bp, ec, ℜ
100 m au sud du parque Central, Ciudad Quesada
☎460-1780
↝460-6383
L'hôtel Don Goyo, plus récent que l'hôtel La Central, affiche un design plus contemporain. Ses 13 chambres sont propres. Un petit restaurant au rez-de-chaussée permet de prendre ses repas sur place.

La Garza
$$$$
bp, ec, ⊛, ≈
Platanar, entre Florencia et La Muelle, au nord-ouest de Ciudad Quesada
☎475-5222
↝475-5015
www.hotellagarza.com
Les hérons nidifient dans les environs de l'hôtel La Garza, et on peut les voir le soir. C'est pourquoi l'hôtel a pris ce nom, le mot espagnol *garza* signifiant «héron». Le complexe hôtelier se trouve à proximité d'un ranch et d'une ferme laitière de même que d'une forêt de 300 ha. Les activités proposées pour tirer profit de cet environnement ne manquent pas ici. Des chambres, où l'on a privilégié le bois, se dégage beaucoup de charme, et l'ensemble du site offre la possibilité de contempler le majestueux volcan Arenal. Service de buanderie.

Tilajari Resort
$$$$
ec, bp, ≡, tv, ≈, △, ℜ
Muelle de San Carlos, 22 km au nord de Ciudad Quesada
☎469-9091
↝469-9095
www.tilajari.com
Le Tilajari Resort constitue un complexe de villégiature situé au cœur de la vallée de San Carlos, à quelque 40 min du volcan Arenal, sur un terrain de 12 ha où s'épanouissent plus de 150 espèces de plantes et d'arbres tropicaux le long du Río San Carlos. On y propose d'ailleurs des randonnées pédestres ou équestres de même que l'observation des papillons.
L'aménagement des chambres est d'une belle sobriété. Le complexe est important: il comprend piscine, bassin à remous, sauna, terrains de tennis, de racquetball et de basket-ball ainsi qu'une salle de jeux, une salle de conférences, un bar, une discothèque et une boutique de souvenirs.

Meliá El Tucano
$$$$
ec, bp, ≈, ⊛, △, ℜ
8 km au nord-est de San Carlos, sur la route d'Aguas Zarcas
☎460-6000
↝460-1692
www.occidentaltucano.com
Meliá El Tucano, essentiellement un établissement thermal localisé dans une forêt de 182 ha, propose des services de balnéothérapie et de physiothérapie grâce aux sources d'eau chaude des environs. L'hôtel possède même un minigolf et des courts de tennis, le tout dans un beau décor moderne mais inspiré. Un restaurant de spécialités italiennes et un autre végétarien s'ajoutent aux installations.

La région d'Arenal

Aux environs de La Fortuna

Vous remarquerez que les établissements d'hébergement à La Fortuna offrent souvent la possibilité de balades à cheval, entre autres vers le volcan. Le nombre étonnant de petites *cabinas* à louer dans la région fait en sorte que vous pouvez certainement négocier la location de l'une d'entre elles, particulièrement en basse saison. Cependant, sachez que plusieurs ne possèdent pas de piscine, ce qui constitue un net désavantage dans cette région assez chaude du pays.

Hotel La Fortuna
$ pdj
⊛, ec, bp, ℜ
☎/↝479-9197
Dans la ville de La Fortuna même, sur la rue longeant le Río Burío, l'Hotel La-Fortuna, bien tenu et d'aménagement simple, est la propriété d'un animateur dynamique qui peut vous proposer toutes sortes de sorties dans la région. Son restaurant, proposant une cuisine simple tant *tica* que nord-américaine, est ouvert au public et invite à la détente dans un décor sobre et amical.

Nord du pays

Cabinas Sissy
$
ec, bp
100 m au sud et 100 m à l'ouest de l'église, La Fortuna
☎*479-9256*
Les Cabinas Sissy représentent un choix intéressant pour les petits budgets.

Cabinas Mayol
$$
bp, ≈, ⊗
☎*479-9110*
Les Cabinas Mayol possèdent huit chambres à l'ameublement assez réduit (comme la plupart des *cabinas* du coin, d'ailleurs).

Cabinas Carmela
$$
ec, bp
une rue passé l'hôtel La Central, aux environs de l'Avenida 0 et de la Calle 0, à côté de l'église et de sa place, La Fortuna
☎*/⇄479-9010*
Les Cabinas Carmela proposent la même formule que les autres *cabinas* de la région (de petites chambres dans de petites unités d'habitation sur le terrain).

Cabinas Guacamaya
$$$
ec, bp, ≡, ℝ
à l'extrémité est de La Fortuna
☎*479-9393*
⇄*479-9087*
www.cabinasguacamaya .com
Les Cabinas Guacamaya, posées dans le jardin de la famille propriétaire, sont deux *cabinas* propres et modernes. Les petits porches sont tout indiqués pour se détendre lorsqu'il fait chaud et que l'on veut admirer le volcan. Le propriétaire s'avère sympathique: son idée d'équiper ses *cabinas* d'un réfrigérateur et d'un

climatiseur est intéressante et surtout utile.

Cabinas Villa Fortuna
$$$
bp, ec, ≈, ℝ, ≡
500 m à l'est du Colegio Agropecuario, La Fortuna
☎*/⇄479-9139*
Les Cabinas Villa Fortuna sont d'abord d'une propreté impeccable. De plus, l'aménagement des chambres (dans le petit motel) ou des appartements (au choix) invite à y demeurer, ce qui n'est pas le cas pour toutes les *cabinas* du coin. Les propriétaires sont accueillants et soignent les oiseaux blessés avec amour.

San Bosco
$$$
ec, bp, ≡
Calle 2, Av. 1, à 200 m au nord de la station-service, La Fortuna
☎*479-9050*
⇄*479-9109*
www.arenal-volcano.com
L'hôtel San Bosco compte 29 chambres et deux *casitas* propres et assez confortables dans un décor simple. Fait intéressant, l'hôtel possède une tour d'observation. C'est peut-être l'un des hôtels les plus dignes de ce nom au cœur de la ville.

Las Cabañitas
$$$$
bp, ec, ⊗, ≈, ℜ
☎*479-9400 ou 479-9343*
⇄*479-9408*
Entre La Fortuna et El Tanque, Las Cabañitas proposent des *cabinas* de bois au très beau design, avec de belles petites vérandas, sur un assez grand terrain pourvu d'une piscine. L'endroit possède également un restaurant de cuisine internationale

de même qu'un casse-croûte.

ᓚ Arenal Country Inn
$$$$$ pdj
bp, ec, ≈, ≡
☎*479-9670 ou 479-9669*
⇄*479-9433*
www.arenalcountryinn. com
Située un peu en retrait du village de La Fortuna (1 km avant si l'on vient de San Ramón), mais toujours au pied de l'incontournable volcan, la propriété de l'Arenal Country Inn respire le calme campagnard. En fait, c'est exactement l'allure que veulent lui donner les sympathiques propriétaires. La réception et les tables du petit déjeuner (délicieux!) se trouvent dans un corral; des chevaux broutent dans les prés environnants, et l'aménagement paysager a été élaboré avec beaucoup de finesse. Les 20 petits bungalows de deux chambres s'éparpillent donc sur cette propriété. L'aménagement des chambres, qui comportent deux lits et une petite table ronde, est agréablement égayé par plusieurs fenêtres aux rideaux de tulle. Jusqu'au plafond qui se voit pourvu d'un puits de lumière! Les installations se révèlent modernes et pratiques. Devant chacun des bungalows, un banc de bois permet d'admirer le volcan, lorsqu'il veut bien se sortir la tête des nuages. Il y a un restaurant au village, à 5 min en voiture.

Aux environs du volcan Arenal

La Catarata Lodge
$$$ pdj
ec, ℜ, bp
1,5 km au sud de la route principale menant au volcan au départ de La Fortuna
☎*479-9522*
⇄*479-9168*
L'auberge écotouristique La Catarata Lodge, avec jardin de papillons et petit restaurant, loue des *cabinas* très convenables. L'intérêt de loger ici est que vous encouragez un projet pris en mains par une association locale de promotion du développement durable, l'Asociación Para el Ambiante y el Desarollo Sustenable.

Cabinas Rossi
$$$ pdj
ec, bp, ℜ, ⊗
1 km à l'extérieur de La Fortuna vers le volcan, à côté du restaurant La Vaca Muca
☎*479-9023*
⇄*479-9414*
www.hotelarenalrossi.com
Les Cabinas Rossi affichent un rien de standing de plus que la plupart des autres *cabinas* des environs.

Arenal Observatory Lodge
$$$$
ec, bp, ℜ
lac Arenal
☎*692-2070 ou 290-7011*
⇄*290-8427*
www.arenal-observatory.co.cr
Les installations de l'auberge de l'observatoire du volcan Arenal, l'Arenal Observatory Lodge, s'avèrent modestes (trois lits superposés par chambre); les repas, typiquement *campesinos*, sont servis dans une salle commune. Mais vous avez évidemment une vue privilégiée sur le volcan, étant donné que le site est un centre d'études pour les sismologues du Smithsonian Institute et de la Universidad Nacional de Costa Rica! Possibilité d'organiser des visites des attraits du coin.

Hotel Arenal Paraíso
$$$$
ec, bp, ℜ, ≡, tv, ⊗, ℝ
7 km à l'ouest de La Fortuna, tout près du Tabacón Resort
☎*460-5333*
⇄*460-5343*
www.arenalparaiso.decostarica.co.cr
L'Hotel Arenal Paraíso loue de petites *cabinas* propres, au décor simple, mais qui possèdent toutes une petite véranda fermée par une baie vitrée pour admirer le volcan tout près. Le site comprend des sentiers de randonnée à travers une propriété de 60 ha.

Arenal Lodge
$$$$
ec, bc, ℜ, ⊛
à 2,5 km de la digue du lac Arenal, entre La Fortuna et Nuevo Arenal
☎*228-3189*
⇄*289-6798*
www.arenallodge.com
Le bois est à l'honneur dans le design de l'Arenal Lodge, qui comprend des chambres dans le bâtiment principal de même que de petits chalets. Une bibliothèque faisant aussi office de salle de billard agrémente les lieux. La vue sur le lac de même que sur le volcan est très jolie. Possibilité d'excursions de pêche.

La Pradera
$$$$
bp, ec, ⊗, ≡, ℜ, ⊛
sur le chemin entre La Fortuna et le volcan Arenal
☎/⇄*479-9167*
L'hôtel La Pradera propose des chambres très propres au confort moderne dans un bâtiment de type motel.

Montaña de Fuego
$$$$$ pdj
bp, ec, ⊗
8 km à l'ouest de La Fortuna vers le volcan Arenal
☎*460-1220 ou 460-6720*
⇄*460-1455*
www.montanadefuego.com
L'hôtel Montaña de Fuego possède de petits chalets de bois dont les solariums sont adorables et donnent sur le volcan Arenal. L'aménagement paysager du site, déjà joli, gagnera à mûrir.

Tabacón Lodge
$$$$$ pdj
bp, ≈, ℜ, ≡, ec, tvc
☎*256-1500*
⇄*221-3075*
www.tabacon.com
Depuis toujours, on érige des hôtels aux abords des sources thermales. Eh bien, la tradition se poursuit au Costa Rica! Le Tabacón Resort est maintenant doté d'un hôtel de luxe, qui n'a d'ailleurs pas fini de grandir. Pour le moment, l'hôtel possède trois bâtiments construits en surplomb sur les sources. Tous ont des chambres identiques répondant aux normes nord-américaines. Leur décoration, il va sans dire, n'est pas très chaleureuse. Mais le petit balcon, avec sa porte-fenêtre et sa vue sur le volcan, peut compenser ce désagrément. D'autant

Nord du pays

plus qu'avec un accès illimité aux bains (même le jour de votre arrivée et celui de votre départ), vous ne passerez probablement pas beaucoup de temps dans votre chambre! Sans parler du relais-santé (spa) proposant tous les forfaits beauté, détente et santé imaginables. Si vous ne désirez pas descendre la colline jusqu'au *resort*, vous trouverez près des bâtiments un bassin d'eau chaude, un restaurant, une piscine dotée d'un bar et un bassin à remous.

Jungla y Senderos Los Lagos
$$$$$
bp, ec, ≈, ℜ
entre La Fortuna et le Tabacón Resort
☎*479-8000 ou 479-9126*
⇆*479-8009*
www.botelloslagos.com
Voisin du volcan, le complexe Jungla y Senderos Los Lagos propose des chambres et de petites *cabinas* très correctes sur un site comprenant des piscines avec glissades, un lac pour la baignade et un second lac pour la pêche. De plus, des sentiers de randonnée pédestre mènent jusqu'à la base de la section interdite du volcan et permettent de toucher à une coulée de lave de 1968. Les installations comprennent également une aire de camping ainsi qu'un restaurant, des courts de tennis et des bassins d'eaux thermales.

Autour du Lago Arenal

Los Héroes
$$$$ pdj
bp, ec, ≈, ℜ
☎*692-8014 ou 692-8012*
⇆*228-1472*
www.botellosberoes.com
À quelque 30 km de La Fortuna se dresse sur un petit promontoire l'hôtel de style chalet suisse Los Héroes. Les espaces communs de l'endroit sont remplis d'objets rappelant la Suisse, et le restaurant propose certains mets suisses (voir p 219). Il s'agit d'un établissement assez confortable aux chambres simples et sobres.

🦋 Villa Decary
$$$$ pdj
bp, ec, ℂ
2 km à l'est de Nuevo Arenal, lac Arenal
☎*383-3012*
⇆*694-4330*
www.villadecary.com
La Villa Decary se révèle particulièrement intéressante. Un confort sans compromis, des chambres propres au très beau design mettant en évidence le bois ouvré, une belle petite véranda pour admirer le lac... Il y a également sur le terrain un petit chalet avec une cuisinette et un large porche. Les propriétaires sont éminemment sympathiques, et leur petit déjeuner est divin. La marque de commerce de cette auberge est la tranquillité. N'hésitez pas à leur demander quelque renseignement que ce soit sur la région. Pas de cartes de crédit.

Nuevo Arenal

Cabinas Rodríguez
$
bc/bp, ec
en face du terrain de sport
☎*694-4237*
Les Cabinas Rodríguez proposent des chambres économiques, sans grand aménagement sinon le lit. Le vieux propriétaire est cependant fort sympathique.

Aurora Inn B&B
$$$ pdj
ec, ⊗
☎*694-4245*
⇆*694-4262*
www.botelaurorainn.com
L'Aurora Inn B&B constitue l'un des rares hôtels dignes de ce nom (parce que propre et assez confortable) au centre de la ville de Nuevo Arenal. L'endroit ne possède pas de restaurant, mais il y a un bar ouvert le soir avec vue sur le lac.

Joya Sureña
$$$
ec, bp, ℜ, △, ☺, ≈
☎*661-0784*
⇆*661-2518*
L'hôtel Joya Sureña, un petit complexe hôtelier situé sur une plantation de caféiers, offre une belle vue sur le lac Arenal. Les chambres présentent un bel aménagement sobre. La partie centrale extérieure du complexe est d'architecture vaguement «canadienne» avec son toit à deux versants et ses lucarnes qui les percent (fait relativement unique au Costa Rica, on en conviendra).

Entre Nuevo Arenal et Tilarán

Rala de Arenal
$$
ec, bp, ℜ
un peu en retrait de la route Tilarán–Nuevo Arenal, un peu plus loin que le chemin menant au Lago Coter Eco-Lodge vers Tilarán
L'hôtel Rala de Arenal, un petit établissement propre, recommandable, propose de belles petites chambres sans prétention. Le rez-de-chaussée loge les chambres, alors qu'à l'étage sont situés le restaurant, avec de petites tables, et un beau bar tranquille. Le petit domaine sur lequel se trouve l'hôtel est aménagé de manière à bien isoler l'établissement de la route. Présence d'une petite rivière et d'une fontaine. Le chemin d'accès est assez facile à parcourir.

Cabinas Vista Lago Inn
$$$
bp, ec
à 17 km de Tilarán, vers Nuevo Arenal, près de la municipalité de Guadalajara
☎ *661-1840*
Le Cabinas Vista Lago Inn compte quelques *cabinas* propres près du lac.

⚓ Chalet Nicholas
$$$-$$$$ pdj
bp, ec
2 km à l'ouest de Nuevo Arenal
☎/⇆ *694-4041*
www.chaletnicholas.com
Le Chalet Nicholas se révèle être un gîte touristique où les invités ont vraiment l'impression de partager la maison, très jolie sur sa petite colline, avec leurs hôtes. Fort sympathiques, ceux-ci sont d'ailleurs très préoccupés

par l'écologie (culture biologique, reforestation, etc.) et ont déjà gagné un prix pour leurs efforts. Ils se feront un plaisir de vous renseigner sur ce qu'il y a à voir et à faire dans la région. Seuls les non-fumeurs sont admis. Vous serez accueilli par les «bébés de la maison», trois énormes chiens danois! Attention, les cartes de crédit ne sont pas acceptées.

Mystica Resort
$$$$ pdj
bp, ec, ℜ
☎ *692-1001*
⇆ *692-1002*
Ne vous laissez pas tromper par cette apposition du terme *resort*. Il s'agit en fait d'une petite propriété abritant tout au plus six chambres alignées à la façon d'un motel. Il demeure toutefois un endroit on ne peut plus agréable. Les chambres sont simples mais décorées avec beaucoup de goût par l'artiste propriétaire. D'une bonne grandeur, elles comptent plusieurs lits et arborent des murs colorés et des toiles originales. Devant, une terrasse permet de profiter de la vue… Et quelle vue! Les jardins fleuris bien entretenus dévalent rapidement vers le lac aux eaux turquoise… On y resterait des heures, les yeux rivés sur ce spectacle! On peut profiter du restaurant qui sert une excellente cuisine (voir p 220). Pour vous y rendre, suivez les indications quelques kilomètres avant Tilarán. Il faut sortir de la route principale pour y accéder.

Lago Coter Eco-Lodge
$$$$
ec, bp, ℜ
près du lac Coter, au nord-ouest de Nuevo Arenal
☎ *440-6768*
⇆ *440-6725*
www.ecolodgecostarica.com
Pour les amants de la nature, le Lago Coter Eco-Lodge se présente comme un vrai *lodge*, au beau design rustique et invitant, ce qui est bien mérité après la difficile route qu'on doit suivre pour s'y rendre! Beaucoup d'activités sont proposées aux clients (randonnée pédestre, équitation, vélo de montagne, ornithologie, sports nautiques, excursions vers les différents attraits des environs, etc.), qui peuvent également jouir tout simplement du très beau salon avec foyer du bâtiment principal ou de la salle commune de télé et magnétoscope ou encore de la table de billard. Certaines chambres ont un balcon. Le *lodge* dispose d'un accès privilégié aux 260 ha du lac Coter ainsi qu'à la réserve biologique privée avoisinant ce lac.

Rock River Lodge
$$$$
bc, ec, ℜ
entre Nuevo Arenal et Tilarán, sur le lac Arenal, près de la municipalité de Guadalajara
☎/⇆ *695-5644*
www.rockriverlodge.com
Le Rock River Lodge, propriété d'un grand sportif, respire le grand air avec ses activités extérieures et son design privilégiant le bois. Les chambres sont très mignonnes, et les bungalows présentent un beau charme rustique. Et que dire de la vue sur le

lac Arenal! Possibilité de location de planches à voile et de vélos de montagne. Le bar et le restaurant (voir p 220) s'avèrent également très jolis.

Tilawa
$$$$
ec, bp, ≈, ℜ
entre Nuevo Arenal et Tilarán, à l'extrémité ouest du lac Arenal
☎**695-5050**
≈**695-5766**
www.hotel-tilawa.com
Un beau petit complexe que l'hôtel Tilawa! Grâce à la femme du propriétaire, le design des installations se distingue, rappelant le style du palais de Cnossos, dans l'île de Crête. Les chambres proposent le confort moderne avec splendide vue sur cette partie très venteuse du lac Arenal. L'hôtel possède un court de tennis, propose des randonnées guidées à cheval et des sorties en voilier, et loue des vélos de montagne. Le soir, le vent peut rendre l'air assez frais; le foyer des espaces communs de l'hôtel est donc le bienvenu.

La région de Monteverde

Le village de **Santa Elena** regorge de petites auberges et pensions offrant aux voyageurs un séjour à prix modique. Il est à signaler que certaines routes menant aux hôtels sont parfois difficiles d'accès en raison des fortes pluies. De plus, la région de Monteverde étant l'une des régions les plus visitées au pays, nous vous conseillons de réserver votre chambre à l'avance, si un établissement vous intéresse en particulier, notamment durant la haute saison, qui s'étend de la mi-décembre à avril.

À Santa Elena, la **Pensión Santa Elena** (voir plus loin) propose des emplacements de **camping** *(3$/pers.;* ☎*645-5051).*

Hospedaje El Banco
$
bc, ec
☎/≈*645-5204 ou 645-5021*
Située derrière le Banco Nacional de Santa Elena, l'Hospedaje El Banco loue des chambres simples, idéales pour petit budget.

Cabinas Marín
$
bc, ec
☎**645-5279**
Les Cabinas Marín se trouvent à plus de 300 m au nord de Santa Elena. Les chambres sont petites, mais correctes pour le prix.

Pensión Colibrí
$
bc, ec
☎**645-5682**
La Pensión Colibrí, quelque peu en retrait du village, dispose de chambres à prix modique et organise des excursions à cheval.

Pensión Santa Elena
$
bp, ec, ℜ
☎**645-5051**
≈**645-6060**
Au cœur de Santa Elena, la Pensión Santa Elena propose de petites chambres propres à prix modique, dans une atmosphère d'auberge de jeunesse. Les étudiants peuvent profiter de rabais. Le restaurant sert une cuisine variée et appréciée, des mets traditionnels aux plats végétariens.

Pensión El Tucán
$-$$
bc/bp, ec, ℜ
☎**645-5017**
≈*645-5462*
La Pensión El Tucán, tenue par Mme Rosa Jiménez Venegas et des membres de sa famille, se trouve à 100 m à l'est du Banco Nacional, à Santa Elena. Elle comprend des chambres modestes et propres; le restaurant sert une cuisine costaricienne maison qui saura ravir les touristes voyageant avec un petit budget.

Hotel El Sueño
$-$$
bp/bc, ec
☎**645-3656 ou 645-5021**
L'Hotel El Sueño offre en location, dans une atmosphère familiale, des chambres fort simples à petit prix.

Pensión La Flor de Monteverde
$-$$
bp/bc, ec, ℜ
☎**645-5236**
≈*645-6105*
À la sortie nord de Santa Elena, en direction de la Reserva Bosque Nuboso Santa Elena, la Pensión La Flor de Monteverde dispose de chambres très propres dans un environnement paisible et familial. Le propriétaire, Eduardo Venegas, est également l'un des administrateurs de la Reserva. On y propose le service de transport ainsi que différentes activités guidées.

Albergue Marbella
$$
bp, ec
☎*645-5159*
⇄*645-5153*
Près de la banque,
l'Albergue Marbella dis-
pose de grandes chambres
propres et offre une am-
biance décontractée.

Cabinas Don Taco
$$$ pdj
bp, ec
☎/⇄*645-5263*
Les Cabinas Don Taco
louent également des
chambres simples à prix
raisonnable. De là, la vue
s'étend jusqu'au golfe de
Nicoya.

El Gran Mirador Lodge
$$$
bc/bp, ec, ℜ
☎*381-7277*
⇄*645-6063*
El Gran Mirador Lodge se
trouve à plus de 8 km au
nord de Santa Elena, soit à
San Gerardo. On peut y
loger dans des *cabinas*
avec salle de bain privée
ou dans un dortoir avec
salle de bain commune.
L'endroit, paisible et isolé,
offre également une vue
superbe sur la région et
principalement sur
l'imposant volcan Arenal.

Sunset Hotel
$$$ pdj
bp, ec, ℜ
☎*645-5048*
⇄*645-5344*
À environ 1 km de Santa
Elena, le Sunset Hotel
dispose de jolies et très
propres chambres. De
plus, la vue porte jusqu'au
golfe de Nicoya. Le sym-
pathique propriétaire, un
Allemand installé dans la
région depuis belle lurette,
vous informera sur ce qu'il
y a à voir et à faire.

Cloud Forest Lodge
$$$-$$$$
bp, ec, ℜ
☎*645-5058*
⇄*645-5168*
Le Cloud Forest Lodge se
trouve au nord-est de
Santa Elena, dans une
riche et dense forêt. Les
cabinas de bois sont spa-
cieuses et confortables. De
la terrasse, la vue s'étend
sur la forêt tropicale et
jusqu'au golfe de Nicoya.
Le bar-restaurant offre
également un beau point
de vue. Des sentiers pé-
destres permettent
d'explorer les environs, où
l'on peut notamment se
balader dans la canopée
(voir p 206).

De Santa Elena à la Reserva Biológica Bosque Nuboso Monteverde

Pensión Manakín
$$
bp/bc, ec
☎*645-5080*
⇄*645-5517*
Située à environ 4 km de
la réserve de Monteverde,
la Pensión Manakín pro-
pose des chambres mo-
destes, avec ou sans salle
de bain privée.

Pensión Monteverde Inn
$$
bp, ec
☎*645-5156*
⇄*645-5945*
Près du Jardín de Maripo-
sas se trouve le Pensión
Monteverde Inn, à l'am-
biance amicale et familiale.
L'endroit est retiré dans un
coin splendide et tranquille
offrant une vue magni-
fique. Un sentier pédestre
mène au canyon de la
vallée. Les chambres sont
modestes et peu chères.

La Colina
$$-$$$
bc/bp, ℜ, ec
☎*645-5009*
⇄*645-5580*
www.lacolina.com
Située près de la fabrique
de fromage La Lechería,
La Colina dispose de
chambres toutes simples
avec ambiance familiale et
chaleureuse. On y sert
également de bons repas.

Cabañas Los Pinos
$$$
bp, ec, ℂ
☎*645-5252*
⇄*645-5005*
Les Cabañas Los Pinos
sont tenues par le propriétaire, M. Jovinos Arguedas.
On y trouve des *cabinas*
confortables avec cuisi-
nette. En plus d'être hôtelier, M. Arguedas possède
une ferme de 140 ha et
des taureaux Brahma.

El Establo
$$$
bp, ec, ℜ
☎*645-5033*
⇄*645-5041*
Ruth Campbell et Arnoldo
Beeche sont les propriétai-
res du El Establo. Ils offrent
à leurs pensionnaires des
chambres simples dans
une atmosphère dé-
tendue. Derrière
l'établissement, 60 ha de
forêt tropicale humide
peuvent être explorés. Les
hôtes possèdent aussi une
petite salle à manger qui
accueille seulement les
clients du El Establo.

Hotel El Bosque
$$$
bp, ec
☎*645-5221*
⇄*645-5129*
L'Hotel El Bosque propose
au visiteur des chambres
modestes mais très pro-
pres. L'hôtel dispose

d'espaces verts pour accueillir les campeurs. De plus, il est situé à proximité de la réserve Bajo del Tigre, où l'on peut s'adonner à la randonnée pédestre et à l'ornithologie.

Hotel Finca Valverde
$$$
bp, ec, ℜ
☎*645-5157*
⇄*645-5216*
www.monteverde.co.cr
Tout juste au sortir du village de Santa Elena, près de la route menant à Monteverde, l'Hotel Finca Valverde loue des *cabinas* de bois à proximité de la ferme familiale qui comprennent, à l'étage, un balcon.

Hospedaje Mariposa
$$$ pdj
bp, ec, ℜ
☎*645-5013*
L'Hospedaje Mariposa propose trois chambres simples et propres. Les propriétaires, Luzmery Mata et Rafael Vargas, servent des repas seulement aux clients.

San Luis Ecolodge and Biological Station
$$$-$$$$ pc
bc/bp, ec, ℜ
☎*645-5890 ou 380-3255*
⇄*380-3255*
www.ecolodgesanluis.com
Situé à environ 40 min au sud de Monteverde, dans le village de San Luis, le San Luis Ecolodge and Biological Station propose aux visiteurs une façon différente de planifier leurs vacances grâce aux nombreuses activités offertes. Les écologistes Diana et Milton Lieberman ont mis

sur pied cette station d'études biologiques de 70 ha et proposent un séjour lié à l'écotourisme, à l'éducation et à la recherche. Ils offrent deux formules d'hébergement: dortoir avec salle de bain commune ou chambre avec salle de bain privée.

🕊 Hotel Belmar
$$$$
bp, ec, ℜ
☎*645-5201*
⇄*645-5135*
www.hotelbelmar.com
Juché sur une colline, l'Hotel Belmar permet d'admirer le golfe de Nicoya. On y accède par le petit chemin tout à côté de la station d'essence. Les chambres, que deux charmants chalets de montagne renferment, y sont spacieuses et confortables, offrant ainsi un environnement des plus agréables. Le restaurant de l'hôtel affiche au menu une excellente cuisine internationale.

Hotel Montaña
$$$$
bp, ec, ℜ
☎*645-5046*
⇄*645-5320*
Situé sur la route principale, l'Hotel Montaña constitue l'un des plus anciens établissements hôteliers de la région. Cet hôtel renferme 32 chambres et suites qui promettent confort et luxe. Les clients ont accès à la station thermale, au bassin à remous, au sauna, aux sentiers pédestres, à la salle de conférences, au restaurant, au bar, au diaporama en soirée, etc.

Hotel Fonda Vela
$$$$-$$$$$
bp, ec, ℜ, ⊗, ℜ
☎*645-5125 ou 257-1413*
⇄*645-5119*
www.fondavela.com
L'Hotel Fonda Vela, non loin de la route de la réserve de Monteverde, est réputé pour son élégance. Les propriétaires, membres de la famille Smith, proposent aux visiteurs une atmosphère champêtre et relaxante. Les 28 chambres et suites sont spacieuses. Des sentiers de randonnée pédestre permettent aux occupants d'admirer la forêt tropicale humide qui encercle leur lieu de vacances. Accessible aux personnes à mobilité réduite.

Hotel Villa Verde
$$$$-$$$$$ pdj
bp, ec, ℂ, ℜ
☎*645-5025*
⇄*645-5115*
En retrait de la route principale, à environ 2 km de la réserve de Monteverde, l'Hotel Villa Verde propose un séjour de tout repos dans des chambres standards mais confortables, mais également dans des suites comprenant une cuisinette et un foyer. Le restaurant affiche un menu de cuisine costaricienne et internationale. Un diaporama est présenté gratuitement en soirée aux visiteurs qui désirent en connaître davantage sur les richesses fauniques et floristiques de la région.

🕊 El Sapo Dorado
$$$$$
bp, ec, ℜ, ℝ
☎*645-5010*
⇄*645-5180*
www.sapodorado.com
Au nord de la route principale de la réserve de Mon-

teverde, El Sapo Dorado invite les touristes à choisir parmi 30 *cabinas* de montagne luxueuses. Les maisonnettes dénommées «Sunset Terrace» ont un réfrigérateur et une vue spectaculaire sur le golfe de Nicoya, alors que celles appelées «Classic» comprennent un foyer pour satisfaire les plus romantiques. Le restaurant (voir p 221) sert l'une des meilleures cuisines de la région.

Monteverde Lodge
$$$$$
bp, ec, ℛ
☎257-0766 ou 645-5057
⇄257-1665

Au sud du village de Santa Elena, à proximité de la route principale, le Monteverde Lodge, de la réputée entreprise Costa Rica Expeditions, s'intègre harmonieusement à la forêt tropicale humide. Ce luxueux hôtel de 27 chambres a été redessiné de manière à rehausser toutes les richesses environnementales qui s'offrent au regard du visiteur. Le Monteverde Lodge est particulièrement fier de son jardin, sillonné de petits sentiers permettant de découvrir des espèces de plantes indigènes de la région, qui attirent de nombreuses espèces d'oiseaux. Les chambres, avec leur décoration sobre et de bon goût, ont un charme fou. Installées près de grandes fenêtres donnant directement sur la forêt, une petite table et deux chaises permettent de se détendre après une randonnée dans la réserve de Monteverde. La salle de bain, spacieuse, s'avère très fonctionnelle. Le res-

taurant sert une cuisine délicieuse (voir p 221). Tout à côté, le bar avec son imposant foyer circulaire rassemble ceux qui veulent échanger leurs expériences de la journée. À deux pas, un bassin à remous pouvant accueillir 15 personnes constitue une autre invitation à la détente. Un vaste choix d'activités s'offre aux visiteurs, notamment dans les réserves de Monteverde et de Santa Elena. L'excursion de nuit guidée est particulièrement appréciée, car elle permet d'observer et d'écouter la faune qui ne s'éveille qu'au déclin du jour. De l'hôtel, un sentier (10 min) mène à la Finca Ecológica, où l'on trouve d'autres sentiers ainsi que de jolis points de vue. Dans la salle de conférences de l'hôtel, des diaporamas portant sur la faune et la flore de la région sont présentés en soirée. Il est à noter qu'il est strictement interdit de fumer à l'intérieur de l'hôtel.

Hotel Heliconia
$$$$$
bp, ec, ℛ
☎645-5109 ou 223-3869
⇄645-5007

L'Hotel Heliconia est un des plus anciens établissements hôteliers de Monteverde. La maison principale, en bois, s'élève en bordure de la route menant à la réserve. Derrière, plus haut sur la colline, on a d'abord érigé deux bâtiments renfermant des chambres confortables avec grands lits. Encore plus haut, et offrant donc une vue magnifique, une maison abrite, sur deux étages, des chambres et

des suites tout à fait agréables. D'autant plus que le bâtiment est pourvu d'une longue galerie permettant de flâner en regardant le coucher du soleil… L'aménagement de toutes les chambres de l'hôtel permet d'offrir aux occupants la meilleure vue possible sur la nature environnante. Elles sont donc dotées de grandes fenêtres qui constituent, il faut bien le dire, la plus belle des décorations! À moins de voyager en groupe, évitez les chambres de la maison principale, bruyantes et un peu vieillies.

Restaurants

La région de Puerto Viejo de Sarapiquí

El Bambu
$$
7h à 22h
du côté ouest du terrain de *fútbol,* Puerto Viejo
☎766-6359

Le restaurant du El Bambu est l'un des plus modernes et l'un des mieux tenus de la ville. Il sert des plats du pays et certains plats internationaux.

Mi Lindo Sarapiquí
$$
9h à 22h
du côté sud du terrain de *fútbol,* Puerto Viejo
☎/⇄766-6281

Nous recommandons le restaurant de l'hôtel **Mi Lindo Sarapiquí** (voir p 207) autant pour sa nourriture que pour son service.

La région de Ciudad Quesada

El Parque
$
Av. 0, Calle 0
Ciudad Quesada possède toute une série de petits restaurants qui sont plus des *sodas* que des restaurants, particulièrement autour du Parque Central, entre autres le bien-nommé El Parque.

Pizzería y Pollo Frito Pin Pollo
$
Av. 1, Calle 0, Ciudad Quesada
☎*460-1801*
Pizzería y Pollo Frito Pin Pollo propose, comme son nom l'indique, pizzas et poulet frit à prix abordables.

Tonjibe
$$
sur l'avenue longeant le parc, entre la Calle Central et la Calle 1, Ciudad Quesada
Le restaurant Tonjibe, proposant une cuisine variée, est propre et fait un peu plus salle à manger que la plupart des autres restaurants de la ville. On y trouve une discothèque à l'arrière, le soir.

La région d'Arenal

Aux environs de La Fortuna

Musmanni
$
Pour ceux qui seraient intéressés de s'offrir quelques pâtisseries, il y a la *panadería-repostería* Musmanni, à côté du bureau de poste de La Fortuna.

Wall's
$
Pour les mordus de crème glacée, sachez qu'il existe un Wall's à La Fortuna.

Pizzería Luygi's
$
☎*479-9636*
Il existe une bonne pizzería qui se trouve presque à la sortie du village de La Fortuna vers El Tanque: la Pizzería Luygi's.

🦞 Casa de la Tía Ara
$
tlj 6h à 22h
de biais à l'hôtel La Fortuna
☎*479-9172*
Une belle petite découverte que le tout petit *soda* Casa de la Tía Ara. La tante Ara elle-même vous sert, avec le sourire, de fichus de bons petits hamburgers et d'autres repas minute!

El Jardín
$$
rue principale, à une rue du terrain de *fútbol*, La Fortuna
☎*479-9360*
Le restaurant El Jardín, de cuisine *tica*, est très grand avec sa salle ouverte sur l'extérieur. Bon rapport qualité/ prix.

Rancho La Cascada
$$
Calle 2, Av. 1, La Fortuna
☎*479-9145*
Du côté opposé au parc, il y a le restaurant Rancho La Cascada, sous une immense hutte au toit de palmes. Le restaurant est très correct et s'associe à l'hôtel **San Bosco** (voir p 210) pour proposer sa cuisine.

La Pradera
$$
à la sortie de La Fortuna, sur le chemin du volcan Arenal
☎*479-9167*
Le restaurant La Pradera sert des mets *ticos*, des steaks et des fruits de mer sous une énorme hutte en plein air. Service courtois.

Pizzería-Spaghettaría Vagabondo
$$
12h à 23h
1,5 km à l'ouest de l'église de La Fortuna, vers le volcan Arenal
☎*479-9565*
La Pizzería-Spaghettaría Vagabondo, tenue par des Italiens, propose d'excellentes pizzas dans sa salle à manger ouverte de tous les côtés. Atmosphère détendue.

Nene's
$$-$$$
☎*479-9192*
Sur une petite rue perpendiculaire à la rue principale, Nene's a installé sa grande salle dont l'éclairage brillant contraste avec la pénombre de la rue. Cet éclairage au néon, associé avec le téléviseur ouvert en permanence, ne donne pas beaucoup de chaleur à l'endroit. Mais son menu, très vaste, affiche viandes, poissons, volailles, pâtes, riz, etc. On y vient souvent pour manger un steak servi en généreuse portion et à prix raisonnable. Il s'agit d'un restaurant recommandé par les gens du coin.

Choza de Laurel
$$-$$$
☎*479-9231*
À l'entrée du village, sous un haut toit, sont disposées quelques tables de pique-nique au bout des-

quelles trône un plat regorgeant de fruits. Les serveuses, vêtues de costumes folkloriques, vous amèneront des plats typiques tels que *casados* et *gallo pinto*. Bien que présenté dans une assiette de plastique, votre plat se révélera sans doute bon et nourrissant. À noter que l'endroit a l'avantage de ne pas être pourvu de téléviseur!

Aux environs du volcan Arenal

El Novillo
$$
entre La Fortuna et Arenal, pas très loin du Tabacón Resort
Le restaurant à aire ouverte El Novillo sert sous une grande hutte une cuisine internationale. L'aménagement est idéal pour manger à l'extérieur.

⚓ Tabacón Resort
$$
tlj 10h à 22h
13 km à l'ouest de La Fortuna, sur le chemin du volcan Arenal
☎*256-1500*
Le restaurant de l'établissement thermal Tabacón Resort se révèle particulièrement magique la nuit. À proximité des piscines d'eaux thermales, il invite vraiment à la détente. On y sert de la cuisine internationale, *tica* et même végétarienne, souvent en buffet.

Vaca Muca
$$
fermé lun
3 km à l'ouest de La Fortuna, sur la route du volcan Arenal
☎*479-9186*
La Vaca Muca (la vache sans cornes) propose de la nourriture du pays dans un décor comprenant une

terrasse extérieure entourée d'un jardin ainsi qu'une grande salle à manger intérieure avec de grosses chaises de bois. C'est un restaurant très fréquenté.

Autour du Lago Arenal

Sabor Italiano
$$
Quelques kilomètres avant Nuevo Arenal, le Sabor Italiano se trouve un restaurant de cuisine italienne maison doublé d'un centre d'artisanat très chouette.

Los Héroes
$$$
à quelque 30 km de La Fortuna, sur le lac Arenal
☎*692-8014*
Le restaurant de l'hôtel Los Héroes propose de la nourriture *tica*, internationale et suisse. Les fondues y sont notamment à l'honneur. L'aménagement intérieur comporte de nombreux éléments de décoration d'inspiration suisse.

Nuevo Arenal

Tom's Pan
$
☎*694-4547*
Sur la route qui poursuit son tour du lac, dans la côte qui descend du village, un boulanger allemand a installé ses pénates. Tom's Pan confectionne tous les jours une délicieuse fournée composée de brioches, croissants, muffins et pains divers tels que pain au seigle, aux graines de lin, complet, etc.

Sur la deuxième rue principale du village de Nuevo Arenal, de l'autre côté du

parc et tout près du bâtiment de la sécurité sociale, il y a deux petits restaurants somme toute très honnêtes. D'abord, la *panadería-cafetería* **La Sabrosa** *($)*, puis **Pipo's Fast Foods** *($; tlj 6h à 22h)*.

Mirador Típico Arenal
$$
Nuevo Arenal
☎*694-4159*
Le bar-restaurant Mirador Típico Arenal possède une terrasse intéressante puisqu'elle donne sur le lac. En outre, les propriétaires sont sympathiques, et la nourriture, essentiellement *tica*, est correcte.

Pizzería Tramonti
$$
11h30 à 15h et 17h à 22h, fermé lun
Nuevo Arenal
☎*694-4282*
Au cœur du village de Nuevo Arenal se trouve la Pizzería Tramonti, réputée pour son excellente cuisine italienne au four à bois.

Entre Nuevo Arenal et Tilarán

⚓ Equus BBQ
$$
11h à 24h
À la base du Xiloe Lodge, il y a un petit bar fort attrayant, l'Equus BBQ. Le design très soigné de l'intérieur évoque les ranchs de l'Ouest américain. Situé tout près du chemin, face au lac et entouré d'arbres, l'endroit est très invitant. On s'imagine aisément le soir, au grand air, en train d'échanger avec ses amis sur l'activité pratiquée durant le jour. Le bar prépare également des grillades.

Rock River Lodge
$$
entre Nuevo Arenal et Tilarán,
lac Arenal
☎695-5644
Le restaurant et le bar de
l'hôtel Rock River Lodge
offrent un beau décor de
bois, un magnifique foyer
et une vue large et splen-
dide sur le lac Arenal.
Vraiment très joli. Le res-
taurant, qui fait une cuisine
variée, propose, selon le
personnel, les meilleurs
déjeuners des environs. Le
bar est ouvert de 17h à
minuit.

Mystica
$$$
☎692-1001
Le restaurant de l'hôtel
Mystica Resort (voir
p 213) vaut certes le dé-
tour. Peu importe l'heure
à laquelle vous comptez
traverser la région, pré-
voyez un repas au Mystica:
vous ne le regretterez pas!
Ne serait-ce que pour la
vue depuis la terrasse
(semi-vitrée pour protéger
des grands vents) ou der-
rière les fenêtres de la jolie
salle. Sa décoration, son
aménagement en diffé-
rents paliers et ses cou-
leurs chaudes en font un
endroit propice aux repas
qu'on voudrait éterniser…
À l'honneur au menu, une
délicieuse pizza au four à
bois avec garnitures fraîches parant une croûte
tendre à souhait. On peut
aussi s'y régaler de pâtes
fraîches, de plats de viande
ou de salades qui conviennent parfaitement au repas
de midi. Il faut impérative-
ment se garder de la place
pour goûter, au dessert, à
la tarte à la crème de
banane. Absolument ex-
quise! Tout cela vous sera
servi avec le sourire et de

façon très professionnelle.
Une petite boutique atte-
nante vend quelques pro-
duits artisanaux.

La région
de Monteverde

Le petit village de **Santa
Elena** compte quelques
restaurants et *sodas* prati-
quant de petits prix. On
trouve également, le long
de la route menant à la
réserve de Monteverde,
quelques restaurants et
cafés. Si la plupart des
établissements hôteliers
ont un restaurant pour
leur clientèle, certains
l'ouvrent au public.

Panadería Jiménez
$-$$
☎645-5035
La Panadería Jiménez est
située dans le village de
Santa Elena. On y prépare
des goûters légers com-
prenant également du pain
et des pâtisseries maison.

Toujours dans le village de
Santa Elena, vous trouve-
rez **El Daiquiri** (*$-$$;*
☎645-5133) et, de l'autre
côté de la rue, le **Soda
Central** (*$-$$*). Ces deux
sodas servent une cuisine
locale fort simple.

Stella's Bakery
$-$$
Monteverde
☎645-5560
Face à la coopérative
CASEM, Stella's Bakery
prépare d'excellents pains
maison, des beignets, des
biscuits et d'autres petits
délices que l'on peut
emporter ou dévorer sur
place, accompagnés d'un
bon café.

Morphos
$$
☎645-5607
En plein cœur du village
de Santa Elena, derrière
de grandes vitrines, Mor-
phos attire une clientèle de
voyageurs qui viennent y
butiner, tel le papillon qui
lui a donné son nom,
autour d'un café, d'un petit
déjeuner ou d'un repas
plus consistant. On y
trouve un menu de cuisine
tica dont un bon *gallo
pinto*, ainsi que des plats
végétariens et des gâteries
comme la salade de
fruits digne de ce nom et
de la crème glacée. Son
décor est simple et
l'ambiance souvent chaleu-
reuse.

Parmi les restaurants
d'établissements hôteliers
ouverts au public figurent
ceux de l'**Hotel Fonda Vela**
(**$$-$$$**; ☎257-1413) et
de l'**Hotel Belmar** (*$$-$$$;*
☎645-5201), qui servent
une excellente cuisine, fort
appréciée des touristes de
passage dans la région.

Pizzería de Johnny
$$$
☎645-5066
Ouverte toute la journée,
la Pizzería de Johnny dé-
semplit rarement. Et il y a
de quoi! Les plats qu'on y
sert se révèlent pour la
plupart délicieux. Qui plus
est, l'établissement affiche
un design recherché avec
son plancher carrelé, son
plafond et ses meubles de
bois ainsi que ses nappes
fleuries. Dehors, la ter-
rasse est aménagée à côté
d'une forêt où coule un
petit ruisseau qui ajoute à
l'ambiance. Outre la pizza,
vous pouvez y déguster
des pâtes, des plats de
poulet, etc. Mais la sélec-

tion des garnitures et la croûte juste à point vous feront sans doute opter pour une des pizzas aux noms originaux. Le choix de vins espagnols et la douce musique participeront aussi à vous faire passer d'agréables moments. On y trouve une petite boutique et un coin bar.

Monteverde Lodge
$$$-$$$$
☎645-5057
Le restaurant non-fumeurs et à aire ouverte du **Monteverde Lodge** (voir p 217) est sans contredit l'un des meilleurs de la région. Le décor, tout de bois et bénéficiant d'une fenestration abondante, est très chaleureux, alors que l'ambiance et le service n'ont d'égal que la qualité et la fraîcheur des plats cuisinés. Le menu à la carte permet aux convives de déguster une cuisine généreuse et succulente, tantôt régionale, tantôt internationale. Les salades et les poissons sont particulièrement délicieux ici.

El Sapo Dorado
$$$$
☎645 5010
Le restaurant El Sapo Dorado est situé dans le luxueux hôtel éponyme (voir p 216). Il propose un menu international et costaricien incluant des mets végétariens dans une atmosphère relaxante. De la terrasse, on embrasse du regard le golfe de

Nicoya. L'ambiance se veut romantique et détendue avec la lumière tamisée et les chandelles sur les tables. Le service, quant à lui, se veut efficace, mais se révèle parfois insistant.

Restaurante de Lucía
$$$$
☎645-5337
Le Restaurante de Lucía figure parmi les favoris de Monteverde. Situé sur une petite rue, il ouvre sa grande salle au plafond bas aux dîneurs affamés. Une fois à l'intérieur, attablez-vous confortablement et attendez que le serveur vienne vous présenter le «menu». Ne vous surprenez pas car c'est sur une planche de bois que vous «le» verrez! En effet, les coupes de bœuf ainsi que les filets de poulet et de poisson vous seront présentés avant d'être apprêtés à votre goût. Le résultat se révélera savoureux, la viande juteuse à souhait. Tout au long du repas, le service continue d'être attentif aux besoins des convives qui dînent dans une douce ambiance.

Tingo's
$$$$
☎645-6034
Le dernier-né des restaurants de Monteverde se repère rapidement grâce aux énormes panneaux affichés à l'entrée! La petite salle revêtue de boiseries s'entoure de grandes

fenêtres ornées de frises. Les fauteuils rembourrés sont recouverts de tissus fleuris. On sert ici les trois repas; le menu passe donc des classiques petits déjeuners aux déjeuners de *casados*, pour se terminer avec des plats aussi divers que hamburgers, pizzas, pâtes, plats de viande et de poisson, riz, salades, etc.

Sorties

La région d'Arenal

À environ 4 km de La Fortuna, la **Discoteca Look** (☎479-9690) fait danser la région les jeudis et samedis soir avec, en prime, une vue sur le volcan!

La région de Monteverde

On trouve à Monteverde un certain nombre d'endroits pour se divertir. Parmi ceux-ci figure la **Taberna Valverde** (☎645-5883), dans le village de **Santa Elena**, pas très loin de l'auberge de jeunesse, lequel établissement annonce ses couleurs: *Full party all night* (on fête toute la nuit)!

Plus loin, sur le chemin menant à la réserve, la **Discoteca La Cascada** (☎645-5186), installée près d'une chute à qui elle doit son nom, enterre, le soir, le bruit de l'eau avec ses rythmes qui font danser!

Nord du pays

Achats

La région de Puerto Viejo de Sarapiquí

MUSA
El Tigre, sur la route de Horquetas
Si vous êtes dans la région de Puerto Viejo de Sarapiquí, vous pourrez vous rendre à la coopérative **MUSA** (voir p 190) pour acheter différents produits dérivés des herbes cultivées dans cette ferme (shampooings et autres). Authenticité garantie!

La région d'Arenal

Autour du Lago Arenal

À **La Unión de Nuevo Arenal**, entre Nuevo

Arenal et La Fortuna, vous pouvez acheter des sérigraphies, des ouvrages d'ébénisterie et des céramiques au **Sabor Italiano**, qui est aussi un restaurant de cuisine italienne maison (voir p 219).

La région de Monteverde

Dans la région de Monteverde, la visite de la coopérative locale d'artisanat **CASEM** (voir p 201) ainsi que de la **Galería Colibrí** (voir p 201) et de la **Galería Sarah Dowell** (*près de la fabrique de fromage*) vous donnera l'occasion de rapporter quelques souvenirs. Les parcs de Monteverde et de Santa Elena,

de même que le **Jardín de Mariposas** (voir p 200), disposent également d'une petite boutique de souvenirs intéressante.

Chunches
Santa Elena
☎645-5147
La visite du Chunches, un café où l'on vend des livres neufs et d'occasion ainsi que de la papeterie, et où vous pouvez également laver vos vêtements, peut vous être d'une utilité certaine. Les sympathiques propriétaires, Wendy et Jim Standley, sauront vous renseigner sur les activités, les hôtels et les restaurants de la région.

La province du Guanacaste

C'est une grande province que le Guanacaste! C'est d'abord plus de 300 km de côtes et 70 plages différentes, maintenant plus accessibles grâce à l'aéroport international de Liberia.

Pêche, natation, planche à voile, surf, plongée, observation des tortues et des oiseaux sont au programme de la visite de ce littoral.

Mais le Guanacaste, c'est en même temps des parcs et réserves en grand nombre, protégeant lacs, volcans, forêts et grottes. Plus du tiers de tous les parcs du pays sont situés dans le Guanacaste. C'est également l'endroit où se trouve la plus grande zone de protection de la forêt sèche tropicale du monde, forêt qui couvrait 550 000 km^2 de terres depuis le sud de la côte Pacifique mexicaine jusqu'au Costa Rica. Seulement 2% de cette forêt subsiste encore de nos jours. Le reste fut exploité pour le bois ou défriché pour la culture et l'élevage.

C'est une question de représentativité populaire qui est à l'origine de la réunion du Guanacaste avec le Costa Rica (alors que ce territoire relevait plutôt alors du Nicaragua), de manière à donner au pays assez de population pour élire un représentant en Espagne. Puis, en 1825, les habitants du Guanacaste ont librement choisi de se rattacher au Costa Rica. La semaine du 25 juillet est ainsi une semaine très animée au Guanacaste à l'occasion de la fête de l'annexion de la province au Costa Rica.

La province du Guanacaste représente d'ailleurs la plus grande province du pays; cependant, sa population ne représente pas 10% des Costariciens. En marge de son littoral en plein développement, le Guanacaste fut d'abord et avant tout une région défrichée pour l'élevage. Il n'est pas rare de voir des gens à cheval suivre leur bétail dans les champs, ces gens se retrouvant quelquefois même en selle à l'intérieur des villes! On verra des chevaux paître tout à côté de l'Interaméricaine ou laissés libres le long des routes secondaires.

Il faut avoir à l'esprit que le parcours des régions du Guanacaste ne se fait pas, pour la majorité du territoire, sous un écran de verdure tropicale touffue; c'est plutôt un paysage vaste de steppes, de grandes prairies qui s'offrent au regard, prairies qui peuvent parfois paraître desséchées durant la saison sèche, touristiquement très occupée.

Un pays dans le pays, le Guanacaste est en voie de devenir, avec son climat chaud mais sec, l'une des plus importantes destinations touristiques du Costa Rica.

Pour s'y retrouver sans mal

En avion

À Liberia, l'**Aeropuerto Daniel Oduber Quiros** *(tlj 6h à 21h;* ☎*667-0199 ou 667-0032)* se veut international, mais reçoit essentiellement des vols nolisés de touristes venant des pays du Nord. On trouve tout près des bureaux d'agences de location de voitures.

Sansa *(*☎*221-9414)* et **Travelair** *(*☎*220-3054)* proposent toutes deux des départs de San José pour **Tamarindo**, chaque jour, normalement tôt le matin. Informez-vous cependant des horaires changeants auprès de ces deux compagnies aériennes. Un aller-retour peut coûter entre 110$ et 140$.

Via Sansa, les départs pour l'aéroport de **Nosara** depuis San José se font quotidiennement très tôt le matin. Informez-vous des horaires exacts auprès de la compagnie. Travelair se rend également à Nosara tous les jours vers midi. Prévoyez entre 110$ et 140$ pour un aller-retour.

Le petit aéroport de Playa Carillo, qui dessert toute la région de **Playa Sámara**, reçoit quotidiennement un vol de la Sansa et un de Travelair. Les avions quittent normalement San José en matinée. Il serait prudent de réserver à l'avance durant la saison touristique.

En voiture

La région de Tilarán–Cañas–Bagaces

Tilarán se trouve aux confins du territoire du Guanacaste, près du lac Arenal. C'est ainsi que vous pouvez atteindre la ville en quittant le village de Nuevo Arenal pour longer la partie ouest du lac, avant de pénétrer dans les terres en direction du Guanacaste pendant quelque 10 km. La route est bien signalée. Si vous venez du Guanacaste, vous atteindrez Tilarán en quittant l'Interaméricaine à Cañas pour vous diriger vers le nord-est pendant près de 25 km sur une belle route.

Cañas et **Bagaces** se trouvent toutes les deux sur l'Interaméricaine, à quelque 25 km l'une de l'autre. Il est donc facile de les atteindre, que vous veniez de San José ou de Liberia.

Parque Nacional Palo Verde et Reserva Biológica Lomas Barbudal

De la ville de Bagaces, sur l'Interaméricaine, empruntez la petite route qui mène en direction sud-ouest (sur votre gauche si vous venez de San José). Cette route non revêtue est située en face d'une station-service, et un petit panneau annonce le parc. À la première intersection, prenez à droite et, à la deuxième, prenez à gauche. Puis des panneaux indicateurs permettent d'atteindre sans trop de difficulté le parc, situé à 28 km de l'Interaméricaine. À un certain moment, vous arriverez à une jonction en forme de *T*. Si vous désirez vous rendre au Parque Nacional Palo Verde, prenez à gauche; si vous optez plutôt pour la réserve écologique Lomas Barbudal, prenez à droite.

Parque Nacional Rincón de la Vieja

Pour vous rendre dans le **secteur Las Pailas**, situé à 25 km de Liberia, prenez l'Interaméricaine vers le nord sur une distance de 5 km, puis tournez à droite (panneau indicateur) dans une petite route non revêtue. Après environ 200 m, gardez la gauche et continuez (15 km) jusqu'au village de Curubandé. Quelques kilomètres passé le village, vous devez vous arrêter à une barrière où l'on exige des droits de passage *(2$/pers.)*, car la route passe sur le terrain privé de l'Hacienda Lodge Guachipelín. Le dernier 1,5 km de route menant au centre d'accueil est très difficile d'accès, et, si vous n'avez pas de véhicule à quatre roues motrices, vous devrez stationner la voiture en bordure de la route puis marcher.

Pour vous rendre dans le **secteur Santa María**, également situé à 25 km de Liberia, vous devrez prendre l'Avenida 6 du Barrio La Victoria, situé à l'est de la ville, et suivre la petite route qui passe par San Jorge (18 km) et qui mène à l'entrée du parc national. Selon la saison, la route peut s'avérer impraticable pour les voitures de tourisme (téléphonez au parc avant de vous y rendre).

Parque Nacional Guanacaste

Pour vous rendre à la **station d'études biologiques Maritza**, située à 60 km de Liberia, prenez l'Interaméricaine vers le nord sur une distance de 43 km, puis tournez à droite dans une petite route non revêtue. L'entrée de cette route est située du côté opposé à l'accès de la route menant à la petite ville de Cuajiniquil. Les 17 km de route qui mènent à la station sont passablement accidentés et requièrent en général l'usage d'un véhicule à quatre roues motrices.

Pour vous rendre à la **station d'études biologiques Cacao**, située à environ 40 km de Liberia, prenez l'Interaméricaine vers le nord sur une distance de 23 km, puis tournez à droite dans une petite route qui mène au petit village de Quebrada Grande (7 km). De là, empruntez le petit chemin non revêtu qui mène en direction nord (sur votre gauche) jusqu'à la station. Ce chemin d'environ 10 km demeurera impraticable pour tous ceux qui ne conduisent pas de véhicule à quatre roues motrices.

La région au nord de Liberia

La Cruz: sur l'Interaméricaine à quelque 60 km au nord de Liberia (une heure de route).

Parque Nacional Santa Rosa

Pour vous rendre à l'**entrée principale** du parc où se trouvent la Casona, les bureaux administratifs, la station de recherche et les terrains de camping, à 42 km de Liberia, prenez l'Interaméricaine vers le nord pendant 35 km, et tournez à gauche (panneau indicateur) dans une petite route. Celle-ci mène (7 km) à l'entrée du parc et aux différents aménagements.

Pour vous rendre dans le **secteur Murciélago**, situé à 62 km de Liberia, prenez l'Interaméricaine vers le nord pendant 43 km, puis tournez à gauche dans la route menant (10 km) à la petite ville de Cuajiniquil. Une petite route (9 km) conduit, vers l'ouest, au bureau administratif de ce secteur.

Refugio Nacional Bahía Junquillal

Ce parc est situé à 57 km de Liberia. Prenez l'Interaméricaine vers le nord pendant 43 km, puis tournez à gauche dans la route qui mène (8 km) à la petite ville de Cuajiniquil. Continuez votre route sur une distance de 2 km, et tournez à droite dans un petit chemin qui conduit (4 km) à l'entrée du refuge.

La région de Liberia

Liberia, la capitale du Guanacaste, se trouve au cœur de la région. Elle donne accès à la fois au nord de la province et à la route menant aux plages de la péninsule de Nicoya. Elle est située sur l'Interaméricaine, à quelque 50 km au nord de Cañas (45 min)

À l'intersection de l'Interaméricaine et de la route principale conduisant à Liberia, vous trouverez trois stations-service qui sont ouvertes même pendant les jours fériés.

Playa del Coco, **Playa Hermosa** et **Playa Panamá**: ces plages se trouvent à environ une demi-heure de route de Liberia. Pour les deux dernières, suivez les indications vers Condovac La Costa en partant du croisement qui se trouve juste avant Playa del Coco. Le chemin est asphalté pour atteindre le premier accès à la plage de Panamá. Au-delà, le chemin est en terre pour se rendre aux hôtels comme le Sula Sula.

Il y a une station-service sur la route de Playa del Coco après la voie d'embranchement vers Sardinal.

La région de Filadelfia

Playa Conchal, **Playa Brasilito**, **Playa Flamingo**, **Playa Potrero**, **Playa Penca** et **Playa Pan de Azúcar**: on rejoint cette série de plages en empruntant un chemin situé à quelque 10 km au sud de Filadelfia (le chemin est immédiatement au sud de Belén) sur la route de Nicoya. Parvenu à Huacas, vous tournez à droite; Playa Brasilito, la première des plages, est à moins de 10 km. Le chemin est quelque peu ardu sur les derniers kilomètres avant d'atteindre Playa Pan de Azúcar.

Dans la région des plages de Brasilito, Flamingo, Potrero et Pan de Azúcar, il n'y a pas de station-service à proprement parler. Si vous vous retrouvez à court d'essence dans ce secteur, sachez que vous pouvez vous adresser à l'*abastecedor* **Villamar** (au coin du chemin menant à Playa Brasilito et de celui menant aux autres plages plus au nord) pour obtenir quelques litres d'essence qu'un préposé versera à l'aide d'un bidon dans votre réservoir. Utile à savoir!

Tamarindo: vous atteindrez **Playa Grande** au départ de Belén en rejoignant Huacas et en dépassant ce village vers l'ouest en direction de Matapalo. Pour Playa Tamarindo, dépassez le village de Huacas vers le sud sur une distance de près de 15 km.

Parque Nacional Marino Las Baulas

De Liberia, suivez la route 21 en direction sud-ouest jusqu'à la petite ville de Filadelfia (31 km); 6 km plus loin, au village de Belén, tournez à droite en direction de la célèbre plage de Tamarindo. Suivez cette petite route jusqu'à Huacas (24 km), ensuite empruntez le chemin non revêtu menant à Salinas, à Playa Grande et à l'entrée du parc (8 km). Comptez environ 1 heure 30 min pour faire ce trajet de 69 km.

La région de Santa Cruz

Santa Cruz est située sur la grand-route Liberia – Nicoya, à une soixantaine de kilomètres de Liberia vers le sud-ouest. La route est revêtue et généralement en très bon état.

Étant donné la position de Santa Cruz sur la péninsule de Nicoya, vous pourriez envisager d'atteindre cette ville en passant par le chemin qui traverse (par traversier, voir plus bas) le Río Tempisque et rejoint la ville de Nicoya au sud de Santa Cruz. Ce chemin quitte l'Interaméricaine un peu plus loin au nord de la sortie vers Las Juntas. Le traversier du Tempisque est d'ailleurs indiqué à cet endroit. Le chemin est revêtu.

Playa Junquillal: si vous venez de Liberia, tournez à droite dans un chemin qui se présentera à vous juste avant la ville de Santa Cruz sur la route Liberia – Nicoya. Le chemin est indiqué. Parvenu au village de Veintisiete de Abril, tournez à gauche et rendez-vous jusqu'à Paraíso. Vous atteindrez Playa Junquillal, 12 km plus loin. La route aurait grandement avantage à s'améliorer, surtout tout près de la ville de Santa Cruz.

Les stations-service étant rares dans la région de Playa Junquillal, sachez que le premier petit village sur la plage vend de l'essence au bidon.

Playa Avellanas: à quelque 5 km au nord de Playa Junquillal. Rendez-vous au village de 27 de Abril au départ de Santa Cruz, puis suivez les panneaux. Le chemin risque d'être difficile à parcourir, spécialement pendant la saison verte. Informez-vous à l'avance de l'état des routes.

La région de Nicoya

Nicoya: un peu comme pour Santa Cruz, une alternative s'offre à vous pour rejoindre la ville de Nicoya et sa région. Si vous arrivez de Liberia, vous n'avez qu'à suivre la route Liberia – Nicoya pendant quelque 80 km. Si vous venez de San José, vous pouvez également emprunter la route du Río Tempisque depuis l'Interaméricaine (indiquée à quelques kilomètres au nord de la sortie vers Las Juntas), prendre le traversier (voir plus bas) et continuer par la suite votre chemin vers Nicoya.

Playa Nosara et **Playa Guiones**: de Nicoya, suivez la route qui quitte la ville en direction du sud-ouest, vers Sámara. Vous arriverez, 30 km plus loin, à une fourche en *Y*; pour Nosara, vous devez prendre à droite. À partir de ce moment, vous devez garder à l'esprit que, sur une distance d'une vingtaine de kilomètres, vous aurez à traverser quelques rivières à gué (eh oui!); le chemin de terre, en plus ou moins bon état, n'est donc pas nécessairement de tout repos. La plage d'Ostional et la Reserva Biológica de Nosara sont au bout de ce chemin qui, après le village de Nosara, devient carrément impraticable, sinon par les véhicules à quatre roues motrices.

Playa Sámara, Playa Buena Vista, Playa Carillo et **Playa Camaronal**: pour les plages du secteur de Sámara, comme pour Nosara, suivez la route qui quitte la ville de Nicoya en direction du sud-ouest. Vous arriverez, 30 km plus loin, à une fourche en *Y*; pour Sámara, vous devez continuer à gauche (sur un chemin en très bon état).

Du village de Sámara, on a accès à la plage de Buena Vista en prenant la rue de l'hôtel Isla Chora et en se dirigeant vers le nord. On saura que l'on est sur le bon chemin si l'on passe devant l'hôtel Mágica Cantarrana. La plage est au bout de cette section de chemin (qui peut être difficile en saison de pluie), après une petite lagune qui peut s'emplir à la marée montante.

Pour Playa Carillo, vous devrez tourner à gauche dans un chemin qui s'amorce au début du village de Sámara; Playa Carillo se trouve à quelques kilomètres au sud, après que vous aurez parcouru un chemin en plus ou moins bon état mais qui s'améliore nettement une fois que vous serez parvenu aux abords de la plage. La route passant par la plage de Carillo mène, plus au sud, à Playa Camaronal.

Parque Nacional Barra Honda

Si vous venez de l'Interaméricaine, vous devrez d'abord traverser le Río Tempisque (traversier) et suivre la petite route (environ 15 km) jusqu'à une intersection avec un petit chemin qui mène sur votre droite au village de Nacaome et à l'entrée du parc. Si vous arrivez de la ville de Nicoya (à 23 km de l'entrée du parc), descendez vers le sud sur la route principale et tournez à gauche dans la route qui mène au traversier du Río Tempisque. Non loin de l'intersection, prenez la petite route, sur votre gauche, qui conduit au village de Nacaome et à l'entrée du parc.

En bateau

Pour aller du continent à la péninsule de Nicoya, il faut traverser le Río Tempisque. Pour ce faire, des traversiers fonctionnent 24 heures sur 24 entre Puerto Nispero, sur le continent, et Puerto Moreno, sur la péninsule (5h à 20h, une traversée aux heures; 20h à 5h, une aux 2 heures).

En autocar

La région de Tilarán–Cañas–Bagaces

Tilarán: l'autocar à destination d'Arenal depuis Ciudad Quesada rejoint également Tilarán. Deux départs tous les jours, l'un à 6h, l'autre à 15h; les retours se font à 7h et 13h. Le trajet dure 4 heures. Il y a également un départ de Monteverde tous les jours à 7h, le retour étant à 13h.

Parque Nacional Rincón de la Vieja

L'auberge de jeunesse de Liberia (Hotel Guanacaste) offre un service de transport aller-retour dès 7h le matin vers le parc. Durant

Province du Guanacaste

la saison haute, il peut y avoir jusqu'à trois départs.

La région au nord de Liberia

La Cruz: il y a quatre départs pour La Cruz depuis San José; les autocars continuent d'ailleurs leur chemin jusqu'à Peñas Blancas, à la frontière avec le Nicaragua. Le trajet San José – La Cruz dure environ 6 heures; l'arrêt d'autocars à San José est situé sur la Calle 14, entre l'Avenida 3 et l'Avenida 5. Il y a également des départs de Liberia: cinq pour l'aller, entre 5h30 et 18h, et neuf pour le retour, entre 6h et 18h. L'arrêt d'autocar se trouve en plein centre de la ville de La Cruz; pour information ☎224-1960.

Nicaragua: les cars se rendant à La Cruz continuent jusqu'à la frontière nicaraguayenne, 14 km plus au nord. Une fois à la frontière, vous devez faire environ 800 m à pied et attendre le minibus qui vous amènera jusqu'au bureau d'immigration nicaraguayen, 4 km plus loin.

La région de Liberia

Liberia: les autocars de San José en partance pour Liberia sont nombreux; il y en a pratiquement toutes les 2 heures entre 7h et 20h pour l'aller et entre 4h30 et 20h pour le retour. Comptez 4 heures de route. Il y a également des départs de Santa Cruz et de Puntarenas; ces derniers s'effectuent une fois par jour vers 17h30 pour l'aller et vers 8h30

pour le retour. Il faut compter 2 heures 30 min de déplacement au départ de Puntarenas. La compagnie d'autocars Palmitán (*Av. 3, Calle 12*) dessert San José. Un autre terminus pour les départs locaux est situé sur l'Avenida 7, immédiatement à l'est de l'Interaméricaine.

Playa del Coco: chaque jour, les départs pour Playa del Coco depuis San José (*Calle 14, Av.1/3*) sont à 8h et 14h. Comptez 5 heures de route. Il y a également des départs depuis Liberia quatre fois par jour entre 5h et 17h. Les retours se font entre 7h et 18h.

Playa Hermosa et Playa Panamá: de San José, il y a un seul départ pour Playa Hermosa et Playa Panamá, à 15h20 (*Calle 12, Av. 5/7*); le retour s'effectue chaque matin à 5h. Il existe aussi des cars partant de Liberia.

La région de Filadelfia

Playa Conchal, Playa Brasilito, Playa Flamingo, Playa Potrero: ces plages bénéficient d'un service d'autocar en partance de Santa Cruz tous les jours à 6h30 et 15h. Les retours se font à 9h et 17h. Il y a également deux départs chaque jour de San José pour les plages Brasilito et Flamingo, à 6h30 et 15h. Les retours se font à 9h et 17h.

Playa Tamarindo: il y a un car quittant San José chaque jour vers 16h. Il faut compter 6 bonnes heures de route pour atteindre Playa Tamarindo.

De Santa Cruz, le départ quotidien de l'autocar s'effectue à 20h30; le retour est prévu pour 6h45.

La région de Santa Cruz

Santa Cruz: quatre départs depuis San José sont prévus quotidiennement pour Santa Cruz entre 7h30 et 18h; le voyage dure plus de 5 heures. Le terminus d'autocars principal est situé à quelque 400 m à l'est du centre-ville. Sur le côté nord de la Plaza de Los Mangos, il y a également un arrêt d'autocar pour les départs à destination de Nicoya et de Liberia.

Playa Junquillal: en 6 heures de route, un car vous mène de San José à Playa Junquillal, tous les jours à 14h (*Calle 20, Av. 3*). Le retour s'effectue tous les matins à 5h. Au départ de Santa Cruz, vous aurez un car quittant la ville à 18h30; le retour se fait à 5h du matin.

La région de Nicoya

Nicoya: de San José (*Calle 14, Av. 5*), les départs sont fréquents; entre 6h et 17h, on en compte pas moins de huit, soit un aux 2 heures environ. Comptez au moins 4 heures de route. Depuis Liberia, les départs ont lieu toutes les heures entre 5h et 19h. Le terminus d'autocars est situé près du Río Chipanzo, sur la Calle 5, au sud du centre-ville.

Nosara: un autocar dessert la liaison Nicoya – Nosara chaque jour à 13h; le retour se fait à 6h. Comptez 2 heures 30 min pour effectuer le trajet. De plus, un car direct de San José quitte la ville vers 6h tous les jours et un autre part de Nosara à 4h à destination de la capitale.

Playa Sámara, Playa Buena Vista, Playa Carillo et Playa Camaronal: la compagnie Alfaro propose un car direct pour Sámara au départ de San José, chaque jour à midi *(Av. 5, Calle 14/16, ☎222-2750, 223-8227 ou 223-8361)*. Comptez 6 heures de route. Il existe également un car partant de Nicoya tous les jours à 8h, 15h et 16h; retours à 5h30 et 6h30. Playa Carillo est desservie par ces autocars quittant Nicoya.

Renseignements pratiques

La région de Tilarán–Cañas–Bagaces

Cañas: il existe une succursale du Banco de Costa Rica à proximité du parc central (côté sud). Le Banco Nacional est situé, quant à lui, du côté nord du parc. Cañas possède également une Farmacia Cañas sur la rue qui longe le parc central puis qui s'en éloigne du côté nord. L'arrêt d'autocar de Cañas est situé près de l'Avenida 11 et de la Calle 1, au nord du centre-ville.

La région au nord de Liberia

La Cruz: un centre de renseignements touristiques prend place dans le sympathique petit restaurant La Cafetería, situé sur la rue qui, en se prolongeant, sort de la ville pour rejoindre Playa Pochote. Il y a également une banque à l'entrée de la ville sur l'Interaméricaine.

La région de Liberia

Liberia: Liberia possède un hôpital *(Av. 9, Calle 13)*.

Près de la Calle 8 sur l'Avenida Central, vous trouverez une succursale du Banco Popular (avec guichet automatique), alors que le Banco de Costa Rica se trouve immédiatement au nord-est du Parque Central. Toutes les banques sont représentées dans cette capitale régionale.

Au Centro Commercial Bambú *(Calle 1, Av. 3)*, il existe un centre de renseignements touristiques **Info-Cen-Tur** *(☎665-0135)*, où l'on se fera un plaisir de vous aider; les responsables tentent d'ailleurs d'offrir pendant la haute saison quelques journaux de langue anglaise.

Playa del Coco: on y trouve une succursale du Banco Nacional sur le chemin menant au village, peu après avoir dépassé le chemin menant à Playa Ocotal. Un supermarché est situé sur le chemin longeant la plage et se dirigeant vers l'ouest après le terrain de foot.

La région de Filadelfia

Playa Flamingo: station huppée, Flamingo offre plusieurs services tels que banques et supermarchés.

Playa Tamarindo: quelques kilomètres avant d'arriver à Tamarindo, vous trouverez un centre de renseignements touristiques ouvert seulement pendant la haute saison, mais qui offre à l'extérieur un panneau indicateur de sites d'intérêt, à longueur d'année. Le village de Tamarindo, quant à lui, possède aussi un centre de renseignements touristiques (à l'entrée du village, en face de l'hôtel El Milagro) ainsi qu'un centre commercial (un peu plus loin vers le centre du village, en face de l'hôtel Tamarindo Diriá) où vous trouverez un petit marché de même qu'une boutique de cadeaux. Vous trouverez également le Super Mercado El Pelicano sur la rue qui contourne le rond-point du centre du village. Le Banco Nacional se trouve à l'entrée du village, du côté de la plage. Attention, il n'y a pas de pharmacie à Tamarindo, ni de guichets automatiques.

La région de Nicoya

Nicoya: Nicoya possède un hôpital avec tous les services de base. Il est situé au nord du centre-ville, sur la Calle 3, soit le chemin principal de la ville depuis la route Nicoya – Liberia. Un Banco Popular, avec son guichet automatique, est situé en face du Banco Nacional sur cette même Calle 3, un peu au sud de l'hôpital. Vous y trouverez bien sûr des stations-service.

Playa Nosara: dans le village de Nosara, vous trouverez le Supermercado Nosara, un bon grand supermarché pour la région; on y vend même des pellicules photo. Dans la région rurale de Nosara, un centre communautaire ainsi qu'un centre de renseignements touristiques ont été construits sur le chemin qui mène aux plages (au sud du village de Nosara et près du restaurant La Dolce Vita), mais il n'y a pas de station-service.

Playa Sámara: le village de Playa Sámara possède un supermarché, le Super Sámara, au cœur du village, sur le chemin qui longe la plage. Il y a aussi un garage un peu en retrait du village sur la route.

Tours guidés

Marc, le propriétaire québécois d'**Eco Tours** (*Playa Hermosa*, ☎672-0175), propose des excursions un peu partout dans le Guanacaste. Connaissant la région comme le fond de sa poche, il saura vous communiquer son amour pour la nature costaricienne. Informez-vous des activités qu'il propose et des chambres qu'il loue.

Attraits touristiques

La région de Tilarán–Cañas–Bagaces

Siège d'un évêché, **Tilarán** niche dans une zone du Guanacaste qui, étant donné l'altitude, est assez venteuse mais de température agréable à longueur d'année. Le secteur est assez ensoleillé, car on a alors quitté l'est du lac Arenal, ses nuages et sa température instable, pour se retrouver à l'ouest de ce lac, dans une région beaucoup plus sèche. Tilarán elle-même est vallonnée mais sans grand charme. Son **église-cathédrale** est relativement moderne, avec un intérieur tapissé de marqueterie, ce qui lui donne un cachet particulier. La vie est tranquille à Tilarán, et les attractions touristiques y sont rares.

Il existe cependant deux endroits qui peuvent valoir la peine d'être découverts. Il faut savoir que la région possède notamment le **plus gros arbre du pays** ★ selon l'estimation qu'en ont fait les gens de Tilarán. Son ampleur est en effet très, très, très impressionnante: sa base à elle seule fait plus de 30 m de circonférence. Le monstre arborescent se dresse cependant sur une propriété privée. Après un bon repas au restaurant **La Carreta** (voir p 278) du

centre-ville de Tilarán, demandez au propriétaire, qui connaît tout le monde, s'il peut vous emmener voir cet arbre, à quelque 5 km au sud-est de la ville.

La région de Tilarán cache également des **chutes** ★ pas très loin de la petite bourgade de **Libano**. Pour vous y rendre au départ de Tilarán, vous devez traverser Libano, la rivière, et aller au-delà de l'église et de l'école. Suivez les panneaux qui indiquent *Cascadas*.

Bagaces, à 80 m au-dessus du niveau de la mer, est chaude et ne vaut pas la peine d'être mise sur la liste des stations touristiques d'excellence. Comme **Cañas**, elle est utile dans la mesure où elle peut constituer une étape dans votre périple à l'intérieur de la province, notamment pour visiter le **Parque Nacional Palo Verde** ★ ou la **Reserva Biológica Lomas Barbudal** (voir plus loin).

À Cañas, vous pouvez jeter un coup d'œil sur l'église, en face du Parque Central, laquelle a été décorée selon une technique de marqueterie aux pièces colorées créant un bel effet original.

Parque Nacional Palo Verde

Si vous vous passionnez pour l'ornithologie, vous visiterez avec plaisir le Parque Nacional Palo Verde (*6$; tlj 8h à 16h;* ☎659-9039 ou 671-1290), où l'on a recensé 279 espèces d'oiseaux. La richesse aviaire du parc est due en grande partie au fait que ce dernier abrite une douzaine de types d'habitats naturels. Parmi ceux-ci, on trouve la forêt tropicale sèche de basse altitude, composée de collines boisées, de lagunes d'eau salée et d'eau douce, de mangroves, de marécages et de grandes étendues d'herbe. D'ailleurs, une grande partie du territoire est inondée par les pluies abondantes et le débordement des rivières Tempisque et Bebedero qui longent le parc. Le drainage des eaux ne s'effectuant que très lentement, les grandes plaines herbeuses se convertissent alors en marais durant quelques mois, modifiant ainsi le décor du parc. Ces régions côtières humides étant plutôt rares dans le Guanacaste et ailleurs au Costa Rica, on a décidé, en 1992, d'inclure le Parque Nacional Palo Verde dans la convention internationale de Ramsar.

Mais il n'y a pas que des zones humides ou inondées dans le parc, car celui-ci renferme environ 150 espèces d'arbres identifiées à ce jour, dont le *palo verde* (bois vert), un arbre dont le tronc, les branches et les feuilles conservent leur couleur verte tout au long de l'année. On le trouve tout de même principalement dans les zones marécageuses du parc.

En avril 1978, Palo Verde, d'une superficie de 16 804 ha, était une réserve écologique; en juin

Abeilles!

Si par malheur vous êtes poursuivi et pris en chasse par ces insectes «sociaux», on vous recommande de courir en zigzaguant et en prenant soin de vous couvrir la tête à l'aide de vos bras. Cette règle est évidemment plus facile à énoncer qu'à mettre en pratique, car le terrain ou le sentier n'est pas toujours propice à cette forme inusitée de course!

1980, il est devenu un parc national. Son territoire s'étend à une trentaine de kilomètres au sud-ouest de la petite ville de Bagaces, là où le Río Tempisque devient de plus en plus large pour finalement s'unir au Golfo de Nicoya. Comptez environ une heure de route pour vous rendre de Bagaces au cœur du parc (voir p 224), où se trouvent le centre d'accueil, les bureaux administratifs et, un peu plus loin (7,5 km), la station de recherche de l'OTS (*Organization of Tropical Studies*, ☎240-6696). L'OTS propose des visites guidées (20$, repas de midi inclus), axées sur l'histoire naturelle des lieux, ainsi que le gîte à ceux qui désirent demeurer quelques jours dans le

parc. Notez qu'il est permis de pratiquer le camping (voir p 260).

Il est généralement recommandé de visiter le parc durant la saison sèche, qui s'étend de décembre à mars, et plus particulièrement durant les mois de janvier et de février. Comme il n'y a presque plus d'eau dans les champs et que les rivières sont à leur plus bas niveau, la grande majorité des animaux se regroupent dans des secteurs bien délimités, et il est alors plus facile de les observer. Les rares points d'eau attirent généralement, en soirée, un nombre élevé d'animaux. Vous risquez d'apercevoir des singes capucins à face blanche, des singes hurleurs, des coatis, des iguanes et des cerfs de Virginie. Le **Río Tempisque**, quant à lui, abrite plusieurs crocodiles dont certains spécimens atteignent 5 m de long!

En revanche, durant la saison verte, le Parque Nacional Palo Verde est davantage visité pour ses 300 espèces d'oiseaux, terrestres et aquatiques, qui profitent des points d'eau, des marais et des terres humides. Parmi les espèces qui fréquentent les lieux figurent le toucan, le perroquet, le canard siffleur, l'aigrette, le héron et l'ibis blanc. On nous a rapporté la présence d'aras écarlates, espèce maintenant très rare au pays. De plus, l'**Isla Pájaros** (2,3 ha), située dans le Río Tempisque, renferme une des plus importantes colonies de hérons bihoreaux

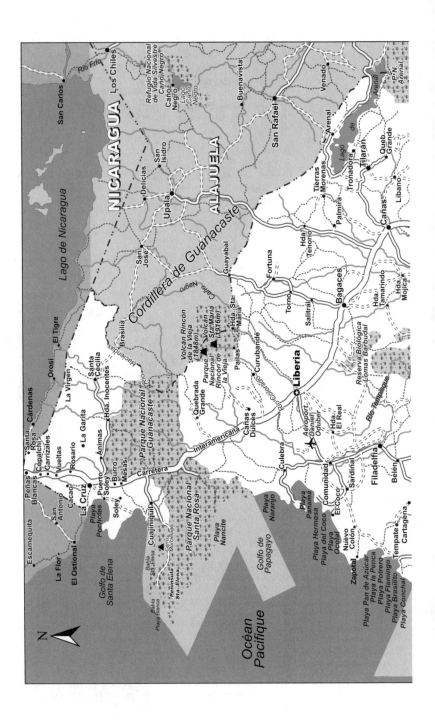

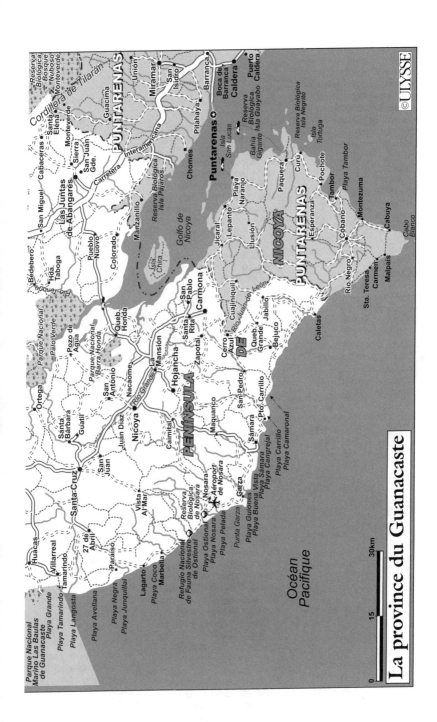

La province du Guanacaste

© ULYSSE

(*Nycticorax nycticorax*) au pays. Le Parque Nacional Palo Verde est d'ailleurs reconnu comme étant le lieu où l'on trouve la plus grande concentration d'oiseaux aquatiques et d'échassiers en Amérique centrale.

Le jabiru, un immense oiseau à gros bec, proche cousin de la cigogne, est une espèce en voie de disparition, et le parc constitue le seul site de reproduction de cet échassier au Costa Rica.

Le parc renferme un petit réseau de sentiers pédestres (6 km au total) ainsi que plusieurs chemins forestiers. Sachez toutefois que, lors de la saison sèche, la température peut être suffocante et réellement accablante. N'oubliez surtout pas d'apporter une grande quantité d'eau fraîche. Les sentiers **Las Calizas** (300 m), **El Manigordo** (1,5 km), **El Mapache** (2 km) et **La Venada** (2 km) sont courts, mais ils permettent d'apprécier les nombreux types d'habitats naturels qui composent la région. De plus, certains points de vue dévoilent des plaines inondables et de magnifiques collines avoisinantes.

Cependant, avant de vous aventurer dans les sentiers ou de monter votre tente pour quelques nuits, informez-vous au préalable des derniers relevés concernant les très agressives **abeilles africaines** (*abejas africanizadas*) qui ont élu domicile dans le parc.

Reserva Biológica Lomas Barbudal

D'une superficie de 2 279 ha, la Reserva Biológica Lomas Barbudal (*6$; tlj;* ☎*671-1290*) s'étend tout juste au nord-ouest du Parque Nacional Palo Verde. Vous y trouverez également un climat excessivement chaud lors de la saison sèche, qui s'étend de décembre à mars. Vous pourrez vous promener à pied, faire du camping (*1,25$/pers./jour, près du centre d'accueil*), observer la faune et la flore ou vous rafraîchir dans une rivière qui coule tout au long de l'année. Selon la saison, il n'y a pas toujours de responsable à l'accueil, auquel cas les visiteurs doivent parcourir la réserve sans avoir obtenu, au préalable, tous les renseignements et recommandations nécessaires à une visite enrichissante en toute sécurité.

D'ailleurs, avant de partir à la découverte de ce territoire composé de forêts tropicales sèches, sachez que la réserve compte environ 240 espèces d'abeilles, dont la très agressive abeille africaine! Assurez-vous donc de bien comprendre les consignes de sécurité (généralement en espagnol) et d'éviter les endroits où ces abeilles règnent en maître absolu.

Outre les abeilles, la réserve abrite 60 espèces de papillons et plus de 200 espèces d'oiseaux, dont

quelques aras écarlates et jabirus. Parmi les mammifères qui fréquentent les environs et qui demeurent plus susceptibles d'être observés, on retrouve les singes hurleurs et les capucins à face blanche, les coatis, les ratons laveurs et les coyotes.

Sur le territoire de la Reserva Biológica Lomas Barbudal, on a dénombré sept habitats naturels différents, bien qu'environ 70% de la superficie soit constituée de forêts d'arbres à feuilles caduques. Ainsi, lors de la saison sèche, ces arbres perdent leurs feuilles, à l'image des feuillus du Québec qui en font autant une fois l'automne venu. De plus, durant le mois de mars, il se passe un phénomène aussi beau qu'éphémère, soit la floraison des arbres *Tabebuia ochracea*, que les Costariciens appellent *corteza amarilla* (l'écorce jaune). Au même moment et pour quelques jours seulement, ces arbres sont littéralement couverts de milliers de fleurs jaunes, donnant au paysage une teinte surréaliste et inattendue.

En plus de cette espèce d'arbre spectaculaire, la réserve abrite de magnifiques palissandres de couleur violacée, à laquelle se mêlent du noir et du jaune, ainsi que des acajous, ces arbres d'Amérique dont le bois rougeâtre et très dur demeure encore très recherché à travers le monde. Il va sans dire que ces essences sont de plus en plus rares au Costa Rica, ainsi qu'en Amérique, et qu'il faut d'autant plus apprécier les efforts considérables des parcs et des réserves qui ont pour mandat, entre autres, de les préserver.

Un territoire défriché comme l'est le Guanacaste peut souffrir beaucoup en période de sécheresse comme celle qui fut causée par El Niño en 1997. Ce sont alors de vastes espaces jaunes et quelque peu désolants qui s'offrent à la vue des visiteurs. On tente de reboiser la région, et le Canada, entre autres pays, participe ici à des projets de reforestation. On en voit un exemple à quelques kilomètres à l'est de l'Interaméricaine, entre Bagaces et Cañas.

La région au nord de Liberia

La région au nord de Liberia se caractérise principalement par ses vastes espaces naturels protégés. La seule grande ville de la région est **La Cruz** (à ne pas confondre avec Santa Cruz, dans la péninsule de Nicoya), petite agglomération de quelques milliers d'habitants, dernière étape avant d'atteindre la frontière nicaraguayenne sur l'Interaméricaine. Il y a peu de choses à faire à La Cruz même, si ce n'est d'aller à **Playa Pochote**, station

balnéaire des *Ticos* du coin et l'une des dernières plages du pays avant d'atteindre le Nicaragua. Les autres plages d'intérêt de la région sont situées à l'intérieur des espaces naturels protégés du secteur.

C'est également dans cette région au nord de Liberia que l'on peut voir le Guanacaste des grands *rancheros* (bétail et chevaux) et admirer les beaux paysages que forment les profils des volcans de la cordillère de Guanacaste (tels le Rincón de la Vieja et l'Orosi) sur leur environnement immédiat, plutôt plat dans ce secteur.

Il faut savoir qu'il existe peu d'habitations entre Liberia et La Cruz. Donc il y a peu d'établissements de restauration.

Parque Nacional Santa Rosa

Rares sont les parcs où l'on trouve à la fois la mer, la plage, la plaine, la montagne, des aménagements d'accueil ainsi qu'un site historique fort bien préservé. Pourtant, c'est ce qui vous attend si vous visitez l'imposant Parque National Santa Rosa *(6$; tlj 8h à 16h30; ☎666-5051, www.acguanacaste.ac.cr)*, situé à l'extrémité nord-ouest de la province du Guanacaste et à seulement quelques kilomètres du Nicaragua.

D'une superficie de 37 117 ha, l'endroit fut d'abord classé monument

national en 1966, pour ensuite devenir un parc national en 1971. Toutefois, s'étendant sur une grande partie de la péninsule de Santa Elena, le parc ne cesse de s'agrandir depuis des années, annexant en 1980 le secteur Murciélago, plus au nord, ainsi que l'hacienda Santa Elena en 1987. Le processus d'acquisition des terres n'est pas terminé, et l'on négocie toujours des ententes avec les propriétaires terriens de la région.

Non seulement le Parque Nacional Santa Rosa est-il l'un des plus grands au Costa Rica, mais il est également l'un des plus visités, venant au quatrième rang. Plusieurs facteurs ont contribué à cette fréquentation élevée. D'abord, le fait que le parc est situé tout près de l'Interaméricaine, via un chemin revêtu de 7 km, le rend facilement accessible à tous. De plus, on y trouve un site historique tout aussi intéressant qu'important, **La Casona** ★ *(entrée libre; près des bureaux administratifs)*. La Casona constitue la maison principale d'un des plus grands ranchs du Costa Rica, nommé l'hacienda Santa Rosa, qui a marqué l'histoire du pays depuis le XVIIIᵉ siècle. Symbole de liberté et de fierté des Costariciens, La Casona a été le théâtre de trois batailles importantes et déterminantes pour la survie de la démocratie au pays.

La première de ces batailles eut lieu le 20 mars 1856, alors que l'Américain William Walker, accompagné de quelque 200 flibustiers, descendit du Nicaragua afin de fomenter un mouvement révolutionnaire en Amérique centrale. Alors que Walker et ses hommes campaient à l'hacienda Santa Rosa, l'armée costaricienne les attaqua promptement en fin d'après-midi. On raconte que la bataille ne dura que 14 min et qu'elle se solda par le triomphe des troupes costariciennes.

La deuxième bataille, appelée la Sapoá Revolución, se déroula le 8 mai 1919, alors qu'un groupe de 800 hommes tenta d'amorcer une révolution visant à renverser le gouvernement du président Federico Tinoco. Installés à l'hacienda, ces révolutionnaires furent défaits et forcés de battre en retraite vers le Nicaragua, d'où ils étaient venus.

Enfin, la troisième bataille prit naissance en 1955, durant le mandat du président José Figueres, surnommé Don Pepe. Il est dit que de nombreux partisans de l'ancien président costaricien, le docteur Rafael Ángel Calderón Guardia, décidèrent d'envahir le pays depuis le Nicaragua. Bien que le Costa Rica eût aboli son armée en 1948, la population se réunit massivement afin de défendre la liberté du pays. De violents combats s'engagèrent autour de La Casona, et la résistance suscitée par les troupes du président Figueres découragea les putschistes. À 3 km de l'entrée du parc, vous pouvez

voir deux véhicules militaires (*tanquetas*) abandonnés là lors de cette bataille.

Aujourd'hui paisible et calme, La Casona est davantage envahie par le soleil de plomb qui vient la caresser et par les chauves-souris qui s'y reposent durant le jour. Faite de grandes planches de bois et dotée d'un toit en tuiles de céramique, La Casona comporte de nombreuses pièces ainsi qu'une grande véranda sur toute la façade principale, avec des balcons à l'étage. À l'arrière, des bâtiments sont rattachés les uns aux autres pour former une grande cour intérieure. Vous pourrez visiter les différentes pièces de la maison, dont certaines sont garnies de meubles d'époque et de mannequins habillés de vêtements anciens. On observe également plusieurs objets qui servaient aux cavaliers et à leur monture. À l'intérieur d'un bâtiment, une petite boutique de souvenirs propose statuettes, des t-shirts, produits artisanaux et autres objets liés à La Casona et au parc. À l'extérieur, près de magnifiques grands arbres, remarquez le long muret de pierres construit il y a plus de 300 ans.

La Casona

Tout à côté de La Casona est érigé le **Monumento a los Héroes** en mémoire de ceux qui participèrent courageusement aux batailles de 1856 et de 1955. On y accède par un long escalier qui grimpe sur une colline où se dresse le monument, composé de deux colonnes en brique supportant une large poutre. De la colline, la vue s'étend jusqu'aux volcans Cacao et Orosi, situés dans le Parque Nacional Guanacaste, et jusqu'au Volcán Rincón de la Vieja.

Le Parque Nacional Santa Rosa est divisé en deux secteurs: le **secteur Santa Rosa**, le plus important et le plus visité, ainsi que le **secteur Murciélago**, plus au nord et beaucoup moins fréquenté. Entre ces deux secteurs surgissent la péninsule de Santa Elena et les monts du même nom. Le parc abrite l'une des dernières forêts sèches de la côte Pacifique qui autrefois s'étendaient du Mexique au Panamá. Il a donc comme mandat non seulement de protéger la forêt, mais également de faire en sorte que celle-ci s'étende de

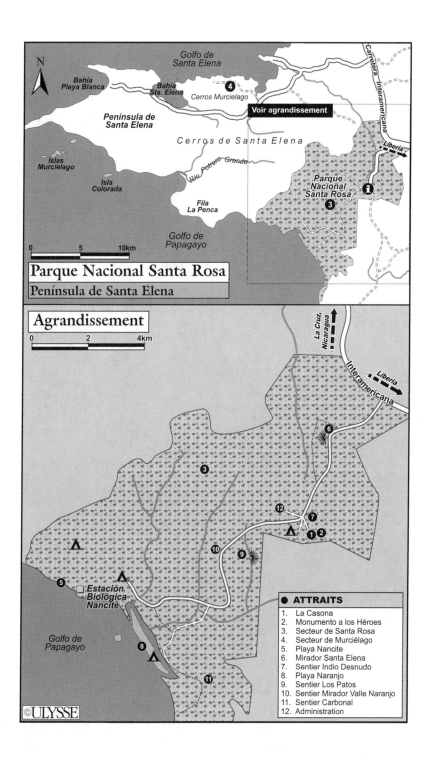

Parque Nacional Santa Rosa
Península de Santa Elena

Agrandissement

● ATTRAITS

1. La Casona
2. Monumento a los Héroes
3. Secteur de Santa Rosa
4. Secteur de Murciélago
5. Playa Nancite
6. Mirador Santa Elena
7. Sentier Indio Desnudo
8. Playa Naranjo
9. Sentier Los Patos
10. Sentier Mirador Valle Naranjo
11. Sentier Carbonal
12. Administration

©ULYSSE

nouveau sur les pâturages environnants. Le processus de régénération naturelle de la forêt s'effectue, entre autres, par les semences qui se dispersent avec le vent et celles que les animaux relâchent, à même leurs selles, en différents lieux du parc.

De plus, de nombreux scientifiques étudient ce processus et veillent à ce que la nature reprenne ses droits. Pour ce faire, il a fallu sensibiliser et éduquer les gens de la région qui, depuis le début du XVIe siècle, défrichaient sans cesse le territoire pour faire le commerce du bois et créer d'immenses pâturages, le Guanacaste étant reconnu comme le Far West costaricien. Heureusement, le parc abrite toujours des arbres majestueux, qui perdent leurs feuilles durant la saison sèche (novembre à mai). Si vous désirez observer l'imposant *guanacaste* (*Enterolobium cyclocarpum*), l'arbre qui a donné son nom à la province, rendez-vous à côté de La Casona, où l'on en trouve de magnifiques spécimens.

Avec son territoire étendu et ses milieux naturels variés (mer, plages, mangroves, plaines, montagnes, etc.), s'y trouve une faune aussi diversifiée qu'étonnante. On a recensé jusqu'à présent 115 espèces de mammifères, 250 espèces d'oiseaux, 100 espèces d'amphibiens et de reptiles, et plus de 30 000 espèces d'insectes! Avec un peu de chance, vous observerez probablement des singes capucins à face blanche, des singes

hurleurs, des cerfs de Virginie, des coatis et de gros iguanes (*Ctenousaura similis*). Parmi les animaux moins souvent rencontrés figurent le puma, le coyote et le boa constricteur.

De plus, la **Playa Nancite**, de même que la plage d'Ostional, dans le **Refugio Nacional de Vida Silvestre de Ostional** (voir p 257), sont considérées comme les deux lieux les plus importants au monde où viennent pondre les **tortues de Ridley** (*Lepidochelys olivacea*), que les Costariciens appellent *tortuga lora*. Ces tortues ne sont pas très grosses, pesant en moyenne 40 kg, mais c'est par milliers qu'elles arrivent sur la plage pour y déposer leurs œufs. Ce phénomène spectaculaire, que les gens du pays appellent *arribadas* (arrivées massives), se produit fréquemment entre les mois de juillet et de novembre, bien que les mois d'août et de septembre soient jugés les plus sûrs.

Le Parque Nacional Santa Rosa est sans aucun doute le parc le mieux organisé pour recevoir des visiteurs. On y trouve huit chambres, des emplacements de camping (voir p 262) ainsi qu'une cafétéria qui permet de prendre d'excellents repas.

Le secteur Santa Rosa possède plusieurs attraits naturels que vous pouvez observer en empruntant différents sentiers pédestres. Près de l'entrée du parc, un point de vue dénommé **Mirador Santa Elena** permet d'admirer les montagnes Santa Elena,

vieilles d'environ 85 millions d'années. Tout près de La Casona, le **sentier Indio Desnudo** *(0,8 km)* se laisse parcourir en une trentaine de minutes et révèle une saine coexistence entre les différentes espèces florales et fauniques de la forêt sèche. Près d'un petit pont d'origine naturelle, vous découvrirez des pétroglyphes.

À partir des bureaux de l'administration, un petit chemin non revêtu mène à **Playa Naranjo**, située 12 km plus loin. Ce chemin n'est accessible qu'aux véhicules à quatre roues motrices et uniquement durant la saison sèche, soit entre les mois de novembre et de mai. Assurez-vous d'obtenir l'autorisation de vous y aventurer car, le chemin étant dans un état lamentable, il s'y produit fréquemment des incidents fâcheux.

Quoi qu'il en soit, si vous décidez de marcher sur la route afin d'aller camper à Playa Naranjo, comptez entre trois et quatre heures de marche, et n'oubliez pas d'apporter suffisamment de nourriture et d'eau potable pour la durée de votre séjour. L'autre terrain de camping est situé près de la plage Nancite, 5 km plus au nord. Le long du chemin menant de l'administration à Playa Naranjo, deux petits sentiers secondaires permettent d'effectuer des randonnées agréables. Le sentier **Los Patos** (1,5 km aller), sur la gauche, mène dans la vallée forestière du Río Poza Salada. Un peu plus loin, le sentier **Mirador Valle Naranjo** (1 km aller), sur la droite, conduit à un joli point de vue sur la forêt sèche, la vallée et une partie de la plage Naranjo et de l'estuaire Real. Au sud de la plage de Naranjo, le sentier **Carbonal** (3 km aller) longe la lagune de Limbo, et il n'est pas rare d'y surprendre des singes hurleurs ou des capucins à face blanche de même que des singes-araignées.

Pour vous rendre dans le **secteur Murciélago**, vous devez sortir du parc et reprendre l'Interaméricaine vers le nord (voir p 225). Vous y trouverez des emplacements de camping *(2$/pers./jour; eau potable, douches, toilettes)*, des aires de pique-nique et un réseau de sentiers pédestres. On y trouve également de petits chemins non revêtus, praticables uniquement en véhicule à quatre roues motrices, qui mènent aux baies d'**El Hachal**, **Santa Elena** et **Playa Blanca**. Ce secteur possède une longue histoire. Ainsi, dès 1663, on construisit la ferme El Murciélago (la chauvesouris), qui fut en exploitation jusque dans les années 1970, au cours desquelles la famille du président du Nicaragua, le dictateur Anastasio Somoza, acheta la ferme: la région servit alors de base militaire. Mais, en 1979, le gouvernement du Costa Rica décida d'exproprier la famille Somoza et annexa, le 13 novembre 1980, la ferme à l'Área de Conservación Guanacaste (ACG)

afin d'en faire un site protégé.

Refugio Nacional Bahía Junquillal

Le Refugio Nacional Bahía Junquillal *(6$; tlj 8h à 17h; ☎679-9692)* est situé à environ 20 km au sud de la petite ville de La Cruz (via Puerto Soley), dernière ville en importance avant la frontière avec le Nicaragua. Cette petite réserve, d'un peu plus de 500 ha, fait également partie de l'Área de Conservación Guanacaste (ACG). On y trouve une superbe plage d'environ 2 km de longueur, qui accueille à l'occasion des tortues de Ridley, des tortues luths et des tortues vertes du Pacifique venues pondre leurs œufs. Outre la plage et les nombreuses espèces d'oiseaux aquatiques que vous pouvez observer, vous pourrez vous baigner et pratiquer la plongée-tuba. Un petit sentier d'environ 600 m, dénommé **El Carao**, sillonne la forêt sèche et côtière où l'on peut contempler le phénomène de régénération. Il est également possible de camper *(2$/pers./jour)* sur le site, 25 emplacements étant prévus à cet effet. Vous trouverez des tables de pique-nique, des grils pour cuisiner, de l'eau potable, des toilettes et des douches.

Parque Nacional Guanacaste

Le Parque Nacional Guanacaste *(6$; tlj 8h à 17h; ☎666-5051)* fut créé le 25 juillet 1989, jour où l'on célèbre la fête de la province du Guanacaste. D'une superficie de 32 512 ha, il prolonge, en fait, le Parque Nacional Santa Rosa du côté est de l'Interaméricaine, formant ainsi un corridor naturel et essentiel à un grand nombre d'espèces animales vivant dans la région. Or, beaucoup d'animaux ont besoin d'un vaste territoire pour chasser, selon les saisons, dans la montagne, la plaine ou la mer. Avec la création de ce parc, plusieurs types d'habitats naturels demeurent protégés, depuis la côte du Pacifique jusqu'à 1 659 m d'altitude, soit au sommet du volcan Cacao. D'ailleurs, on tente de joindre, par un autre corridor naturel, le Parque Nacional Guanacaste au Parque Nacional Rincón de la Vieja, situé à seulement quelques kilomètres vers le sud-est. L'entreprise progresse bien, et il ne reste qu'une petite bande de terre à préserver de chaque côté de la route qui passe entre les deux parcs. En revanche, comme ces terres sont privées, il faudra assurément beaucoup de pourparlers entre les partis afin d'en arriver à une entente.

Il va sans dire que le Parque Nacional Guanacaste constitue d'abord un territoire qu'il faut garder le

Conservación

Le Parque Nacional Guanacaste fait partie de l'**Área de Conservación Guanacaste** (ACG), qui a ses bureaux dans le Parque Nacional Santa Rosa. L'ACG regroupe les parcs nationaux Guanacaste, Santa Rosa et Rincón de la Vieja, de même que le Refugio Nacional Bahía Junquillal et la station forestière Horizontes. En tout, ce sont plus de 120 000 ha de terre et 75 000 ha de littoral qui sont protégés dans ce secteur nord-ouest de la province du Guanacaste.

plus intact possible, tout en offrant aux visiteurs la possibilité d'en apprécier les beautés. Désirant connaître toutes les espèces animales et végétales que l'on trouve dans le parc, on mit l'accent sur la recherche. Aujourd'hui, de nombreux scientifiques du monde entier viennent y travailler, participant à la recherche ou enseignant certaines techniques d'inventoriage biologique. Il faut dire qu'avec 3 800 espèces de phalènes (grands papillons nocturnes ou crépusculaires), par exemple, l'étude devient quelque peu complexe et

fastidieuse, en plus de demander passablement de temps pour l'observation, la recherche et la prise de notes!

Il fallait donc ériger des stations d'études biologiques afin d'éviter aux chercheurs d'avoir à parcourir les vallées et les montagnes, et de sortir du parc chaque soir. Pour ce faire, on aménagea trois stations: **Maritza**, **Cacao** et **Pitilla**. La station Maritza est située au pied du **volcan Orosi** (1 487 m), alors que celle de Cacao se trouve à 1 100 m d'altitude, non loin du volcan Cacao (1 659 m). La troisième station, dénommée Pitilla, est, quant à elle, située sur le versant oriental du volcan Orosi. On y observe des habitats naturels différents de ceux du côté du Pacifique, avec plus de précipitations et d'humidité. De ce côté, les rivières coulent vers la mer des Caraïbes (vers l'est), située à un peu moins de 200 km de là.

Lorsque les trois stations ne sont pas occupées par les chercheurs, elles accueillent volontiers les visiteurs ou les touristes de passage. On y propose un hébergement rustique, de style dortoir, avec salles de bain communes et eau froide. Vous devez réserver au préalable. De plus, on nous a informé qu'il faut désormais apporter sa nourriture. Bien qu'il n'y ait pas d'emplacements prévus à cet effet, il est parfois possible de camper (*2$/pers./jour*) près des stations, à condition d'en obtenir l'autorisation à l'avance.

Quelques randonnées pédestres peuvent être effectuées autour des stations. Près de la station Maritza, le sentier **El Pedregal** (3 km aller-retour) parcourt des pâturages ainsi que la forêt de transition (sèche à humide). Il mène jusqu'au pied du volcan Orosi, où vous pourrez admirer quelques-uns des 800 pétroglyphes datant de l'époque précolombienne, gravés sur des rochers d'origine volcanique. Le sentier **Cacao-Maritza** (6 km aller) permet de relier les deux stations du même nom et demande autour de deux heures de marche. Il passe par un site appelé Casa Fran, d'où l'on peut voir une maison qu'utilisent occasionnellement les employés du parc. Si vous désirez grimper au **sommet du volcan Cacao**, situé à 1 659 m d'altitude, il est préférable de partir de la station Cacao (2 km aller-retour) plutôt que de celle de Maritza (14 km aller-retour). De la station Cacao (1 100 m), le sentier grimpe continuellement et sillonne la forêt tropicale humide jusqu'au sommet. La montée n'est pas particulièrement longue (1 km aller), mais elle est difficile en raison des 559 m de dénivellation que vous devez franchir. Le sommet du volcan est boisé, mais on y découvre un point de vue qui embrasse les vallées environnantes.

★ ★ ★

Parque Nacional Rincón de la Vieja

Tout simplement l'un des plus beaux parcs du Costa Rica, le Parque Nacional Rincón de la Vieja *(6$; tlj 7h à 17h; ☎666-5051)* a vraiment tout pour plaire aux amants de la nature et aux adeptes de la randonnée pédestre. Chose curieuse, il n'est que le neuvième parc le plus visité du pays. Alors empressez-vous de le parcourir avant que ce petit secret bien gardé devienne trop fréquenté. Vous y trouverez des paysages magnifiques, des points de vue époustouflants, un volcan qui a du caractère, des rivières apaisantes, des chutes spectaculaires, des eaux thermales relaxantes, des lieux de baignade, des aires de pique-nique, des terrains de camping, des sentiers bien balisés ainsi qu'une documentation bien détaillée (dépliants et cartes), ce qui est plutôt rare au pays.

Le Parque Nacional Rincón de la Vieja, d'une superficie de 14 084 ha, s'étend à environ 25 km au nord-est de la ville de Liberia, capitale de la province du Guanacaste. Il est divisé en deux secteurs, **Las Pailas** *(☎661-8139)* et **Santa María**, qui sont éloignés l'un de l'autre d'environ 8 km. Afin de connaître le chemin pour aller dans ces secteurs, voir p 225. Le parc fut créé en 1973 dans le but de protéger les nombreuses sources d'eau qui

alimentent une partie de la province ainsi que la grande diversité florale et faunique qu'on y trouve.

Quiconque ayant parcouru les contrées arides du Guanacaste sera étonné de constater la présence de nombreux cours d'eau dans le parc. Comme la ligne de partage des eaux longe la cordillère de Guanacaste en passant par les volcans Rincón de la Vieja (1 895 m) et Santa María (1 916 m), les cours d'eau dévallant vers le nord et l'est se dirigent vers la mer des Caraïbes, alors que ceux descendant vers le sud et l'ouest poursuivent

Rincón de la Vieja

Le nom du parc Rincón de la Vieja (le coin de la vieille) tire son origine d'une légende autochtone. Ainsi, il y a très longtemps, la fille du grand chef Curubandé, la princesse Curubanda, tomba amoureuse du prince Mixcoac, chef d'une tribu ennemie des environs. Mis au courant de cette liaison dangereuse, Curubandé fit capturer le prince Mixcoac, pour l'emmener sur-le-champ au sommet du volcan. Le pauvre Mixcoac fut projeté, sans autre forme de procès, au fond du cratère. Curubanda éprouva tant de peine et de douleur qu'elle en perdit la raison.

Depuis ce jour, on raconte qu'elle alla s'installer au sommet

du terrible volcan pour y vivre près de son amoureux sacrifié, à jamais disparu. De cette tragique histoire d'amour naquit un bébé. La princesse éperdue, désirant que son enfant vive auprès de son père, le lança dans la bouche du cratère comme une ultime offrande à l'être aimé.

La légende raconte également que Curubanda devint, au fil de ces années d'isolement, une grande guérisseuse grâce aux plantes, aux boues et aux cendres volcaniques. Ainsi, lorsque les gens grimpaient sur le flanc du volcan afin de consulter la *curendera* (guérisseuse), ils disaient *«voy para el rincón de la veija»* (je vais vers le coin de la vieille).

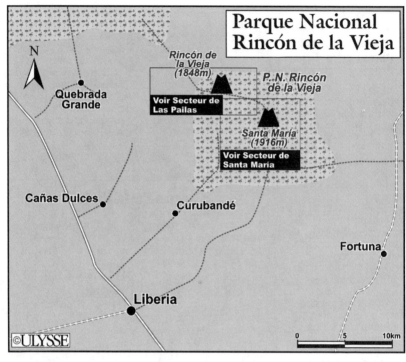

Parque Nacional Rincón de la Vieja

N

Quebrada
Grande

Rincón de
la Vieja
(1848m)

P. N. Rincón
de la Vieja

Voir Secteur de
Las Pailas

Santa María
(1916m)

Voir Secteur de
Santa María

Cañas Dulces

Curubandé

Fortuna

Liberia

©ULYSSE

0   5   10km

leur route vers le Pacifique, alimentant ainsi la ville de Liberia et plusieurs villages. En tout, 32 rivières prennent naissance dans le parc, auxquelles il faut ajouter 16 ruisseaux qui se forment uniquement durant la saison des pluies. Une bonne partie de ces cours d'eau vont s'unir au Río Tempisque, la plus grande rivière de la province et l'une des plus imposantes du Costa Rica.

Le **Volcán Rincón de la Vieja**, composé de neuf cratères, a depuis toujours fait parler de lui. Ainsi, à une époque lointaine, il est dit que le volcan était si souvent en éruption qu'il servait de phare aux navigateurs qui longeaient la côte Pacifique! Mais plus vraisemblables sans doute

sont les premiers rapports d'observation, datant de 1851, qui font état d'éruptions, de cendres et de fumée. Au fil des décennies, de nombreuses éruptions sans gravité furent ainsi rapportées. Puis, autour de 1967, des éruptions plus sérieuses, impliquant des chutes de pierres d'assez bonnes dimensions (jusqu'à 2 kg), firent craindre le pire aux habitants des environs immédiates du volcan. Plusieurs forêts et prés furent détruits, et certaines rivières furent polluées par les émissions de gaz toxiques.

En 1983 et 1984, puis en 1991 et de nouveau en 1995, d'autres éruptions confirmèrent que le volcan «crachait» régulièrement,

comme s'il voulait signifier qu'il peut, à tout moment, se déchaîner. La dernière éruption en date se produisit au printemps 1998 et affecta davantage le versant nord, soit celui donnant sur le Nicaragua, ce versant étant une zone quasi inhabitée. Heureusement, jusqu'à maintenant, la majorité des éruptions affectent davantage ce versant, alors que la plupart des villages, des hôtels, des installations du parc, des sentiers et des attraits touristiques se trouvent du côté sud ou ouest du volcan. Les volcanologues croient d'ailleurs que les nombreux geysers et bassins de boue, où l'on trouve des émanations de vapeur composées de soufre, de fer et de cuivre, permettent un relâchement constant de la pression interne, ce qui réduit ainsi les risques d'y voir un jour une gigantesque éruption.

Les différents niveaux d'altitude du parc, qui vont de 600 m à près de 2 000 m, favorisent une flore des plus diversifiées. Les nombreuses précipitations d'eau et les cendres volcaniques contribuent également au développement de cette richesse naturelle. Entre 600 m et 1 200 m d'altitude se trouve la forêt sèche, composée entre autres d'espèces telles que le *guanacaste* (*Enterolobium cyclocarpum*), le *laurel* (*Cedrela odorata*) et le *cedro amargo* (*Cedrela odonta*). Entre 1 200 m et 1 400 m d'altitude, la forêt humide reçoit une pluie abondante, et l'on y observe de nombreux *copey* (*Clusia rosea*), arbres bien adaptés à cette région. Au-delà de 1 400 m d'altitude, les arbres deviennent rabougris, puis font place aux arbustes et aux tapis de mousse. Le parc constitue aussi l'un des lieux où l'on trouve le plus d'orchidées Cattleya de couleur lilas, la fleur nationale que les Costariciens appellent *guaria morada*.

La faune du parc est tout aussi variée que fascinante. Avec un peu de chance, et si vous demeurez silencieux, vous pourrez voir des iguanes, des agoutis, des coatis, des singes hurleurs, des singes capucins à face blanche et des singes-araignées. Plus difficilement observables mais quand

même présents dans le parc, se trouvent des *armadillos* (tatous), des tapirs de Baird, des pécaris, des ocelots, des pumas et des jaguars.

La faune ailée est également bien représentée, avec quelque 300 espèces, dont des perroquets, des toucans, des trogons (parfois le quetzal), des oiseaux-mouches, des colombes, des pics, des hiboux et des aigles, san oublier de superbes papillons.

Secteur Las Pailas

Le secteur de Las Pailas, situé au pied du volcan Rincón de la Vieja, est dénommé ainsi en raison des nombreux «chaudrons» (*pailas*) ou bassins d'eau bouillante, des geysers et des marmites de vase grise qu'on y trouve. À l'entrée du secteur, il y a les bâtiments d'accueil et d'information où vous dénicherez de la documentation sur le parc (dépliants et cartes) et où vous verrez une grande maquette représentant ce dernier. Non loin, à côté du Río Colorado, se trouvent les emplacements

Guaria morada

de camping *(2$/pers./jour; eau potable, douches, toilettes)*, bien à l'ombre et

pourvus de tables de pique-nique.

Si vous ne disposez que de quelques heures, nous vous conseillons fortement d'effectuer la boucle facile et très intéressante du **sentier Pailas** (3 km), où vous pourrez admirer une jolie chute, des fumerolles, des bassins de boue bouillonnante, des marmites de vase grise ainsi qu'un volcan miniature, appelé *volcancito*. Le sentier passe par la riche forêt (où l'on entend fréquemment les cris sourds des singes hurleurs) de même qu'à travers champs.

Si vous désirez vous rendre dans le **secteur Santa María**, vous devez d'abord suivre le sentier Pailas et, à mi-chemin (panneau indicateur), bifurquer sur le sentier qui conduit à ce secteur. Un peu plus de 8 km séparent les centres d'accueil de ces deux régions.

Non loin du centre d'accueil Las Pailas, à environ 800 m, vous pourrez vous baigner dans l'eau froide et rafraîchissante du **Río Blanco**. Un petit sentier abrupt mais très court descend jusqu'à un bassin où il y a souvent des randonneurs qui se baignent ou se prélassent sur les rochers.

Dans la même direction, mais à 4,3 km du centre d'accueil (aller seulement), un sentier mène à trois chutes, les **Cataratas Escondidas** (les chutes cachées), situées à l'ouest des ruisseaux Escondida et Agria. Deux d'entre elles sont visibles du canyon,

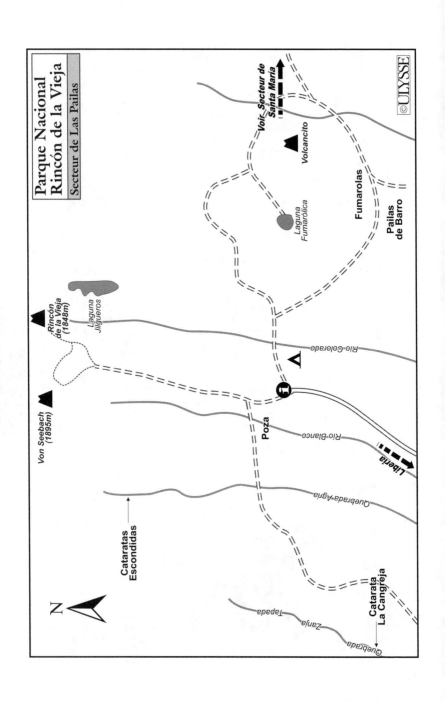

Parque Nacional
Rincón de la Vieja
Secteur de Las Pailas

Voie Secteur de Santa María

Volcancito

Laguna Fumarólica

Fumarolas

Pailas de Barro

Río Colorado

Rincón de la Vieja (1848m)

Laguna Jilgueros

Von Seebach (1895m)

Poza

Río Blanco

Liberia

Quebrada Agria

Cataratas Escondidas

Zanja Tapada

Quebrada

Catarata La Cangreja

N

©ULYSSE

alors qu'il faut marcher un peu plus pour atteindre la troisième. On y trouve aussi un bassin d'eau propice à la baignade.

Encore plus à l'ouest et davantage en direction sud, vous découvrirez une superbe chute d'environ 25 m de haut dénommée **La Cangreja** (crabe). Au pied de la chute, un magnifique bassin aux eaux turquoise invite à la trempette. Cette chute est située à 5,1 km (aller seulement) du centre d'accueil.

Prudence

Soyez vigilant, et évitez de vous faire un masque de boue volcanique, car plusieurs visiteurs se sont gravement brûlés. Pour une telle expérience, faites appel à un guide expérimenté (du parc ou d'un hôtel des environs) qui saura vous conseiller judicieusement.

Aussi, des accidents graves sont survenus à cause de l'imprudence de certains touristes s'approchant trop près du bord d'un cratère. Gardez vos distances!

Ceux qui désirent grimper au sommet du volcan Rincón de la Vieja (1 895 m) ont avantage à commencer leur randonnée vers 7h ou 8h le matin, car les 16 km de sentier (aller-retour) demandent autour de six à huit heures de marche (plus les arrêts, les photos, le déjeuner, etc.). Or, comme la dénivellation est de 900 m et que le sentier grimpe continuellement, il serait souhaitable d'être en excellente forme afin de jouir pleinement d'une journée mémorable. Partir très tôt (comptez au moins une heure de route pour relier Liberia à l'entrée du parc) permet d'éviter également de se trouver au sommet du volcan en fin d'après-midi, lorsque les nuages sont davantage menaçants. Cela permet d'éviter aussi de terminer la journée à la noirceur (vers 17h30), allumettes ou lampe de poche à la main... N'oubliez pas d'apporter des vêtements chauds et imperméables, suffisamment de nourriture et beaucoup d'eau.

Le sentier traverse d'abord la dense forêt où il est commun d'observer des singes-araignées et des pics. Au bout de 4 km, les arbres font place aux arbustes et aux tapis de mousse. Le sentier devient plus difficile, et le randonneur doit constamment grimper de grandes marches de boue. À partir de cet endroit, le vent, la pluie et le brouillard font souvent leur apparition. En revanche, le sentier est bien balisé à l'aide de petits fanions, de cairns et de panneaux indiquant les

directions à suivre. Au sommet, le sentier longe le bord du volcan et devient étroit, de l'ordre de 1 m environ. Si le vent souffle très violemment, ce qui est fréquent, il est préférable de s'encorder afin d'éviter une chute plus que fâcheuse. Du sommet, la vue s'étend dans toutes les directions et vous avez tout le loisir d'en profiter, jusqu'à ce qu'une vapeur de soufre vous remplisse les poumons et vous incite à rebrousser chemin. Notez qu'en raison de la forte dénivellation la descente demande presque autant de temps et d'effort que la montée.

Secteur Santa María

Le secteur Santa María est situé à environ 8 km à l'est du secteur Las Pailas, mais, si vous désirez vous y rendre en voiture, vous devrez prendre une route différente au départ de Liberia (voir p 225). Le secteur Santa María a abrité, jusqu'en 1973, l'une des plus grandes fermes (haciendas) de cette région montagneuse. On y trouvait des troupeaux de bovidés, des vaches laitières ainsi que des plantations de café et de canne à sucre. Il est d'ailleurs possible de visiter la maison principale, dénommée La Casona, qui sert également de centre d'accueil des visiteurs (voir plus haut). Dans l'une des pièces, vous pourrez voir une exposition de photos ayant pour thème le volcan et d'autres portant sur les outils dont on se servait à l'époque de l'hacienda.

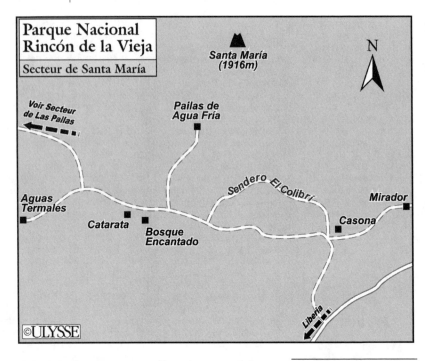

**Parque Nacional
Rincón de la Vieja**

Secteur de Santa María

Santa María
(1916m)

N

Voir Secteur
de Las Pailas

Pailas de
Agua Fría

Sendero El Colibrí

Mirador

Aguas
Termales

Casona

Catarata

Bosque
Encantado

Liberia

©ULYSSE

Près de La Casona se trouvent des aires de pique-nique et des emplacements de camping *(2$/pers./jour; eau potable, douches, toilettes)*. À côté du camping, le sentier **Colibrí** (500 m) permet de découvrir une forêt secondaire ainsi que l'endroit où l'on pressait la canne à sucre.

Du côté est de La Casona, un court sentier d'environ 500 m (aller) mène à un superbe point de vue (*mirador*) sur le secteur, les plaines environnantes, la ville de Liberia et le Volcán Miravalles (2 028 m). Du côté ouest, un sentier conduit aux **Pailas de Agua Fría** (1,6 km aller), où vous trouverez des sources d'eau froide.

Plus près encore de La Casona (1,1 km aller), vous découvrirez la jolie chute du **Bosque Encantado** (forêt enchantée), située le long du Río Zopitote. Mais l'un des attraits principaux de ce secteur est sans contredit les **Aguas Termales**, situées à 2,8 km (aller seulement) de La Casona. Ces eaux thermales sulfureuses proviennent du volcan et auraient des vertus médicinales. Quoi qu'il en soit, elles ont assurément des qualités bienfaisantes, et l'on s'y détend à merveille. Cependant, faites attention de ne pas recevoir d'eau sulfureuse dans les yeux, et effectuez plusieurs courtes trempettes (autour de 5 min à la fois).

La région de Liberia

Liberia et ses environs

Capitale de la province du Guanacaste, peuplée de quelque 40 000 habitants, **Liberia ★** se présente comme une ville somme toute assez sympathique. On y trouve de nombreux commerces et services, ce qui est pratique lorsqu'on se dirige vers les plages et les attractions des environs. Dynamique le jour, Liberia demeure animée le soir. Il faut voir le grand **Parque Central** à ce moment pour s'en convaincre. Bien ombragé le jour grâce à de beaux grands arbres matures, l'endroit devient le rendez-vous par excellence de toute la population de la capitale provinciale après

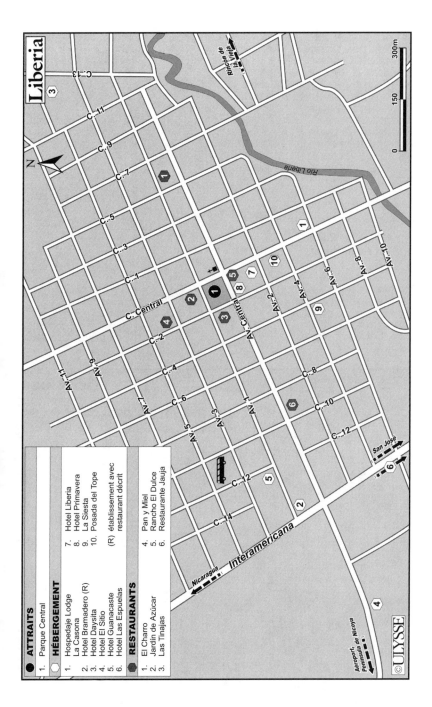

Liberia

ATTRAITS
1. Parque Central

HÉBERGEMENT
1. Hospedaje Lodge La Casona
2. Hotel Bramadero (R)
3. Hotel Daysita
4. Hotel El Sitio
5. Hotel Guanacaste
6. Hotel Las Espuelas
7. Hotel Liberia
8. Hotel Primavera
9. La Siesta
10. Posada del Tope

(R) établissement avec restaurant décrit

RESTAURANTS
1. El Charro
2. Jardín de Azúcar
3. Las Tinajas
4. Pan y Miel
5. Rancho El Dulce
6. Restaurante Jauja

© ULYSSE

Río Liberia

Rincón de la Vieja

San José

Interamericana

Nicaragua

Aéroport,
Península de Nicoya

0   150   300m

le dîner. La Calle Central, qui passe devant l'église de l'Immaculée Conception et qui sépare celle-ci du Parque Central, a été fermée et est désormais réservée à la circulation piétonne. Les gens utilisent donc d'autant plus l'espace que son aménagement marie bien la végétation aux secteurs de promenade. Une faune aviaire habite les environs arbustifs de la place et y crie à qui mieux mieux.

Playa del Coco et ses environs

C'est ici que débute le chapelet de plages faisant du Guanacaste une région de villégiature balnéaire de première importance au pays. Dans cette section, les trois plages offrent toutes une atmosphère différente: Playa del Coco est d'abord un port de pêche et est surtout fréquenté par les *Ticos*; à l'opposé, Playa Panamá abrite une série de gros complexes hôteliers pour les touristes, tandis que Playa Hermosa se situe entre les deux (géographiquement aussi) alors qu'elle accueille *Ticos* et touristes.

Playa del Coco ★ est à quelque 35 km de Liberia: au nombre des premières plages dans le Guanacaste à avoir été fréquentées par les touristes, elle est aussi parmi les plus proches de Liberia. Playa del Coco est en fait constituée de deux plages séparées par un petit cours d'eau, raison pour laquelle l'endroit est parfois appelé Playas del Coco. Quoiqu'elles soient très près l'une de l'autre, l'accès à ces deux sections se fait par deux routes différentes. Elles sont toutes deux très fréquentées, bien que la plage du sud soit plus résidentielle. Blottie dans une petite baie où les déplacements se font dans des embarcations de toutes sortes, lesquelles sont amarrées près de la rive, Playa del Coco constitue une petite station balnéaire agréable pour qui veut vivre en *Tico*, avec son quai s'avançant dans la mer, son petit parc central aux abords de la plage, le tout entouré de bars et de restaurants à prix populaires. Un bon nombre de ces établissements ont d'ailleurs vu le

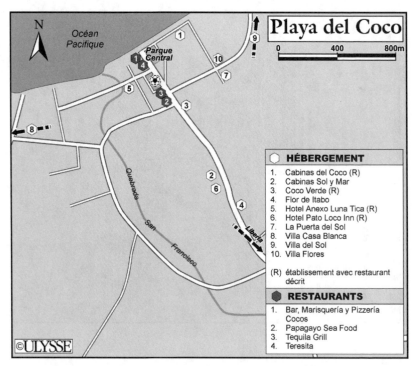

Playa del Coco

0   400   800m

HÉBERGEMENT

1. Cabinas del Coco (R)
2. Cabinas Sol y Mar
3. Coco Verde (R)
4. Flor de Itabo
5. Hotel Anexo Luna Tica (R)
6. Hotel Pato Loco Inn (R)
7. La Puerta del Sol
8. Villa Casa Blanca
9. Villa del Sol
10. Villa Flores

(R) établissement avec restaurant décrit

RESTAURANTS

1. Bar, Marisquería y Pizzería Cocos
2. Papagayo Sea Food
3. Tequila Grill
4. Teresita

Océan Pacifique

Parque Central

Quebrada

San Francisco

Liberia

©ULYSSE

jour il y a déjà plus de 20 ans. Au fur et à mesure que l'on s'éloigne du cœur de la ville, des hôtels plus récents se sont installés et s'installent toujours. L'ensemble est relativement dense, avec une saveur toute costaricienne dans l'aménagement. L'endroit est aussi un port de pêche très fréquenté. La plage est assez large à marée basse, mais presque inexistante à marée haute.

Playa Ocotal est située quelques kilomètres plus au sud que Playa del Coco. Si vous recherchez la tranquillité tout en demeurant près des activités du village, vous devriez peut-être vous diriger vers cette magnifique petite plage blottie dans une anse entre des escarpements. À cause de ces escarpements cependant, il est recommandé de se baigner dans la partie centrale.

Située du côté nord et également plus calme (et même plus propre) que Playa del Coco, **Playa Hermosa ★** (la belle plage), longue de 1,5 km, s'étend sur une bonne largeur. En partie protégées par une baie, ses eaux sont relativement calmes et claires, et son sable est plutôt gris. L'un des principaux atouts de cette plage est le fait qu'elle soit relativement bien ombragée par la végétation sur ses abords. La plage est circonscrite par des avancées rocailleuses favorisant le surf.

Playa Panamá est un peu plus au nord que Playa Hermosa. Elle se trouve pratiquement au centre de

la baie que crée Punta Culebra, une avancée de terre quelques kilomètres plus au nord. Ses eaux sont donc assez calmes. La plage étant nichée dans une magnifique région boisée, son développement est relativement récent, mais de gros projets domiciliaires et de villégiature (avec golf de 18 trous) le caractérisent; tous ces projets sont présentés comme des projets écologiques en ce sens que de bonnes parties des propriétés sont censées être conservées à l'état naturel. Il n'en demeure pas moins que la nature cède là aussi quelque peu le pas à l'homme...

La région de Filadelfia

Il faut passer par **Filadelfia** et **Belén** pour atteindre les prochaines plages situées au sud de celles de la région de Liberia. La route partant de Belén rejoint deux groupes de plages ayant vécu depuis quelques années déjà un certain développement hôtelier et résidentiel: d'abord les plages des environs de Flamingo, puis celles entourant le hameau de Tamarindo.

Playa Flamingo et ses environs

Nous avons dénommé ce secteur en fonction de la plage la plus branchée du coin, mais c'est en réalité six plages qui s'échelonnent le long de la côte à cet endroit. Playa Flamingo est en quelque sorte au centre.

Playa Flamingo ★ est à la fois une pointe ceinturant une baie et un littoral de sable blanc. L'endroit fut d'ailleurs déjà appelé Playa Blanca (la plage blanche). L'endroit abrite la seule marina du nord-ouest de la côte à offrir tous les services. Dans ce centre par excellence pour la pêche sportive se tient un tournoi annuel. Flamingo est un refuge pour bon nombre de gens fortunés possédant ici leur résidence secondaire sur la côte. Au début de la pointe, quelques commerces de restauration et de biens de consommation courante (supermarché) se sont établis, puis ce sont les grands hôtels et complexes résidentiels haut de gamme qui ont élu domicile sur le reste de l'avancée de terre. C'est chic... et relativement cher de demeurer à Playa Flamingo.

Pas très loin au sud, **Playa Brasilito** est tout le contraire de Flamingo. Petit hameau composé pour l'essentiel de résidences (permanentes ou secondaires) construites par les Costariciens de la classe moyenne. Sauf pour son authenticité, l'endroit ne se prête pas beaucoup à la fréquentation touristique étrangère et jusqu'ici n'a pas suscité de développement hôtelier d'envergure. Le sable de la région de Brasilito est plutôt gris.

Playa Conchal ★★ est située immédiatement au sud de Playa Brasilito. Le terme castillan *concha* (coquillage) est tout indiqué pour cette plage, car elle est en bonne partie couverte de coquillages, et ce, jusque dans la lisière de végétation qui la borde! Cette couche de coquillages tapisse également partiellement le fond des eaux limitrophes à la plage. L'endroit est admirable. La plage est essentiellement occupée par le fameux complexe hôtelier **Meliá Playa Conchal** (voir p 267).

Au nord de Flamingo, les plages Potrero, Penca et Pan de Azúcar ponctuent le rivage de la baie d'endroits plus secrets parce que peu développés. D'abord s'étend la longue (4 km), curvilinéaire et plutôt déserte **Playa Potrero**. Couverte de sable brun-gris, elle est idéale pour la baignade. Un peu plus loin, c'est **Playa Penca**, de sable blanc, qui se présente au vacancier. Enfin, au bout du chemin, toujours plus au nord, se trouve **Playa Pan de Azúcar**, elle aussi de sable blanc.

Playa Tamarindo et ses environs

Bien que nous ayons dénommé le secteur en fonction de l'importance démographique du hameau de Tamarindo, le chemin menant aux environs de ce petit village nous achemine en fait dans la grande région du **Parque Nacional Marino Las Baulas** ★★ (voir plus loin), aux abords duquel sont situées les plages Grande et Tamarindo.

Essentiellement une plage de surf, **Playa Grande** ★★★ est magnifique, peu achalan-

dée et située tout près du Parque Nacional Marino Las Baulas. Très propre, elle possède un beau sable de couleur pâle. Elle est accessible par un chemin très cahoteux et protégé par le parc. Des promoteurs sont en négociation avec les autorités du parc pour pouvoir installer des complexes hôteliers dans cet endroit de rêve. En s'éloignant de la plage, en dehors de la zone du parc, des sites de développement résidentiel se déploient déjà d'ailleurs et offrent beaucoup d'espaces à construire. Les infrastructures routières sont encore à améliorer cependant, ce qui fait que les rares habitants de la région sont encore dans un espace «sauvage». Mais en même temps, de nombreuses rues non construites ont été développées dans la forêt un peu partout. Çà et là, quelques résidences et hôtels ont élu domicile. À ce jour, à peine une dizaine d'habitations ont directement front sur la plage sur une distance de 3 km de plage.

Playa Tamarindo ★ ne cesse de se développer, mais, à la différence de Playa Flamingo, son développement se base pour beaucoup sur la construction d'hôtels de plus petite dimension. Cela n'empêche pas le secteur d'attirer une clientèle de plus en plus

importante, particulièrement les surfeurs. Un bon nombre de boutiques de surf ont d'ailleurs établi leurs pénates dans le hameau. La plage elle-même est une longue bande de sable blanc. La végétation est peu imposante aux abords de la plage; la ville est donc quelque peu poussiéreuse. Avis aux baigneurs: les vagues de la plage de Tamarindo peuvent être fortes, et il existe de nombreuses roches affleurant pas très loin de la rive. Évitez toujours de vous baigner près des estuaires, qui provoquent des courants susceptibles de vous entraîner loin du rivage.

Tout au bout de la plage de Tamarindo s'amorce, dans un coude, **Playa Langosta**. Le développement du hameau de Tamarindo a atteint cette plage au cours des dernières années. L'endroit est également très intéressant pour les surfeurs, particulièrement près de la petite rivière qui se déverse dans l'océan à cet endroit.

Parque Nacional Marino Las Baulas

Si vous désirez vivre une expérience fascinante, émouvante et enrichissante, rendez-vous au Parque Nacional Marino Las Baulas *(6$, visite guidée incluse; ouvert en tout temps; ☎653-0470)* afin d'y observer l'une des nombreuses **tortues luths** (*Dermochelys coriacea*) venue pondre ses œufs sur la **Playa Grande**.

La tortue luth

Las Baulas désigne simplement le nom que les Costariciens donnent à la tortue luth, soit *la baula*. Cette tortue géante, qui fait entre 1,5 m et 2 m de longueur et qui pèse autour de 500 kg (le record se situant autour de 900 kg), peut plonger à des profondeurs dépassant les 1 300 m. Les chercheurs Karen et Scott Eckert ont estimé qu'il fallait en moyenne 37 min à une tortue luth pour effectuer une plongée de plus de 1 200 m. La tortue luth se distingue donc des autres tortues en raison de sa grosseur et de ses prouesses, mais également par sa forme allongée et les sept rainures facilement visibles sur sa carapace. De plus, cette carapace n'est pas constituée d'écailles, comme celle des autres tortues marines, mais d'un derme fin qui révèle une peau épaisse et coriace. C'est pourquoi les anglophones appellent cette tortue *leatherback* (dos de cuir).

Les tortues luths se nourrissent presque essentiellement de méduses. Malheureusement, plusieurs d'entre elles meurent chaque année asphyxiées par l'ingestion de sacs de plastique qu'on trouve en grand nombre dans la mer et qui ressemblent étrangement à des méduses. La tortue luth compte parmi les animaux qui effectuent les plus longues migrations au monde. Ainsi, une tortue baguée a déjà été repérée à près de 6 000 km de son lieu de ponte habituel! D'ailleurs, il est dit que la femelle revient pondre sur une même plage tous les deux ou trois ans. Si, du côté du Pacifique, cet événement se situe entre les mois d'octobre et de mars, du côté de l'Atlantique la ponte se déroule entre les mois d'avril et d'août.

Durant la période de ponte, chaque femelle reviendra sur la même plage pour y effectuer entre 4 et 10 pontes. Playa Grande accueille en moyenne 20 tortues chaque nuit. Dans un trou d'environ 70 cm de profondeur, qu'elle creuse à l'aide de ses pattes avant, la femelle pond près de 100 œufs à membrane souple ayant la taille d'une balle de tennis. Une fois la ponte terminée, elle recouvre soigneusement le trou de sable et retourne à la mer. La période d'incubation dure autour de 68 jours, après quoi les nouveau-nés se dirigent vers la mer grâce aux reflets bienveillants de la lune sur l'eau. Or, les lumières des maisons ou des hôtels en bordure de la plage laissent souvent croire aux tortues que la mer est dans le sens opposé. Ainsi, plusieurs tortues, se dirigeant vers cette lumière, s'enfoncent plutôt dans les terres, mourant de déshydratation ou d'épuisement.

Province du Guanacaste

Cet événement se produit presque chaque nuit entre les mois d'octobre et de mars, et particulièrement durant les mois de décembre et de janvier.

Le Parque Nacional Marino Las Baulas, d'une superficie totale de 22 500 ha, dont 22 000 hectares marins, fut créé en 1991 dans le but de protéger ce lieu de ponte, l'un des plus importants au monde, qui, au cours des années, était envahi par les visiteurs, dont certains, aux attitudes outrancières, allaient jusqu'à se balader à dos de tortue! De nos jours, la plage est étroitement surveillée durant la saison de la ponte, et il est obligatoire de faire partie d'un groupe et d'être accompagné d'un guide du parc. Cependant, le guide qui vous accompagnera ne s'exprime habituellement qu'en espagnol, et il ne

Pour observer les tortues

Parmi les règles à suivre, mentionnons qu'il faut toujours se tenir derrière la tortue, en silence, afin de ne pas l'effrayer. Il est également strictement défendu d'utiliser le flash de son appareil photo ou l'éclairage de son caméscope.

sera pas toujours en mesure de pouvoir vous expliquer tout le déroulement de la ponte en anglais. Si vous ne parlez pas couramment la langue de Cervantes, la visite du musée El Mundo de la Tortuga (voir ci-dessous) sera tout à fait indiquée avant cette sortie afin de mieux comprendre les différentes étapes de la ponte.

Le musée **El Mundo de la Tortuga ★★** *(5$; début oct à mi-mars, tlj dès 16h; juste avant l'entrée du parc,* ☎*653-0471)* demeure un impératif pour ceux qui désirent en connaître davantage sur les tortues marines et plus particulièrement sur les tortues luths. En outre, si vous prévoyez visiter le Parque Nacional Marino Las Baulas et observer la cérémonie entourant la ponte des tortues luths, le musée est aussi l'endroit idéal pour attendre (parfois plusieurs heures) que la marée descende, car il possède également un petit café extérieur et une boutique de souvenirs qui sauront tromper l'attente.

La visite du musée se fait à l'aide d'un baladeur qu'on vous remet à l'entrée. La narration, d'une durée de 30 min, commente (en français, en espagnol, en anglais ou en allemand) 27 stations composées de photos saisissantes portant sur la reproduction des tortues, leur mode de vie, les menaces environnantes et les efforts produits par l'être humain pour sauvegarder ces animaux imposants mais vulnérables. La visite se termine à la bou-

tique de souvenirs, où l'on répond gentiment à toutes vos interrogations. Vous en sortirez ému et émerveillé. Si, lors de votre arrivée, vous ne connaissiez pas grand-chose aux tortues luths, vous sortirez du labyrinthe, 30 min plus tard, avec le sentiment de bien saisir l'univers captivant des plus grandes tortues marines du monde. C'est pourquoi nous vous recommandons fortement de visiter le musée avant de vous rendre au parc et non l'inverse.

Le musée a ouvert ses portes en 1996 grâce aux efforts de trois Français et d'une Espagnole passionnés de tortues marines. En 1994, Corina Esteban vint dans la région et travailla comme volontaire dans le Parque Nacional Marino Las Baulas. Peu de temps après, elle eut l'idée d'ouvrir un petit musée afin que les touristes puissent se documenter sur les tortues qu'ils auront l'occasion d'observer de près. Ce musée est très apprécié des responsables du parc. D'ailleurs, durant l'attente de la visite nocturne sur la plage, les guides du parc et les gens du musée communiquent régulièrement entre eux, par émetteur-récepteur portatif, afin de pouvoir vous annoncer l'arrivée d'une tortue et organiser la formation des groupes.

Si vous séjournez dans un hôtel de la région de Playa Grande ou de Tamarindo, le musée offre un forfait très avantageux dont vous pourrez profiter.

Observation des tortues

Comme les tortues ne viennent pondre sur la plage qu'à marée basse et la nuit, nous vous conseillons fortement de téléphoner quelques heures à l'avance au musée El Mundo de la Tortuga afin de connaître le moment propice de la ponte et les horaires des marées pour éviter de longues heures d'attente.

La région de Santa Cruz

Santa Cruz et ses environs

Les *fiestas* (en particulier en janvier) et les particularités régionales du coin en matière de nourriture font de **Santa Cruz** la cité folklorique nationale du Costa Rica. La ville n'a pas de charme particulier, mais son centre est tout de même constitué d'un beau parc central, d'une église moderne de belle facture, d'un clocher historique ainsi que d'une petite place publique assez jolie. Du côté est de la place, un petit marché public couvert, ouvert le soir, propose notamment de bons produits maraîchers.

Le petit village de **Guaitil ★**, à une douzaine de kilomètres à l'est de Santa Cruz, se spécialise dans la confection de magnifiques poteries artisanales (vases, assiettes, pots, bols, etc.) reproduisant, pour la plupart, des dessins au-tochtones, dont le style prisé fait référence aux Chorotega et utilise des couleurs naturelles. Les artisans vendent eux-mêmes leurs œuvres, et il est agréable de se promener d'une maison à l'autre pour discuter tranquillement avec eux. On raconte volontiers que plusieurs familles d'artisans sont de lointains descendants des Chorotega, qui vécurent dans la région à l'époque précolombienne. Bien que l'endroit soit assez fréquenté par les touristes (allez-y plutôt en fin de journée), les prix demeurent très abordables. On trouve un excellent choix d'objets de petite dimension qu'on peut aisément ranger dans une valise. La petite route revêtue qui mène au village est très agréable et fort jolie. Vous verrez de grands arbres en bordure de celle-ci, ainsi que des pâturages et des troupeaux de zébus. Si vous n'avez pas de voiture, notez qu'il existe un autocar qui effectue la liaison Santa Cruz – Guaitil.

Playa Junquillal et ses environs

La ville de Santa Cruz donne accès aux environs de Playa Junquillal sur la côte, région relativement peu développée si on la compare à celles des plages de Tamarindo et Flamingo, situées plus au nord. On accède à cette partie du littoral par un chemin plutôt difficile, relativement cahoteux et particulièrement éprouvant dans la section tout près de la ville de Santa Cruz. Les véhicules à quatre roues motrices sont recommandés.

Playa Avellanas s'ouvre directement sur la mer; elle n'est pas protégée (comme Sámara plus au sud) par des récifs de corail qui «cassent» l'élan des eaux. Idéale donc pour le surf, Playa Avellanas n'est pas indiquée pour la baignade, particulièrement dans sa partie centrale, où les rochers affleurent. En outre, la plage est relativement isolée, à quelque 5 km au nord de Playa Junquillal.

Playa Junquillal longe de hautes herbes, ce qui la distingue de la plupart des plages du pays. Sachez que ce ne sont que les quelques hôtels du coin qui pourront vous divertir: vous aurez vraiment l'impression ici d'être au bout du monde. Sur une distance de 1 km de plage, on ne trouvera en effet que quelques petits hôtels disséminés çà et là dans la forêt et au bord de l'eau. La plage n'est pas très profonde, et les vagues sont assez fortes; le sable, de couleur foncée, est très propre.

Playa Negra au sable foncé, peu développée et située un peu au nord de Playa Junquillal, est également parfaite pour le surf.

La région de Nicoya

Nicoya et ses environs

La ville de **Nicoya** ★ (du nom d'un chef amérindien du début du XVIe siècle) sert de chef-lieu commercial pour l'ensemble de la région de la péninsule. Elle est également le siège de l'activité d'élevage de bétail des environs. Un rodéo s'y tient d'ailleurs en juillet. Outre ce rodéo et la présence de la **deuxième plus ancienne église coloniale du pays** ★, au coin nord-est du parc central, son principal intérêt réside dans le fait qu'elle est un lieu de transit pour les gens explorant la région, particulièrement le **Parque Nacional Barra Honda** ★ (voir p 255) et les plages des environs de Sámara. Beaucoup de Chinois ont émigré à Nicoya par le passé; vous remarquerez qu'un bon nombre de commerces de la ville sont la propriété de leurs descendants.

À la hauteur de Nicoya, ce sont les secteurs de Nosara, Sámara et Carillo qui composent les secteurs de villégiature sur le bord de la mer, Sámara étant géographiquement au milieu des deux autres et plus importante démographiquement que ces dernières. Deux espaces naturels protégés se trouvent également à cet endroit, immédiatement au nord de Nosara: le **Refugio Nacional de Fauna Silvestre de Ostional** ★ (voir p 257) et la **Reserva Biológica de Nosara** (voir ci-dessous).

Playa Nosara et ses environs

Au nord de Nosara, le long de la côte, la **Reserva Biológica de Nosara** est une réserve privée tenue par des Suisses. Située le long du **Río Nosara**, elle inclut mangroves et forêt humide. Plusieurs types d'oiseaux peuvent y être observés (plus de 170 espèces). Vous pouvez également y voir singes, *jaguarundis*, crabes, reptiles et animaux amphibiens. Pour accéder à cette réserve, mieux vaut loger à l'hôtel que les propriétaires de la réserve possèdent

tout à côté, le **Lagarta Lodge** (voir p 274).

Au sud de la réserve débute la région au centre de laquelle le village de Nosara se trouve (à 5 km à l'intérieur des terres).

Le village de **Nosara** n'a pas d'attraction particulière, mais c'est là qu'est situé l'Aeropuerto de Nosara desservant la région. C'est également un petit centre de services où vous pourrez notamment faire le plein d'essence ou vos emplettes; un supermarché assez bien ap-provisionné est en effet situé dans le village, de même qu'une station-service.

La région rurale de **Playa Nosara** ★ (entre Nosara et la plage) héberge depuis quelque temps déjà une petite communauté de gens propriétaires d'établissements de restauration et d'hébergement disséminés dans la nature. C'est une région en développement mais qui en est encore à ses débuts; habiter le secteur vous laissera l'impression assez réussie de vivre le Costa Rica de la jungle. **Playa Pelada** de Nosara, particulièrement dans la section où l'on y a accès par une entrée publique, n'est cependant pas faite pour la baignade. La plage est belle, mais elle est battue par des vagues fortes et est enserrée par deux avancées de rochers.

Séparée de Playa Pelada de Nosara par la Punta Garza, **Playa Guiones** de Nosara se trouve au sud de Pelada.

Église de Nicoya

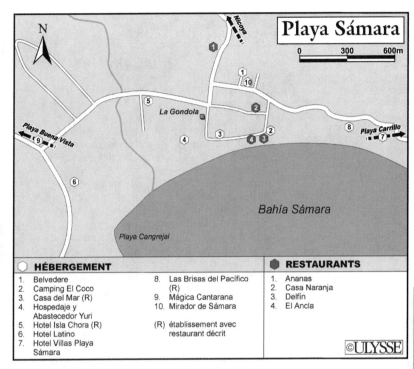

HÉBERGEMENT

1. Belvedere
2. Camping El Coco
3. Casa del Mar (R)
4. Hospedaje y Abastecedor Yuri
5. Hotel Isla Chora (R)
6. Hotel Latino
7. Hotel Villas Playa Sámara

8. Las Brisas del Pacífico (R)
9. Mágica Cantarana
10. Mirador de Sámara

(R) établissement avec restaurant décrit

RESTAURANTS

1. Ananas
2. Casa Naranja
3. Delfín
4. El Ancla

Province du Guanacaste

Playa Sámara et ses environs

La région immédiate de **Playa Sámara ★★** pourrait être considérée comme étant composée de trois secteurs. D'abord celui de **Buena Vista**, une grande plage tranquille (parce qu'inhabitée) pas très loin au nord de Sámara-la-fréquentée; on y a accès au départ du village de Sámara en prenant la rue d'Isla Chora et en se dirigeant vers le nord. Puis celui de la plage **Cangrejal**, qui constitue en quelque sorte la partie nord de Playa Sámara; s'y sont installés quelques hôtels et restaurants. Enfin, la plage **Sámara** en tant que telle, jolie plage protégée par des récifs de corail qui lui assurent une eau tranquille, idéale pour les baigneurs; le village de Sámara, qui la borde, est un bon endroit de services de base pour la région, possédant même quelques discothèques et bars intéressants.

La plage de Sámara figure parmi les plus intéressantes du pays. Mais, si vous avez tout de même envie de pousser un peu plus loin, aventurez-vous jusqu'à Carillo, à seulement 5 km de là. **Playa Carillo ★★** se révèle être d'une envoûtante beauté. Ce large croissant de sable blanc s'entoure d'une cocoteraie aux arbres drus qui lui font comme un collier d'émeraudes. La mer, calme, vient doucement lécher le sable de cette oasis quasi déserte… On croirait rêver!

Playa Carillo ne dispose pas de service, et le village de Punta Carillo se trouve un peu plus au sud. Respectez les consignes afin de préserver ce havre de la pollution.

La route passant par Playa Carillo mène aux autres plages au sud de Sámara dont **Playa Camaronal**.

★

Parque Nacional Barra Honda

Le Parque Nacional Barra Honda *(6$; tlj 7h à 16h; ☎685-5667)* est situé à 23 km au nord-est de la petite ville de Nicoya. Il fut créé en 1974 dans le but de protéger les nombreuses grottes que des explorateurs venaient tout juste de découvrir. En effet, au début des années 1970, des membres de l'Association de spéléologie du Costa Rica ont constaté qu'il y avait un réseau de grottes, parfois très profondes, dont l'existence était encore ignorée par la majorité de la population environnante. Avant cette époque, les habitants de la région croyaient que ces trous, formés à même la montagne, étaient d'origine volcanique. De plus, les grondements entendus, attribués au volcan, provenaient plutôt d'immenses cavités internes de la montagne.

Barra Honda est en fait le nom donné à cette grande montagne qui domine la plaine du haut de ses 423 m d'altitude. Elle s'est formée il y a environ 60 millions d'années, émergeant des profondeurs marines sous les pressions tectoniques. La montagne est composée principalement de calcaire que les pluies et le bioxyde de carbone creusèrent peu à peu pour sculpter des grottes à l'intérieur desquelles se formèrent, au fil des siècles, des stalactites et des stalagmites.

Depuis, on a recensé 42 grottes, dont 19 ont été explorées à ce jour par des scientifiques. Parmi celles-ci, la grotte Santa Ana demeure la plus longue avec ses 240 m de profondeur. Les touristes peuvent visiter, en toute sécurité, une grotte dénommée **Terciopelo**.

Matapalo

Matapalo, littéralement «tueur d'arbres», est un nom communément employé pour désigner certaines espèces d'arbres, dont le ficus, qui poussent aux dépens d'autres espèces d'arbres, grands, forts et haut dressés, se faisant envahir par les tentacules de ceux qui poussent en les étouffant.

Le processus débute lorsque la semence d'un *matapalo* tombe sur la cime d'un arbre en bonne santé. Le *matapalo* commence alors à extraire la sève de ce dernier et à faire descendre de longs bras, ressemblant à des lianes collées au tronc, qui, une fois rendus au niveau du sol, s'enfonceront dans la terre pour y faire des racines. Le processus prend du temps, bien sûr, des dizaines, parfois même des centaines d'années, mais les bras se multiplient, grossissent et finissent par se rejoindre et s'unir pour former un nouveau tronc enserrant complètement le premier arbre.

Le pire dans cette histoire, c'est que le phénomène est très beau à voir! Il est fréquent dans les forêts et est facile à observer. Vous repérerez rapidement, en promenade, ces lianes de bois qui sculptent de jolies courbes le long d'un tronc condamné.

Cet antre de 62 m de profondeur tire son nom du fait qu'on y a découvert, lors d'une première exploration, un «fer-de-lance» mort. Heureusement, on n'a jamais revu depuis ce type de serpent, l'un des plus venimeux et dangereux du monde. La grotte Terciopelo reste le seul site du genre qui soit présentement accessible au public, et **il est obligatoire d'être accompagné d'un guide de la région** (*environ 25$ par personne, et beaucoup moins pour un groupe, 8 personnes maximum à la fois; réservations requises;* ☎685-5580 *ou* 685-5667). À l'aide de câbles de sécurité, on vous descendra à une profondeur de 20 m, où vous pourrez admirer différentes stalagmites (s'élevant en colonne sur le sol) et stalagtites (descendant de la voûte) aux noms évocateurs en raison de leurs formes particulières (colonnes, perles, fleurs, champignons, etc.). L'une de ces formations est appelée **El Organo** (l'orgue), car elle produit des sons en tout genre lorsqu'on s'amuse à tambouriner contre les stalagmites et les stalagtites.

Parmi les autres grottes du parc, celle dénommée **La Trampa** offre la plus longue descente continue (52 m) et les plus grandes salles découvertes à ce jour. La grotte **Pozo Hediondo**, quant à elle, comporte la plus importante concentration de chauves-souris de tout le parc. Mais la grotte qui suscite beaucoup d'intérêt du point de vue de l'histoire est celle de **Nicoa**, où l'on a trouvé des ossements humains. Comme on a également découvert, à proximité, des objets d'origine précolombienne, on suppose que l'endroit servait de lieu de sépulture. On raconte même qu'on y a déniché une stalagmite qui se serait bizarrement développée sur un crâne humain!

Bien que le Parque Nacional Barra Honda ne jouisse pas d'une très vaste étendue, les visiteurs n'auront accès qu'à sa zone sud-ouest. Vous y trouverez les bâtiments d'accueil et d'administration ainsi que des aires de camping *(2$/pers./jour)* et de pique-nique. Si vous n'avez pas de nourriture ou de réchaud pour préparer vos repas, les feux de camp étant interdits en

raison des risques d'incendie, vous pourrez manger sur les lieux à condition d'avoir réservé votre repas une journée à l'avance.

Le parc renferme un sentier de randonnée pédestre, **Los Laureles**, qui permet d'effectuer une jolie boucle de 9,3 km. Comptez entre trois et cinq heures de marche pour faire ce trajet qui vous fera découvrir les sites les plus intéressants du parc. Le sentier n'est pas difficile, car il demeure plat sur 70% de sa longueur; il grimpe tout de même jusqu'au sommet du **Cerro Barra Honda** (423 m), d'où la vue est exceptionnelle. Vous y admirerez une grande partie du Golfo de Nicoya, l'île de Chira ainsi que la vaste plaine composée de forêts et de petits villages.

Le sentier passe aussi près de la célèbre grotte Terciopelo et permet de découvrir une faune et une flore magnifiquement adaptées à la montagne surgissant des plaines. Le parc abrite plusieurs espèces d'arbres telles que le *matapalo*, le *javillo*, le *laurel* et le *tempisque*, dont plusieurs possèdent des fruits qui constituent un régal pour un grand nombre d'animaux habitant les alentours (chauves-souris, perroquets, aras, agoutis, cerfs de Virginie, singes, etc.).

Comme il peut faire excessivement chaud dans le parc, plus de 35°C certains après-midi, il est très important d'apporter une quantité suffisante d'eau

fraîche lors de vos déplacements. De plus, en 1992, la disparition de deux touristes allemands, qui s'aventurèrent dans une partie de la montagne interdite aux visiteurs, devrait suffire à vous convaincre de la nécessité de demeurer dans les sentiers aménagés. Cet incident fâcheux, dont le récit a vite fait le tour du pays et s'est retrouvé dans la plupart des guides touristiques, a malheureusement contribué, entre autres, à la diminution du taux de fréquentation du parc, de l'ordre de 60% entre 1994 et 1997.

Refugio Nacional de Fauna Silvestre de Ostional

Le Refugio Nacional de Fauna Silvestre de Ostional *(6$; ouvert en tout temps; ☎659-9039 ou 659-9194)* est situé à environ 50 km au sud-ouest de la ville de Nicoya, là où se trouvent les plages de Nosara et d'Ostional. Le refuge s'étend sur 8 km de longueur, mais il n'a que quelques centaines de mètres de largeur, ce qui lui donne une superficie de 162 ha, auxquels s'ajoutent 587 hectares marins. Le refuge fut créé dans le but de protéger un lieu exceptionnel où viennent pondre annuellement des milliers de tortues marines.

La plage d'Ostional et celle de **Nancite** (voir p 238), dans le Parque Nacional Santa Rosa, sont considérées comme les sites les plus importants au monde

Province du Guanacaste

où viennent pondre les **tortues de Ridley** (*Lepido-chelys olivacea*), que les Costariciens appellent *tortuga lora*. Ces tortues ne sont pas très grosses (40 kg en moyenne) comparativement aux 360 kg des tortues luths, mais c'est par milliers qu'elles envahissent la plage pour y déposer leurs œufs. Cet étrange spectacle, dénommé *arribadas* (arrivées massives), se produit fréquemment entre les mois de juillet et de novembre, bien que les mois d'août et de septembre demeurent plus propices au phénomène naturel. Ainsi, presque chaque mois, habituellement lors du dernier quart de lune et durant la nuit, vous pourrez observer ce tableau unique et touchant. S'il n'y a pas «d'arrivées massives» lors de votre visite, sachez qu'on peut généralement y surprendre quelques tortues solitaires.

Outre la tortue de Ridley, la réserve nationale de faune Ostional accueille parfois d'autres espèces, telles la **tortue luth** (*Dermochelys coriacea*) et la **tortue verte du Pacifique** (*Chelonia mydas*), qui viennent y déposer leurs œufs. Lors de votre visite, s'il n'y a pas de tortues en vue, vous aurez sûrement l'occasion d'apercevoir plusieurs singes capucins à face blanche ou d'entendre les puissants cris des singes hurleurs dans la forêt qui délimite la plage. Vous pourrez aussi y voir des iguanes, des coatis, des crabes ou l'une des 100 espèces d'oiseaux qui habitent les environs. Au sud-est de la réserve croît

une mangrove, à l'embouchure du Río No-sara. Si vous vous dirigez plutôt au nord-ouest de la réserve, en un lieu appelé Punta India, vous y découvrirez une pointe rocheuse et de nombreux bassins d'eau naturels, grouillants de vie marine.

Activités de plein air

Vélo

Les petits chemins non revêtus (et non les sentiers pédestres) des **parcs Guanacaste** et **Santa Rosa** se prêtent à merveille au vélo de montagne, notamment le chemin menant de La Casona à la plage Naranjo (12 km) et à la plage Nancite (à 5 km au nord de Naranjo), situé dans le Parque Nacional Santa Rosa. Pour la location d'un vélo, renseignez-vous auprès du personnel de votre hôtel ou du bureau d'information touristique de Liberia.

Randonnée pédestre

Le **Parque Nacional Rincón de la Vieja** (voir p 241) présente sans aucun doute le meilleur réseau de sentiers du Guanacaste et l'un des meilleurs de tout le pays.

La randonnée qui permet de grimper au sommet du Volcán Rincón de la Vieja est très difficile, mais elle est, avec celle du Cerro Chirripó, une des deux plus extraordinaires randonnées en montagne du Costa Rica.

Le **Parque Nacional Barra Honda** (voir p 255) propose également un agréable sentier de près de 10 km. Enfin, si vous désirez parcourir de courts sentiers, choisissez plutôt le **Parque Nacional Santa Rosa** (voir p 235), facilement accessible et riche du point de vue de l'histoire.

Rafting

L'agence **Safaris Corobicí** (*Cañas*, ☎669-6191) se spécialise dans le rafting et particulièrement, comme son nom l'indique, sur le Río Corobicí.

Pêche

Le Guanacaste est considéré comme l'une des meilleures régions au Costa Rica pour la pêche en haute mer. Selon la saison, un grand nombre d'hôtels proposent des sorties ou pourront vous référer à une agence.

Surf

La grande majorité des plages du Guanacaste sont réputées comme étant très bonnes pour la pratique du surf. Parmi celles-ci, les plages de Protero Grande, Naranjo (Witch's Rock), Grande, Tamarindo, Langosta, Avellanas, Negra et Nosara sont jugées excellentes.

Plongée sous-marine et plongée-tuba

Sur toute la côte du Guanacaste, et particulièrement au nord-ouest de la province, la plongée sous-marine et la plongée-tuba font de nombreux adeptes. Les plages Hermosa, Del Coco, Ocotal et Flamingo sont réputées être excellentes pour la pratique de la plongée. Les agences **Bill Beard's Diving Safari** (☎672-0012), **Rich Coast Diving Company** (☎670-0176), **El Ocotal Diving Safari** (☎222-4259) et **Resort Divers de Costa Rica** (☎670-0421) proposent des cours et des sorties en mer.

Équitation

À l'est de La Cruz, la ferme **Los Inocentes** (☎679-9190) est devenue la référence en matière d'équitation dans cette partie du Guanacaste. Les chevaux sont très bien entraînés et bien traités. Différentes excursions sont organisées dans les montagnes des environs.

Observation des oiseaux

Le **Parque Nacional Palo Verde** (voir p 230) est réputé pour la diversité et le nombre d'espèces d'oiseaux qui le fréquentent (près de 300 espèces répertoriées).

Comptant différents habitats naturels (mer, plages, pâturages, montagnes, etc.), le **Parque Nacional Santa Rosa** (voir p 235) abrite quelque 250 espèces d'oiseaux.

Excursions dans la canopée

Tout près de l'Hacienda Guachipelin, non loin du Parque Nacional Rincón de la Vieja, l'entreprise **Original Canopy Tour** (45$; ☎257-5149) propose une balade qui se distingue un peu des autres excursions dans la canopée, étant donné qu'il s'agit en fait d'une descente dans un canyon. Le Kazm Cañon dévoile ainsi aux adeptes du canyoning solidement suspendus à leur câble les mystères qui se cachent à l'abri de ses crevasses ou de sa végétation. En plus de l'habituel câble reliant des plates-formes, vous aurez à faire de l'escalade de paroi et à vous balancer au bout d'une corde de Tarzan… La totale, quoi!

Le **Rincón de la Vieja Volcano Mountain Lodge** (☎661-8198), situé sur la route qui grimpe vers le parc national du même nom, propose une excursion dans la canopée (50$ pour 4 heures ou 77$ pour la journée) où vous vous déplacez le long d'un réseau de 16 plates-formes solidement fixées au sommet de grands arbres.

Sports nautiques

À Playa Hermosa, **Aquasport** (sur la rue longeant la plage, ☎672-0050) loue de l'équipement de sport.

À Flamingo, la **Marina** (☎654-4537) offre tous les services.

Hébergement

En marge des hôtels qui vous sont ici proposés, sachez qu'il est possible de louer également des maisons ou des condos au Costa Rica, et particulièrement au Guanacaste, pour des termes plus longs, ou encore si vous venez au pays avec votre famille ou un grand groupe.

Province du Guanacaste

La région de Tilarán–Cañas–Bagaces

Pour la région au nord de Tilarán, vers le lac Arenal, voir le chapitre sur «Le nord du pays», p 185.

Tilarán

Cabinas El Sueño
$
ec, bp, tv, ⊗
à côté de la cathédrale
☎/♯*695-5347*
Les Cabinas El Sueño proposent en location des chambres propres, abordables; une grande terrasse permet d'observer l'animation de la rue. Il est possible d'y louer un téléviseur.

Hotel Tilarán
$-$$
bc/bp, ec, tv, ℜ
du côté ouest du parc de la cathédrale
☎*695-5043*
L'Hotel Tilarán est un petit hôtel urbain derrière le restaurant éponyme. Les chambres, petites, n'ont pas de charme particulier, mais sont propres.

Hotel Naralit
$$
ec, bp, tvc, ⊗, ℝ
du côté sud de la cathédrale
☎*695-5393*
♯*695-6767*
Mais c'est assurément l'Hotel Naralit qui présente, à nos yeux, le meilleur rapport qualité/prix pour se loger à Tilarán. Bien que l'entrée du site ne paie pas de mine, tout y est très propre, et les chambres (avec secrétaire) ont un mobilier confortable. Les environs de l'hôtel sont agrémentés d'espaces verts. Possibilité d'avoir un réfrigérateur dans la chambre.

Cañas

À Cañas, l'**Hotel Central** *($; bc/bp, ⊗; du côté sud du Parque Central,* ☎*669-0070)* et l'**Hotel El Parque** *($; bc/bp, ⊗; du côté sud du Parque Central,* ☎*669-2213)* sont pour ceux qui voyagent à petit budget et qui ne regardent pas trop la grandeur des chambres, non plus que leur aménagement.

La Pacífica
$$$$
ec, bp, ⊗, ≡, ≈, ℜ
5 km au nord de Cañas, sur l'Interaméricaine
☎*669-0050*
♯*669-0555*
L'un des meilleurs endroits où loger dans la région de Cañas est l'hacienda La Pacífica, dont le nom évoque celui de la femme de l'ancien président costaricien Bernardo Soto. Le couple a en effet créé ici un ranch à partir duquel l'hôtel est né. Accessible à cheval ou en voiture, la *casona* du ranch, devenue un musée, se trouve au coin nord-ouest de la propriété. Entre autres activités proposées à La Pacífica, il y a les randonnées à cheval ou en vélo de montagne et les randonnées pédestres à travers les sentiers de la propriété, notamment le long du Río Corobicí. C'est que l'hacienda est à la fois un hôtel et une expérience de développement durable; on tente en effet d'intégrer l'élevage, le tourisme, la culture, la reforestation et la protection de la forêt dans un même mouvement sur la propriété. Les unités d'habitation logent dans de plaisantes petites *cabinas* très aérées et très fenêtrées avec chacune un patio extérieur en contact direct avec l'ample terrain de la propriété (en général deux unités par *cabina*). Salles de conférences et bibliothèque diponibles. Malheureusement, il semble que La Pacífica soit maintenant réservée à l'usage exclusif d'entreprises costariciennes.

Bagaces

Albergue Bagaces
$$
bp, ⊗, ℜ
sur l'Interaméricaine, de côté est de la station-service
☎*671-1267*
♯*666-2021*
À Bagaces, l'Albergue Bagaces est le meilleur endroit où demeurer. Les chambres sont simples, mais les salles de bain sont impeccables. Le propriétaire est Britannique. Le restaurant sert le petit déjeuner (voir p 278).

Parque Nacional Palo Verde

Au Parque Nacional Palo Verde, la station de recherche de l'Organization for Tropical Studies abrite des dortoirs *(45 lits)* pour héberger les chercheurs, étudiants et groupes intéressés à connaître la nature que protège ici l'organisme *(55$/pers. incluant les trois repas; bc;* ☎*240-6696,* ♯*240-6783, www.ots.ac.cr).* L'endroit étant populaire, il faut réserver jusqu'à un mois à l'avance. Il faut 45 min pour se rendre au parc au départ de Bagaces, par une route de terre assez bien entretenue. Il est également permis d'y pratiquer le **camping** *(2$/pers./jour, toilettes, douches et eau potable)* à côté de la maison des gardiens.

La région au nord de Liberia

Cabinas Santa Rita
$
bp
en face du Tribunales de Justicia, La Cruz
☎*679-9062*
⇌*679-9305*
En matière de location à bon prix, les Cabinas Santa Rita sont encore une référence à La Cruz.

Amalia's Inn
$$$ pdj
⊗, *ec, bp,* ≈
rue principale, La Cruz
☎/⇌*679-9181*
L'Amalia's Inn est tenu par une vieille dame fort amène, et son auberge familiale (c'est d'ailleurs plutôt un gîte touristique) est très propre. Décorées avec goût, les chambres sont très grandes; elles ont même un sofa pour la détente! La vue qu'a l'auberge sur la Bahía Salinas est magnifique.

Colinas del Norte
$$$
bp, ec, ≈, ℜ
6 km au nord de La Cruz, sur l'Interaméricaine
☎/⇌*679-9132*
Il existe un hôtel intéressant au nord de La Cruz: Colinas del Norte. Son aménagement privilégie le bois, et le résultat, notamment dans les chambres et

la salle de séjour adjacente à l'accueil, est assez réussi. Les chambres ont d'ailleurs une belle vue sur les environs. Sachez cependant qu'il y a une discothèque sur les terrains de l'hôtel les fins de semaine. Un restaurant *tico*-italien, le **Marco Polo** (voir p 278), loge également à l'hôtel.

Hacienda Guachipelin
$$$ pdj
bc/bp, ec
à 5 km de l'entrée «Las Pailas» du Parque Nacional Rincón de la Vieja, par le chemin de Curubande
☎*442-2818 ou 384-2049*
⇌*442-1910*
www.guachipelin.com
L'Hacienda Guachipelin loge dans un ranch vieux de plus de 100 ans. Les chambres sont simples, mais vous aurez le plaisir de vivre sur une ferme laitière et d'élevage. Le *lodge* est également à l'origine d'un projet de reforestation; 40% des 1 300 ha des terres qui entourent l'hacienda sont engagés dans ce processus. Evidemment, différentes excursions au Parque Rincón de la Vieja et dans les environs sont proposées: les sources thermales Azufrales, les bassins de boue Las Pailas, le volcan, la lagune Jilgueros, les chutes, la canopée (voir p 259), etc. Vous pouvez prendre tous vos repas sur place en commun et y vivre la vraie vie de cow-boy, au cœur de la fascinante campagne du Guanacaste!

Los Inocentes
$$$$
ec, bp, ≈, ℜ
à 14 km sur une route qui part de l'Interaméricaine et qui mène à Upala et Santa Cecilia, quelques kilomètres avant La Cruz
☎*679-9190*
⇌*265-4385*
www.losinocenteslodge.com
Los Inocentes, c'est l'impression de vivre vraiment sur un ranch. L'endroit est reposant, tant du fait qu'il est très retiré des circuits touristiques habituels que par le type de *lodge* qu'il constitue avec ses structures de bois, ses grands espaces de séjour en commun, ses hamacs et ses chaises berçantes. Les propriétaires sont de plus en plus concernés par la conservation et par le développement durable, après que leur propriété fut dédiée à l'élevage extensif du bétail pour l'exportation. Une belle vue sur le Volcán Orosi vous attend à cet endroit. Les randonnées pédestres et équestres proposées par Los Inocentes sont très populaires, et l'on vient de loin pour goûter aux joies offertes par l'hacienda. La propriété de Los Inocentes avoisine le nord du Parque Nacional Guanacaste. Les chambres sont simples et confortables, et le service est attentionné. Une belle vue sur le Volcán Orosi vous attend à cet endroit.

Rincón de la Vieja Volcano Mountain Lodge
$$$$
bp, ≈, ℜ
☎/⇌*661-8198*
www.rincondela viejalodge.com
Située au pied du volcan Rincón de la Vieja, aux portes du parc, quelques

Province du Guanacaste

kilomètres après l'Hacienda Guachipelin, cette auberge se révèle tout à fait agréable. Dans une ambiance sympathique, on propose des chambres relativement dépouillées mais confortables. Les aménagements extérieurs, la piscine, les hamacs, les champs où broutent des chevaux, participent à cette atmosphère conviviale, même si, après avoir fait toute cette route on a l'impression de se retrouver au bout du monde! Le restaurant, joliment décoré, propose les trois repas. Bien entendu, une foule d'activités animera vos journées, comme les balades à cheval, les randonnées dans le parc et, bien sûr, les excursions dans la canopée (voir p 259)! L'auberge abrite même une bibliothèque scientifique ainsi qu'une collection d'insectes, de papillons et de serpents.

Posada El Encuentro
$$$$$ pdj
ec, bp, ≡, ≈
sur le chemin menant au Parque Nacional Rincón de la Vieja, près de Curubande
☎/⇌*382-0815*
Située sur une propriété de 200 ha qui comprend une petite forêt tropicale sèche, la Posada El Encuentro propose des chambres de haut standing en matière de confort et de propreté. L'atmosphère de la *posada* est familiale, ce qui personnalise le service. Une quantité impressionnante de jeux de société s'offre à la clientèle; en outre, la *posada* possède une table de billard et de ping-pong. Un télescope et une piscine

garnissent une terrasse sans ombre surplombant les environs, victime de la chaleur intense et du soleil étourdissant, comme l'est d'ailleurs toute la propriété. En sus du petit déjeuner, on peut prendre les autres repas, délicieusement mijotés par la mère, dans la belle petite salle à manger de l'établissement.

Parque Nacional Santa Rosa

Le Parque Nacional Santa Rosa est sans aucun doute le parc le mieux organisé pour recevoir des visiteurs.

On y trouve huit chambres (logeant jusqu'à 64 personnes) pouvant accueillir des étudiants étrangers et des scientifiques de passage, mais également des touristes (lorsqu'il reste des places). Il en coûte environ 20$ par personne par nuitée pour les touristes et un peu moins si vous vous rendez à la station d'études biologiques de Nancite, près de la plage du même nom. Des emplacements de **camping** *(2$/pers./jour)*, bien aménagés (eau potable, toilettes, douches, tables de pique-nique, poubelles), sont situés entre les bureaux administratifs et La Casona. Deux autres terrains de camping se trouvent au sud et au nord de Playa Naranjo (apportez votre nourriture et votre eau potable), à une douzaine de kilomètres des bureaux administratifs. Une cafétéria permet de prendre vos repas, mais si vous campez près de l'administration et que vous désiriez vous y res-

taurer, vous devez les en aviser au moins trois heures à l'avance.

La région de Liberia

Liberia et ses environs

L'auberge de jeunesse de Liberia (Hotel Guanacaste, voir ci-dessous) offre la possibilité de **camper** sur ses terrains.

L'**Hospedaje Lodge La Casona** *($; bp/bc, tv,* ⊗; *300 m au sud du Parque Central,* ☎/⇌*666-2971)* est sympathique, mais offre le confort d'une auberge de jeunesse, tout comme la **Posada del Tope** *($; bc; 150 m au sud du Parque Central,* ☎/⇌*666-3876).*

Hotel Guanacaste
$
bp, ⊗, ≡
25 m à l'ouest et 100 m au sud de la gare d'autocars Pulmitan
☎*666-0085*
⇌*666-2287*
www.bostelling-costarica. com
L'Hotel Guanacaste est une auberge de jeunesse. Il propose donc des chambres très simplement aménagées. Comme la plupart des auberges de jeunesse, c'est grâce à son accueil et à son service que l'hôtel Guanacaste plaît aux voyageurs. Un petit restaurant amical de type *soda* est localisé dans l'auberge. L'hôtel peut souvent être complet. Service de buanderie. Rabais pour les détenteurs d'une carte internationale d'auberges de jeunesse.

Hotel Liberia
$$
bc/bp, ⊗
75 m au sud du Parque Central
sur la Calle 1
☎/⇌*666-0161*
Les chambres de l'Hotel
Liberia sont propres, mais
se limitent aux lits. Le
personnel, sympathique,
et l'aménagement donnent
d'ailleurs à l'endroit des airs
d'auberge de jeunesse.
Possibilité de faire son
lavage et de prendre son
petit déjeuner à l'hôtel.
Boutique de souvenirs.

Hotel Daysita
$$
ec, bp, ⊗, ≡, ≈
du côté sud du stade
☎/⇌*666-0197*
Également au cœur de
Liberia, l'Hotel Daysita
propose de belles cham-
bres propres. Prenez note
que l'endroit comprend
une discothèque. On ira
vous chercher gratuite-
ment à l'aéroport.

Hotel Primavera
$$
bp, ⊗, *tv,* ≡
du côté sud du Parque Central
☎*666-0464*
⇌*666-3069*
Très propre, l'Hotel Pri-
mavera présente un bon
rapport qualité/ prix. Sa-
chez que l'endroit est
souvent occupé à sa pleine
capacité, même en basse
saison. L'hôtel se trouve au
fond d'une cour. Si vous
avez une voiture, mieux
vaut arriver tôt pour béné-
ficier d'une place dans le
stationnement limité de
l'hôtel.

Hotel Bramadero
$$$
ec, bp, ≡, ≈, ℜ
sur l'Interaméricaine, près du
principal boulevard de la ville
de Liberia
☎*666-0371*
⇌*666-0203*
Un des vieux hôtels de la
région, l'Hotel Bramadero,
dont le nom identifie une
composante de la
tauromachie, propose,
selon une formule de
motel, des chambres pro-
pres dans un décor sans
style particulier. Choisissez
une chambre loin du bar-
restaurant ainsi que de
l'Interaméricaine, qui peuvent être bruyants.

La Siesta
$$$
ec, bp, ≡, ℜ, ≈
à cinq rues de l'entrée de Libe-
ria, 250 m à droite de la Farma-
cia Lux
☎*666-0678*
⇌*666-2532*
Situé au cœur de Liberia,
l'hôtel La Siesta est plutôt
un motel; sa structure
s'allonge vers le fond du
terrain en enserrant un
petit jardin et une piscine.
Le tout est assez propre et
sympathique.

Hotel El Sitio
$$$$ pdj
ec, bp, tvc, ⊗, ≡, ℜ, ≈, ☺
sur le chemin de Santa Cruz,
près de Liberia
☎*666-1211*
⇌*666-2059*
www.bestwestern.co.cr
Sur son grand terrain,
l'Hotel El Sitio ressemble
quelque peu à l'hôtel Las
Espuelas, mais
l'établissement (et ses
tarifs) est de catégorie
inférieure. En marge de la

piscine, il y a notamment
un bar-restaurant de type
rancho, des jeux pour
enfants et un bassin à
remous sur la propriété.
On trouve une agence de
voyages et une boutique
de souvenirs dans l'hôtel.
Les espaces communs,
très ouverts vers
l'extérieur, sont assez
élégants avec les carreaux
rouges du plancher. Lors
de notre passage, le ser-
vice à la clientèle manquait
quelque peu de fini, de
même que les chambres
(la literie était notamment
très usée). Elles sont très
lumineuses avec leurs
fenêtres, cependant.
L'hôtel peut recevoir les
personnes à mobilité ré-
duite.

Hotel Las Espuelas
$$$$$
bp, ec, tvc, ≡, ≈, ℜ
environ 2 km au sud de Liberia,
sur l'Interaméricaine
☎*666-0144*
⇌*666-2441*
L'Hotel Las Espuelas est
moderne et de bonne
classe. C'est l'un des bons
hôtels du coin. De plain-
pied, il est en retrait de la
route grâce à son aména-
gement paysager. De
vastes espaces communs
entourent et habitent
agréablement l'édifice. Les
chambres sont propres et
plutôt jolies. Le restaurant
est également bien aména-
gé. Nous sommes bien au
Guanacaste: Espuelas
signifie «éperons», rappe-
lant ceux des
cow-boys.

Playa del Coco et ses environs

Playa del Coco

Cabinas Sol y Mar
$$$
bp, ℂ
150 m au nord du club Astilleros, sur le chemin menant à Playa del Coco
☎*670-0808 ou 670-1111*
Les Cabinas Sol y Mar sont de grandes habitations avec salle de séjour, petite cuisine et chambre à part. Elles sont pourvues d'une petite véranda. Le tout est propre.

Hotel Anexo Luna Tica
$$$
bp, ⊗
☎*670-0127*
⇌*670-0459*
L'Hotel Anexo Luna Tica est un petit hôtel *tico*. Les chambres, d'aménagement simple, sont plutôt sombres mais relativement propres.

Cabinas del Coco
$$$
bp, ⊗, ℜ
directement sur la plage en face du quai public
☎*670-0110 ou 670-0276*
⇌*670-0167*
Les Cabinas del Coco forment un vieil hôtel des années 1950. L'aménagement des chambres est sommaire mais propre. Difficile de trouver plus central et plus près de la mer dans le secteur. Il faut savoir cependant que cet emplacement entraîne de possibles problèmes de bruit venant du voisinage (notamment de la discothèque à côté). Les Cabinas del Coco proposent un restaurant (voir p 279).

Hotel Pato Loco Inn
$$$
bp, ℜ
à 800 m de la plage, sur le chemin menant à Playa del Coco
☎/⇌*670-0145*
www.costa-rica-beach-hotels-patoloco.com
L'Hotel Pato Loco Inn propose des chambres simplement meublées, en plus d'une petite cour à l'arrière. Le tout est très propre, mais situé sur un petit terrain sans autre installation ou service que le restaurant (voir p 279).

Villa del Sol
$$$ pdj
ec, *bp/bc*, ≈, ⊛, ℂ
1 km à l'est de la rue principale pénétrant à Playa del Coco, sur une rue perpendiculaire passant à côté de San Francisco Treats
☎/⇌*670-0085*
www.villadelsol.com
Tenu par des Québécois, le Villa del Sol est en quelque sorte un gîte touristique situé à quelques mètres de la plage. On y loue également, pour quelques jours ou plus, deux maisons tout équipées.

La Puerta del Sol
$$$$
ec, *bp*, ≈, ℜ, ☺
à 150 m de la plage, sur une rue à l'est de la rue principale pénétrant à Playa del Coco
☎*670-0195*
⇌*670-0650*
www.lapuertadelsol.com
L'hôtel La Puerta del Sol séduit avec sa couleur jaune apposée sur l'ensemble, joli, frais et propre. Les chambres sont de design moderne et confortable, avec leur sofa encastré. La végétation gagnera à mûrir quelque peu pour protéger du

soleil les espaces communs extérieurs. Le restaurant, **El Sol y la Luna** (voir p 280), est également attirant.

Flor de Itabo
$$$$
ec, *bp*, ≡, *tvc*, ℜ, ≈
à environ 1 km de la plage, à l'entrée de Playa del Coco
☎*670-0011 ou 670-0292*
⇌*670-0003*
www.flordeitabo.com
L'hôtel Flor de Itabo est un beau petit hôtel. Ses chambres sont très bien décorées et très propres. On est quelque peu éloigné de la plage mais également des bruits du village. On y parle le français. Son restaurant se spécialise dans la cuisine italienne. Possibilité de location de bungalows et d'appartements.

Villa Casa Blanca
$$$$ pdj
ec, *bp*, ≡
en direction d'El Ocotal
☎*670-0448*
⇌*670-0518*
www.costa-rica-hotels-travel.com
Le Villa Casa Blanca est vraiment un beau petit gîte touristique. À l'écart, il propose des chambres dont le décor fait même un peu fleur bleue et invite à la rêverie. Les espaces communs dégagent beaucoup de chaleur et affichent leur tranquillité. À quelques minutes à pied de la plage. On y sert un petit déjeuner varié (nord-américain et *tico*), ce qui n'est pas si fréquent dans la région. Dans cette propriété de Canadiens de l'Ouest, on sait recevoir les clients avec tout l'empressement, l'efficacité et la discrétion nécessaires.

Villa Flores
$$$$ pdj
ec, bp, ≡, ≈, ☉
200 m à l'est de la rue principale pénétrant à Playa del Coco
☎/⇆*670-0269*
Pratiquement en face de La Puerta del Sol, l'hôtel Villa Flores, propre et de bon goût, est entouré de jardins élégants et reposants. Comme pour le Puerta del Sol, sachez cependant qu'il vous faudra marcher quelques minutes sous le soleil pour rejoindre la plage. Propriétaires sympathiques.

Coco Verde
$$$$ pdj
ec, bp, ≡, ≈, ℜ
à 200 m de la plage, sur la route principale pénétrant à Playa del Coco
☎*670-0494*
⇆*670-0555*
www.costa-rica-beach-hotels.com
Moderne, l'hôtel Coco Verde, un ensemble d'unités d'habitation dans un grand bâtiment, arbore un certain panache. Quoique propres, les chambres elles-mêmes manquent de charme comparativement à celles des autres hôtels des environs. Ce ne sont d'ailleurs que des chambres sans autre équipement, en enfilade et partageant la même galerie.

Playa Ocotal

Ocotal Inn B&B
$$$ pdj
bp, ≡
☎*670-0835*
⇆*670-0526*
www.ocotalinn.com
Un demi-kilomètre avant Playa Ocotal, l'Ocotal Inn B&B propose cinq chambres dotées de petits lits ou d'un grand lit. Elles se répartissent autour d'une petite cour intérieure où trône un minuscule bassin pour se rafraîchir. À côté, des tables rondes, parées de jolies nappes bleues et blanches, sont dressées pour le petit déjeuner.

El Ocotal Beach Resort
$$$$$
ec, bp, tvc, ℜ, ⊛, ≡, ≈, ⊛
☎*258-6363*
⇆*248-0098*
www.ocotalresort.com
El Ocotal Beach Resort, un hôtel de classe, est juché sur une colline surplombant Playa Ocotal. Imaginez la vue! Les chambres sont équipées d'une petite table et d'un secrétaire en sus d'une machine à café. Si vous ne demeurez pas à l'hôtel, vous pouvez quand même vous offrir un repas dans sa salle à manger pour jouir du coup d'œil (voir p 280). Court de tennis.

Playa Hermosa

🛳 Villa del Sueño
$$$
bp, ec, ⊛, ≈, ℜ, ≡
☎/⇆*672-0026*
www.villadelsueno.com
Le Villa del Sueño est une référence. Propriété de six Québécois sympathiques, cet hôtel offre un confort et un service de premier ordre. L'aménagement des pièces de séjour communes et des chambres est de très bon goût, à la fois sobre et ensoleillé, le bois et la céramique y faisant bon ménage. À l'avant de l'hôtel, une terrasse recouverte permet de se détendre en discutant, en lisant un magazine, ou simplement en sirotant un café ou un jus de fruits frais. C'est sur cette même terrasse que s'installe, le soir venu, le restaurant de l'hôtel, (voir p 280). L'hôtel est situé à une centaine de mètres de la plage, soit juste assez en retrait pour vous assurer une tranquillité appréciable. La piscine et le bar attenant demeurent des lieux très prisés, surtout lorsque les propriétaires, musiciens, décident d'animer les lieux.

Villa Huetares
$$$$
bp, ≡, ≈, ℂ
à 150 m de la plage sur le chemin public menant à Playa Hermosa
☎*672-0081*
⇆*672-0051*
Le Villa Huetares propose de petites villas propres comprenant cuisine et petite salle à manger en sus des chambres. Terrain de volley-ball. L'aménagement paysager agrémente bien les environs.

El Oasis
$$$$
bp, ec, ℂ, ℜ, ℜ, ≈, ≡
☎*672-0026*
www.villadelsueno.com
Les propriétaires du Villa del Sueño (voir plus haut), qui pilotent plusieurs projets dans la région, ont ouvert un complexe d'habitation abritant des condominiums, loués en l'absence des propriétaires. On y trouve des bâtiments logeant des appartements d'une chambre ainsi que des appartements qui se révèlent tout à fait agréables pour qui voudrait s'installer pour quelque temps. Les studios ne comportent pas de cuisine complète, mais sont pourvus d'un petit four grille-pain, d'un mini-

réfrigérateur et d'une machine à café, ce qui peut s'avérer suffisant. La décoration est identique dans chacun et se révèle agréable. Tout comme le magnifique aménagement extérieur, où la végétation s'en donne à cœur joie autour d'une magnifique piscine.

El Velero
$$$$-$$$$$
ec, bp, ⊗, ≡, ≈, ℜ   .
☎/≈672-0016
www.costaricahotel.net
De beau style, El Velero est un petit hôtel de plage qui se veut une bonne solution de rechange aux grands complexes hôteliers des alentours. Les chambres de l'étage sont peut-être un rien plus simples que celles du rez-de-chaussée. Boutique de souvenirs et possibilité de location d'équipement nautique.

Condovac La Costa
$$$$$
ec, ℂ, *bp, tvc,* ℜ
à l'extrémité nord de la plage, à côté de l'hôtel Sol Playa Hermosa
☎221-2264 ou 233-1562
≈222-5637
L'hôtel Condovac La Costa surplombe la côte dans une crique. C'est un hôtel de type *resort* proposant quantité de services et d'activités à sa clientèle: pêche, planche à voile, ski nautique, motomarine, plongée-tuba, tennis. Les unités d'habitation étant disséminées sur un grand terrain, une petite voiture peut vous amener à la plage. Discothèque sur place.

Sol Playa Hermosa
$$$$$
bp, ec, ≡, *tvc,* ≈, ℂ, ℜ
☎672-0001
≈672-0212
***www.solplayahermosa.-
solmelia.com***
Le Sol Playa Hermosa est un grand complexe hôtelier de la chaîne Sol. L'aménagement des chambres est étonnamment simple pour un hôtel de cette catégorie. Par contre, la vue sur la mer au loin est magnifique depuis les balcons. Le complexe comprend également des villas tout équipées; certaines disposent même de leur propre piscine. Une boutique de souvenirs et de location d'équipement de sport, des courts de tennis, des tables de ping-pong et des salles de conférences ne sont que quelques-uns des services et installations proposés par le complexe.

Playa Panamá

Costa Smeralda
$$$$$
ec, bp, ≡, ≈
Bahía Culebra, dans le Golfo Papagayo, au nord de Panamá
☎671-0191
≈672-0041
L'hôtel Costa Smeralda est un grand hôtel de type *resort* proposant toutes sortes d'activités à sa clientèle, allant de la plongée-tuba aux cours d'espagnol et de danse. Le site se love dans une belle grande crique.

La région de Filadelfia

Playa Flamingo et ses environs

Playa Pan de Azúcar

Hotel Sugar Beach
$$$$$
ec, bp, ⊗, ≡, ≈, ℜ
à 15 km de la voie d'embranchement vers Huscas
☎654-4242
≈654-4239
www.sugar-beach.com
Pour s'assurer d'un certain isolement, l'Hotel Sugar Beach est tout indiqué. L'hôtel est en effet seul sur sa plage, au bout du chemin qui y mène. Sur les pentes de sa colline, l'établissement offre une très belle vue sur la mer, particulièrement depuis le restaurant. Vous constaterez que les singes, les iguanes, les toucans et les perroquets fréquentent la propriété. Les chambres sont grandes et de confort sans compromis. Le décor n'est pas distinctif, mais néanmois très correct. L'hôtel loue toutes sortes d'équipement pour les excursions et les sports nautiques.

Playa Penca

El Sitio Cielomar
$$$$$ pdj
ec, bp, ⊗, ≡
☎666-1211
≈666-2059
L'hôtel El Sitio Cielomar fait partie du groupe d'hôtels incluant El Sitio de Liberia. Étonnamment, l'hôtel ne possède pas de piscine. Les chambres présentent un décor et un confort bien standards. Grande pelouse à l'avant de cet hôtel faisant face à

la mer. Possibilité de location d'équipement de sports nautiques.

Playa Flamingo

Mariner Inn
$$$$
ec, bp, tvc, ≡, ≈, ℜ
☎*654-4081*
⇟*654-4024*
Tout à côté de la marina, le Mariner Inn s'annonce comme un hôtel pas compliqué. C'est un petit complexe d'une douzaine de chambres où tous les services logent dans un bâtiment sans terrain. La piscine, par exemple, se trouve à l'étage. L'endroit attire une clientèle décontractée. Le restaurant confirme l'atmosphère détendue, voulue par les responsables de l'hôtel (voir p 281). Belles vues sur la marina. La plage se trouve à quelque 300 m de là.

Fantasias Flamingo
$$$$$
ec, bp, ≡, ≈, ℜ
☎*654-4350*
⇟*257-5052*
L'hôtel Fantasias Flamingo offre un confort nord-américain sans faille. Cependant, il présente une architecture un rien froide, tant dans ses formes que dans ses couleurs. Sachez que certaines chambres ont un accès direct à la piscine et que toutes ont une très belle vue sur la mer.

Flamingo Beach Resort
$$$$$$
ec, bp, tvc, ⊗, ≡, ℜ, ≈, ☉
☎*654-4070*
⇟*654-4060*
www.flamingo-beach.com
Le Flamingo Beach Resort constitue un très grand complexe hôtelier avec

chambres et suites de grand confort, toutes avec balcon. Tous les bâtiments prennent place sur le terrain, de manière à ouvrir visuellement celui-ci sur la plage tout à côté. Il s'agit, avec les Flamingo Marina Resorts, d'un classique dans la région. Salle de jeux pour enfants. Casino.

Flamingo Marina Resorts
$$$$$$ pdj
ec, bp, ⊗, ≡, tvc, ℝ, ℂ, ≈, ⊛, ℜ
☎ *654-4141*
⇟*654-4035*
www.flamingomarina. com
Dominant la baie de Flamingo, les Flamingo Marina Resorts se composent en réalité de trois entités: le **Flamingo Marina Hotel**, qui propose un hébergement dans des chambres, le tout faisant face à la marina; le **Flamingo All-Suites**, qui se compose de suites équipées de cuisinette (certaines possèdent une baignoire à remous!); enfin, le **Club Playa Flamingo**, offrant en location des appartements tout équipés. Court de tennis, boutique de souvenirs et activités de toutes sortes sont au programme de cet important complexe.

Playa Brasilito

Cabinas Nany
$$ pdj
≈, ℂ, bp, ⊗
200 m au sud et 75 m à l'est du terrain de jeu, dans le village
☎/⇟*654-4320*
www.flamingobeachon-line. com
Les Cabinas Nany, simples mais propres, s'avèrent abordables. Propriétaires sympathiques.

Ojos Azulejos
$$
ec, bp, ⊗
sur le chemin principal de Playa Brasilito
☎/⇟*654-4346*
Des Suisses sympathiques tiennent l'hôtel Ojos Azulejos. D'atmosphère familiale, l'hôtel propose des chambres relativement grandes, propres et simples.

Hotel Brasilito
$$
bp, ⊗, ℜ
☎*654-4237*
⇟*654-4247*
www.brasilito.com
Les installations de l'Hotel Brasilito, quelque peu vieillottes, sont situées tout près de la mer, au cœur de Brasilito. Attention aux bruits potentiels du voisinage. Chambres propres et simples.

Playa Conchal

Meliá Playa Conchal
$$$$$$
ec, bp, ⊗, ≡, tvc, ≈, ℜ
☎*654-4123*
⇟*654-4181*
www.meliaplayaconchal. com
Au sud de Brasilito, à Playa Conchal, l'hôtel Meliá Playa Conchal, un *resort* de plage et de golf, propose des suites avec terrasse et une belle grande salle de séjour en plus de la chambre. Les enfants de moins de 12 ans partageant la chambre de leurs parents y logent gratuitement. Courts de tennis, relais santé (spa), sports nautiques, casino, bar et discothèque et... golf évidemment! Service impeccable. L'aménagement général de l'établissement sur son immense terrain le classe à part. Vous n'avez

qu'à vous rendre au grand bâtiment d'accueil surplombant le site pour vous en convaincre.

Playa Real

Bahía de los Piratas
$$$$
bp, ec, ℂ, ≈, ℜ, ≡
☎*222-7010 ou 654-4654*
⇄*654-4650*
www.bahiadelospiratas.com

Lové au cœur d'une petite baie, au bord d'une des plus belles plages de la région, l'hôtel Bahía de los Piratas charme par son emplacement. Éparpillés dans la colline faisant face à la mer, des bungalows tout équipés proposent un confort haut de gamme à qui voudrait profiter des vacances pour s'installer quelque part. On peut aussi y demeurer pour une nuitée, mais pourquoi ne pas profiter de la cuisinette, du salon avec système de son, des deux ou trois chambres avec salle de bain privée, pour s'attarder plus longuement. Vous pourrez, de plus, participer à une foule d'activités. Le restaurant de l'hôtel propose une bonne table comprenant entre autres des pizzas cuites au four à bois qui vous enlèveront le goût de cuisiner! Peut-être déplorerez-vous la montée à pic jusqu'à votre habitation, mais, une fois sur place, vous n'aurez qu'à jeter un coup d'œil autour de vous pour avouer que l'effort est pleinement récompensé... Le chemin pour s'y rendre, à pied ou en voiture, n'est pas des plus faciles; demandez qu'on vous envoie auparavant une carte de la région pour vous y retrouver plus facilement. Sachez tout de même qu'il vous faudra vous rendre, depuis Belén, au petit village de Matapalo, 3 km après Huacas. De là, des panneaux indiquent la route à suivre, mais mieux vaut être muni d'un plan.

Playa Tamarindo et ses environs

Playa Grande

Centro Vacacional Playa Grande
$$$
bp, ⊗, ℂ, ℜ
1,5 km avant Playa Grande, à l'entrée du Parque Nacional Marino Las Baulas
☎*237-2552 ou 260-3991*
☎*653-0467*

Le Centro Vacacional Playa Grande est un genre de camp de vacances dont les unités d'habitation disposent de lits superposés. Elles sont toutefois équipées d'une petite cuisine.

El Bucanero
$$$ pdj
ec, bp, ℜ
☎*653-0480*
www.elbucanero.com

L'hôtel El Bucanero est un petit édifice proposant de grandes chambres propres et simples. Le restaurant à l'étage offre une superbe vue sur la plage. Le tout baigne dans une agréable atmosphère estivale.

Cantarana
$$$$ pdj
possibilité de forfait avec dîner
ec, bp, ⊗, ≡, ≈
☎*653-0486*
⇄*653-0491*

L'hôtel Cantarana offre en location des chambres propres, avec une table et des chaises en plus de lits confortables. Le tout dans un aménagement élaboré avec goût, près de la rivière. À 5 min de la plage, au bout de celle-ci.

🏨 Villa Baula
$$$$
ec, bp, ℜ, ⊗, ≈, ℂ
☎*653-0493*
⇄*653-0459*
www.hotelvillabaula.com

Le Villa Baula, le dernier hôtel sur la plage avant la rivière séparant Playa Grande de Playa Tamarindo, garantit la tranquillité. Les concepteurs du Villa Baula ont aménagé de grandes chambres en privilégiant le bois. Possibilité de louer des bungalows avec cuisine et grande galerie extérieure, le tout monté sur pilotis. Tout à fait charmant! Le contact des lieux avec la nature est réussi; accolé à la plage, l'endroit est idéal pour voir les tortues.

🏨 Casa Linda Vista
$$$$-$$$$$
ec, bp, tv, ⊗, ℂ
☎*653-0474*

La Casa Linda Vista présente un très beau concept de chalet avec cuisine et belle vue en raison de son emplacement au sommet d'une colline. Elle peut accueillir six personnes. Tranquillité assurée, car la Casa Linda Vista se trouve loin de tout et à 500 m de la plage. Très bon rapport qualité/prix.

Hotel Las Tortugas
$$$$$
ec, bp, ≡, ≈, ⊛
☎*653-0423*
⇆*653-0458*

Quoique situé directement sur la plage, l'Hotel Las Tortugas a été conçu de manière telle qu'il ne braque pas indûment son éclairage extérieur sur la côte, ce qui est salutaire pour les nombreuses tortues qui viennent pondre leurs œufs à Playa Grande. Les chambres, au plancher de pierres, ont été conçues en outre pour maximiser la circulation de l'air si vous ne désirez pas l'air conditionné. De manière générale, les propriétaires de l'établissement font tout ce qu'ils peuvent pour protéger les tortues et la nature en général. Belle vue depuis le restaurant de l'hôtel.

Playa Tamarindo

Vous pouvez planter votre tente au **Tito's Camping**, situé tout à côté de la plage, en face des Cabinas Mono Loco. À côté, on trouve également le **Paniugua Camping**.

Cabinas Coral Reef
$$
ec, bp
☎*653-0291*

Les Cabinas Coral Reef sont simples, même sans prétention, mais propres. Idéales pour les amateurs de surf. À une faible distance de la plage.

Cabinas Mono Loco
$$
ec, bp, ℂ
☎*653-0238*

Les Cabinas Mono Loco sont sympathiques et propres. Elles forment un genre de bloc d'habitations qui entourent un jardin à la végétation mature et à l'aménagement simple. Le tout est propre, mettant l'accent sur le plâtre et le bois. Possibilité d'y laver son linge et de préparer ses repas dans la salle commune.

Cabinas Dolly
$$
bc
☎*653-0017*

Les Cabinas Dolly font plutôt penser à une petite auberge de jeunesse en raison de la clientèle jeune et du confort minimal des chambres, mais les salles d'eau communes sont très propres. Accès direct à la plage. Le terrain est petit et aménagé très simplement, mais la plage fait office de grande cour avant!

Cabinas Marielos
$$$
bp, ⊗, ℂ
☎*/⇆653-0141*

Les Cabinas Marielos sont petites, assez claires, simples et propres. Les responsables sont sympathiques et les jardins très jolis. Accès à la cuisine.

Cabinas Arco Iris
$$$
bp, ec, ℜ
☎*653-0330*
⇆*653-0943*
www.hotelarcoiris.com

Les Cabinas Arco Iris sont des maisonnettes colorées et gaies, associées au restaurant végétarien du même nom (voir p 282).

Cabinas Pozo Azul
$$$
bp, ≡, ℂ, ≈
à l'entrée du village
☎*/⇆653-0280*

Les propriétaires des Cabinas Pozo Azul proposent des chambres au confort, à l'aménagement et à la propreté basiques. Les chambres sont équipées d'un petit poêle et d'un réfrigérateur.

Cabinas Zully Mar
$$$-$$$$
ec, bp, ⊗, ≡
près de la boucle de la première rue longeant la plage
☎*653-0140*
⇆*653-0028*

Les Cabinas Zully Mar ont été de tout temps un endroit de choix pour les voyageurs à petit budget. On y trouve deux types de chambres, selon leur époque de construction. Les plus anciennes sont de petite dimension, alors que les plus récentes sont plus grandes et ont bénéficié d'un aménagement plus soigné. Le tout est propre. Situé au cœur du village, à deux pas de la plage.

Villa Alegre
$$$-$$$$ *pdj*
bp, ec, ≡, ⊗, ≈, ℂ
☎*653-0270*
⇆*653-0287*

Tout près de l'Hotel Capitán Suizo, dans le village de Tamarindo, un sympathique couple californien a ouvert un agréable gîte touristique. Disposant de quatre chambres dans la maison principale et de deux maisonnettes, le gîte propose un hébergement de qualité. Les chambres, chacune désignée du nom d'un pays du monde (Mexique, Japon, etc.), sont décorées en conséquence et avec goût. La belle maison offre une ambiance agréable et tranquille.

Pueblo Dorado
$$$$
ec, bp, ≈
☎*653-0008*
⇌*653-0013*
www.pueblodorado.com
Le Pueblo Dorado possède des chambres à l'aménagement à la fois moderne et simple (avec table et chaises).

Hotel El Milagro
$$$$ pdj
ec, bp, ⊗, ≡, ≈, ℜ
sur la gauche lorsqu'on entre dans le village
☎*653-0042*
⇌*653-0050*
www.elmilagro.com
L'Hotel El Milagro offre deux types de chambres: avec ventilateur et eau froide ou avec air conditionné et eau chaude. L'endroit présente un aménagement paysager soigné, et le concept des unités d'habitation est original: la terrasse couverte fait presque partie des pièces intérieures, tant les portes-fenêtres sont larges, créant ainsi un salon. Les unités sont en enfilade dans deux bâtiments se faisant face, mais l'aménagement paysager atténue le sentiment de proximité. De l'autre côté de la rue qui donne sur la plage. Son restaurant est très couru (voir p 282).

Hotel Pasatiempo
$$$$
bp, ec, ≈
☎*653-0096*
⇌*653-0275*
www.hotelpasatiempo. com
Situé sur une rue de Tamarindo, pas très loin de la plage, l'Hotel Pasatiempo

possède le bel atout d'une végétation qui lui procure de l'ombre. L'endroit consiste en une série de petites habitations logeant chacune deux grandes chambres avec terrasse. Au centre de l'ensemble a été construit une piscine.

Tropicana del Pacífico
$$$$
ec, bp, ⊗, ≡, ≈
☎*653-0503*
⇌*653-0261*
www.tropicanacr.com
L'hôtel Tropicana del Pacífico, à l'écart sur son terrain et de l'autre côté de la rue qui donne sur la plage, entoure la piscine. Les chambres sont d'une bonne grandeur et propres, avec un aménagement sans distinction particulière mais correct. Gestion italienne.

Hotel Capitán Suizo
$$$$$ pdj
ec, bp, ⊗, ≡, ℝ, ≈
à l'extrémité sud du village
☎*653-0075*
⇌*653-0292*
www.hotelcapitansuizo. com
L'Hotel Capitán Suizo est un de ces petits hôtels luxueux associés à quatre autres au pays (dont le Grano de Oro, à San José), qui sont de très belle facture architecturale et offrent un confort et un service hors pair à leur clientèle. Il a été construit sur les différents dénivelés du terrain, ce qui multiplie les coups d'œil. Les chambres sont aménagées dans une série de petits duplex de deux étages. Celles du rez-de-chaussée disposent d'une terrasse et sont climatisées; celles de l'étage ont un balcon et bénéficient de la circulation naturelle de l'air. Toutes

sont vastes, pourvues non seulement de lits mais aussi d'un divan-lit, de belles chaises, d'un coin pour écrire et d'un petit réfrigérateur. Le tout entoure de magnifiques jardins, une piscine de même qu'un *rancho*. Il existe également des bungalows sur le terrain. Il va de soi que l'hôtel peut organiser toutes sortes d'activités et d'expéditions.

Residence Luna Llena
$$$$$
ec, bp, ℂ, ≈
200 m à l'est de l'Iguana Surf
☎*653-0082*
⇌*653-0120*
www.hotellunallena.com
L'intime Residence Luna Llena possède un joli intérieur (céramique et bois) décoré de façon originale, avec escalier en colimaçon pour accéder aux chambres, à l'étage. L'aménagement paysager s'avère également très correct. La plage se trouve à 200 m de l'établissement.

Sueño del Mar
$$$$$ pdj
ec, bp, ⊗, ≡, ℜ
☎/⇌*653-0284*
www.sueno-del-mar.com
À l'extrémité sud de la deuxième rue qui longe la plage, dans le hameau de Tamarindo, où cette rue fait une boucle, trône le Sueño del Mar. Il offre en location de petites chambres aménagées de façon quelque peu éclectique, mais le tout est finalement très réussi. Possibilité de louer une *casita*.

Tamarindo Vista Villas Hotel
$$$$$
ec, bp, ≡, tvc, ℜ, ≈, ℂ
☎653-0114
≈653-0115
*www.bestofcostaricahotels
.com*
Le Tamarindo Vista Villas Hotel propose des appartements très bien équipés, avec cuisine, salle à manger et salon, le tout très moderne. Patio ou balcon avec une belle vue d'ensemble sur l'océan. L'hôtel fait partie de la chaîne Best Western.

Tamarindo Diriá
$$$$$$ pdj
ec, tvc, ⊗, ≡, ℜ, ≈
☎653-0031
≈653-0208
www.eldiria.com
Le Tamarindo Diriá, d'apparence agréable, témoigne néanmoins quelque peu de son âge (c'est l'un des premiers hôtels de la région, construit il y a une quinzaine d'années): du décor des chambres se dégage un charme un peu suranné, et l'espace est relativement restreint. Chaque chambre partage en outre sa terrasse avec ses voisines. La beauté vient plutôt de l'aménagement paysager qui vaut littéralement le déplacement. La végétation y est mature et isole très bien l'établissement des environs, mettant en valeur les bâtiments qui composent l'hôtel, notamment le restaurant, où il est agréable de boire un verre en admirant le soleil se coucher sur la mer. Boutique de souvenirs et court de tennis. Un petit centre commercial se trouve à côté de l'hôtel, qui, lui-même, est situé tout à côté de la plage.

Casa Cook
$$$$$$
ec, bp, ⊗, ≈, ℂ
☎653-0125
≈653-0753
La Casa Cook propose deux très belles *cabinas* tout équipées (avec salle de séjour) sur le terrain d'une propriété privée ainsi qu'une suite à l'étage de la maison principale. La suite dispose d'un grand patio et de deux chambres à coucher ainsi que de deux salles de bain. On y trouve le grand luxe dans l'intimité et la tranquillité d'une propriété privée moderne et confortable au bord de la mer.

El Jardín del Edén
$$$$$$ pdj
ec, bp, ≡, ≈, ℜ, ⊗, tv
à 200 m de la plage
☎653-0137
≈653-0111
www.jardin-eden.com
Le style méditerranéen d'El Jardín del Edén s'exprime joliment dans le blanc du recouvrement en stuc des murs, la couleur rouille des tuiles du toit ou des teintes pâles des pierres plates des planchers. On peut cependant déplorer l'éclairage au néon qui persiste après tant d'années. La vue sur la mer est superbe depuis les chambres grâce à une grande terrasse ou un balcon. Et il n'y a pas que la mer qui attirera votre attention ici, puisque le jardin de l'établissement fait bel et bien honneur à son nom. D'une luxuriance et d'une beauté qu'on devine amoureusement entretenues, le jardin ajoute énormément au charme de l'endroit. La piscine et le restaurant à aire ouverte (voir

p 282), où est servi l'excellent petit déjeuner, bénéficient de cet éden qui les entoure.

La région de Santa Cruz

Santa Cruz et ses environs

Santa Cruz

El Diriá
$$$
bp, ec, tv, ≡, ≈
☎680-0080
≈680-0442
El Diriá, un établissement propre, ressemble à un grand motel, avec bel aménagement paysager. De grandes terrasses communes, couvertes, s'ouvrant sur le jardin central, se trouvent en face des unités d'habitation. Personnel sympathique.

Playa Junquillal et ses environs

Playa Avellanas

Cabinas Las Olas
$$$
ec, bp, ⊗, ℜ
☎233-4455 ou 382-4366
≈222-8685
www.cabinaslasolas.co.cr
Les Cabinas Las Olas proposent 10 chambres confortables et bien aménagées. L'établissement est niché dans la nature, à côté d'une mangrove à laquelle on a accès par une promenade sur pilotis. Les propriétaires ont en effet à cœur de protéger la nature environnante, ce qui est un bon point en leur faveur. Ce qui n'empêche pas de profiter de la belle

plage de surf qu'est Playa Avellanas.

Playa Negra

Finca Los Pargos de Playa Negra
$$$
bp, ℜ

La Finca Los Pargos de Playa Negra, ce sont des *cabinas* disposées dans la grande prairie, à raison de deux chambres par cabane (sur pilotis et avec toit de palmes). Même des chèvres broutent sur le terrain. Situé au bout du chemin menant à Playa Negra, l'endroit fait très sauvage et très *grunge*. Restaurant de cuisine italienne.

Mono Congo Lodge
$$$
bc, ec, ℜ

☎/≈382-6926 ou 658-8261

Playa Negra se développe rapidement et promet de devenir un site touristique animé. Pour le moment, elle demeure authentique, et ses quelques établissements s'éparpillent le long des petits chemins de terre à travers la végétation. Parmi ceux-ci, le Mono Congo Lodge frappe par son aménagement respectant justement la sobriété des lieux. Cette grande maison de bois brun foncé abrite seulement quatre chambres, dont une juchée au dernier étage. Les salles de bain sont grandes et joliment revêtues de céramiques. Les espaces communs s'ouvrent sur la nature environnante et confèrent à l'endroit une douce atmosphère conviviale. Plusieurs activités sont possibles, entre autres des promenades sur

un des chevaux de la maison.

Pablo Picasso
$$$
bp, ℜ, ≡, ℂ

☎382-0411 ou 658-8151

≈680-0280

Le restaurant Pablo Picasso fait aussi la location de *cabinas*, surtout louées par les surfeurs attirés par les vagues des environs. Il possède pour le moment trois chambres dont deux sont climatisées et peuvent loger jusqu'à six personnes. Peu importe si vous ne désirez pas prendre tous vos repas au restaurant (qui a fait la réputation de l'endroit), car les chambres disposent de cuisinette.

Hotel Playa Negra
$$$$ pdj
ec, ℜ, *bp*, ≈

☎658-8034

≈658-8035

www.playanegra.com

L'Hotel Playa Negra est à l'écart sur Playa Negra, mais c'est une belle petite réclusion que vous y vivrez. Les *cabinas* offertes en location sont très jolies, claires, aérées parce que circulaires et sous un toit de palmes, avec un module «table-chaise-divan-lit» qui rend le séjour encore plus agréable. On parle le français à l'Hotel Playa Negra. Si vous voulez y aller pendant la saison des pluies, informez-vous si vous pouvez vous rendre à l'hôtel, la plupart des clients de l'endroit recourant aux véhicules à quatre roues motrices pour l'atteindre. Le restaurant propose entre autres une cuisine française (voir p 283).

Playa Junquillal

Camping Los Malinches
$

☎653-0429 ou 658-8114

Le vieux propriétaire du Camping Los Malinches s'avère fort sympathique. Le site, couvert d'arbres, fait face à la mer.

Hotel Junquillal
$$
ec, ℜ

tout à côté de l'accès public principal de Playa Junquillal

☎658-8432

www.playa-junquillal.-com

L'Hotel Junquillal est un établissement d'une trentaine d'années d'existence! Les petites *cabinas* de bois en témoignent quelque peu, avec leur lit au confort minimal et leur décor très simple. Le petit terrain de l'hôtel se trouve bien pourvu en hamacs. L'établissement demeure quand même couru par les voyageurs à petit budget. Possibilité de camper sur le terrain.

Hibiscus
$$-$$$
bp

tout près de l'entrée publique de la plage de Junquillal

☎/≈658-8437

Familial, le petit hôtel Hibiscus charme avec ses quelques *cabinas* au décor tout simple mais invitant, au milieu d'un joli petit jardin. Les *cabinas* sont cependant très près les unes des autres.

El Castillo Divertido
$$$
bp, ec

☎/≈658-8428

El Castillo Divertido, de l'autre côté de la rue qui donne sur la plage, ressemble quelque peu à un château avec ses façades crénelées et ses rotondes. De propriété allemande, il propose des chambres pas très grandes; celles de l'étage disposent d'un balcon.

Guacamaya Lodge
$$$
bp, ec, ≈, ℜ
☎*658-8431*
⇅*658-8164*
www.guacamayalodge. com
Juché sur une colline, l'ensemble de la propriété du Guacamaya Lodge s'avère très joli et très propre. Les grandes chambres sont aménagées en couple dans les bâtiments disposés sur le terrain. Chaque chambre a sa propre terrasse à l'avant. Il y a également une *casita* (*$$$$$*) très grande et tout équipée, avec une terrasse offrant une vue magnifique. Le perroquet des propriétaires se montre très bavard!

Villa Serena
$$$$ pc
ec, bp, ⊗, ≈
☎*/⇅658-8430*
www.land-ho.com
Le Villa Serena offre en location des *cabinas* doubles situées sur un grand terrain. L'aménagement des *cabinas* date quelque peu, mais le tout s'avère très propre. Peu d'ameublement autre que les lits ici. Accès direct à la plage. Court de tennis.

Hotel Antumalal
$$$$$ pdj
ec, bp, ⊗, ℜ, ≈
☎*653-0425*
⇅*658-8425*
Bien que Playa Junquillal soit encore peu développée, l'Hotel Antumalal compte parmi les hôtels

les plus vieux de la côte avec sa vingtaine d'années d'existence. Les chambres sont au nombre de deux par habitation et partagent une terrasse. Chacune des habitations est bien isolée l'une de l'autre sur le terrain, lequel offre beaucoup d'espace libre. Les chambres disposent de bons lits, sont très claires et possèdent un décor simple mais très correct. Accès direct à la plage. Possibilité de discothèque les fins de semaine. L'hôtel se trouve au bout du chemin longeant la plage de Junquillal.

Iguanazul
$$$$$ pdj
≈, ec, ℜ, bp
1 km au nord de Playa Junquillal
☎*/⇅658-8123*
www.iguanazul.com
De propriété canadienne, Iguanazul gagnerait à ce que l'aménagement paysager soit plus mature. L'intérieur des chambres est cependant joli, grâce aux couleurs pâles et à certaines œuvres figuratives qui composent le décor. L'accès à deux plages, l'une rocailleuse et l'autre sablonneuse, constitue un point fort de l'établissement. Possibilité de louer toutes sortes d'équipement sportif et de faire diverses excursions dans les environs. Le restaurant à aire ouverte rend le contact très direct avec la plage, toute proche.

La région de Nicoya

Nicoya et ses environs

Jenny
$$
bp, tv, ≡
100 m au sud de l'angle sud-est du Parque Central
☎*685-5050*
⇅*686-6471*
L'hôtel Jenny est un petit hôtel urbain bien simple au cœur de la ville.

Cabinas Nicoya
$$-$$$
ec, bp, ≈, ≡
500 m à l'est du Banco Nacional
☎*686-6331*
Les Cabinas Nicoya se trouvent aussi au cœur de Nicoya. Le propriétaire est sympathique et plein d'attention pour sa clientèle. Les petites chambres ont un certain charme dans les détails, comme les couvre-lits par exemple. Le petit terrain aurait avantage à être mieux aménagé, étant donné ses dimensions.

Complejo Turístico Curime
$$$
ec, bp, ℝ ≡, ≈, ℜ
au sud de Nicoya, sur la route de Playa Sámara
☎*685-5238*
⇅*685-5530*
Les habitations du Complejo Turístico Curime offrent un décor un peu vieillot, témoin des années 1970, en plus d'être sombres. L'aménagement extérieur remplit bien son rôle d'agrément et d'isolement par rapport à la route. Tables de billard et courts de tennis.

Playa Nosara
et ses environs

Playa Nosara
et Playa Pelada

Almost Paradise
$$$ pdj
ec, bp, ℜ
Playa Pelada de Nosara
☎*682-0173*
⇌685-5004
L'auberge Almost Paradise est un établissement à flanc de coteau de type «Robinson suisse». Un petit restaurant s'ajoute aux installations d'où l'on peut avoir une belle vue sur les environs. Les *cabinas* de bois, accrochées à la colline, sont sympathiques avec leur petite terrasse et leur grand hamac. Propriétaire charmante et très décontractée.

Estancia Nosara
$$$-$$$$
ec, ≡*, bp,* ℂ*,* ≈*,* ℜ
à 5 min de la plage, 4 km au sud de Nosara
☎*682-0178*
⇌682-0176
www.estancianosara.com
L'Estancia Nosara se trouve tout à fait isolée dans son environnement tropical de 10 ha. Ses chambres, son restaurant, ses jardins, tout s'avère impeccable et très tranquille. Propriété suisse. Court de tennis sur place.

Hotel Rancho Suizo
$$$$ pdj
ec, bp, ⊛*,* ℜ
Playa Pelada de Nosara
☎*682-0057*
⇌682-0055
www.nosara.ch
Tout à côté de Playa Pelada, l'Hotel Rancho Suizo s'entoure d'une végétation luxuriante et relaxante. Les chambres, très propres,

sont aménagées de manière confortable. La principale clientèle de l'hôtel s'intéresse à l'observation des oiseaux. Le Pirata's Bar de l'hôtel propose un menu de grillades (voir p 286) et une piste de danse le soir.

Lagarta Lodge
$$$$ pdj
ec, bp, ⊗*,* ≈*,* ℜ
Playa Nosara
☎*682-0035*
⇌682-0135
www.lagarta.com
Le Lagarta Lodge se trouve tout près de la réserve écologique privée de Nosara, qui appartient aux mêmes propriétaires. Perché sur une colline, il offre des vues magnifiques. Les chambres sont très confortables, très propres, et ont un certain cachet. On loge au Lagarta pour visiter la réserve toute proche où trouvent refuge les tortues Ostional, ou encore pour se repaître tranquillement de la nature environnante. L'hôtel n'est pas très loin de la plage. Vu la proximité de la nature, il propose à sa clientèle certaines activités d'intérêt (observation des tortues sur la plage, excursions sur le Río Nosara, etc.). Administration suisse.

Playa Guiones

Rancho Congo
$$ pdj
bp, ec, ⊗
☎*/⇌682-0078*
Le Rancho Congo abrite seulement deux chambres et les loue à prix intéressant. Elles sont aménagées dans un bâtiment au toit de palmes très haut, ce qui assure une bonne aération. Le Rancho Congo est planté au milieu d'un grand

terrain, à 700 m de la plage. Les chambres ne font pas montre d'une décoration très élaborée, mais elles comportent des salles de bain aux dimensions impressionnantes. La route qui passe tout près ne devrait pas vous incommoder, pas plus que la propriétaire et ses deux chiens!

Café de Paris
$$-$$$
ec, bp, ℂ*,* ⊗*,* ≈*,* ℜ
à 500 m de Playa Guiones
☎*682-0087 ou 682-0207*
⇌682-0089
www.cafedeparis.net
L'hôtel Café de Paris, de propriété helvético- française, offre en location cinq bungalows, chacun doté d'une grande chambre avec cuisine et réfrigérateur et d'une plus petite chambre qui peut se louer séparément. Possibilité de faire des excursions dans les environs et location d'équipement de sport. L'établissement s'entoure de beaux petits jardins.

Casa Romántica
$$$ pdj
bp, ec, ⊗*,* ℜ*,* ≈
☎*/⇌682-0019*
www.hotelcasaromantica.
com
La Casa Romántica porte bien son nom. C'est en effet dans un décor romantique à souhait que vous pourrez dormir et manger. Les petites tables du restaurant sont dressées juste au bord de la piscine, dans un bel aménagement. Les chambres, cependant, ne se parent pas d'une décoration des plus élaborées, mais elles font face à un jardin qui donne sur la plage, ajoutant ici la touche romantique! Les quatre habita-

tions, alignées comme un motel, sont grandes et comptent plusieurs lits. Le hall d'entrée est quant à lui joli.

Hotel Villa Taype
$$$ pdj
ec, bp, ≡, ≈, ℜ
entre Punta Pelada et Playa Guiones
☎682-0333
⇌682-0187
www.villataype.com
L'Hotel Villa Taype se présente comme un établissement hôtelier plutôt grand pour les environs. Les chambres sont aménagées en couple dans de petites maisonnettes ou réparties en enfilade dans un motel. Elles présentent une décoration simple et propre. Les jardins ont atteint une belle maturité, et les aires communes de séjour sont grandes, même celles couvertes, ce qui peut être apprécié sous le soleil comme sous la pluie. Court de tennis et tennis sur table. À deux pas de la plage.

Olas Grandes Gringo Grill & Surf Shacks
$$$
bc, ℜ
pas de téléphone
Les chambres offertes en location par les responsables d'Olas Grandes Gringo Grill & Surf Shacks conviennent parfaitement aux fanas du surf et de la foire! Chaque maisonnette compte deux grandes chambres sans aménagement particulier. Le personnel de l'endroit fait plutôt baba cool.

Harbor Reef Lodge
$$$$
bp, ec, ≡, ℂ, ℜ, ≈, ⊗
☎682-0059
⇌682-0060
www.harborreef.com
Après avoir débroussaillé un terrain vacant, les propriétaires américains ont installé ici un petit havre de paix tout entouré de verdure: le Harbor Reef Lodge. Il abrite de petits appartements avec cuisinette et chambres fermées et climatisées. Ils sont tous en teck, du plafond au plancher, et sont percés de plusieurs fenêtres offrant une bonne aération. Une petite table garnit le balcon de certaines d'entre elles. La piscine, bien que petite, serpente au milieu d'un aménagement paysager agrémenté d'une sculpture de pierre représentant un… serpent!

El Villaggio
$$$$$ pdj
ec, bp, ≈
tout près de Punta Garza
☎/⇌ 680-0784
El Villaggio constitue avec l'Hotel Villa Taype (voir plus haut) l'un des plus gros complexes hôteliers du genre dans cette région mieux connue pour ses établissements de plus petite dimension. Les chambres, grandes et bien aérées sous la hutte, disposent de terrasses intimes. Leurs portes-fenêtres sont géniales en deux points: pour la clarté qu'elles leur procurent et pour le contact qu'elles permettent avec l'extérieur, un terrain magnifique. En plus, l'hôtel jouit de la plage de façon presque exclusive puisqu'il se trouve dans une petite baie. Boutique de souvenirs.

Hotel Playas de Nosara
$$$$$
ec, bp, ⊗, ℜ, ≈
Punta Pelada
☎682-0121
⇌682-0123
www.nosarabeachhotel.com
L'Hotel Playas de Nosara se distingue facilement dans le paysage grâce à sa tourelle de chaux blanche un peu kitsch, située sur le promontoire de Punta Pelada; celle-ci fait office de bureau d'accueil et de restaurant pour l'établissement. Les chambres du Playas de Nosara sont bien aérées et correctement ombragées, mais leur décor et leur confort, quoique corrects, ne valent pas, à notre avis, le prix demandé. Les dénivelés de l'endroit offrent de beaux coups d'œil sur les environs. Accès direct à la plage de Guiones.

Playa Sámara et ses environs

Camping El Coco
3$/pers. avec éclairage, électricité et bc
☎656-0496
Le Camping El Coco, un petit camping «urbain» au cœur du village de Sámara, donne accès directement à la plage. Le site, sur terre sablonneuse, est très ombragé, ce qui s'avère grandement utile sous le soleil du pays. L'endroit est propre, bien qu'il soit relativement exigu, les tentes pouvant être nombreuses en haute saison. Propriétaires sympathiques.

Hospedaje y Abastecedor Yuri
$
section nord de la plage
L'Hospedaje y Abastecedor Yuri propose des chambres étonnamment propres et correctes. L'aménagement y est minimal, mais les lits sont confortables. N'y allez pas pour l'aménagement extérieur, vraiment pas joli, mais pour le rapport qualité/prix des chambres et la gentillesse du propriétaire.

Belvedere
$$$ pdj
ec, bp, ⊛
en face de l'Hotel Marbella
☎/⇄656-0213
www.samara-costarica.com
Les *cabinas* en *A* du Belvedere ont un certain charme, même si les chambres sont petites. Elles disposent de jolis balcons larges et très privés.

Casa del Mar
$$$ pdj
ec, bc/bp, ⊛*,* ℜ
rue principale
☎656-0264
⇄656-0129
www.casadelmarsamara.com
Au cœur de Sámara et à quelque 75 m de la plage, la Casa del Mar, propriété de Québécois, propose à sa clientèle des chambres claires dans des bâtiments enserrant un petite cour paysagée au centre de laquelle on a installé un bassin à remous. La blancheur des chambres (murs, plafond et carrelage) agrandit l'espace que le mobilier n'arrive cependant pas à occuper complètement. Accueil très agréable.

Giada
$$$ pdj
bp, ec, ⊗*,* ≈
☎656-0132
⇄656-0131
www.hotelgiada.net
L'hôtel Giada est de bel aménagement général. Les chambres sont peut-être un peu étroites cependant, mais elles sont équipées d'un petit secrétaire et disposent d'un petit balcon ou d'un petit patio; la plupart s'ouvrent sur la charmante cour intérieure du bâtiment, bien paysagée et à la belle végétation mature. Attention de choisir ces chambres et non çelles donnant sur la rue. À 150 m de la plage.

Hotel Latino
$$$ pdj
bp, ec, ⊗*,* ℜ
Playa Cangrejal, section nord de la plage
☎/⇄656-0043
Comme le Mágica Cantarrana (voir ci-dessous), l'Hotel Latino propose de confortables chambres en enfilade dans un bâtiment de deux étages faisant face à un terrain où la végétation gagnerait à mûrir. Les balcons, de bonnes dimensions, y sont plus privés. À quelque 200 m de la plage.

Mágica Cantarrana
$$$ pdj
bp, ec, ⊗*,* ≈
Playa Buena Vista, quelques kilomètres au nord de Playa Sámara
☎656-0071
⇄656-0260
www.playasamara.com
L'hôtel Mágica Cantarrana est situé sur la route menant à Playa Buena Vista et partant de Sámara. Il consiste en une série de chambres propres et confortables réparties sur les deux étages d'un bâtiment faisant face à la piscine. Un balcon prolonge chacune des chambres, mais il en existe également un à l'arrière qui donne la possibilité d'admirer les verts pâturages des environs de la propriété. Possibilité de louer un appartement tout équipé et de suivre des cours de plongée. On y parle le français.

Las Brisas del Pacífico
$$$$
ec, bp, ⊗*,* ≡*,* ≈
section sud de la plage
☎656-0250
⇄656-0076
www.brisas.net
L'hôtel Las Brisas del Pacífico se présente comme un beau complexe niché dans une végétation mature où tout est très propre. Votre chambre se trouvera soit au niveau de la plage ou sur la colline qui donne au complexe son relief. Une autre chambre, située sur le toit ou presque, offre, on s'en doute, une vue magnifique sur les environs. Toutes les chambres ont une terrasse privée. Accès direct à la plage.

Hotel Isla Chora
$$$$ pdj
ec, bp, ≡*,* ⊗*,* ≈*,* ℜ
☎656-0174
⇄656-0173
L'Hotel Isla Chora doit être considéré comme un petit complexe hôtelier de haut standing à Sámara; le restaurant de l'hôtel comprend même une crèmerie où l'on sert de merveilleuses glaces italiennes! Les couleurs, le mobilier et le confort général des chambres ajoutent au design contemporain très joli des bâtiments ainsi qu'à

l'aménagement paysager du terrain. En plus, on sait comment recevoir la clientèle. Par exemple, en haute saison, on met à la disposition des hôtes un certain nombre de journaux étrangers, et l'on dispense en tout temps des conseils judicieux sur les visites à faire dans la région. Possibilité de sorties de toutes sortes. De gestion italienne, mais on y parle le français. Déjeuner et cuisine italienne de qualité (voir p 285). Discothèque et service de buanderie.

Mirador de Sámara
$$$$$
ec, ≈, ⊗, bp, ℂ
☎650-0044
≈656-0046
www.miradordesamara.com
Grâce à la colline sur laquelle il repose et au design de ses bâtiments, l'hôtel Mirador de Sámara offre à sa clientèle une vue magnifique sur les environs de Sámara, que ce soit depuis les beaux appartements à louer, depuis leur longue galerie ou encore depuis la tour d'observation où vous voudrez passer des heures!... Les appartements, assez confortables bien que les lits soient pourvus de minces matelas de mousse, se révèlent tout équipés et d'une grandeur appréciable. La piscine en paliers s'entoure d'une belle terrasse en bois et de jardins matures.

Hotel Villas Playa Sámara
$$$$$
ec, bp, ≈, ⊗, ℜ
☎256-8228
≈221-7222
L'Hôtel Villas Playa Sámara est un vaste complexe

résidentiel et hôtelier situé en périphérie du village de Sámara, sur la plage. Les unités d'habitation consistent en de belles grandes villas avec planchers de carreaux rouges et pièces claires. Elles sont tout équipées, pouvant comporter une, deux ou trois chambres à coucher. L'aménagement paysager s'harmonise avec l'architecture des lieux, en recourant notamment aux courbes dans le design des espaces de circulation. Pataugeoire et courts de tennis, terrains de volleyball et de badminton s'ajoutent aux installations. On y parle le français.

Playa Carillo

El Sueño Tropical
$$$$
ec, ≡, bp, ≈, ℜ
un peu au sud de Playa Carillo
☎656-0151
≈656-0152
www.elsuenotropical.com
El Sueño Tropical est quelque peu retiré sur son terrain, éloignant ainsi ses installations de la foule qui fréquente les plages de Carillo et de Sámara. Les chambres, au mobilier tropical de bon goût, s'ouvrent sur un patio et sur les jardins matures de la grande propriété.

Guanamar
$$$$$
ec, bp, tvc, ≡, ≈, ℜ
☎656-0054
≈656-0001
www.guanamar.com
L'ensemble du site de l'hôtel Guanamar, très bien aménagé et ombragé, forme un très beau complexe hôtelier à flanc de colline surplombant la plage de Carillo. Les chambres, belles, grandes

et aérées, possèdent toutes une terrasse privée où l'on accède par une porte-fenêtre qui accentue, même de l'intérieur, le contact avec l'environnement.

Restaurants

La région de Tilarán–Cañas–Bagaces

Tilarán

Si vous vous dirigez vers le Lago Arenal, consultez le chapitre sur «Le nord du pays» pour d'autres restaurants dans les environs de Tilarán. À Tilarán, le long de la rue au nord-ouest de la place de la cathédrale, on rencontre une série de petits établissements de restauration pour ceux qui ne veulent pas dépenser trop. Entre autres, on y trouve le *soda* **Stefani**, de cuisine *campesino*, le restaurant **Nuevo Fortuna** *(tlj 11h à 24h;* **☎695-5069)** servant de la cuisine chinoise et le sympathique restaurant **Mac Pato,** qui fait un clin d'œil à McDonald's (on y prépare en effet des hamburgers, des frites, etc.).

Restaurant Tilarán
$$
☎695-5043
Le Restaurant Tilarán propose des mets costariciens et des fruits de mer dans un environnement qui fait un peu salle à manger avec ses nappes en tissu. Propre et bien tenu.

La Carreta
$$-$$$
tlj 7h à 21h
sur la rue derrière l'église
☎695-6654
Le meilleur endroit où se restaurer à notre avis à Tilarán est le restaurant La Carreta, où l'on fait de l'excellente cuisine italienne, quoique l'on puisse également vous servir un hamburger. Prendre un repas dans cet établissement vous donne le droit de signer le livre d'or du restaurant, qui contient des commentaires enthousiastes de la part des clients. L'aménagement de ce restaurant familial le distingue nettement des autres établissements de la ville. Possibilité de prendre son repas sur la véranda ou à l'intérieur. Les propriétaires se feront un plaisir de vous informer sur les attractions de la région, avec gentillesse et empressement.

Cañas

Bien que la ville de Cañas ne soit pas vraiment un lieu gastronomique, vous pouvez, au centre-ville, manger du poulet frit au **Pollo Frito Mimi** *(au coin nord-est du Parque Central)*, de la cuisine chinoise au restaurant **Tai Va Alicia Lo Ho** *(du côté nord du Parque Central)*, ou encore vous rafraîchir le palais avec les glaces du **Musmanni** de la ville, pas très loin du Parque Central.

Hotel El Corral
$-$$
☎669-0367
À Cañas toujours, mais sur l'Interaméricaine, le restaurant de l'Hotel El Corral

sert des repas *campesinos* honnêtes et plantureux.

Restaurant Rincón Corobicí
$$
tlj 8h à 22h
sur l'Interaméricaine, 4 km au nord de Cañas
☎669-1234
Dans la région de Cañas, une bonne idée serait de s'arrêter au Restaurant Rincón Corobicí. Servant une cuisine internationale et costaricienne (poissons, steaks, sandwichs, etc.), le restaurant fascine par son aménagement qui surplombe le Río Corobicí. Vous profiterez donc d'une vue très rapprochée de cette rivière depuis la plupart des tables du restaurant. Vous prendrez ainsi votre repas dans un univers très agréable, non seulement sur le plan visuel mais également sonore. Excellent arrêt si vous vous dirigez vers Liberia. À voir le jour.

Miravalles
$$-$$$
tlj 6h à 22h
5 km au nord de Cañas, sur l'Interaméricaine
☎669-0050
☎669-0555
Proposant un menu international et costaricien, le restaurant Miravalles de l'hôtel **La Pacífica** (voir p 260) s'avère très joli avec ses tout petits plans d'eau sur son pourtour. L'endroit est ombragé, caractéristique fort appréciée sous la chaleur habituelle du Guanacaste.

Bagaces

Albergue Bagaces
$-$$
sur l'Interaméricaine, du côté est de la station-service
☎671-1267
Le bon petit restaurant de l'Albergue Bagaces sert des fruits de mer dans une grande salle aérée. On peut également y prendre le petit déjeuner.

La région au nord de Liberia

La Cruz

Dariri
$
tlj 7h à 22h
sur la rue principale, près des Cabinas Santa Rita
Le restaurant Dariri est propre et sympathique, offrant un menu *tico* avec quelques bons plats de fruits de mer (les crevettes à l'ail, notamment).

Marco Polo
$$
6 km au nord de La Cruz, sur l'Interaméricaine
☎679-9132
Le restaurant Marco Polo de l'hôtel **Colinas del Norte** (voir p 261) propose un menu italien et *tico* à bon prix. Le restaurant loge à l'étage du bâtiment principal de l'hôtel et offre une belle vue grâce aux nombreuses fenêtres de la salle. Une discothèque avec orchestres locaux anime les terrains de l'hôtel chaque fin de semaine.

La région de Liberia

Liberia et ses environs

Jardín de Azúcar
$
une rue au nord du Parque Central, Calle Ctl, Av. 3
☎*666-3563*
Le Jardín de Azúcar propose un petit menu éclectique peu dispendieux.

Pan y Miel
$
Calle 2, Av. 3
☎*666-3733*
Pan y Miel est une pâtisserie et une boulangerie où l'on peut s'asseoir pour manger. L'endroit propose entre autres de délicieux petits gâteaux et des *enchiladas* savoureuses.

Rancho El Dulce
$
Av. Ctl, Calle Ctl
Le Rancho El Dulce est un petit comptoir de restauration rapide. Mais, en plus, l'établissement vend une belle gamme de petits bonbons et chocolats.

Las Tinajas
$
du côté nord du Parque Central
Las Tinajas, un bon petit *soda*-restaurant servant de petits plats minute, nord-américains entre autres (hamburgers, frites, etc.), s'avère assez fréquenté.

Hotel Bramadero
$$
sur l'Interaméricaine, près du principal boulevard de Liberia
☎*666-0371*
Le populaire restaurant de l'Hotel Bramadero se spécialise dans les viandes rouges et sert avec fierté celles du Guanacaste. Ne vous attendez pas à re-

trouver dans ce restaurant un véritable *steak house* de premier ordre, cependant.

El Charro
$$
275 m à l'est du Banco de Costa Rica
☎*666-7321*
À la fois *marisquería* et bar, El Charro propose, vous l'aurez deviné, des plats de fruits de mer corrects à sa clientèle dans un environnement de bar-restaurant.

Restaurante Jauja
$$
tlj, cuisine 9h à 22h, bar 10h à 2h30
sur le boulevard de Liberia, en partant de l'Interaméricaine
☎*666-0917*
Le Restaurante Jauja sert des pizzas et des plats de pâtes. L'endroit semble très populaire, même tard le soir, car il se transforme alors en un bar sympathique.

Playa del Coco et ses environs

Playa del Coco

Teresita
$
Le petit *soda* Teresita, qui occupe un coin de rue en face du Parque Central, affiche un large menu de cuisine *tica*, avec ses *casados*, sandwichs, *gallo pinto*, etc., qui saura vous rassasier. L'établissement est propre et correct.

Cabinas del Coco
$-$$
directement sur la plage en face du quai public
☎*670-0110 ou 670-0276*
Le restaurant des Cabinas del Coco affiche un menu *tico* populaire.

Bar, Marisquería y Pizzería Cocos
$$
tlj 11h à 23h30
☎*670-0113*
Un bon endroit où prendre un repas ou un verre au cœur de l'agglomération de Playa del Coco est le Bar, Marisquería y Pizzería Cocos! L'établissement jouit d'une grande popularité puisque son menu convient tout autant pour les repas élaborés que pour la restauration rapide. Belle animation le soir.

Hotel Pato Loco Inn
$$
ven-mer 6h à 21h
à 800 m de la plage, sur le chemin de Playa del Coco
☎*670-0145*
Le restaurant de l'Hotel Pato Loco Inn se présente comme une *spaghettería* servant de véritables mets italiens, et ce, à très bon prix.

Coco Verde
$$-$$$
à 200 m de la plage, sur la route principale de Playa del Coco
☎*670-0494*
Le restaurant de l'hôtel Coco Verde propose un menu varié.

Pura Vida
$$$
au coin de la plage et de la route centrale menant au cœur de la ville, face au Parque Central
☎*670-0272*
Avec ses belles ouvertures sur l'extérieur, le Pura Vida affiche un menu varié, contrairement à bien des restaurants de la région.

Tequila Grill
$$$
Le Tequila Grill, vous l'aurez deviné, est un

restaurant mexicain! *Fajitas, enchiladas, guacamole*, sans oublier les grillades, raviveront vos papilles avec leur goût… piquant! Les portions sont généreuses.

Papagayo Sea Food
$$$
☎670-0272

Le restaurant Papagayo Sea Food sert poissons et fruits de mer frais pour tous les goûts. Le propriétaire venant de La Nouvelle-Orléans, on surprendra sur le menu certains mets aux accents cajuns. Le décor n'est peut-être pas des plus chaleureux puisque, donnant sur la rue principale, sa salle s'ouvre toute grande et est recouverte de carreaux de céramique blancs. Mais après tout, vous êtes ici pour l'assiette!

El Sol y La Luna
$$$
tlj 7h à 10h, 11h à 13h et 18h à 23h
à 150 m de la plage, une rue à l'est de la rue principale de Playa del Coco
☎670-0195

El Sol y La Luna loge au sein de l'hôtel La Puerta del Sol (voir p 264). Spécialisé dans la cuisine italienne, son jeune et sympathique propriétaire peut également vous proposer toutes sortes de cafés. Le design est à l'image du reste de l'hôtel, méditerranéen et contemporain de bon goût. Possibilité d'y prendre le petit déjeuner.

Flor de Itabo
$$$
à environ 1 km de la plage, à l'entrée de Playa del Coco
☎670-0011 ou 670-0292

L'hôtel Flor de Itabo possède un restaurant spécialisé dans la cuisine italienne. Sympathique et excellent.

Playa Ocotal

Father Rooster Bar
$$
Installé dans une ancienne maison de ranch rénovée, située dans le coin opposé de la plage Ocotal par rapport à l'hôtel El Ocotal Beach Resort, dont il dépend, le Father Rooster Bar se présente comme un bar-restaurant très décontracté, idéal pour les petites fringales alors que vous êtes sur la plage. Les gens en maillot de bain y sont les bienvenus. On peut également y prendre un verre et danser le soir.

El Ocotal Beach Resort
$$$-$$$$
☎670-0321 ou 670-0323

Les restaurants du El Ocotal Beach Resort proposent un menu international mettant l'accent sur les fruits de mer. La nourriture s'avère excellente, mais la vue que l'on a sur les environs du golfe de Papagayo depuis la salle à manger ferait oublier bien des bévues dans la cuisine!

Playa Hermosa

Puesta del Sol
$$$
☎672-0103

Au bord de la plage, parmi l'alignement de plus en plus compact de restaurants qui s'offrent aux vacanciers, un restaurant espagnol se distingue. Le

Puesta del Sol, tenu par de véritables fils de la péninsule ibérique, propose un menu tout tourné vers les saveurs chaudes. Paella, tapas, sangria, etc., se marient on ne peut mieux avec le décor! Celui-ci est d'ailleurs superbe puisqu'on a une vue sur la mer et sur le coucher du soleil… Le restaurant est installé sous un toit de palmes et garni de meubles en bois, le tout devant un jardin en terrasses qui descend vers la plage.

Aquasport
$$$
tlj 9h à 21h
☎670-0050

En marge de son petit supermarché et de son centre de location d'équipement de sport, une partie du petit complexe Aquasport fait office de restaurant proposant une cuisine assez diversifiée qui insiste sur les fruits de mer. L'atmosphère est très décontractée ici, sans que la cuisine soit pour autant négligée.

⛵ Villa del Sueño
$$$
☎672-0026

Le restaurant du **Villa del Sueño** (voir p 265) se révèle sans conteste être un des excellents restaurants de la région. Situé à l'avant de l'hôtel, sur la magnifique terrasse, il offre un décor chaleureux et une douce musique qui plaisent aux vacanciers. Le menu propose chaque soir une table d'hôte sur laquelle figurent quatre plats principaux, dont des mets de viande, des pâtes et des poissons. Tous s'avèrent finement apprêtés, par une main amoureuse de l'art culinaire. À essayer!

La région de Filadelfia

Playa Flamingo et ses environs

Playa Pan de Azúcar

Hotel Sugar Beach
$$-$$$
tlj 6h à 23h
à 15 km de la voie d'embranchement vers Huscas
☎*654-4242*
L'Hotel Sugar Beach possède un restaurant circulaire à aire ouverte offrant une vue imprenable sur les environs. Vous constaterez que les singes, les iguanes, les toucans et les perroquets fréquentent la propriété. Menu international. Plats du jour pour le déjeuner.

Playa Potrero

El Grillo
$$$
jeu-mar 17h à la «fatigue!»
El Grillo est un bar-restaurant de spécialités françaises. Le bar offre un vrai 5 à 7, soit de 17h à 19h.

Playa Flamingo

Mariner Inn
$$-$$$
☎*654-4081*
Tout à côté de la marina, le restaurant du Mariner Inn respire la détente grâce à sa clientèle décontractée et à son décor apaisant. Fruits de mer.

Marie's Restaurant
$$-$$$
près du Flamingo Marina Hotel
☎*654-4136*
Marie's Restaurant offre un cadre invitant, tant pour le design intérieur que pour l'aménagement paysager. Il s'agit d'un restaurant populaire, tout indiqué pour le petit déjeuner et le déjeuner, ou encore pour les repas sans prétention, dans un beau petit décor alliant le bois, la verdure et l'ouverture sur le grand air. On y propose des mets majoritairement mexicains.

Amberes
$$$-$$$$
tlj 6h30 à 22h
près du Flamingo Marina Hotel
☎*654-4001*
Amberes fait office de restaurant, de boîte de nuit et de casino. Il s'avère fort populaire puisqu'il est indépendant des hôtels. Bonne sélection de plats avec spécialité de fruits de mer.

Playa Brasilito

On trouve à Brasilito plusieurs *sodas* dont le petit **El Mirto**, des plus mignons, et **La Casita del Pescado**, un peu plus grand, qui dispose de tables à l'ombre. N'oubliez pas non plus la **Heladería Super Mercado**, avec ses gâteries rafraîchissantes, telle la crème glacée.

Las Playas
$$
☎*654-4452*
Le restaurant Las Playas de l'Hotel Brasilito, un grand restaurant à aire ouverte, propose un menu de restauration de base mais économique, composé principalement de salades, de poissons et de fruits de mer. Situé directement sur la plage.

Restaurante Chulamate
$$
tlj 10h à 21h
☎*675-0246*
Situé sur le chemin partant de Filadelfia et menant aux plages de Brasilito et Conchal entre autres, le Restaurante Chulamate sert des repas minute complets à très bon prix dans une grande salle. Propriétaires sympathiques.

Playa Tamarindo et ses environs

Playa Grande

Centro Vacacional Playa Grande
$-$$
1,5 km avant Playa Grande, à l'entrée du Parque Nacional Marino Las Baulas
☎*237-2552*
Le restaurant du Centro Vacacional Playa Grande sert de la cuisine *tico* et nord-américaine basique à petit prix.

Playa Tamarindo

Panadería Francesa
$
À l'entrée de la ville, les gourmands et gourmets seront certainement attirés par l'enseigne de la petite boulangerie française du coin! On y concocte de véritables croissants, du pain baguette ainsi que diverses pâtisseries faisant honneur à la tradition de leur pays d'origine. À ne pas manquer pour un petit déjeuner, un goûter ou un pique-nique.

Province du Guanacaste

Restaurant Zully Mar
$-$$
tlj 7h à 23h
au bout de la première rue qui longe la plage, dans la boucle
☎653-0140

Le Restaurant Zully Mar sert de la très bonne cuisine *tica*. Vous bénéficiez de plus d'une belle vue. Essayez le *ceviche*, super! Très populaire.

Stella
$$
☎653-0127

Sous un haut toit de palmes, les tables et les fauteuils rembourrés du restaurant Stella sont simplement disposés sur un plancher de béton, rond comme une piste de danse. Cette absence de décor, de même que la musique un peu assourdissante, vous décevront peut-être à prime abord, mais laissez-vous quand même tenter par un des plats du vaste menu. Menu d'autant plus large que, chaque soir, divers mets sont proposés. Poulet à l'orange ou au curry, veau, fruits de mer, pizzas au four à bois et pâtes ne sont que quelques-uns des choix qui pourraient vous inviter à revenir dîner chez Stella! Il s'agit probablement d'une des adresses au meilleur rapport qualité/prix de la région. Pas de cartes de crédit.

Restaurant Arco Iris
$$
mar-dim

Le Restaurant Arco Iris sert une cuisine végétarienne très inventive.

Fiesta del Mar
$$-$$$$
tlj 8h à 23h
au bout de la première rue qui longe la plage, dans la boucle

Fiesta del Mar se spécialise dans les steaks et les fruits de mer, le tout cuisiné à l'aide d'un four à bois. Ouvert 24 heures sur 24!

El Milagro
$$-$$$$
tlj 6h à 22h
sur la gauche lorsque l'on entre dans le village de Tamarindo
☎653-0042

El Milagro propose une cuisine *tica* et continentale. L'endroit est attirant: l'aménagement paysager associe végétation et sculptures artistiquement taillées rappelant l'ère précolombienne.

Tamarindo Diriá
$$-$$$$
☎290-4340

Le restaurant du Tamarindo Diriá mérite que l'on s'y arrête, ne serait-ce que pour voir l'aménagement paysager qui le met en valeur. Il propose une cuisine internationale qui varie régulièrement, toujours de bonne qualité.

El Jardín del Edén
$$$-$$$$
☎654-4111

Le restaurant de l'hôtel **El Jardín del Edén** (voir p 271) profite amplement du jardin qui baptise l'endroit. Sous un toit de palmes, au bord de la piscine, il s'ouvre sur cette nature aux couleurs et aux odeurs invitantes. Décoré de meubles en osier rendus confortables par des coussins (de couleur crème) et illuminé par des petites ampoules, il jouit d'une atmosphère apaisante. Spécialisé dans la langouste, le menu propose aussi une table aux saveurs italiennes, pays d'origine des sympathiques propriétaires. Pâtes, poissons, tel le *tilapia*, et desserts sont tous apprêtés selon les recettes en vogue dans la «Botte». De quoi passer une agréable soirée, même si vous ne résidez pas à l'hôtel.

☆ Mama Mia
$$$-$$$$
☎654-4111

Le Mama Mia figure probablement parmi les meilleurs restaurants de la région, et même du pays. Le chef italien Andrea Rossi ne peut s'empêcher de faire venir, directement de la Vieille Europe, une bonne quantité des ingrédients entrant dans ses préparations. Proscuitto et viandes froides tendres et savoureuses, fromages fins, jusqu'aux truffes avec lesquelles il mijote une sauce pour pâtes relevant de la haute gastronomie... Outre les pâtes, il sait divinement apprêter les escalopes de veau et autres viandes, toutes recouvertes des sauces les plus succulentes. Plus simples, les pizzas au four à bois ne sont pas en reste et vous ouvriront l'appétit. Gardez-en cependant assez jusqu'au dessert, car, entre autres gâteries, vous pourrez goûter des mangues flambées. Le restaurant, finement décoré et ouvert sur l'extérieur, profite aussi d'un service hors pair. Bref, le Mama Mia possède tous les éléments pour vous faire passer une soirée inoubliable.

Coconut
$$$$
☎653-0086
Sur la route principale de Tamarindo, votre œil ne manquera pas d'être attiré par un restaurant juché sur un plancher surélevé et abrité par un toit de palmes. Ce sera sans doute les petites ampoules blanches qui illuminent l'endroit qui auront capté votre regard, mais c'est probablement le beau décor classique, avec ses nappes blanches et ses meubles de bois, ou l'agréable atmosphère qui s'en dégage, qui retiendront votre attention. Le Coconut, tenu par des Français, applique ici la tradition française autant dans la préparation des mets que dans les petites attentions qui entourent un bon repas. L'art de la table bien exploité! Vous y dégusterez des poissons et fruits de mer qui, bien qu'à prix un peu élevés, sauront vous délecter.

La région de Santa Cruz

Playa Junquillal et ses environs

Playa Negra

Las Hermanas
$
fermé lun
En suivant le chemin vers Playa Negra, avant d'arriver à la mer, vous croiserez une belle maison jaune au fond d'un jardin, derrière une clôture de bois. Il s'agit de la propriété de Las Hermanas (les sœurs) qui ont ouvert ensemble une boutique de surf et une petite boulan-

gerie des plus mignonnes. Avec ses quelques tables à l'intérieur et à l'extérieur, cette halte vous propose des sandwichs, du pain frais, des muffins, du muesli et autres petits déjeuners délicieux. N'oubliez pas non plus les cakes et biscuits maison, un vrai régal!

Restaurant-Bar Pablo Picasso
$$
Easy Street
☎658-8151
Le Restaurant-Bar Pablo Picasso constitue le lieu par excellence pour rencontrer les fous du surf. Le propriétaire d'origine américaine, lui-même un adepte de ce sport, donne à son établissement une atmosphère de nonchalance après l'effort. Gros hamburgers et bonne bouffe assurés, à peu de frais, dans un environnement absolument décontracté.

Hotel Playa Negra
$$-$$$
☎382-1301
Le restaurant de l'Hotel Playa Negra se trouve, comme l'hôtel (voir p 272), à l'écart sur la plage de Negra, mais quelle belle récompense que de se retrouver ici! On parle le français à l'Hotel Playa Negra, et les cuisines sont dirigées par un chef français basque. Pendant la saison des pluies, vérifiez si vous pouvez vous rendre à l'hôtel, la plupart des clients de l'endroit recourant aux véhicules à quatre roues motrices pour se déplacer dans les environs.

Playa Junquillal

Hotel Junquillal
$$
tout à côté de l'entrée publique de la plage de Junquillal
☎658-8432
L'Hotel Junquillal possède un restaurant sans prétention mais sympathique, juste à côté de la propriété. Cuisine *tica* et nord-américaine.

Guacamaya Lodge
$$-$$$
☎658-8431
Le restaurant du Guacamaya Lodge, très abordable à l'heure du déjeuner, propose un menu plus élaboré pour le dîner. Spécialités internationales et suisses.

La région de Nicoya

Nicoya et ses environs

Café Daniela
$
☎686-6148
Sur la rue principale, le Café Daniela constitue une belle étape pour un petit goûter (pizzas, poulet) ou encore pour acheter gâteaux et pâtisseries.

Restaurante Nicoya
$$$
Le Restaurante Nicoya est un restaurant chinois au décor sans prétention, situé sur la rue principale de Nicoya.

Playa Nosara et ses environs

Playa Nosara et Playa Pelada

Dans le village de Nosara, quelques choix de *sodas* s'offrent à vous si vous ne voulez pas aller casser la croûte plus près de la mer. Le **Rancho Campesino**, sous son grand toit de palmes, propose une nourriture *tica* honnête ainsi que de bonnes pâtes et pizzas. De son côté, le **Soda Vanessa**, caché derrière la verdure, offre une ambiance sympathique.

Olga's Bar
$-$$
tlj 6h30 à 22h
à côté de l'entrée publique de la plage de Pelada de Nosara Olga's Bar sert des repas (sandwichs, *casados*) et des boissons tout à côté de la plage.

Luna Bar and Grill
$$-$$$
Playa Pelada de Nosara, tout à côté de l'entrée publique de la plage
☎*682-0121*
Propriété de l'hôtel Playas de Nosara, le Luna Bar and Grill présente une architecture très intéressante avec de magnifiques ouvertures sur une terrasse donnant sur la mer. Très séduisant pour qui veut prendre un repas ou un verre (que ce soit d'alcool ou de jus de fruits) au bord de la plage. Le Luna se spécialise dans le poulet rôti, les fruits de mer, les salades et les plats costariciens.

Estancia Nosara
$$$
4 km au sud de Nosara
☎*682-0178*
Le restaurant de l'hôtel Estancia Nosara, vaste et plein de charme, se trouve au cœur de 10 ha de jardins tropicaux. Il propose une cuisine internationale.

Hotel Villa Taype
$$$
entre Punta Pelada et Playa Guiones
☎*682-0333*
Affichant un menu international, le restaurant de l'Hotel Villa Taype inspire la détente.

Playa Sámara et ses environs

Playa Guiones

Boulangerie Café de Paris
$
La réception de l'hôtel Café de Paris abrite une boulangerie-pâtisserie concoctant des douceurs inspirées de la France. Les baguettes, croissants, éclairs au chocolat et autres gâteries sauront consoler les plus nostalgiques! Arrivez tôt si vous voulez profiter du choix. Ne soyez pas surpris que l'endroit fasse aussi office de boutique de souvenirs.

Café de Paris
$$
☎*682-0087*
Le restaurant de l'hôtel du même nom vous semblera peut-être à prime abord mal nommé. Le menu, pas très élaboré, ne propose pas vraiment de spécialités de la cuisine française. Cependant, les plats concoctés le sont avec la minutie qui caractérise cette cuisine. Les sandwichs sur pain baguette ou les grillades généreuses se laissent facilement déguster.

Olas Grandes Gringo Grill
$$
Olas Grande Gringo Grill offre une atmosphère décontractée, parfaite pour les jeunes surfeurs, le

soir venu. Cuisine *tica* et nord-américaine, avec grillades. Il s'agit également d'un bar.

La Dolce Vita
$$-$$$
mar-dim 17h à 23h
La Dolce Vita propose un menu italien... et seulement italien. Le nom du restaurant n'a pas été choisi au hasard: la belle hutte sous laquelle on prend son repas invite à la relaxation, en pleine jungle.

Giardino Tropicale
$$$
☎*682-0258*
Le Giardino Tropicale se spécialise dans la cuisine italienne au four à bois.

Playa Sámara

Ananas
$
☎*656-0491*
Le petit *rancho* de l'Ananas comporte un long bar en demi-cercle et quelques tables. Pour y accéder, il faut enjamber un joli petit pont de bois. Ici, vous l'aurez peut-être deviné, les fruits sont à l'honneur! Salades et jus frais regorgent de couleurs et de saveurs. On peut aussi y prendre de bons petits déjeuners ou arrêter y dévorer un morceau de gâteau au milieu de la journée.

Casa del Mar
$-$$
☎*656-0264*
Le restaurant de l'hôtel Casa del Mar est tenu par un jeune couple québécois. N'ayant pas une grande expérience de la restauration, ils ne proposent pas un menu très élaboré. Mais leurs petits

déjeuners interpelleront les Nord-Américains avec les typiques assiettes d'œufs accompagnés de bacon ou de saucisses grillées!

Casa Naranja
$$
☎*656-0220*

Au cœur du village de Sámara trône une jolie maison abritant un restaurant tenu par des Françaises. La Casa Naranja affiche une carte toute tournée vers l'Hexagone et chaudement recommandée par les gens de la région. Installez-vous sur la petite terrasse arrière et dégustez les crêpes, spécialité de la maison, vols-au-vent, canard à l'orange et autres délices sortis des fourneaux. En partant, n'oubliez pas de faire provision de confitures artisanales fabriquées à la mode provençale!

Hotel Isla Chora
$$$
☎*656-0174*

En matière de cuisine italienne, le restaurant-pizzeria de l'Hotel Isla Chora mérite tous les éloges; on y sert même de la crème glacée italienne de première qualité! Les pizzas, de toute nature et succulentes, sont servies dans un beau décor en contact avec l'extérieur.

Directement sur la plage, au bout du village, deux restaurants côte à côte proposent des spécialités de poissons et de fruits de mer. Le **Delfín** *($$$)* et **El Ancla** *($$$)* offrent tous deux des tables dressées presque dans le sable et un long menu affichant les classiques de la restaura-

tion de plage. Accueil particulièrement gentil chez El Ancla.

Las Brisas del Pacífico
$$$
section sud de Playa Sámara
☎*656-0250*

Dans un bel environnement naturel, le restaurant de l'hôtel Las Brisas del Pacífico affiche un menu international, *tico* et allemand.

Playa Carillo

El Mirador
$$
☎*656-0307*

El Mirador propose un menu de biftecks et de hamburgers. Face à la mer, il peut satisfaire l'affamé à l'heure du déjeuner.

El Yate de Marisco
$$
☎*656-0179*

El Yate de Marisco, un restaurant de fruits de mer juché sur la falaise qui surplombe la plage de Carillo, offre une vue superbe sur la mer et la côte.

Guanamar
$$-$$$
☎*656-0054*

Le restaurant et le bar de l'hôtel Guanamar offrent une vue magnifique et un aménagement séduisant. Cuisine internationale.

El Sueño Tropical
$$$
tlj 7h à 21h30
un peu au sud de Playa Carillo
☎*656-0151*

Sur une colline et sous une grande hutte, le restaurant El Sueño Tropical de l'hôtel éponyme (voir p 277) sert une cuisine

italienne dans un décor gai et clair.

Sorties

Bars et discothèques

La région de Liberia

Kurú
sur la route de Santa Cruz, au sortir de Liberia, en face de l'hôtel El Sitio, Liberia
☎*666-0769*

À côté du Pókopí, la discothèque Kurú propose de la musique dansante dès 21h du mercredi au dimanche. La discothèque possède de plus un écran de télévision géant.

Hotel Daysita
du côté sud du stade, Liberia
17h à 2h
☎*666-0197*

L'Hotel Daysita possède un bar-discothèque sympathique aménagé en mi-sous-sol!

Playa del Coco

Playa del Coco constitue sans contredit le lieu de rassemblement nocturne de la région. On y trouve bon nombre de bars et discothèques qui s'animent, après 22h, dans une ambiance torride! Parmi les discothèques les plus populaires, mentionnons **Jungla**, **Banano Bar** et le **Lizard Lounge**, qui se partagent une clientèle avide de nuits mouvementées.

Restaurant-Bar Sambuka Papagayo

au coin de la plage et de la route centrale menant au cœur du village de Playa del Coco, face au Parque Central

☎670-0272

Le Restaurant-Bar Sambuka Papagayo se révèle être un des endroits branchés pour jeunes adultes à Playa del Coco le soir venu.

La discothèque **Coco Mar,** située derrière les Cabinas del Coco et à côté du Parque Central, a fait ses preuves depuis quelques années déjà en matière de musique dansante et d'animation pour la jeunesse en vacances!

Playa Hermosa

Monkey Bar
☎672-0267

Un peu à l'extérieur de Playa Hermosa, sur la route de Playa Panamá, on trouve un *rancho* qui sort de l'ordinaire. Cette vaste construction de palmes et de bois abrite en effet le Monkey Bar, qui, plus souvent qu'autrement, déborde d'ambiance. Au milieu de la pièce trône un large bar circulaire où vous pouvez vous faire concocter des cocktails sur mesure. On sert même une cuisine mexicaine rassasiante. Une table de billard ainsi qu'un baby-foot peuvent vous divertir les soirs où le bar n'est pas pris d'assaut par des musiciens *in vivo*. Et que vient faire le mot «singe» dans son nom? C'est qu'il est situé juste à côté d'un énorme et magnifique *matapalo* qui abrite, lorsqu'ils le veulent bien, une colonie de singes hurleurs!

Filadelfia et ses environs

Playa Tamarindo

Playa Tamarindo est reconnue pour ses soirées animées. Bars et discothèques pullulent, et les jeunes et moins jeunes, de passage ou de la place, s'y retrouvent pour siroter une bière ou pour danser. Dans ce dernier cas, la discothèque **Noai** figure parmi les premiers choix. Pour discuter entre amis, on peut entre autres se rendre à la **Cantina Las Olas**, entièrement dédiée au bar, ou au **Mambo**, au bout de la route du village, qui accueille tous les soirs une clientèle suffisamment nombreuse pour créer une bonne ambiance.

La région de Nicoya

Playa Nosara et ses environs

Olga's Bar

à côté de l'entrée publique de la plage de Pelada de Nosara

Olga's Bar devient un bar *tico* le samedi soir; une vaste salle de danse en plein air, mais couverte, s'ajoute au bar.

Pirata's Bar
Nosara
☎682-0057

Avec la végétation qui l'entoure et la proximité de la plage, le Pirata's Bar de l'Hotel Rancho Suizo est tout indiqué pour danser sur une musique tranquille le soir venu.

Playa Sámara et ses environs

La Gondola

sur le chemin menant à l'entrée publique de la plage de Sámara, en face de l'Hotel Sámara Beach

Le bar La Gondola propose toute une atmosphère! Avec sa musique jamaïquaine et ses espaces intimistes, l'impression est réussie. Tables de ping-pong, de billard et jeux de fléchettes pour amateurs décontractés.

Hotel Isla Chora
☎656-0174

L'Hotel Isla Chora possède une discothèque très design où les jeunes aiment se rassembler le soir venu.

Achats

Playa del Coco et ses environs

Playa del Coco

À Playa del Coco, vous pourrez faire provision de souvenirs. Une myriade de boutiques et de marchés en plein air proposent aussi un grand nombre de t-shirts, chapeaux, bibelots, etc.

Comercial Porto Fino

au coin sud-est du terrain de jeu

Le Comercial Porto Fino, une boutique où l'on vend des médicaments essentiels, des souvenirs et autres cadeaux, ainsi que des cosmétiques, présente un aménagement soigné.

Playa Hermosa

Aquasport
☎*672-0050*
Dans la région de Playa Hermosa, Aquasport possède un petit supermarché qui vend tous les jours le journal floridien *The Miami Herald*.

La région de Filadelfia

Playa Tamarindo et ses environs

Playa Grande

Le musée **El Mundo de la Tortuga** (voir p 252), situé juste avant l'entrée du Parque Nacional Marino Las Baulas, près de Playa Tamarindo, dispose d'une agréable boutique de souvenirs portant exclusivement sur les tortues marines (vêtements, bijoux, documentation, photos, etc.).

La région de Santa Cruz

Santa Cruz et ses environs

Pour acheter de magnifiques poteries, comme celles qui ornent la plupart des hôtels et des restaurants du Guanacaste, rendez-vous dans le petit village de **Guaitil**, près de Santa Cruz.

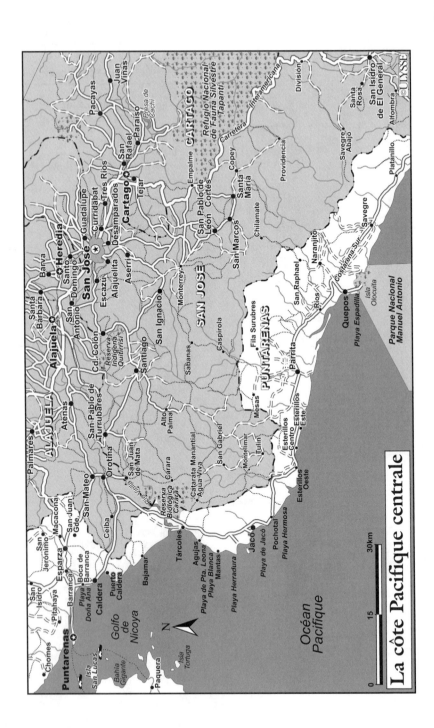

La côte Pacifique centrale

©ULYSSE

La côte Pacifique centrale

L a côte Pacifique centrale est peut-être la région la plus connue des touristes, étrangers comme costariciens.

L e littoral de cette côte a fait l'objet depuis un bon nombre d'années déjà d'un développement hôtelier tirant profit de la courte distance qui sépare la capitale du pays (et son aéroport international) de la région.

B ien que, avec l'ouverture de l'aéroport de Liberia, la province du Guanacaste, plus au nord, tende à attirer un flot grandissant de touristes, la côte Pacifique centrale demeure encore de nos jours une destination touristique courue non seulement par les amateurs de forfaits de vacances mais également par d'autres types de touristes. Le sud de la péninsule de Nicoya, par exemple, auquel on a accès par Puntarenas, assure le voyageur d'une nature encore relativement sauvage. La région de Jacó offre le plaisir d'un grand centre balnéaire à moins de deux heures de la capitale. Quant à la

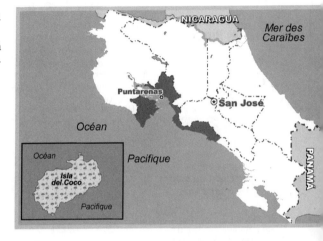

région de Manuel Antonio – Quepos, c'est l'inscription heureuse (et souvent très chic!) d'un développement humain dans une nature superbe.

E ntre tous ces secteurs, vous pouvez également faire de multiples découvertes, explorer des régions encore peu développées et vous promener dans des aires naturelles paisibles qui rappellent la valeur écologique du pays pour l'ensemble de la planète.

L e climat de la région est par ailleurs tout à fait tempéré entre celui, plutôt sec, du Guanacaste, son voisin du nord, et celui très humide retrouvé dans l'extrême sud du pays. La saison sèche est donc tout à fait marquée dans la région (pour le plus grand plaisir des vacanciers venus du froid), mais la saison des pluies assure la verdeur de la végétation chaque année.

V oilà donc la côte Pacifique centrale du Costa Rica. Intéressant n'est-ce pas?

Pour s'y retrouver sans mal

En avion

La péninsule de Nicoya

Tambor: les compagnies aériennes **Sansa** (☎221-9414) et **Travelair** (☎220-3054) proposent des vols quotidiens San José – Tambor. Le vol dure environ 30 min et coûte autour de 100$ (aller-retour).

La région au sud de Puntarenas

Quepos: Quepos possède un petit aérodrome qui permet un certain nombre de vols domestiques. Les compagnies Sansa et Travelair (voir ci-dessus) proposent des vols en provenance de San José, régulièrement chaque jour. Le trajet dure une vingtaine de minutes, et il faut prévoir plus ou moins 75$ pour un aller-retour. Informez-vous, une fois arrivé au pays, des horaires de vols, qui peuvent changer fréquemment. L'aéroport est situé à quelque 5 km au nord de Quepos.

En bateau

La péninsule de Nicoya

Traversier Puntarenas – Paquera: si vous êtes en voiture, nous vous suggérons fortement de prendre le traversier qui mène à Paquera plutôt que celui qui se dirige vers Playa Naranjo, car la route entre Playa Naranjo et Paquera est sinueuse et mal entretenue. De Puntarenas ou de Paquera, cinq départs ont lieu chaque jour (entre 6h et 20h30). Il en coûte 1,25$ par adulte (3,35$ en 1re classe) et 10,75$ pour la voiture. La traversée dure environ 1 heure 30 min (☎661-2084 ou 661-3452). Il est conseillé, en haute saison, de se présenter une heure à l'avance pour être sûr d'être du prochain départ. Il existe également une navette maritime (1,25$; trois départs par jour entre 6h et 17h; ☎661-2830).

Traversier Puntarenas – Playa Naranjo: ce traversier vous sera davantage utile si vous vous dirigez en direction de Carmona et de Nicoya. Cinq départs quotidiens ont lieu entre 3h15 et 19h. La traversée dure environ une heure, et les prix sont sensiblement les mêmes que ceux de la traversée Puntarenas – Paquera (Ferry Conatramar, ☎661-1069).

Isla del Coco: si vous désirez vous rendre à l'Isla del Coco, sachez qu'il n'y a pas de service régulier de traversier. La plupart des croisières partent de la ville de Puntarenas et durent entre une et deux semaines. La traversée à elle seule demande environ 36 heures. Les agences **Okeanos Aggressor** (☎290-6203) et **Undersea Hunter** (☎228-6535) proposent des excursions d'une dizaine de jours.

De Puntarenas, des bateaux proposent de vous emmener directement à **Montezuma**, ce qui vous évite de devoir faire le trajet en autocar entre Paqueras et Montezuma et vous permet de profiter d'une superbe traversée. De plus, en arrivant par la mer, vous découvrirez Montezuma sous son plus beau jour! Informez-vous sur les quais afin de trouver un transporteur de confiance qui largue ses amarres à une heure qui vous convient.

En voiture

La région de Puntaneras

Depuis la Vallée centrale, vous rejoindrez **Puntarenas** en suivant l'Interaméricaine vers l'ouest jusqu'à la côte Pacifique. Puntarenas est à quelque 2 heures de route. Suivez l'Interaméricaine vers l'ouest. La sortie vers Puntarenas est clairement indiquée.

La péninsule de Nicoya

Le sud de la péninsule de Nicoya: il faut d'abord se rendre jusqu'à **Puntarenas** afin de prendre le traversier (voir plus haut). Entre **Paquera** et **Cóbano** (35 km), la route n'est pas revêtue, sauf pour une courte section dans la région de Tambor. Entre Cóbano et **Montezuma** (7 km), la route est en bon état et régulièrement entretenue. Entre Cóbano et **Malpaís** (environ 12 km), la route peut être difficile pour les voitures, selon la saison.

Si vous arrivez par le traversier Puntarenas – Playa Naranjo, notez que la route qui relie Playa Naranjo et Paquera est très accidentée et peu entretenue. Comptez plus d'une heure pour franchir les 26 km de route.

Nicoya – Montezuma: si vous êtes dans la région de la ville de Nicoya, dans la province du Guanacaste, il est possible d'emprunter la route vers le sud afin de rejoindre Tambor, Montezuma et Malpaís. Vous n'avez donc pas à revenir vers l'Interaméricaine pour redescendre jusqu'à Puntarenas afin d'y prendre le traversier. Dirigez-vous d'abord vers la petite ville de **Carmona** et, environ 5 km avant d'atteindre cette dernière, prenez la petite route sur votre gauche qui mène à **Jicaral**, **Lepanto** et **Playa Naranjo**. La route est en bon état jusqu'à Playa Naranjo, puis se détériore entre Playa Naranjo et Paquera. Pour franchir les quelque 135 km de route qui séparent Nicoya de Montezuma, comptez autour de 5 heures de voiture.

La région au sud de Puntarenas

Playa Doña Ana: la bretelle menant à cette plage se trouve tout juste avant le pont autoroutier que vous apercevrez à la sortie de Puntarenas. Soyez attentif car le panneau indiquant la route à suivre n'est pas facile à repérer.

Reserva Biológica Carara, Playa Herradura et Playa Jacó: à 2 heures de voiture de San José. Quittez l'autoroute de Puntarenas à la sortie d'Atenas. Quelque 20 min avant d'atteindre Jacó, vous croiserez l'entrée de la Reserva Biológica Carara. Si vous êtes en voiture, l'entrée d'Esterillos Oeste se trouve à 22 km au sud de Jacó, et celle d'Esterillos Este environ 5 km plus au sud.

Pour les gens venant de Puntarenas, un tronçon d'autoroute permet de rejoindre ces plages en une heure. Si vous le désirez, vous pourrez continuer par cette même route pour vous rendre à Quepos (70 km plus loin), Dominical et San Isidro de El General.

Quepos et **Manuel Antonio**: comptez 3 heures 30 min pour effectuer le trajet entre San José et Manuel Antonio en prenant la sortie d'Atenas et la petite route sinueuse qui traverse les monts Aguacate. En plus de vous réserver de beaux panoramas, cette petite route vous donnera un aperçu de la vie rurale costaricienne. Si vous préférez les autoroutes, vous pouvez continuer en direction de Puntarenas, suivre les indications vers Jacó et poursuivre jusqu'à Quepos. Bien que ce trajet semble beaucoup plus long sur la carte, il faut à peine 30 min de plus pour couvrir la distance.

En autocar

La région de Puntarenas

San José – Puntarenas: départs quotidiens, aux 30 min, entre 6h et 21h. Le trajet dure 2 heures *(2,50$; Calle 16, Av. 10/12; Empresarios Unidos, ☎221-5749).*

La péninsule de Nicoya

Paquera – Montezuma: de Paquera, où arrive le traversier de Puntarenas, un autocar attend les voyageurs et les emmène jusqu'à Cóbano et Montezuma. Pour le retour, un autocar quitte Montezuma tous les jours à 5h30, 10h et 14h.

La région au sud de Puntarenas

Jacó: de San José, on dénombre trois départs par jour. Comptez 2 heures 30 min de route.

Quepos et **Manuel Antonio**: il y a trois cars par jour pour effectuer la distance depuis San José. Comptez quatre bonnes heures de route. Il existe également un service **Puntarenas – Quepos** trois fois par jour. Le trajet est à peine moins long: il faut compter 3 heures 30 min de route pour franchir la distance. Il existe également un autocar faisant fréquemment le court trajet **Quepos – Manuel**

Antonio, particulièrement durant la saison haute, pour un prix minime *(1$)*. Il peut s'arrêter devant votre hôtel si vous le désirez.

Renseignements pratiques

La péninsule de Nicoya

Le sud de la péninsule de Nicoya est assez bien pourvu en services de tout genre. **Tambor** étant une station touristique pour gens fortunés, plusieurs services sont devenus disponibles dans la région. Vous n'aurez donc pas de mal, en général, à trouver de l'essence ou des soins de santé. À **Montezuma**, qui demeure la destination la plus fréquentée, les services ne sont cependant pas aussi nombreux (dans le village lui-même). À part, bien sûr en ce qui à trait aux services Internet qui vont de pair avec faune jeune et branchée!

La région de Puntarenas

Rappelons que **Puntarenas** est la capitale de la province costaricienne du même nom. Vous y trouverez donc tous les services de base, ce qui peut être notamment très pratique avant de vous rendre sur la pointe de la péninsule de Nicoya, peu peuplée. Le Mercado Central de la ville est situé du côté nord de la langue de terre

(Calle 2, Av. 3), près de l'eau, soit du même côté que les quais des traversiers et des bateaux de pêche. Les départs d'autocars, quant à eux, se font tout près de la plage du côté sud de Puntarenas, près de la Calle 2. Entre le Museo Histórico Marino et le Mercado Central, vous trouverez le Banco Nacional et le Banco de Costa Rica (avec guichets automatiques). Enfin, Puntarenas possède un hôpital situé à l'angle du Paseo de los Turistas et de la Calle 9.

La région au sud de Puntarenas

Jacó est la ville d'importance pour toute la région du littoral pacifique entre Parrita et Puntarenas. Vous trouverez là *supermercados*, *farmacías*, bureau de poste, banques avec guichets automatiques, buanderies, services Internet, gare d'autocars, centres de location de voitures de même que quantité de petites boutiques de produits de consommation courante de toutes sortes. Il vous suffit de parcourir la rue principale qui traverse toute la ville parallèlement à la plage pour trouver facilement tous ces services. Jacó possède même un centre commercial (le Centro Commercial Jacó Plaza), situé au nord de la ville, sur la rue principale. Il sert également d'arrêt d'autobus. Vous trouverez une station-service à la sortie de

Jacó, sur la route Jacó – Quepos.

Quepos

Au sud de la région, Quepos est bien pourvue en services de base. En sus de l'aéroport et d'un hôpital récent, à quelques kilomètres au nord de la ville, Quepos possède, en son centre, un *mercado central* où est située la gare d'autocars et près duquel attendent les taxis. Quepos dispose d'un bureau de poste face au terrain de foot, de même que de succursales du Banco Nacional, du Banco Popular et du Banco de Costa Rica, équipées de guichets automatiques, à l'intérieur du petit quadrilatère qui forme le centre-ville, tout près du boulevard qui pénètre dans la ville (si vous arrivez de San José ou Jacó). Le long de ce boulevard, d'ailleurs, est située la Farmacía Quepos, un peu au sud du centre-ville, près du parc. Il existe en outre une station-service sur le chemin menant à l'aéroport.

Un cybercafé, **Internet Tropical**, offre, dans un petit local, une ambiance agréable pour naviguer sur la Toile. Il concocte aussi des jus frais qui valent qu'on s'attarde un peu devant l'écran!

Attraits touristiques

La région de Puntarenas

La région de Puntarenas est à considérer pour deux choses. Le port de **Puntarenas** assure d'abord la liaison entre la côte et la pointe de la péninsule de Nicoya. La région en est donc une de passage pour les visiteurs ayant cette péninsule comme destination vacances. Mais Puntarenas peut également être considérée pour elle-même, étant donné le rôle qu'elle a joué historiquement dans le développement du pays.

En effet, pendant longtemps, la côte Pacifique du Costa Rica fut la plus accessible des deux côtes pour l'exportation des produits du pays vers l'étranger; la côte de Puntarenas était géographiquement la plus facile à atteindre à dos de mule ou en charrette, particulièrement pour les *cafeteros* de la Vallée centrale. Puntarenas fut donc, pendant tout le XIXᵉ siècle, le meilleur lieu de passage pour atteindre les principaux marchés du Costa Rica: les marchés européens. Le commerce avec l'extérieur florissant, Puntarenas n'a donc cessé de prendre de l'importance durant cette période.

La côte Pacifique avait cependant un handicap: les

marchés européens étaient au-delà du côté Atlantique. Pour atteindre les vieux pays, les exportateurs costariciens devaient donc faire effectuer aux marchandises exportées tout un trajet: elles devaient descendre toute la côte de l'Amérique du Sud jusqu'au bout du continent, passer le cap Horn au sud du Chili, pour remonter après coup plein nord et ainsi rejoindre leurs principaux débouchés en Europe. Tout un périple! Passer par l'Asie était encore plus long. (Le canal du Panamá ne fut inauguré qu'au début du XXᵉ siècle.)

Il était évident qu'un port sur la côte Caraïbe ne pouvait que faciliter le commerce. Mais pendant longtemps, les responsables se sont heurtés à un climat, une géographie et une nature plus hostiles de ce côté du pays. Cependant, on finit par réussir en 1890 à relier la Vallée centrale à la côte Caraïbe par le chemin de fer.

Cet accès plus pratique au marché européen a porté un certain coup aux activités portuaires de Puntarenas. Puis l'inauguration, il y a quelques années, de Puerto Caldera, un peu plus au sud, a fait en sorte que Puntarenas a définitivement perdu sa vocation de port commercial.

Puntarenas demeure toutefois encore aujourd'hui l'une des grandes villes du Costa Rica avec ses 100 000 habitants. Centre d'importance pour l'industrie costaricienne de la pêche, c'est d'ailleurs la

capitale de la province éponyme s'étendant officiellement jusqu'à l'extrémité sud du pays, le long de la côte.

La partie d'intérêt de Puntarenas, c'est véritablement l'étroite avancée de terre pointant vers l'estuaire de Nicoya d'où la ville tire son nom, *punta de arena* signifiant «pointe de sable». C'est là que se trouvent le secteur historique de même que le cœur de la ville, très fréquentés durant la saison sèche. On y gagne en paix et en calme à visiter ces secteurs pendant la saison verte.

Sur tout le côté sud de la bande de terre, vous trouverez le **Paseo de los Turistas** (chemin des touristes) longeant la longue plage de la ville. On comprendra que l'endroit puisse être prisé des touristes, car les comptoirs de restauration et les petites boutiques de toutes sortes abondent. Ainsi, la promenade sur le Paseo n'est pas réellement dénuée d'intérêt. Quoique la plage ait fait ces dernières années l'objet d'opérations de nettoyage, les eaux de la région ne sont pas encore ce qui se fait de plus propre au pays; ce n'est donc pas un endroit idéal pour se baigner. Évitez de plus de faire du camping sur la plage.

Il n'est cependant pas difficile de visiter les autres secteurs de la ville. Quoique Puntaneras puisse être longue de quelques kilomètres, elle n'est en grande partie large que de quatre rues, c'est-

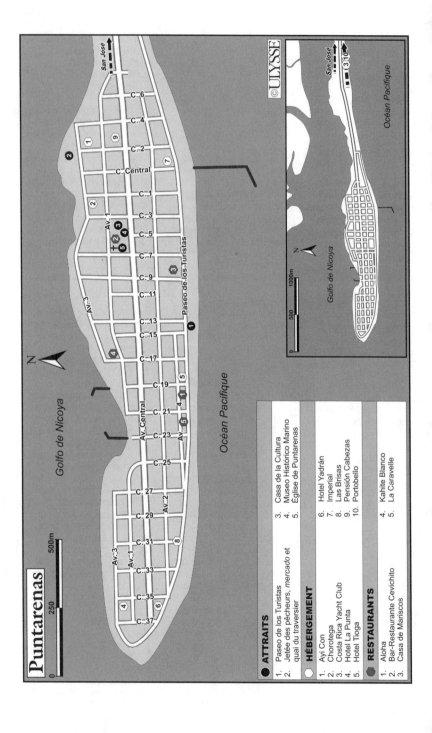

Puntarenas

0   250   500m

Golfo de Nicoya

Océan Pacifique

San José

C.-6
C.-4
C.-2
C. Central
C.-1
C.-3
C.-5
C.-7
C.-9
C.-11
C.-13
C.-15
C.-17
C.-19
C.-21
C.-23
C.-25
C. 27
C.-29
C.-31
C.-33
C.-35
C.-37

Av.-1
Av.-3
Av. Central
Av.-1
Av.-3
Av.-2
Av.-3
Av.-1

Paseo de los Turistas

Golfo de Nicoya

0   500   1000m

San José

Océan Pacifique

© ULYSSE

● ATTRAITS

1. Paseo de los Turistas
2. Jetée des pêcheurs, *mercado* et quai du traversier
3. Casa de la Cultura
4. Museo Histórico Marino
5. Église de Puntarenas

◇ HÉBERGEMENT

1. Ayi Con
2. Chorotega
3. Costa Rica Yacht Club
4. Hotel La Punta
5. Hotel Tioga
6. Hotel Yadrán
7. Imperial
8. Las Brisas
9. Pensión Cabezas
10. Portobello

⬢ RESTAURANTS

1. Aloha
2. Bar-Restaurante Cevichito
3. Casa de Mariscos
4. Kahite Blanco
5. La Caravelle

à-dire de quelques centaines de mètres tout au plus. Les quais de pêche, le ***mercado*** et les débarcadères des traversiers donnent sur le côté opposé à la plage (côté nord). Une promenade dans ces secteurs permet de goûter au quotidien des habitants de la ville.

Au centre de l'agglomération, vous trouverez la **Casa de la Cultura** *(Av. 1, Calle 3, Puntarenas, ☎661-1394)*, qui abrite une galerie d'art et propose concerts et pièces de théâtre. Le **Museo Histórico Marino** *(1$; mar-dim 9h à 17h; Av. Ctl, Calle 3/5, Puntarenas, ☎661-5036)* présente l'histoire de la ville par le biais du multimédia. L'**église de Puntarenas**, sur l'Avenida Central à l'ouest du Museo Histórico Marino, est peut-être le plus bel édifice à voir dans la ville.

Le sud de la péninsule de Nicoya

Le sud de la péninsule de Nicoya ne fait pas partie de la province du Guanacaste, comme la plus grande partie de la péninsule, mais bien de la province de Puntarenas, qui longe la côte vers le sud jusqu'à Dominical. Comme il n'y avait pas de route bien entretenue qui permettait de s'y rendre depuis la ville de Nicoya, et que le traversier effectuait la traversée en 1 heure 30 min, on décida de joindre cette partie de la péninsule à la province de Puntarenas. Et même de nos jours, la très grande

majorité des touristes et des résidants prennent le traversier Paquera – Puntarenas lorsqu'ils se rendent dans ce magnifique coin de pays.

Paquera

Le petit village de Paquera est situé à 4 km du quai du traversier. On y trouve un magasin d'alimentation, une banque, un terrain de camping ainsi que quelques pensions et petits restaurants abordables. La plupart des touristes ne s'arrêtent pas à Paquera, sauf pour y passer la nuit afin de prendre le premier traversier du matin suivant. De là se dégage une atmosphère paisible de petit village reculé, bien que la circulation automobile y soit dense en raison du traversier.

Au nord de Paquera

Au nord, **Playa Naranjo** est un secteur peu fréquenté par les visiteurs. Bien qu'on y trouve quelques hôtels, utiles lorsqu'on s'apprête à prendre le traversier tôt le matin, cette région ne possède pas de jolies plages ni d'attraits particuliers. De plus, la route qui relie Playa Naranjo et Paquera est dans un état lamentable, et il peut être désagréable de l'emprunter quotidiennement pour ses déplacements.

Plus au sud, la **Bahía Gigante** est une agréable baie du golfe de Nicoya dans laquelle vous pouvez découvrir l'**Isla Gitana** et son cimetière autochtone. Autrefois appelée «Isla de

los Muertos» (l'île des morts), cette île accueille les visiteurs pour la journée ou pour quelques jours, car on y trouve des chambres, des emplacements de camping, un restaurant et un bar. Des sentiers, une jolie plage et plusieurs activités nautiques sont proposées sur place, de même que le transport par bateau pour vous rendre jusqu'à l'île *(☎661-2994)*.

Entre Paquera et Montezuma

Au sud du **Refugio Nacional de Fauna Silvestre Curú ★** (voir p 299), la route débouche près du petit village de **Pochote** et de la magnifique **Bahía Ballena**. Le village de Pochote a su garder un petit côté pittoresque et semble résister au développement touristique qui s'accroît sans cesse dans les environs. La Bahía Ballena est une immense baie, la plus grande du sud de la péninsule de Nicoya, qui s'étire entre Punta Tambor et Punta Piedra Amarilla. Au creux de la baie, une belle plage, propre à la baignade, s'étend sur 8 km entre les villages de Pochote et de Tambor. La baie tire son nom du fait qu'elle reçoit à l'occasion la visite de baleines, mais plus régulièrement celle de voiliers qui viennent y mouiller à l'abri des grands vents du large.

Tambor constitue un tout petit village où vous pouvez loger à bon prix et dénicher de petits restaurants peu dispendieux. Par contre, à proximité du village, de grands complexes hôteliers ont été construits, ce qui rend la région passablement fréquentée par les touristes fortunés. Ces complexes proposent des séjours selon la formule «tout compris», c'est-à-dire où la chambre, les repas, les déplacements et les nombreuses activités font partie du forfait acheté à l'avance.

Après Tambor, la route mène de nouveau à l'intérieur des terres, où le paysage est vallonné et composé de fermes. On y voit des troupeaux de zébus, ces grands bovidés de l'Inde qui se sont bien adaptés au climat du Costa Rica. On reconnaît facilement le zébu à sa couleur blanchâtre (le plus souvent), à ses très longues oreilles pendantes et surtout à sa grosse bosse qu'il porte sur le dos, près de la tête.

À 11 km de Tambor se dresse le village de **Cóbano**, où l'on trouve de nombreux centres de services tels que banque, bureau de poste, clinique médicale, réseau de téléphones publics et station-service, mais également quelques épiceries, boutiques et petits *sodas*. C'est à Cóbano que vous devez emprunter une autre petite route (sur votre gauche, au centre du village) si vous désirez vous rendre à Montezuma.

★
Montezuma

Montezuma est un joli petit village de la côte où vous trouverez de superbes plages, mais surtout un vaste choix d'hôtels, dont plusieurs à petit prix, ainsi qu'un nombre considérable de restaurants, et ce, à 7 km de Cóbano. On y accède par une petite route qui descend, vers la fin, une très longue et abrupte pente. Montezuma ne compte que quelques rues, mais plusieurs hôtels sont situés tout juste aux limites du village, sur la route de Cabuya ou de Cóbano.

En arrivant à Montezuma, vous constaterez très rapidement que l'endroit est abondamment fréquenté par des jeunes de divers pays, dont le Canada, l'Allemagne et les États-Unis, à l'allure décontractée, babas cool, hippies, freaks et «granolas» venus passer ici plusieurs semaines à petit prix. Malheureusement, il y a quelques années, Montezuma fut littéralement envahie par des hordes de campeurs sans scrupules qui polluèrent les environs, certains ne se gênant pas pour couper des arbres afin de se fabriquer des abris, de boire du lait de coco ou de faire des feux sur la plage. À la suite de ces incidents, le village eut mauvaise réputation, et l'on dit même que l'endroit devint, au début des années 1990, un repaire de jeunes fauchés, drogués et squatters qui allaient jusqu'à se faire bronzer nus, au grand dam des résidants de la région.

Ces résidants s'unirent donc pour que les choses s'améliorent et pour que Montezuma puisse demeurer ce petit paradis de nature et de beauté. Avec des hôteliers, ils formèrent des groupes, dont le CATUMA (Cámara de Turismo de Montezuma), qui organisèrent des corvées de nettoyage et de reboisement, et qui se chargèrent de sensibiliser les autres résidants à l'importance de préserver la région. Ils eurent également à cœur que Montezuma ne devienne un lieu touristique au développement «sauvage», composé uniquement d'hôtels de toutes catégories ou d'immenses complexes hôteliers, comme on en compte dans les régions de Quepos, Jacó et Tambor.

Les efforts ont porté fruit car Montezuma a su préserver son visage humain où les résidants et les touristes se reconnaissent entre eux et se saluent volontiers au passage. Bien sûr, Montezuma demeure un village très touristique, et, si vous préférez davantage de tranquillité, nous vous conseillons de chercher plutôt un hôtel dans la région de Malpaís ou de Cabuya. Mais si votre budget est restreint et que vous n'avez pas de voiture, Montezuma demeure une région d'accueil aux multiples visages regorgeant d'activités en tous genres et pour toutes les bourses.

La visite du **Parque Central** vous permettra de consta-

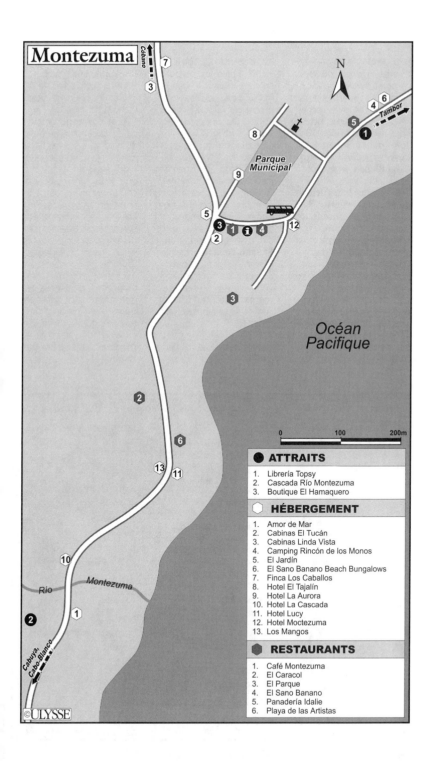

Montezuma

Océan Pacifique

Parque Municipal

Cobano

Tambor

Río Montezuma

Cabuya, Cabo Blanco

0   100   200m

● ATTRAITS

1. Librería Topsy
2. Cascada Río Montezuma
3. Boutique El Hamaquero

⬡ HÉBERGEMENT

1. Amor de Mar
2. Cabinas El Tucán
3. Cabinas Linda Vista
4. Camping Rincón de los Monos
5. El Jardín
6. El Sano Banano Beach Bungalows
7. Finca Los Caballos
8. Hotel El Tajalín
9. Hotel La Aurora
10. Hotel La Cascada
11. Hotel Lucy
12. Hotel Moctezuma
13. Los Mangos

⬡ RESTAURANTS

1. Café Montezuma
2. El Caracol
3. El Parque
4. El Sano Banano
5. Panadería Idalie
6. Playa de las Artistas

ter que la ville possède diverses agences de tourisme et que la région offre plusieurs activités et attraits naturels. Parmi les sorties les plus populaires, nous vous recommandons celles dans la superbe **Reserva Natural Absoluta Cabo Blanco ★★** (voir p 301) et dans l'envoûtante **Isla Tortuga ★**. L'excursion à l'île Tortuga *(35$)* dure toute la journée *(9h à 16h)* et comprend le transport aller-retour en bateau rapide, le déjeuner, l'équipement de plongée-tuba et divers jeux d'animation. Vous y passerez une journée inoubliable, sur une île paradisiaque couverte de sable blanc et baignée d'eaux turquoise...

Montezuma peut être visitée à pied, et, si vous êtes en voiture, le stationnement peut devenir un problème. Optez donc pour le stationnement public, surtout si vous devez laisser des bagages à l'intérieur de la voiture. Si vous passez la journée à la plage et que vous désiriez faire un peu de lecture, rendez-vous à la librairie **Topsy**, où l'on vend et achète des livres d'occasion. Le restaurant **El Sano Banano** présente, le soir, des films populaires, et vous pourrez ainsi vous divertir, ou simplement discuter, en sirotant l'un de leurs fabuleux laits fouettés.

Une jolie balade, tout aussi agréable que rafraîchis-

sante, mène à la **Cascada Río Montezuma ★★**. Pour ce faire, suivez le chemin qui se dirige vers Cabuya sur environ 700 m, soit jusqu'à l'hôtel La Cascada, situé au bord du Río Montezuma. Passé le petit pont, un panneau indique le sentier qui grimpe en forêt jusqu'à la chute. Après environ 15 min de marche, vous arriverez à la chute et à son agréable bassin d'eau où il fait bon se baigner et se prélasser. Si plusieurs touristes grimpent jusqu'en haut afin d'effectuer des plongeons, dites-vous bien que la prudence demeure de mise, et la mort d'un touriste, qui y a perdu pied en 1990, devrait suffire à modérer vos ardeurs «tarzanesques».

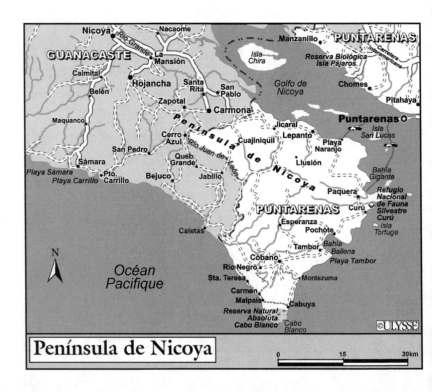

Península de Nicoya

Écotourisme

Depuis quelques années, la vague de l'écotourisme déferle sur le monde du voyage. Étant de plus en plus conscients de l'importance de préserver les ressources naturelles, les touristes penchent le plus souvent pour les voyages en harmonie avec l'environnement.

Cependant, le terme même d'«écotourisme» fait encore l'objet de débats, et, pendant ce temps, plusieurs tentent de profiter de la manne. Vous verrez, au cours de votre voyage au Costa Rica et dans les brochures publicitaires, beaucoup d'entreprises qui prétendent offrir des excursions ou des services écotouristiques. Avant d'en choisir une, posez donc quelques questions pour essayer de savoir si oui ou non les dirigeants et employés de cette entreprise font preuve d'un réel souci pour l'environnement: en creusant un peu, vous découvrirez peut-être que leurs techniques ne sont pas des plus saines.

quasi désertes (selon la saison) ainsi qu'un bon choix d'hôtels et de restaurants convenant à toutes les bourses. On n'y trouve pas de place centrale, mais plutôt une petite route qui longe la mer sur environ 6 km et le long de laquelle les maisons, les hôtels et les restaurants sont éparpillés.

Si vous cherchez un lieu calme et paisible et que vous ne soyez pas certain de vous plaire à Montezuma, optez pour cette région, et vous ne serez pas déçu. Vous pourrez vous balader en vélo de montagne ou à cheval, suivre un cours d'initiation au surf, vous faire bronzer à longueur de journée, ou encore vous baigner dans la mer durant de longues heures. Et les couchers de soleil sont ici tout simplement hallucinants: calez-vous bien dans un hamac, un apéro à la main!

Au sud de Montezuma

Cabuya est un minuscule village situé à environ 8 km au sud de Montezuma. Ce village constitue en fait la porte d'entrée de la Reserva Natural Absoluta Cabo Blanco, 2 km plus au sud. Ceux qui recherchent un lieu de séjour plus tranquille que Montezuma trouveront un bon choix d'hôtels, de *cabinas* et d'emplacements de camping dans la région de Cabuya. Fait inusité, le cimetière est situé sur une île, l'Isla Cabuya. On peut s'y rendre à pied, mais seulement lorsque la marée est à son plus bas niveau.

Au nord-ouest de Cabo Blanco

La région de **Malpaís ★** et de **Santa Teresa ★**, située au nord-ouest de la **Reserva Natural Absoluta Cabo Blanco ★★** (voir p 301), est l'un des secrets les mieux gardés du sud de la péninsule de Nicoya. D'abord découverte par les adeptes du surf, en raison de l'excellence des vagues, cette région offre des plages paradisiaques et

Refugio Nacional de Fauna Silvestre Curú

Le Refugio Nacional de Fauna Silvestre Curú *(5$; tlj; réservations requises;* ☎*661-2392)* est situé à 7 km au sud de Paquera. Ce parc privé de 84 ha fait partie de l'hacienda Curú (1 496 ha), qui appartient à la famille Schutt depuis 1933. Son nom provient du *guanacaste*, un arbre que les Autochtones de la région appelaient *curú*. Une partie de l'hacienda fut déclarée «réserve nationale de faune» en 1983 afin de protéger

Côte Pacifique centrale

entre autres le fragile habitat marin de la côte ainsi que la plage qui la borde. La réserve abrite également une forêt tropicale sèche, une forêt tropicale humide, des mangroves, des pâturages et des plantations d'arbres fruitiers.

Y retrouvant une grande biodiversité, représentative de ce qu'était la région il y a plusieurs dizaines d'années, la famille Schutt travailla fort afin que l'endroit puisse être reconnu à la fois comme un lieu de recherche scientifique, d'agriculture et de tourisme. Ainsi se côtoient, sur un même site, différents groupes de visiteurs venus découvrir ou étudier un environnement complexe et riche d'une faune et d'une flore étonnamment concentrées sur seulement quelques hectares.

Le Refugio Nacional de Fauna Silvestre Curú est relativement peu connu et peu visité par les touristes de passage dans la région. C'est dommage car il permet un dépaysement total; en quelques minutes, on pénètre dans un lieu envoûtant, sauvage et rempli de belles surprises. Au bord de la route principale, qui mène de Paquera à Tambor, se trouvent l'entrée et la maison des gardiens. Quelques centaines de mètres plus loin, vous devrez ouvrir vous-même la barrière qui permet d'accéder au parc. Cette barrière sert entre autres à garder le bétail loin de la route principale.

Passé la barrière, le petit chemin de 2,5 km conduit aux bâtiments principaux, aux bureaux administratifs et au centre d'accueil. Les bâtiments se trouvent tout près de la jolie plage blottie au creux de la baie. Au sud de la baie coule le Río Curú, qui vient se jeter dans les eaux du golfe de Nicoya. Au nord-est s'avance dans le golfe Punta Quesera, alors qu'au large, vers le sud, se distingue l'Isla Tortuga, véritable paradis de la plongée-tuba, du kayak et de la baignade.

Le parc abrite une faune et une flore vraiment exceptionnelles. On y trouve 500 espèces de plantes, et une partie (200 ha) de l'hacienda a été reboisée à l'aide d'une dizaine d'essences indigènes. S'y distinguent également 232 espèces d'oiseaux, 78 espèces de mammifères, 87 espèces de reptiles et 26 espèces d'amphibiens.

Selon le jour, accompagné ou non d'un guide de l'endroit, on peut observer des tortues de mer (Hawksbill et de Ridley), des iguanes, des crocodiles, des boas constricteurs, des pécaris, des *armadillos*, des agoutis, des pumas, des singes, etc. Le parc abrite trois espèces de singes, soit le singe hurleur, le singe capucin et le singe-araignée.

Le singe-araignée fut réintroduit dans la réserve il y a une quinzaine d'années. Cette espèce, très rare de nos jours au Costa Rica, fut complètement exterminée dans la région de Curú entre les années

Crabe surprenant

Sur la côte Pacifique, au début de la saison des pluies, il se pourrait fort bien que vous soyez témoin d'un étrange phénomène. En effet, juste après les premières pluies, le bord de la mer devient le lieu de la migration en masse d'un petit crabe appelé *tajalín*. Il semble en effet que le *tajalín* quitte la mer à ce moment-là pour aller pondre sur la terre ferme, parfois assez loin des plages, et ce, en nombre tout simplement stupéfiant. De couleur foncée lorsqu'il est à l'eau, il se pare de couleurs vives dès que sa carapace sèche. Vous ne manquerez donc pas de voir ces petites bêtes mauves et orange, voyageant en groupe et se déplaçant sur le côté, fuir à votre arrivée ou faire mine de vous attaquer avec leurs pinces!

Un comportement exemplaire

La courte histoire de la réserve de Cabo Blanco a débuté en 1955, lorsque le couple suédois formé de Nils Olof Wessberg et Karen Morgenson s'est établi sur une ferme de la région. Constatant le déboisement rapide des lieux aux mains de l'industrie du bois d'œuvre, et prenant conscience de ce que la forêt vierge de Cabo Blanco disparaîtrait complètement en quelques années à peine si les coupes se poursuivaient à ce rythme, Wessberg et Morgenson ont déployé de grands efforts pour assurer la protec-

tion de cette zone sauvage peuplée entre autres de jaguars, d'ocelots et de coyotes. Après avoir mis trois ans à convaincre les sceptiques du bien-fondé de l'entreprise, ils parvinrent à recueillir suffisamment de fonds (environ 30 000$) pour acheter les 1 250 ha de forêts qui composent la pointe de Cabo Blanco. C'est alors que la pointe est devenue une réserve naturelle, et c'est depuis ce jour que Nils Olof Wessberg est considéré comme le père des parcs nationaux au Costa Rica.

Poursuivant son œuvre à titre de naturaliste et de protecteur des forêts, Wessberg s'est rendu dans la péninsule d'Osa, au sud-ouest du pays, à l'été de 1975, pour y promouvoir la création d'un nouveau parc. Il a toutefois été assassiné là-bas et n'a donc pu prendre part à l'inauguration du Parque Nacional Corcovado, en octobre de la même année. Une plaque commémorative a été érigée en son honneur tout près du centre d'accueil de la réserve.

1960 et 1965. Mais en 1993, «Francisco» devint le premier singe-araignée à naître dans la région, soit 30 ans après la quasi-extermination de l'espèce.

Il est possible d'y pratiquer la plongée-tuba, la baignade et la randonnée pédestre, et une aire de pique-nique est à votre disposition. Le réseau de sentiers de randonnée pédestre compte 17 courts sentiers allant de

quelques centaines de mètres à 4 km. Les sentiers parcourent la forêt tropicale, la mangrove, les pâturages et les plantations d'arbres fruitiers, et mènent jusqu'à Punta Georgia, au sud, et à Punta Quesera, au nord du parc. Certains sentiers permettent de se rendre jusqu'au bord du golfe de Nicoya, alors que d'autres atteignent un point de vue sur la région.

Reserva Natural Absoluta Cabo Blanco

La Reserva Natural Absoluta Cabo Blanco *(6$; mer-dim 8h à 16h; ☎642-0093)* constitue un véritable petit bijou serti de richesses naturelles à seulement 11 km de Montezuma. D'ailleurs, la petite route qui y mène, traversant Cabuya, est désormais en bon état et permet le passage de la plupart des voitures. Si vous venez de Malpaís, en véhicule à quatre roues motrices, à cheval ou à vélo de montagne, sachez qu'il existe un petit chemin forestier de 7 km qui relie Malpaís et Cabuya. L'entrée du petit chemin est bien indiquée (panneau), et il passe à côté du Star Mountain Eco Resort (après 2 km). Par ce chemin, vous atteindrez la réserve au bout de 9 km de route, au lieu des quelque 30 km si vous passez par Cóbano, Montezuma et Cabuya.

La réserve fut d'abord créée, le 21 octobre 1963, dans le but premier de protéger la faune et la flore de la magnifique pointe de l'extrême sud de la péninsule de Nicoya: Cabo Blanco. Or, jusqu'à la fin des années 1980, elle était privée, et les visiteurs n'y avaient pas accès, seuls les scientifiques qui y effectuaient des recherches étant autorisés à la fréquenter. Depuis ce temps, on a aménagé deux sentiers de randonnée pédestre, et les visiteurs sont les bienvenus. Cependant, une grande partie de la réserve est toujours inaccessible aux visiteurs, qui se doivent de demeurer dans les sentiers prévus pour la randonnée pédestre.

Du stationnement, il faut faire environ 400 m à pied pour arriver à au centre d'accueil du parc. Le personnel en est fort sympathique, et plusieurs bénévoles y travaillent. Le centre d'accueil est situé à deux pas de la mer, et on

y trouve un excellent endroit pour pique-niquer, des tables étant prévues à cet effet, en plus, des toilettes, de l'eau potable, d'une douche et d'un petit *soda* tenu par des dames de la région. Les bénévoles vous y expliqueront les règlements concernant la réserve et vous présenteront les sentiers de randonnée de même que les attraits du parc. Vous pourrez vous y procurer les listes des différents mammifères et oiseaux de la réserve, avec à l'endos un plan des lieux, de même qu'un dépliant décrivant une douzaine de ces mammifères. Vous pourrez également y louer des bottes de pluie, un poncho ou des jumelles afin d'observer des oiseaux parmi les 133 espèces qui fréquentent la réserve.

La réserve dispose de plusieurs sentiers, mais seulement deux d'entre eux sont ouverts aux visiteurs, les autres étant réservés aux scientifiques. Le sentier **Danés** forme une boucle de 2,3 km et parcourt une forêt secondaire où vous observerez différents stades de regénération de la végétation. La réserve compte 85% de forêt secondaire et 15% de forêt primaire, c'est-à-dire que celle-ci n'a pas été coupée par les habitants de l'endroit avant ou après la création de la réserve. Le sentier traverse également le Río Cabo Blanco, aux eaux cristallines mais peu abondantes. Comptez environ 1 heure 30 min pour effectuer cette boucle.

L'autre sentier se nomme **Sueco** et compte 4,2 km linéaires (soit 8,4 km aller-retour). Il mène jusqu'à la plage, au sud de la réserve, où l'on trouve de l'eau potable, des tables de pique-nique et des douches. La baignade y est permise et agréable. En plus des 1 250 ha de forêt, la réserve compte 1 700 ha de superficie marine protégés, soit environ 1 km de mer tout autour de la réserve. À 3 km du centre d'accueil, le sentier conduit à un point de vue (*mirador*) donnant sur la pointe de la réserve, sur la mer et sur l'île Cabo Blanco, située à 1 km au large. Les panneaux d'interprétation portant sur la nature de la réserve ont été conçus par des étudiants colombiens. Comptez autour de 4 heures 30 min de marche pour effectuer l'aller-retour.

Parque Nacional Isla del Coco

Le Parque Nacional Isla del Coco *(6$; tlj;* ☎*256-0365 ou 233-4533)* est un véritable petit trésor national en raison de sa riche végétation et, surtout, des eaux claires et animées de l'océan Pacifique qui l'entourent. Par contre, comme ce parc est situé à environ 450 km au large de Cabo Blanco (péninsule de Nicoya), il demeure beaucoup moins fréquenté que les autres parcs nationaux du Costa Rica.

Mais cet éloignement a eu comme effet positif d'en préserver les beautés et les richesses naturelles.

L'Isla del Coco, d'une superficie de 2 400 ha, est en fait situé par 5°30'34" de latitude Nord et 87°18'6" de longitude Ouest. La section marine du parc couvre, quant à elle, environ 73 000 ha. L'île porte ce nom car on y trouvait à l'origine beaucoup de cocotiers. De nos jours, les cocotiers ont cédé le pas à la forêt tropicale humide de basse altitude, sur laquelle tombent en moyenne près de 7 m de pluie annuellement. La végétation y est très dense, et l'on y a découvert trois essences indigènes. Comme l'île est composée de nombreuses montagnes, dont la plus haute, le mont **Iglesias**, atteint 634 m d'altitude, on y trouve des dizaines de chutes spectaculaires, dont certaines plongent directement dans la mer.

Selon Mario A. Boza, auteur du livre *Parques Nacionales de Costa Rica*, on attribue la découverte de l'Isla del Coco à l'Espagnol Joan Cabezas, qui aurait navigué aux abords de l'île en 1526. Au fil des siècles, les navigateurs faisaient une halte dans l'île afin de s'approvisionner en eau potable. Certains y laissaient même des animaux (porcs, chèvres, biches) afin de pouvoir les récupérer lors d'un second voyage, ou en cas de nécessité. Au fil des années, les porcs se sont particulièrement bien adaptés et sont suffisamment nombreux pour causer des dommages à l'environnement. Car en fouillant le sol, les mammi-fères ongulés provoquent une érosion excessive surtout lors des pluies abondantes. On dit même que leur comportement va jusqu'à affecter les récifs de corail.

Toucan

Mais plus passionnante encore est cette légende qui raconte que l'île abriterait trois trésors bien enfouis. Les pirates William Davies, Benito Bonito et William Thompson y auraient, tour à tour, entre la fin du XVIIe siècle et le début du XIXe siècle, caché de l'argent ainsi que des objets de valeur, dont une statue grandeur nature de la Vierge Marie en or massif! Mais les quelque 500 expéditions effectuées à ce jour n'ont pu confirmer ces ouï-dire, si ce n'est que l'île, en elle-même, constitue un véritable trésor!

L'Isla del Coco est en effet renommée pour son site ornithologique fort intéressant. On y a recensé 87 espèces d'oiseaux dont 3 sont spécifiques à l'île: le coucou (*Coccyzus ferrugineus*), le gobe-mouches (*Nesotriccus ridgwayi*) et le passereau (*Pinaroloxias inornata*) de l'Isla del Coco. Ce dernier serait en fait une espèce descendant de celles que l'on trouve aux îles Galápagos.

Mais l'attrait principal de l'Isla del Coco est sans aucun doute le milieu marin qui l'entoure. Depuis plusieurs années, l'île bénéficie d'une réputation internationale pour la pratique de la plongée sous-marine. D'ailleurs, la plupart des 2 800 visiteurs qui la fréquentent annuellement sont des plongeurs expérimentés qui viennent y passer une dizaine de jours. Ils y découvrent un monde fabuleux, composé de 18 espèces de coraux et de plus de 300 espèces de poissons. Les plongeurs y côtoient différentes espèces de requins dont le requin-marteau (*Sphyrna lewini*) et le requin blanc (*Triaenodon obesus*). On nous a même rapporté qu'il était fréquent d'observer jusqu'à 500 requins lors d'une seule plongée!

Comme il n'y a aucun service offert dans l'île et que le camping y est interdit, vous devrez dormir dans le bateau. La plupart des croisières partent de la ville de Puntarenas et durent entre une et deux semaines. La traversée à elle seule demande environ 36 heures. Les agences **Okeanos Aggressor** (☎290-6203) et **Undersea Hunter** (☎228-6535) proposent des excursions de

Côte Pacifique centrale

plongée sous-marine de 10 jours *(autour de 2 500$ par personne)* selon la formule «tout inclus» (transport, cabine, nourriture, équipement de plongée, guide, etc.).

La région au sud de Puntarenas

Entre Puntarenas et Jacó

La **Playa Doña Ana** et la **Boca Barranca** sont deux petites plages situées à un peu plus de 10 km au sud-est de Puntarenas. Ce sont les premières plages propres de la région. Elles peuvent donc être populaires les fins de semaine et durant les congés fériés des *Ticos*. Des tables de pique-nique, de petits comptoirs de restauration ainsi qu'un endroit pour se changer se trouvent aux abords de Playa Doña Ana. Le surf est assez bon sur ces deux plages. Il y a peu d'endroits où loger par ici, étant donné la grande proximité de la Vallée centrale, d'où viennent la plupart des plaisanciers.

À 2 km au sud de la **Reserva Biológica Carara ★** (voir p 309), vous pouvez prendre un chemin qui monte, et monte, et monte dans les collines pour atteindre la **Catarata Manantial Agua Viva ★**, chute que l'on dit la plus haute du pays. La route est en lacet, comportant même des virages en épingle à cheveux sur une distance de plusieurs kilomètres, et finit par atteindre la crête des collines, ce qui donne

l'occasion d'un beau spectacle. (Attention, d'ailleurs, au retour de cette randonnée lors de la descente de la route; en plus de la grande déclivité, le chemin est couvert de gravier qui forme de véritables petites billes sous les pneus.) Vous pouvez accéder à cette chute depuis une première entrée exploitée par une entreprise privée (vous remarquerez une petite cabane sur votre droite), mais nous vous conseillons de poursuivre votre chemin (4 km) pour rejoindre plutôt l'entrée «officielle» sous la responsabilité du complexe écologique **La Catarata Manantial Agua Viva** (*☎661-1787*), qui vous offrira la possibilité de vous accompagner lors de votre promenade. L'aire attenante à cette entrée vous permettra également de pique-niquer si vous le désirez. N'oubliez jamais d'apporter avec vous de l'eau pour ce genre de randonnée. Bien préparée, la promenade peut être sympathique, étant donné que l'on peut atteindre des rivières où se baigner.

Vis-à-vis du chemin menant à la chute (depuis la route nationale San José – Jacó), vous trouverez une route d'accès menant au petit village de **Tárcoles**. Tárcoles n'est intéressant que pour la rivière peuplée de crocodiles (et accessoirement d'oiseaux!) à proximité. Mario Fernando propose des balades sur la rivière pour les observer (*Jungle Crocodile Safari*; 30$; ☎292-2316 ou 383-4612).

Playa de Punta Leona est une belle petite plage de sable gris blottie dans une petite baie. Les eaux y sont calmes. **Playa Blanca** est située à quelques centaines de mètres au sud de Punta Leona. Ses vagues sont plus importantes que celles de Punta Leona. C'est là que Gérard Depardieu a joué dans *1492, la découverte d'un paradis*, film réalisé par Ridley Scott. Bien que toutes les plages soient publiques au Costa Rica, les abords de Punta Leona et de Playa Blanca appartiennent au complexe de Punta Leona. Des autobus desservent Playa Blanca, partant du cœur du complexe de Punta Leona, toutes les 30 min de 8h à 17h, et ce, tous les jours.

À titre de grande plage d'accès vraiment public, la plage de **Herradura** est la plus près de San José. Située à 7 km au nord de Jacó, elle est bordée de végétation, une bénédiction dans la chaleur de la région. En partie recouverte de roches, elle n'offre pas de charme particulier, mais elle est propre et les vagues y sont calmes. Cette plage comporte deux sections: l'une au nord, plutôt publique, l'autre au sud, plutôt résidentielle, à côté du vieux village. Cette plage devient vraiment bondée les fins de semaine. Comme pour Playa Doña Ana, il y a peu d'établissements hôteliers dignes de ce nom dans le secteur.

La région de Jacó

Playa Jacó ★★, quant à elle, est une belle plage

La belle église qui se dresse aux abords du Parque Central de Sarchí, ville aussi connue pour ses nombreux centres d'artisanat.
- *Didier Raffin*

Moment de répit avant de reprendre la garde des grands troupeaux de bovins du Guanacaste.
- *Roger Michel*

La flore, une des richesses naturelles du Costa Rica, regroupe 5% de l'ensemble des espèces végétales de la planète.
- *Didier Raffin*

Les grenouilles comptent certaine- ment parmi les animaux les plus susceptibles d'être observés au Costa Rica.
- *Didier Raffin*

Chute d'eau et nature verdoyante: un paysage typique du Costa Rica.
- Didier Raffin

Quelques plantes parvenant à s'agripper aux flancs arides du volcan Irazú.
- *Claude-Hervé Bazin*

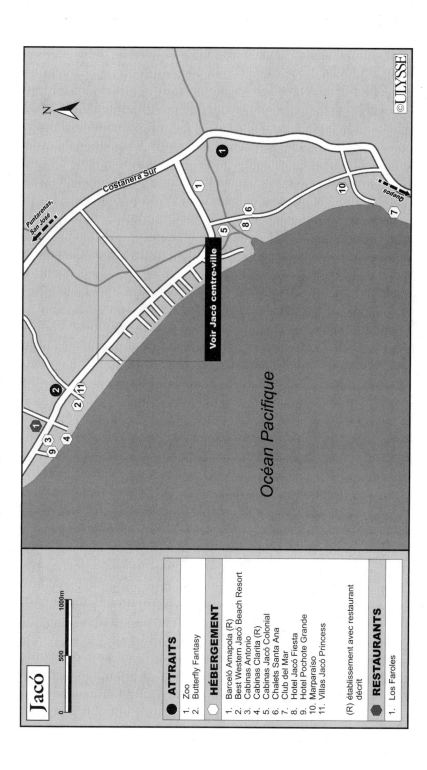

Jacó

ATTRAITS

1. Zoo
2. Butterfly Fantasy

HÉBERGEMENT

1. Barceló Amapola (R)
2. Best Western Jacó Beach Resort
3. Cabinas Antonio
4. Cabinas Clarita (R)
5. Cabinas Jacó Colonial
6. Chalets Santa Ana
7. Club del Mar
8. Hotel Jacó Fiesta
9. Hotel Pochote Grande
10. Marparaíso
11. Villas Jacó Princess

(R) établissement avec restaurant décrit

RESTAURANTS

1. Los Faroles

Voir Jacó centre-ville

Costanera Sur

Puntarenas, San José

Océan Pacifique

Quepos

N

0   500   1000m

©ULYSSE

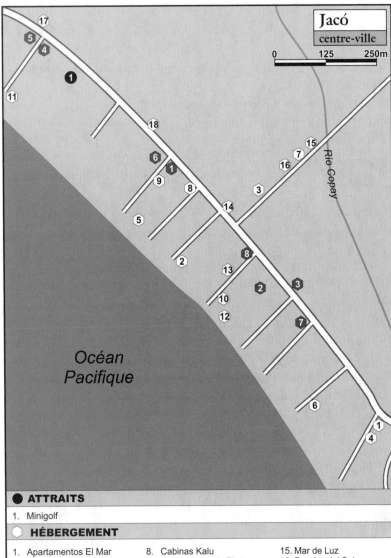

Jacó
centre-ville

0   125   250m

Río Copay

Océan Pacifique

©ULYSSE

large de sable foncée aux bonnes vagues permettant la fréquentation à la fois du surfeur et du touriste en quête de soleil. Développée de plus longue date que Tamarindo au Guanacaste, Jacó est de ce fait plus importante. Les infrastructures d'hébergement y foisonnent, et les commodités de la vie urbaine y sont pratiquement toutes présentes. D'ailleurs, les autorités ont voulu donner à cette plage des allures de véritable station de villégiature avec son grand boulevard d'accès depuis la route nationale et sa rue principale parallèle à la plage, large et bien aménagée, avec trottoirs séparés de la chaussée et végétation arbustive. Cette rue est d'ailleurs l'assise d'une flopée de boutiques et de restaurants en tous genres. Avec les rues transversales qui rayonnent de la rue principale, c'est une véritable armada de touristes qui peut être reçue ici. De nombreux voyagistes de pays étrangers proposent d'ailleurs toutes sortes de forfaits pour séjourner à Jacó.

Jacó, c'est également l'endroit idéal pour «voir et être vu». La faune de surfeurs que l'endroit attire est très «tendance» et a amené ici toute une série de commerces branchés. Jacó est donc très populaire et très animée, d'autant plus que l'endroit est très accessible, pour une fin de semaine ou même pour une journée, à la majorité des Costariciens qui habitent dans la Vallée centrale. Les rues qui aboutissent à la plage au cœur de la ville sont

particulièrement indiquées pour en tâter le pouls, de soir comme de jour.

Il existe à Jacó un **zoo** *(6$; immédiatement au sud de Jacó, sur la route nationale Jacó – Quepos)* où vous pouvez vous faire photographier en compagnie de petits animaux du pays (singes, toucans, perroquets, etc.). En marge du droit d'entrée, les dons sont bienvenus pour entretenir les animaux. Le zoo se trouve au pied d'une montagne que vous pouvez explorer par des sentiers balisés de degrés de difficulté variés. Dans le même genre, **Butterfly Fantasy** *(mar-dim 8h à 17h; en face du Best Western Jacó Beach Resort, ☎643-3231)* propose des visites dans un jardin botanique abritant des volières à papillons. Téléphonez avant de vous y rendre, car il fonctionne sur réservation. Il existe également un minigolf à Jacó, à côté de la rivière, sur la rue principale.

Entre Jacó et Quepos

Jusqu'à ce jour, il n'y a que quelques hôtels qui ont élu domicile dans les environs de **Playa Hermosa**. L'endroit est donc tranquille, quoique fréquenté par les surfeurs.

De manière générale, rouler sur la route nationale en direction de Quepos est une excellente occasion d'admirer la mer puisque l'on se retrouve régulièrement à une certaine altitude par rapport à l'océan. C'est le cas particulièrement entre Playa

Hermosa et Jacó. Certains belvédères ont même été aménagés dans le secteur.

À un peu plus de 20 km au sud de Jacó, **Esterillos Este, Esterillos Centro** et **Esterillos Oeste** sont trois petites localités voisines séparées par de petites rivières. Leurs plages, aux vagues propices à un certain surf (les vagues peuvent y être même violentes), sont couvertes de sable foncé, plus fin que celui de Jacó. Mises bout à bout, les plages d'Esterillos sont très longues (de plusieurs kilomètres en fait), et leurs abords sont essentiellement résidentielles. Les quelques hôtels qui ont élu domicile ici peuvent donc assurer une assez bonne tranquillité à leurs clients, surtout lorsque l'on compare l'endroit à Jacó l'urbaine, située tout près.

La seule ville digne de ce nom entre Jacó et Quepos est **Parrita**. Ce n'est pas un secteur de grand intérêt pour la ville elle-même, mais les plages situées à proximité attirent de plus en plus d'hôteliers... et donc de vacanciers.

La région de Quepos

Quepos ★ est somme toute assez jolie. Le cœur de la ville recèle un bon nombre de boutiques et commerces de toutes sortes, de même qu'un certain nombre de bars et de restaurants animés. C'est la dernière grande ville de la région. Mieux vaut éviter de se baigner à Quepos cependant, car les eaux sont polluées.

Côte Pacifique centrale

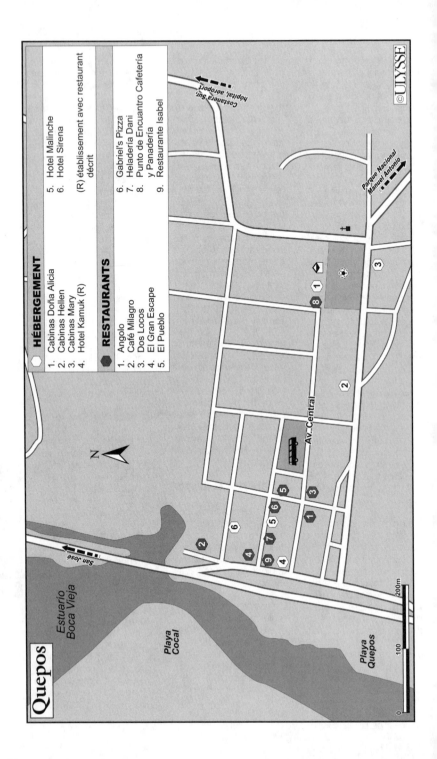

Quepos

Estuario Boca Vieja

Playa Cocal

Playa Quepos

San José

Costanera Sur, hôpital, aéroport

Parque Nacional Manuel Antonio

Av. Central

N

0   100   200m

© ULYSSE

HÉBERGEMENT

1. Cabinas Doña Alicia
2. Cabinas Hellen
3. Cabinas Mary
4. Hotel Kamuk (R)

5. Hotel Malinche
6. Hotel Sirena

(R) établissement avec restaurant décrit

RESTAURANTS

1. Angolo
2. Café Milagro
3. Dos Locos
4. El Gran Escape
5. El Pueblo

6. Gabriel's Pizza
7. Heladería Dani
8. Punto de Encuantro Cafetería y Panadería
9. Restaurante Isabel

Entre Quepos et Manuel Antonio

Playa Espadilla est la principale plage entre Quepos et le **Parque Nacional Manuel Antonio** ★★ (voir p 310). C'est une très belle plage que les surfeurs utilisent pour ses vagues; sachez vous baigner en conséquence. Quelques hôtels se sont installés sur une longue bande de terre côtière et forestière en amont de cette plage.

Les dénivelés souvent importants que présente le secteur offrent des coups d'œil magnifiques sur le large. Les hôtels ont su en profiter, pour le bénéfice des clients qui peuvent vraiment apprécier ici la

Huile de palme

Dans les environs de Quepos, et un peu partout dans le sud de la côte Pacifique, vous surprendrez sans doute des camions transportant un fruit aux allures étranges. Vous traverserez aussi les immenses plantations d'où provient cette récolte qui vous intriguera probablement. Ne cherchez plus, il s'agit de plantations d'arbres servant à la fabrication de l'huile de palme!

beauté verte et bleue du pays.

Une série de petits *sodas* et de petites boutiques longeant la plage d'Espadilla dans le dernier kilomètre avant le parc Manuel Antonio sont la preuve de la nécessité d'avoir préservé formellement une partie, du moins, de ce superbe coin de nature.

Reserva Biológica Carara

Véritable petit éden ornithologique et enclave naturelle, la Reserva Biológica Carara *(6$; tlj 7h à 17h; ☎416-6576)* a été créée en avril 1978 afin de protéger une partie de cette région de la province de Puntarenas. Située à seulement 17 km de Jacó, l'un des endroits les plus fréquentés par les touristes au Costa Rica, la réserve possède quelque 4 700 ha de forêt dont la préservation demeure prioritaire, d'autant plus qu'une grande quantité d'espèces animales en dépend. La réserve de Carara, qui fait partie du réseau des parcs nationaux, vient au cinquième rang des parcs les plus achalandés au pays.

La réserve abrite deux types de forêts, soit la forêt tropicale humide dominant dans le sud-ouest du pays et la forêt tropicale sèche que l'on trouve dans le nord-ouest du Costa Rica, principalement dans la province du Guanacaste. La réserve est donc située dans la zone de transition

de ces forêts, en plus de compter cinq différentes zones de vie (selon le système Holdridge), ou habitats naturels, car l'altitude varie de quelques mètres à un peu plus de 1 000 m.

La riche forêt de Carara se compose de 750 espèces de plantes et d'arbres parfois gigantesques dépassant les 50 m de hauteur. Parmi les essences les plus représentatives de la région, on trouve l'*espavel* (*Anacardium exelsum*), le *ceiba*, le *higuerón*, le *gallinazo*, le *javillo* (*Hura crepitans*) et le *guácimo colorado* (*Guazuma ulmifolia*).

Sur ce territoire sauvage et entouré de fermes et de pâturages, il est agréable de constater qu'on retrouve une faune variée qui a su s'adapter et se reproduire dans les limites de la réserve. Les animaux les plus souvent observés sont les singes (capucins à face blanche, hurleurs et araignées), les paresseux, les agoutis, les coatis et les cerfs de Virginie. Des mammifères tels que les coyotes, les fourmiliers et les grands félins (jaguars, pumas, ocelots) sont très rarement aperçus, si ce n'est des traces de leur passage à l'occasion. Au détour d'un sentier, vous aurez peut-être l'occadion de surprendre un iguane, un lézard, un crapaud ou l'une des petites grenouilles venimeuses noires et vertes. Mais la réserve compte également plusieurs espèces de serpents, dont le redoutable «fer-de-lance», que les Costariciens appellent *terciopelo*.

Paresseux

la rivière. On évalue à environ 300 la population d'aras écarlates vivant dans la région. Parmi les autres familles d'oiseaux susceptibles d'être vues figurent les toucans, les trogons, les faucons et les oiseaux-mouches.

La Reserva Biológica Carara abrite également 15 sites archéologiques correspondant à deux époques d'occupation des lieux, à savoir la phase Pavas (de 300 av. J.-C. au IVe siècle de notre ère) et la phase Cartago (du IXe au XVIe siècle). Ces sites sont surtout fréquentés par des étudiants en archéologie, bien qu'il soit possible d'y aller si vous êtes accompagné d'un guide.

Mais la faune aviaire attire encore plus les visiteurs. En fait, avec son nombre élevé d'espèces d'oiseaux par kilomètre carré, la Reserva Biológica Carara se classe comme l'un des hauts lieux ornithologiques du Costa Rica. Mais davantage que la quantité, le nombre total d'espèces n'étant pas encore défini, c'est la qualité qui prime à Carara. Ainsi, vous aurez l'occasion d'y observer le superbe et impressionnant **ara écarlate** (*Ara macao*), que les Costariciens dénomment *lapa roja*. Sachez qu'il est désormais extrêmement rare d'admirer ces immenses perroquets multicolores en dehors du Parque Nacional de Corcovado, au sud-ouest du pays, et de la Reserva Biológica Carara. L'un des bons endroits pour épier les aras écarlates est le pont du Río Tárcoles, où, vers 17h, ils effectuent leur migration nocturne, passant de la forêt tropicale de la réserve aux mangroves situées à l'embouchure de

La réserve compte officiellement deux sentiers de randonnée pédestre. Le sentier **Las Aráceas** (1 km) forme une boucle que l'on parcourt en moins d'une heure. Il pénètre dans la forêt primaire et traverse quatre zones de vie, ce qui permet d'admirer un grand nombre d'espèces d'arbres et plusieurs espèces d'oiseaux. Le sentier **Laguna Meándrica** (4 km aller seulement), quant à lui, mène près du Río Tárcoles et sillonne une forêt secondaire. Il est aisé d'y rencontrer des singes et des coatis bruns, appelés *pizotes* au Costa Rica. Comptez autour de trois heures pour effectuer le trajet aller-retour (8 km) et prendre le temps d'observer la flore et la faune de la réserve.

Afin de maximiser vos chances de voir un grand nombre d'animaux et de pouvoir identifier les nombreux arbres et plantes de la réserve, nous vous conseillons fortement de faire appel à un guide naturaliste qui connaît bien la région. À ce sujet, notez que la majorité des hôtels de la région de Jacó et de Quepos, de même que la plupart des hôtels de San José, proposent des visites guidées de la réserve de Carara. De plus, plusieurs agences spécialisées dans les activités de plein air, telles **Geotour** (☎*534-1867*), **Costa Rica Expeditions** (☎*257-0766*) et **Expediciones Tropicales** (☎*257-4171*), toutes trois basées à San José, organisent des tours guidés dans la réserve. Un tel tour coûte autour de 70$ par personne et comprend le transport aller-retour depuis San José, le petit déjeuner, le déjeuner, le droit d'entrée et les services d'un guide naturaliste. Parfois, la journée se termine par une sortie à la plage de Jacó, histoire de se détendre et de se baigner quelque peu avant le retour à l'hôtel.

Parque Nacional Manuel Antonio

La région de Quepos est vite devenue un lieu touristique fort développé au Costa Rica. Durant des années, les hôtels ont poussé comme des champignons, ce qui a réduit d'une manière considérable la végétation luxuriante des environs. Heureusement, on a tôt fait de protéger une partie de ce territoire en créant, le 15 novembre 1972, le parc récréatif national Manuel Antonio, qui devint par la suite, en août 1982, le Parque Nacional Manuel Antonio (*7$; mar-dim 7h à 17h;* ☎ *777-0644*).

Situé à seulement 7 km du village de Quepos et à 157 km de San José, le Parque Nacional Manuel Antonio est l'un des plus petits parcs du Costa Rica, avec une superficie de 682,7 ha, mais également l'un des plus fréquentés de tout le pays. Il est en fait le deuxième parc le plus visité, derrière le Parque Nacional Volcán Poás. Depuis sa création, la popularité du parc monte en flèche, comme en témoigne le nombre de visiteurs recensés au fil des années.

Il fallait donc que les autorités du parc réagissent avant de perdre complètement le contrôle de la gestion et voir ainsi la faune et la flore subir des torts irréparables. On décida d'instaurer des mesures visant à mieux gérer les allées et venues des visiteurs. Aujourd'hui, le nombre de touristes est désormais limité quotidiennement à 600 en semaine et à 800 les fins de semaine. De plus, il ne peut y avoir plus de 400 personnes à la fois dans les sentiers et plus de 300 sur les plages. On limite aussi le nombre de randonneurs faisant partie de groupes, et l'on espace leurs départs

de façon à ce qu'il n'y ait pas trop de marcheurs à la fois dans un même secteur. Notez que le camping dans le parc demeure strictement défendu. Les lundis, le parc est fermé aux visiteurs.

Le Parque Nacional Manuel Antonio regorge de beautés naturelles qui sauront vous surprendre et vous ravir. On y trouve une forêt de transition où se rencontrent les forêts tropicales sèche et humide. S'y côtoient également les forêts primaire et secondaire, des lagunes et une végétation spécifique aux plages. Par contre, la forêt primaire du parc a été durement touchée lors du passage de l'ouragan Gert le 14 septembre 1993. Plusieurs milliers d'arbres ont été fauchés, détruisant du même coup une flore qui avait mis des décennies à devenir adulte. Par bonheur, l'ouragan ne frappa pas avec autant de force le bord de la

Singe hurleur

mer et la région des plages qui, comparés aux collines boisées, virent leur décor paradisiaque très peu perturbé.

Cependant, l'une des conséquences les plus fâcheuses de cet ouragan fut la disparition d'environ la moitié de la population des singes sagouins (*Saimiri oerstedii*), que les Costariciens appellent *mono tití*. Le sagouin est le plus petit singe des quatre espèces que compte le Costa Rica, mais, surtout, il est le plus rare de tous. Le Parque Nacional Manuel Antonio en abrite quelques familles, de même que le Parque Nacional Corcovado, situé à l'extrême sud-ouest du pays. Au demeurant, si l'on a peu de chance de surprendre un singe sagouin, on est presque assuré de pouvoir observer des singes capucins à face blanche ou d'entendre les cris puissants des singes hurleurs, qui, du reste, sont beaucoup plus petits que ce à quoi l'on s'attend (ils mesurent de 50 cm à 60 cm, et leur poids se situe entre 5 kg et 8 kg).

Parmi les autres animaux qui peuplent le parc figurent les coatis, les agoutis, les iguanes, les paresseux, les ratons laveurs, les lézards et plusieurs espèces de serpents. De ces espèces, quelques-unes sont venimeuses, et il faut donc être vigilant en tout temps, aussi bien dans les sentiers que lors des arrêts. Regardez **toujours** où vous posez le pied et examinez bien les feuilles, les plantes et les arbres avant de les toucher. Ces simples règles de sécurité s'appliquent d'ailleurs à toutes les régions du Costa Rica. Par ailleurs, on a recensé au total, à l'intérieur des limites du parc, 109 espèces de mammifères et 184 espèces d'oiseaux.

Le Parque Nacional Manuel Antonio bénéficie d'un climat agréable, avec une température moyenne annuelle de 27°C. Les précipitations sont de l'ordre de 3,8 m, et la saison sèche s'étend entre les mois de décembre et d'avril. Le parc compte un petit réseau de sentiers pédestres, d'environ 5 km au total, permettant de visiter aisément tous ses attraits naturels, à savoir quatre magnifiques plages, de jolies pointes qui s'avancent dans la mer ainsi qu'une riche forêt grouillante de vie.

Pour se rendre au parc, il faut d'abord franchir l'embouchure du ruisseau Camaronera, situé au sud du village de Manuel Antonio. À cette hauteur, vous êtes près de **Playa Espadilla**, qui est appelée par la majorité des gens de la région «la première plage». Le sentier suit, en parallèle, la deuxième plage, **Playa Espadilla Sur**, qui mène à une petite baie. Cette plage de 800 m de longueur est peu recommandable pour la baignade en raison des vagues qui y sont particulièrement fortes. Au bout de la plage se dresse une formation géomorphologique unique au monde, soit le **tombolo** de **Punta Catedral**. Le tombolo constitue une bande de terre qui s'est peu à peu formée, au cours des millénaires, entre ce qu'était l'île Catedral et le continent. On doit cette formation spectaculaire à une levée de sable sur laquelle la végétation s'est propagée, pour devenir une véritable route naturelle composée d'herbes et d'arbres. Les chercheurs estiment à environ 100 000 ans le temps qu'il a fallu à cette formation pour créer l'un des plus beaux phénomènes géomorphologiques du genre sur la planète. Comptez environ une heure pour faire le tour de Punta Catedral, soit un parcours de 1,5 km. Vous y remarquerez des arbres majestueux, parmi les plus vieux du parc, et bénéficierez d'un superbe point de vue sur l'océan Pacifique.

Tout près de Punta Catedral s'étend la troisième

plage, dénommée **Playa Manuel Antonio**. Cette plage est la plus populaire du parc, car on y trouve un beau sable blanc, et vous pourrez vous y baigner en toute quiétude. L'endroit est également reconnu comme étant un lieu propice à la plongée-tuba, notamment pendant la saison sèche (décembre à avril), alors que l'eau y est d'une incroyable limpidité. Vous y admirerez assurément quelques-unes des 19 espèces de coraux, 17 espèces d'algues, 10 espèces d'éponges, 24 espèces de crustacés, ou encore plusieurs poissons colorés parmi les 78 espèces qui fréquentent les environs.

La plage Manuel Antonio aurait servi, il y a environ 1 000 ans, de lieu de chasse à la tortue de mer. Les Autochtones vivant près de là auraient aligné une série de pierres, en forme de demi-cercle, qui servait de barrage naturel, pour empêcher les tortues de retourner à la mer à marée basse. Lorsque la marée est à son plus bas niveau, il est possible d'apercevoir ces trappes à tortues à l'extrémité ouest de la plage.

Plus à l'est, vous avez accès à **Playa Escondido** (la quatrième plage), moins visitée et plus tranquille, car en partie recouverte d'eau lorsque la marée est haute. Non loin, un sentier grimpe jusqu'à un point de vue duquel vous pourrez admirer **Punta Serrucho**, qui s'avance allègrement dans la mer. De l'autre côté de cette pointe se cache la cinquième et

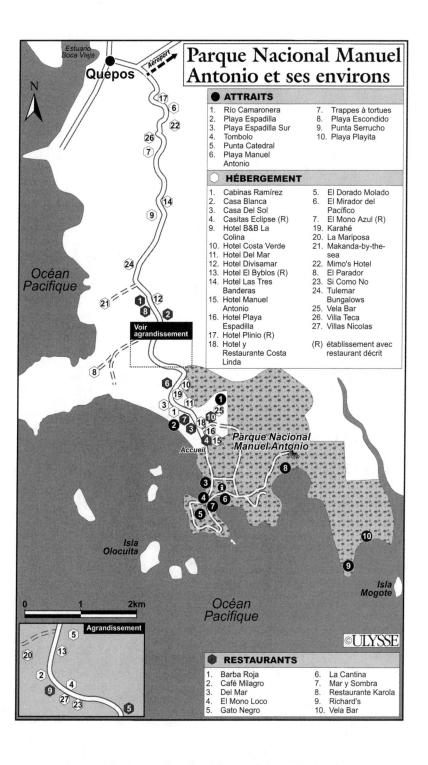

Parque Nacional Manuel Antonio et ses environs

● ATTRAITS

1. Río Camaronera
2. Playa Espadilla
3. Playa Espadilla Sur
4. Tombolo
5. Punta Catedral
6. Playa Manuel Antonio
7. Trappes à tortues
8. Playa Escondido
9. Punta Serrucho
10. Playa Playita

○ HÉBERGEMENT

1. Cabinas Ramírez
2. Casa Blanca
3. Casa Del Sol
4. Casitas Eclipse (R)
9. Hotel B&B La Colina
10. Hotel Costa Verde
11. Hotel Del Mar
12. Hotel Divisamar
13. Hotel El Byblos (R)
14. Hotel Las Tres Banderas
15. Hotel Manuel Antonio
16. Hotel Playa Espadilla
17. Hotel Plinio (R)
18. Hotel y Restaurante Costa Linda
5. El Dorado Molado
6. El Mirador del Pacífico
7. El Mono Azul (R)
19. Karahé
20. La Mariposa
21. Makanda-by-the-sea
22. Mimo's Hotel
8. El Parador
23. Si Como No
24. Tulemar Bungalows
25. Vela Bar
26. Villa Teca
27. Villas Nicolas

(R) établissement avec restaurant décrit

◆ RESTAURANTS

1. Barba Roja
2. Café Milagro
3. Del Mar
4. El Mono Loco
5. Gato Negro
6. La Cantina
7. Mar y Sombra
8. Restaurante Karola
9. Richard's
10. Vela Bar

Estuario Boca Vieja

Quépos

Aéroport

N

Océan Pacifique

Voir agrandissement

Accueil

Parque Nacional Manuel Antonio

Isla Olocuita

Isla Mogote

Océan Pacifique

0   1   2km

Agrandissement

©ULYSSE

dernière plage, dé-
nommée **Playita**.

Activités
de plein air

Vélo

La région comprenant les
villages de **Montezuma**,
Cabuya et **Malpaís** se
prête merveilleusement
bien aux randonnées à
vélo, car les routes non
revêtues demeurent
moins achalandées. Plu-
sieurs hôtels de la région
louent des vélos, de
même que le **Surf & Sport
Camp** *(10$/jour;* ☎*640-
0061)*, à Malpaís.

Randonnée pédestre

Le **Refugio Nacional de
Fauna Silvestre Curú** (voir
p 299) propose un
agréable réseau de sen-
tiers où la faune est abondante et diversifiée.

Dans la **Reserva Natural
Absoluta Cabo Blanco**
(voir p 301), vous pourrez
suivre deux sentiers par-
courant la forêt secondaire
et menant à une superbe
plage.

La marche constitue la
meilleure façon de décou-
vrir la **Reserva Biológica
Carara** (voir p 309), où
vous pourrez admirer

entres autres des aras
écarlates et des crocodiles.

Dans le **Parque Nacional
Manuel Antonio** (voir
p 310), les sentiers de
randonnée conduisent à
de superbes plages, à des
pointes de terre qui
s'avancent dans la mer et à
des points de vue sur les
environs.

Surf

Les villages de **Malpaís** et
de **Santa Teresa** se présentent de plus en plus
comme de bonnes desti-
nations pour la pratique du
surf. Pour suivre un cours
d'initiation, louer une
planche, regarder des
vidéos de surf ou simple-
ment discuter avec des
passionnés de ce sport,
rendez-vous au **Surf Camp
& Resort** (voir p 320), à
Malpaís.

Il est évidemment possible
de louer ou d'acheter des
planches de surf à Jacó.
Outre Jacó, les plages
d'intérêt pour le surf dans
cette région sont **Playa
Doña Ana** et sa voisine
Boca Barranca, **Playa
Hermosa**, les plages
d'**Esterillos** ainsi que la
plage d'**Espadilla**, entre
Punta Quepos et le parc
Manuel Antonio.

Dans la région de **Jacó**,
David Klostermann
(☎*643-1569)* pourrait vous
donner des cours de surf
(25$/h).

Kayak

À Jaco, **Kayak Jaco** (☎*643-
1233)* propose une série
de balades en kayak, sur la
mer ou en rivière. Leurs
forfaits sauront contenter
toute la famille.

Plongée sous-marine
et plongée-tuba

Le **Parque Nacional Isla
del Coco** (voir p 302),
situé à plus de 500 km au
large de la côte Pacifique,
est sans contredit la destination la plus spectaculaire
pour la pratique de la
plongée sous-marine. Mais
à cette distance on ne s'y
rend pas pour la journée!

L'**Isla Tortuga** est un petit
paradis naturel de plages et
d'eaux cristallines au large
de Curú et de la péninsule
de Nicoya. La plongée-
tuba y est facile, agréable
et sécuritaire. La grande
majorité des hôtels de la
région de Montezuma et
de Tambor organisent des
excursions d'une journée
(entre 30$ et 45$) avec
équipement de plongée-
tuba fourni. De San José,
les agences **Calypso Tours**
(☎*256-2727)* et **Bay Island
Cruises** (☎*258-3536)*
proposent également une
journée inoubliable à l'Isla
Tortuga. Comptez autour
de 100$ par personne
pour la journée, ce qui
inclut le transport en
autocar, la croisière,
l'animation, la nourriture,

l'équipement de plongée-tuba, etc.

Au **Parque Nacional Manuel Antonio** (voir p 310), la plongée-tuba est réputée être excellente près de Playa Manuel Antonio, que l'on rejoint seulement à pied.

Équitation

Le sud de la péninsule de Nicoya se prête à merveille à la pratique de l'équitation. Les longues plages et les collines de la région de **Montezuma**, **Cabuya** et **Malpaís** offrent des décors à couper le souffle. Bien que l'on puisse facilement louer des chevaux et les services d'un guide un peu partout (il suffit de se renseigner auprès du personnel de son hôtel), les excursions proposées par la Canadienne Barbara MacGregor, du «ranch-hôtel» la **Finca Los Caballos** (voir p 319), près de Montezuma, ont une excellente réputation dans la région.

À **Jacó, David Klostermann** (☎643-1569) propose des excursions à cheval dans les environs qui valent vraiment la peine. Les chevaux, bien traités, sont dociles, et David, ancien propriétaire de chevaux en Californie, est bien sympathique. Il peut même vous donner quelques leçons d'équitation.

Playa Hermosa Stables (☎643-3808) organise des randonnées à cheval (35$/pers. pour 4 heures). On peut s'informer à la réception de l'hôtel David, à **Playa Hermosa**.

Observation des oiseaux

Si vous êtes passionné d'ornithologie, vous voudrez à tout prix observer les superbes **aras écarlates** qui fréquentent les environs de la **Reserva Biológica Carara** (voir p 309).

Golf

À **Caldera**, au sud de la ville de Puntarenas, vous pourrez pratiquer votre sport préféré au **La Roca Beach Resort and Country Club**.

Le complexe hôtelier **Los Sueños Marriott Beach & Golf Resort** (voir p 323) dispose aussi d'un golf mais un peu dénudé.

À **Playa Tambor**, un très joli parcours de golf à neuf trous attend les passionnés de la petite balle blanche au **Tango Mar Resort and Country Club** (☎289-9328 ou 683-0001).

Sports nautiques

À Punta Leona, il existe un organisme qui se spécialise dans les activités tirant profit de la mer et du Río Tárcoles tout proche: **J. D.'s Watersports** (☎256-6391). Pêche en haute mer, kayak de mer, plongée-tuba, planche à voile et excursions en rivière sont quelques-unes des possibilités proposées par les spécialistes de cette entreprise.

Hébergement

La région de Puntarenas

Assurez-vous d'avoir au moins un ventilateur dans votre chambre, car la ville de Puntarenas est chaude, spécialement durant la saison sèche.

Pour une raison étrange, tous les hôtels de Puntarenas pratiquent des prix exorbitants. Ils répondent généralement aux standards des *Ticos* voyageant au pays et demandent des prix pour la plupart disproportionnés.

Pensión Cabezas
$
bc, ⊗
Av.1, Calle 2/4, Puntarenas
☎661-1045
La Pensión Cabezas est sympathique, propre et vraiment pas chère. Les chambres sont assez petites.

Ayi Con
$-$$
bc/bp, ⊗, ≡
Calle 2, Av. 1/3, Puntarenas
☎661-0164 ou 661-1477
Situé près du marché, l'Ayi Con est propre mais

possède des chambres plutôt sombres.

Chorotega
$$
bc/bp
Calle 1, Av. 3, Puntarenas
☎*661-0998*
La propreté des chambres du Chorotega fait en sorte que l'hôtel présente un bon rapport qualité/prix pour les voyageurs à petit budget. Il est du reste situé près de la gare d'autocars du centre-ville.

Costa Rica Yacht Club
$$$
ec, ≈
Puntarenas
☎*661-0784*
⇆*661-2518*
À quelque 3 km à l'est du centre-ville mais toujours sur la péninsule, le Costa Rica Yacht Club propose de bonnes chambres so-bres. Sachez cependant que l'endroit est avant tout dédié aux membres du club. Mouillage gratuit pour les voiliers.

Imperial
$$$
bc/bp, ⊗
près de la Calle Central et du Paseo de los Turistas, Puntare-nas
☎*661-0579*
Le vieux bâtiment de bois de l'Imperial en charme plus d'un. Son emplace-ment, en face de la plage et près des arrêts d'autobus, s'avère avanta-geux. Les chambres à l'étage possèdent des balcons et offrent une vue sur le large. Les chambres du rez-de-chaussée sont cependant plus sombres.

Hotel La Punta
$$$
ec, ⊗, ≡, ≈, ℜ
Calle 35, Av. 1, Puntarenas
☎*661-1900*
⇆*661-0690*
Situé à l'ouest de la ville et près du débarcadère des traversiers, le petit Hotel La Punta est propre et tranquille. De plus, ses chambres disposent de balcon.

Hotel Tioga
$$$-$$$$ pdj
ec, bp, ≡, ≈, ℜ
Paseo de los Turistas, Calle 17/19, Puntarenas
☎*661-0271*
⇆*661-0127*
www.hoteltioga.com
Vieux de près de 40 ans, l'Hotel Tioga demeure couru. Les chambres, propres, offrent une vue sur l'océan ou sur la pis-cine. La salle à manger à l'étage, quant à elle, pro-cure une belle vue sur le large.

Las Brisas
$$$$
ec, bp, ≡, ≈
Paseo de los Turistas, Calle 31, Puntarenas
☎*661-4040*
⇆*661-2120*
Le Las Brisas possède de grandes chambres pro-pres.

Portobello
$$$$
ec, ≈, ≡, ℜ
Puntarenas
☎*661-2122 ou 661-1322*
⇆*661-0036*
Tout à côté du Yacht Club, l'hôtel Portobello propose des chambres plaisantes et un bon res-taurant. Ses parterres sont ravissants. Mouillage gratuit pour les voiliers.

Hotel Yadrán
$$$$$
ec, bp, tv, ≡, ≈
Paseo de los Turistas, Calle 35, Puntarenas
☎*661-2662*
⇆*661-1944*
L'Hotel Yadrán est un beau et grand complexe hôtelier (bar, casino, disco-thèque), en plus d'être stratégiquement situé presque au bout de la pointe de sable de la ville.

Le sud de la péninsule de Nicoya

Paquera

Sur le chemin descendant vers le traversier, on trouve des emplacements de **camping** *(2$/pers.)* rudimentaires. Informez-vous auprès du commis du petit marché d'alimen-tation situé à côté.

Cabinas y Restaurante Ginana
$
bp, ⊗, ℜ
☎*641-0119*
Le petit village de Paquera compte quelques pensions à prix modiques telles que les Cabinas y Restaurante Ginana, qui demeurent les plus populaires et les plus fréquentées de l'endroit. On y trouve une vingtaine de chambres modestes mais propres.

Au nord de Paquera

Playa Naranjo

Oasis del Pacífico
$$$ pdj
bp, ec, ⊗, ≈, ℜ
☎/⇆*661-1555*
Situé près du débarcadère du traversier de Puntare-nas, l'hôtel Oasis del Pacífi-

co compte 39 chambres avec salle de bain privée et eau chaude. La publicité de l'hôtel promet la nuitée gratuite si le soleil ne se pointe pas durant la journée! L'hôtel dispose d'une piscine, d'un court de tennis, d'un terrain de volley-ball, d'un restaurant et d'un bar.

De Paquera à Montezuma

Tambor

Ceux qui préfèrent le **camping** peuvent s'adresser au bar-restaurant **Los Gitanos** ou au **Camping y Soda Albergue Río Mar**.

Cabinas y Restaurante Cristina
$-$$
bc/bp, ⊗, ℜ
☎*683-0028*
Les Cabinas y Restaurante Cristina proposent des chambres à prix modique. Des six chambres, trois ont une salle de bain privée. Le restaurant sert une excellente cuisine, également à petit prix.

Hotel Dos Lagartos
$$
bc/bp, ⊗, ℜ
☎/⇌*683-0236*
Avoisinant le Tambor Tropical (voir plus bas), l'Hotel Dos Lagartos, qui fait face à la mer, dispose de chambres très simples mais propres avec salle de bain privée ou commune. Idéal pour ceux qui voyagent avec un petit budget dans ce coin de la péninsule où le prix des chambres est souvent exorbitant.

Cabinas y Restaurante Tambor Beach
$$
bp, ℜ
☎*683-0057*
Situées près de la rivière, les Cabinas y Restaurante Tambor Beach proposent des chambres modestes à petit prix.

Barceló Playa Tambor
$$$$$ tout inclus
bp, ec, ≡, ≈, ⊛, *tvc*, ℝ, ℜ
☎*683-0303*
⇌*683-0304*
www.barcelo.com
Le très imposant complexe hôtelier Barceló Playa Tambor offre aux visiteurs une formule «tout compris» qui comprend une multitude d'activités. L'hôtel dispose de 402 chambres, de restaurants, de piscines, de trois bars, d'une discothèque, etc. L'hôtel souffre cependant d'une réputation peu enviable due à ses nombreux démêlés avec les autorités du pays en raison de présumées violations des lois environnementales durant la construction du complexe.

🛏 Tango Mar
$$$$$ pdj
bp, ec, ⊛, ≡, ⊗, ≈, *tvc*, ℜ
☎*222-4637 ou 683-0001*
⇌*683-0003*
www.tangomar.com
Agréablement situé au bord de la mer et d'une belle plage de sable blanc, l'hôtel Tango Mar constitue un complexe luxueux de villégiature. Il propose différents types d'hébergement tels que des chambres spacieuses et confortables avec vue sur la mer, de vastes *cabinas* au toit de palmes construites sur pilotis et de somptueuses villas pouvant accueillir jusqu'à six personnes. Sur

le site, on trouve également un parcours de golf à neuf trous, une piscine, des sentiers, une cascade de 12 m, des courts de tennis, un terrain de volley-ball, etc. Parmi les activités organisées figurent l'équitation, la pêche sportive, la voile et les excursions en mer.

Tambor Tropical
$$$$$ pdj
bp, ec, ⊗, Č, ≈, ℜ
☎*683-0011*
⇌*683-0013*
www.tambortropical.com
Faisant face à la mer, dans un site où la végétation tient une place de choix, les 10 spacieuses *cabinas* du Tambor Tropical présentent une architecture attrayante. Chaque *cabina* comporte deux chambres sur deux étages, équipées d'une cuisinette. Celles du haut offrent une plus belle vue. À noter que les prix demeurent les mêmes toute l'année.
L'établissement se présente comme un lieu de calme et de repos pour les visiteurs désirant s'évader d'un milieu tumultueux de travail. C'est pourquoi les propriétaires américain tiennent à ce qu'on ne trouve pas de téléviseur, de télécopieur et de téléphone dans les chambres. De plus, la présence des enfants n'est pas encouragée. Outre la piscine avec bassin à remous et la plage à deux pas, différentes activités sont organisées dans la région.

Montezuma

Montezuma a longtemps souffert des campeurs insouciants qui venaient s'installer un peu partout sur la plage et autour du village. Il est donc recommandé, et plus sécuritaire, d'aller planter sa tente au camping **Rincón de los Monos** *(3$)*, situé près de la plage, à 400 m au nord du village. On y trouve des toilettes, des douches, un *soda* ainsi que divers articles en location (tentes, hamacs, planches de surf, vélos, etc.).

Cabinas El Tucán
$
bc, ⊗
☎642-0284
Appartenant depuis 1990 à une dame fort sympathique de la région, Marta Rodríguez, les Cabinas El Tucán comptent neuf petites chambres correctes et à petit prix. Cependant, les chiens de la maison semblent quelque peu bruyants.

Hotel Lucy
$
bc, ec, ℜ
☎642-0273
Face à l'hôtel Los Mangos, l'Hotel Lucy dispose de chambres très simples à prix modiques. Ce petit hôtel rustique en bois fut érigé en bordure de la mer. Le restaurant sert une cuisine typiquement costaricienne. On y trouve également une boutique de souvenirs.

Hotel Moctezuma
$-$$
bc/bp, ⊗, ℜ
☎642-0258
⇋642-0058
L'Hotel Moctezuma est situé au centre du village, tout près de la plage. On y trouve 32 chambres à petit prix, dont certaines avec salle de bain privée. L'endroit est cependant bruyant car le restaurant

et le bar, qui offre une belle vue sur la mer, demeurent très fréquentés.

Hotel La Aurora
$$
bp/bc, ⊗, ≡, ℜ
☎642-0051
⇋642-0025
Adjacent au parc municipal, sur la rue principale, l'Hotel La Aurora possède neuf chambres et un appartement avec terrasse privée pouvant loger jusqu'à cinq personnes. De cet hôtel en bois se dégage un charme vieillot avec ses nombreux hamacs et sa bibliothèque. Le déjeuner *(2-3)* est servi entre 7h et 11h, alors que le café, le thé et l'eau purifiée sont offerts gratuitement tout au long de la journée.

Cabinas Linda Vista
$$-$$$
bp, ec, ⊗, ℜ
☎642-0274
⇋642-0104
Situées à moins de 2 km de Montezuma, les Cabinas Linda Vista sont sept *cabinas* pouvant accueillir jusqu'à quatre personnes. Chaque *cabina* possède un réfrigérateur, une terrasse et des hamacs, en plus d'offrir une excellente vue sur la mer, en contrebas. Le propriétaire, Arnoldo Rojas, habite une maison près des *cabinas*.

Hotel La Cascada
$$$
bp, ⊗, ℜ
☎/⇋642-0057
L'Hotel La Cascada tire son nom du fait qu'il est situé près du sentier menant à l'imposante cascade du Río Montezuma. Les 14 chambres sont simples mais propres. Les propriétaires William et Viky

Sánchez s'occupent également du restaurant, à côté de l'hôtel, où l'on sert une cuisine typique, composée entre autres de fruits de mer frais.

🐚 El Jardín
$$$
bp, ec, ⊗, ≡, ℜ, ℝ
☎642-0074
www.hoteleljardin.com
Les superbes chambres revêtues de bois de l'hôtel El Jardín invitent au confort et à la détente. Chaque chambre est dotée d'une terrasse avec vue sur la mer. L'hôtel, situé légèrement à l'écart, est entouré de beaux jardins et d'une nature luxuriante. Le restaurant prépare une cuisine italienne. On y trouve également un kiosque d'information ainsi qu'une petite boutique de souvenirs.

🌴 Amor de Mar
$$$-$$$$
bc/bp, ec, ⊗, ℜ
☎/⇋642-0262
Il suffit de passer le pont du Río Montezuma pour arriver à l'hôtel Amor de Mar, propriété de Richard et Ori Stocker. L'hôtel a été érigé sur un magnifique terrain faisant face à la mer et bordé par le Río Montezuma. Les chambres, au rez-de-chaussée ou à l'étage, sont joliment décorées et confortables. Certaines ont une terrasse privée et offrent une vue sur la mer. L'emplacement est parsemé de palmiers où sont suspendus de nombreux hamacs. Lors du petit déjeuner et du déjeuner, on sert entres autres du pain et du yogourt maison.

Los Mangos
$$$-$$$$
bp/bc, ec, ⊗, ≈, ℜ
☎642-0076
⇄642-0259
www.hotellosmangos.com
À environ 400 m du village, en direction de Cabuya, l'hôtel Los Mangos compte 10 chambres ainsi que 10 bungalows, en plus d'une charmante piscine. Dans le bâtiment principal, certaines chambres ont une salle de bain privée. Les bungalows de bois, joliment décorés, possèdent une salle de bain privée avec eau chaude, une terrasse et des hamacs. Le restaurant sert une bonne cuisine italienne.

⚓ Finca Los Caballos
$$$$
bp, ec, ⊗, ≈, ℜ
☎/⇄642-0124
www.naturelodge.net
Sise en montagne à 3 km de Montezuma, la Finca Los Caballos offre une magnifique vue sur la forêt et la mer. Conçue et construite par la Canadienne Barbara MacGregor, cette petite ferme aux allures de ranch espagnol compte huit jolies et confortables chambres avec terrasse. Ce lieu est propice à la détente, notamment grâce à la piscine revêtue de carreaux de céramique bleus entourée d'un jardin tropical. Le restaurant, à aire ouverte, sert une cuisine internationale de qualité. Passionnée d'équitation, Mme MacGregor organise différentes excursions dans les environs.

Hotel El Tajalín
$$$$
bp, ec, ℜ, ≡, ⊗
☎642-0061
⇄642-0527
www.tajalin.com
L'Hotel El Tajalín, tenu par des Italiens, compte 12 chambres propres et confortables, dont quatre sont munies de climatiseurs. Au dernier étage, une caféteria dévoile une vue sur la mer.

⚓ El Sano Banano Beach Bungalows
$$$$
bp, ⊗, ℝ, ≈
☎642-0638 ou 642-0636
⇄642-0068
Magnifiquement situées au bord de la plage, à une quinzaine de minutes à pied du village, les *cabinas* des El Sano Banano Beach Bungalows appartiennent à Lenny et Patricia Iacono, aussi propriétaires du restaurant du même nom situé dans le village. Informez-vous au comptoir de ce dernier si vous n'avez pas de réservation, car, l'hôtel se trouvent un peu à l'écart, vous ne pouvez pas vous y rendre par vous-même. Qui plus est, pour l'atteindre, vous devrez laisser votre voiture au village (stationnement sécuritaire) et embarquer âme et biens à bord d'un vieux 4X4 de brousse qui vous conduira, par la plage et donc en fonction de l'heure des marées (renseignez-vous auparavant si vous ne voulez pas être obligé d'attendre), jusqu'aux bungalows, lesquels sont en fait de petites chambres rondes surmontées d'un toit en dôme. Plantés face à la mer ou campés dans la colline à travers la végétation, les bungalows sont

reliés par un sentier qui s'illumine à la tombée de la nuit, créant le plus bel effet. Pas très éloignés les uns des autres, ils n'en constituent pas moins des retraites paisibles, attirant principalement des gens venus se reposer. Murs recouverts de chaux, persiennes de bois et couvre-lits colorés meublent ces petites maisons accueillantes qui laissent entrer, surtout le soir venu, les bruits de la nature environnante. Devant chacune des maisonnettes, de larges portes s'ouvrent sur un balcon avec un hamac tendu sous les palmiers. Sur le côté, on a encastré la douche, à l'extérieur! Un bâtiment abritant six chambres est aussi disponible. La magnifique piscine comporte une cascade. Même si l'hôtel n'est pas doté de restaurant, les chambres sont équipées du minimum, tel un réfrigérateur, mais vous devrez marcher sur la plage jusqu'au village pour prendre un repas complet. Le retour au clair de lune ne peut qu'ajouter à tout ce romantisme…

Au sud de Montezuma

Cabinas El Yugo
$$
bp, ⊗, ℂ
☎642-0303
À Cabuya, près de la mer, les Cabinas El Yugo sont cinq jolies *cabinas* pouvant accueillir jusqu'à quatre personnes chacune; elles sont pourvues d'une cuisinette et d'une salle de bain privée, et sont louées à petit prix. Les clients peuvent utiliser gratuitement la machine à laver.

Cabinas Las Rocas
$$$
bc/bp, ⊗, ℂ, ℜ
☎/≈*642-0393*
À 2,5 km de Montezuma, faisant face à la mer, les Cabinas Las Rocas proposent différents types d'hébergement. D'abord, dans la maison familiale qu'occupent également les membres de la famille de Reto Müller et Gisella Di Falco, se trouvent quatre chambres simples et propres avec salle de bain à partager. Dans un bâtiment voisin, il y a deux chambres avec salle de bain privée et cuisine complète. La chambre du rez-de-chaussée peut accueillir deux personnes, alors que celle à l'étage peut loger trois personnes. Le petit restaurant, à aire ouverte, sert une cuisine saine où les aliments frais occupent une place de choix.

🦂 El Ancla de Oro
$$$
bc/bp, ⊗, ℂ, ℜ
☎/≈*642-0369*
Situé à 7 km de Montezuma et à 2 km de Cabo Blanco, le restaurant (voir p 336) et *rancho* El Ancla de Oro propose aux visiteurs un séjour en pleine nature dans des *cabinas* traditionnelles dont certaines sont dotées d'une cuisinette. Dans le bâtiment principal, trois petites chambres peuvent être louées. Différentes activités, dont la randonnée à cheval et des excursions en mer, y sont proposées.

🦂 Hotel Celaje
$$$
bp, *ec*, ⊗, ≈, ⊗, ℜ
☎/≈*642-0374*
L'Hotel Celaje, magnifiquement situé au bord de la plage de sable blanc, propose sept superbes *cabinas* à toit de palmes avec rez-de-chaussée et chambre à l'étage. La piscine, entourée de palmiers, est l'une des plus belles de la région. Le bar-restaurant, à aire ouverte, sert une cuisine internationale. Plusieurs activités nautiques et terrestres sont organisées.

Au nord-ouest de Cabo Blanco

Malpaís

Cabinas Mar Azul
$-$$$
bp, ⊗, ℜ
☎/≈*640-0098*
Bien situées en bordure de la mer, les Cabinas Mar Azul sont aussi un lieu de rencontre où l'on vient jouer au billard et bavarder au bar. Les *cabinas* semblent quelque peu négligées, mais sont offertes à prix modique. On peut également y planter sa tente et ainsi avoir accès aux douches et aux toilettes.

🦂 Surf Camp & Resort
$-$$$
bc/bp, *ec*, ⊗, ≈, ℜ
☎/≈*640-0061*
www.malpaissurfcamp-.com
Comme son nom l'indique, le Surf Camp & Resort est l'endroit approprié pour ceux qui sont attirés par les vagues réputées de la région. On peut y loger dans de simples mais jolis abris, dans des *cabinas* ou dans une superbe maison spacieuse et confortable. L'aménagement paysager est très joli, et la grande piscine est des plus invitantes. On peut suivre un cours d'initiation au surf ou simplement louer une planche de surf ou un vélo de montagne à la journée. L'établissement dispose également d'un restaurant (voir p 336), d'un bar et de tables de billard.

Cabinas Bosque Mar
$$
bp, *ec*, ⊗, ℜ
☎*640-0074*
Les Cabinas Bosque Mar proposent des *cabinas* propres et confortables pouvant loger jusqu'à quatre personnes. Il est également possible de louer une petite cuisinière à gaz.

🦂 Star Mountain Eco Resort
$$$$ *pdj*
bp, *ec*, ⊗, ≈, ℜ
☎*640-0102*
≈*640-0101*
www.starmountaineco.-com
Situé à 2 km de Malpaís, sur le petit chemin qui relie Malpaís et Cabuya, le Star Mountain Eco Resort constitue un excellent lieu de détente et de repos en montagne sur un vaste domaine de 87 ha. Les quatre chambres, d'une extrême propreté, sont aussi jolies que confortables. La longue terrasse recouverte et parsemée de chaises berçantes invite à la détente. Tout à côté, une vieille maison de bois peut héberger une famille ou des groupes. Le bar-restaurant (voir p 336), à aire ouverte, sert une excellente cuisine. La piscine, avec son bassin à remous, est entourée d'une riche et dense forêt grouillante de vie.

Sunset Reef Marine Lodge
$$$$$
bp, ec, ≡, ⊗, ≈, ℜ
☎/⇄640-0012
À l'extrémité sud de Malpaís, presque à la limite de la réserve de Cabo Blanco, le Sunset Reef Marine Lodge est magnifiquement situé sur une pointe rocheuse s'avançant dans la mer. Cette pointe ornée de merveilleux jardins offre de magnifiques couchers de soleil: prenez le temps de bien vous allonger dans un des hamacs, apéro à la main! La piscine, avec bassin à remous et petite chute, est entourée de verdure et de plantes tropicales. Les 14 chambres, toutes de bois revêtues, sont grandes, confortables et très propres. Les repas sont excellents au Sunset. Un sympathique couple belge, Nathalie et Éric, s'affaire à rendre le séjour agréable et relaxant. Parmi les différentes activités proposées (pêche, plongée sous-marine, kayak, équitation, etc.), il en est une tout aussi agréable qu'instructive: tôt le matin, le gérant de l'hôtel, William Granados, anime une petite balade d'observation de la nature dans les environs. Passionné d'ornithologie, William vous renseignera sur les 83 espèces d'oiseaux recensées jusqu'à présent, en plus de vous fournir des informations sur la flore et les différentes espèces animales fréquentant la région.

Santa Teresa

Cabinas Camping Zeneida's
$
bc, ℜ
☎640-0118
Donnant directement sur la plage, les Cabinas Camping Zeneida's proposent quelques chambres simples et rustiques à petit prix. On peut également y planter sa tente pour quelques dollars. La responsable des lieux, Zeneida, prépare de succulents repas à condition qu'on la prévienne à l'avance. De plus, les prix pour les chambres, le camping ou les repas semblent facilement négociables avec la sympathique dame.

Cabinas Santa Teresa
$-$$
bp, ⊗, ℂ
☎/⇄640-0137
Gérées par un monsieur à l'allure décontractée, les Cabinas Santa Teresa sont situées en face du Saloon Laura Amarilla, soit à environ 200 m de la mer. Des huit *cabinas*, deux sont équipées d'une cuisinette. Les chambres sont grandes, propres et peu chères.

Cabinas El Bosque
$$
bp, ℂ
☎640-0104
Situées dans la forêt, à une centaine de mètres de la route, les trois Cabinas El Bosque peuvent accueillir jusqu'à quatre personnes chacune. Les *cabinas*, de forme triangulaire, sont simples mais propres, avec la chambre à l'étage. Le sympathique propriétaire costaricien, Gladio Montoza Villagas, habite une jolie maison au bord de la route.

Frank's Place
$$
bp
☎640-0096
⇄640-0071
www.frankplace.com
Située entre Malpaís et Santa Teresa, là où la route grimpe en direction de Cobano, Frank's Place, réputée pour son restaurant (voir p 336), loue également quatre chambres et trois *cabinas* propres et confortables.

Tropico Latino Lodge
$$$$
bp, ec, ⊗, ≈, ℜ
☎/⇄640-0062
Donnant directement sur la magnifique plage de sable blanc, le Tropico Latino Lodge compte six charmants et confortables bungalows de conception italienne. Spacieux et joliment décorés, ils ont une grande terrasse où il fait bon se détendre dans un hamac. Les gérants, Steeve et Florencia, tiennent à ce que l'endroit demeure paisible et tranquille. La piscine, avec son bassin à remous qui est presque à même la plage, vaut à elle seule le séjour. Un restaurant (voir p 336) complète le décor.

La région au sud de Puntarenas

De Puntarenas à Jacó

Cabinas Paradise
$$$
ec, ≈
sur la route San José – Jacó
☎*228-9430*
Un peu au nord de Punta Leona, les Cabinas Paradise sont un peu en retrait de la route dans un petit quartier résidentiel, lui-même entre la route et la mer. Ce sont des *cabinas* en *A* assez près les unes des autres, certaines sur deux étages, l'étage supérieur logeant les chambres à coucher. Le tout est aménagé sans grande recherche, mais le confort des maisonnettes est correct.

Villa Lapas
$$$$
ec, bp, ≈, ℜ
au début du chemin menant à la Catarata Manantial Agua Viva depuis la route San José – Jacó
☎*222-5191*
⇌*222-3450*
www.villalapas.com
Si demeurer au bord de la plage n'est pas une priorité pour vous, peut-être que l'hôtel Villa Lapas pourra vous séduire. L'hôtel est en effet situé au bord d'une rivière et dans une forêt, toutes deux très sonores. Dîner au très joli restaurant de l'hôtel est d'ailleurs une excellente occasion de s'entourer de tous ces bruits de la nature (voir p 338). Les chambres du Villa Lapas, en enfilade dans un bâtiment, sont standards dans leur aménagement (design avec

bois), mais sont très propres. Minigolf.

Leona Mar
$$$$$
ec, bp, ≈, ℜ
tout près du Punta Leona Mar, mais sur Playa Blanca
☎*231-3131*
⇌*232-0791*
www.hotelpuntaleona.com
Le Leona Mar est un complexe de condominiums très jolis sur une colline surplombant Playa Blanca, pas très loin du Punta Leona Resort, dont il est partie prenante, mais bien isolé dans la nature. Les condos sont vraiment tout équipés: four à micro-ondes, lave-vaisselle, laveuse et sécheuse, etc. Le design des habitations est très gai, avec le recours aux tons pastel qui se marient bien avec l'été éternel de la région. On doit louer pour un minimum de trois nuitées. Les services du Punta Leona Beach and Resort (voir ci-dessous) sont disponibles aux clients du Leona Mar.

Punta Leona Beach and Resort
$$$$$
ec, bp, tvc, ≡, ≈, ℝ, ℂ, ℜ
quelques kilomètres au nord de Herradura
☎*231-3131*
⇌*232-0791*
www.hotelpuntaleona.com
Le Punta Leona Beach and Resort s'est installé aux abords des plages de Punta Leona et de Blanca. S'étendant sur un grand terrain dont une partie est restée vierge, ce grand complexe mérite son nom: on y trouve toutes sortes d'installations et services (terrains de *fútbol*, de basket-ball, de volley-

ball, salles de conférences, discothèque, pataugeoire, boutique de souvenirs, etc.) et de types d'hébergement (chambres standards, chalets à une ou deux chambres avec salon et cuisinette ou appartements). L'aménagement général est assez joli, et l'endroit est idéal pour la famille. L'hôtel occupe l'essentiel des accès à la plage de Punta Leona. Une navette peut également vous conduire à Playa Blanca, tout près.

Fiesta Resort
$$$$$$
bp, ec, tvc, ≡, ≈, ☉, ℜ
11 km au sud-est de Puntarenas
☎*663-0808*
⇌*663-1516*
www.fiestaresort.com
Près de la Playa Doña Ana, l'Hotel Fiesta est un luxueux hôtel. Le terme «complexe hôtelier» lui irait définitivement mieux: en marge des centaines de chambres qu'il compte, le Fiesta possède également des suites ainsi que des condominiums. Il a un accès direct à la plage et compte un certain nombre de restaurants. Les piscines ne manquent pas, non plus que les courts de tennis et les terrains de volley-ball. Évidemment, un casino, des salles de conférences ainsi qu'une salle de gymnastique complètent le tout. Possibilités d'excursions en mer.

⛵ Villa Caletas
$$$$$$
bp, ec, ⊗, ≡, ≈, ℜ
☎*637-0606*
⇌*637-0404*
www.hotelvillacaletas.com
Ah, la Villa Caletas! Son isolement du reste du voisinage, son emplace-

ment sur un immense piton rocheux dominant les environs, son aménagement paysager le mariant à son environnement naturel, son architecture victorienne aérée, le design intégré de ses chambres, son service de premier ordre, tout concourt à faire de cet établissement un endroit de rêve. Deux illustrations pour vous en convaincre. Les concepteurs de la piscine de l'hôtel, construite sur une falaise de la montagne, ont su tirer profit de l'étalement de la vue sur la mer à cet endroit pour concevoir un bassin se mariant en perspective à l'océan. L'endroit est également l'une des étapes du Festival Internacional de Música de Costa Rica, parce que l'hôtel possède un magnifique amphithéâtre en plein air. Vous vous imaginez écouter un concert de musique avec une vue imprenable en surplomb sur le golfe de Nicoya? Ce raffinement se poursuit jusque dans votre chambre bien sûr, peu importe celle que vous aurez choisie. Certaines comptent jusqu'à une piscine et un jardin privés, mais toutes sont décorées avec beaucoup de goût. Pour vous croire sur un bateau, louez la chambre n° 30, toute construite en bois de teck, dont un mur complet, même dans la salle de bain, s'ouvre sur la mer au loin, en contrebas… Bonne traversée! Seul hic peut-être, le restaurant, dont la cuisine n'est pas à la hauteur d'un tel établissement.

Los Sueños Marriott Beach & Golf Resort
$$$$$$
bp, ec, ≡, ℜ, ℝ, ≈
Playa Herradura
☎*630-9000 ou 298-0000*
≈*630-9090*
www.lossuenosresort.com
Le dernier-né des grands complexes hôteliers de la région a ouvert ses portes à l'automne 1999. Membre de la chaîne internationale Marriott, il porte certes bien son nom. En effet, le Los Sueños (les rêves) est un endroit de rêve! À ces grands bâtiments qui font face à la mer, on a voulu donner un style rustique. Le hall vous accueille sous un toit voûté en brique, soutenu par une série d'arches qui donnent le plus bel effet. Tous les toits sont ici recouverts de tuiles rouges qui se marient à l'ocre des murs. Partout dans les aires communes, qui sont nombreuses, on a disposé des œuvres aux styles divers. Certaines étonnent, comme cette vieille barque de bois sur laquelle on a accroché des bouteilles contenant des messages… Des objets, aussi, ajoutent à la rusticité, comme ces grandes urnes ou ces lustres en fer forgé. La plupart des aires communes vous mèneront à l'arrière du bâtiment, où vous verrez miroiter les bassins et canaux de la superbe piscine qui côtoie la plage, mais qui n'est pas la plus invitante des environs. Toutefois, le long quai qui sectionne la plage attire des navires de plaisance et permet de pratiquer plusieurs sports nautiques. Un kiosque met d'ailleurs à la disposition

des hôtes l'équipement requis pour une belle brochette d'activités. À l'arrière se trouvent aussi les restaurants et bars de l'hôtel, comme le Vista, pour casser la croûte au bord de la piscine, ou le Nuevo Latino, pour faire des découvertes culinaires… Après tout cela, que dire des chambres! Quelque 200 chambres, réparties sur quatre étages le long de couloirs au décor un peu froid, qui se révèlent tout simplement ravissantes. Avec leur plancher de bois et de céramique, leur mobilier neuf, leur décoration parfaitement réussie ainsi que leur grande et magnifique salle de bain, elles conviendront à qui recherche luxe et confort. Certaines offrent une vue sur la mer, d'autres regardent vers le terrain de golf qui occupe tout le devant de l'hôtel, mais qui, pour le moment, sans doute faute de végétation mature, a un peu piètre allure. Bref, un complexe comme il y en a tant, mais affichant un look splendide!

La région de Jacó

Cabinas Antonio
$
bp, ec
300 m au nord du Best Western Jacó Beach Resort, à l'angle de la rue longeant la plage, à l'extrémité nord de Playa Jacó
☎*643-3043*
Les Cabinas Antonio se présentent comme un petit établissement familial proposant des chambres sans grand décor mais propres.

Cabinas Clarita
$
bp, ⊗
Playa Jacó
☎*643-3013*
Les Cabinas Clarita proposent des chambres simples offrant un confort minimum, sans aucun aménagement extérieur, mais véritablement accolées à la plage. Idéal pour les surfeurs qui ne se préoccupent que de plage, de soleil et de mer.

La Cometa
$-$$ bc/bp
⊗
rue principale, Playa Jacó
☎/⇋*643-3615*
Les propriétaires canadiens de La Cometa proposent des chambres propres à l'aménagement simple mais correct.

Le long des rues menant du boulevard principal de Jacó vers la plage, il existe toute une série de petits hôtels et motels tirant profit au maximum des terrains étroits et profonds de ce secteur. C'est le cas notamment, sur une de ces rues très animées du cœur de la ville, des **Cabinas Sol y Palmeras** (*$$*), de petites *cabinas* sans prétention.

Cabinas Kalu
$$
☎*643-1107*
Les Cabinas Kalu, dont la propriétaire est Canadienne, sont des habitations peut-être un peu plus propres et plus modernes que celles des voisins. Vous partagez cependant la terrasse extérieure avec les autres occupants de l'hôtel.

Aparthotel Gaviotas
$$
ec, bp, tvc, ⊗, ℂ, ≈
25 m au nord et 50 m à l'est du Banco Nacional de Costa Rica, Playa Jacó
☎*643-3092*
⇋*643-3054*
L'Aparthotel Gaviotas offre en location 12 appartements avec une cuisine complète, un petit salon, une chambre à coucher dans une pièce distincte ainsi qu'une terrasse donnant sur la piscine. Tout ça pour un prix relativement modeste. Dommage que le complexe fasse quelque peu «béton» et soit enserré si étroitement autour de la piscine.

Cabinas Alice
$$
≈, ℜ, ℂ
100 m au sud de la Croix-Rouge, sur une des rues qui mènent à la plage, Jacó
☎/⇋*643-3061*
Les Cabinas Alice, joliment aménagées, bénéficient d'une terrasse presque privée. De plus, le terrain avoisine la plage. Possibilité de louer un appartement avec cuisinette complète.

Cabinas Jacó Colonial
$$
ec, bp, ≈
de biais aux Cabinas Naranjas, sur la route menant à l'hôtel Club del Mar, Playa Jacó
☎*643-3727*
Les Cabinas Jacó Colonial consistent en une dizaine de chambres réparties sur les deux étages d'un bâtiment situé sur un terrain exigu, comme la plupart des motels ponctuant les petites rues transversales de Jacó. Toutefois, son aménagement paysager réussit assez bien à l'isoler de ses voisins (présence d'une frondaison), d'autant

plus que le bâtiment, d'une certaine facture architecturale, n'accapare que peu d'espace.

Cabinas Mar de Plata
$$
Jacó
☎*643-3580*
Les Cabinas Mar de Plata conviennent aux petits budgets et sont fréquentées par les surfeurs, notamment.

Cabinas Roble Mar
$$
sur une des rues qui mènent à la plage, Jacó
☎*643-3173*
Les Cabinas Roble Mar, une série de petites *cabinas* en rangée construites sur un des terrains étroits et profonds du secteur, sont relativement propres et très courues par les surfeurs, étant donné la proximité de la plage.

Chalets Santa Ana
$$$
ec, bp, ⊗
Playa Jacó
☎*643-3233*
Les Chalets Santa Ana, qui peuvent accueillir cinq personnes chacun, ont un aménagement assez simple, mais sont propres et corrects. Cependant, ils ne donnent pas directement sur la plage et sont assez éloignés du cœur de la ville. Possibilité de location de chambres ou de *cabinas*.

Apartamentos El Mar
$$$
ec, bp, ≈, ⊗, ℂ
Playa Jacó
☎*643-3165*
⇋*272-2280*
Les Apartamentos El Mar sont propres et tranquilles, profitant d'un aménagement extérieur assez joli.

Les appartements, dans un bâtiment enserrant une belle grande piscine, comportent une cuisine complète ainsi qu'une terrasse assez isolée des voisins.

Aparthotel Flamboyant
$$$
ec, bp, ⊗, ℂ
Playa Jacó
☎*643-3146*
⇆*643-1068*
L'Aparthotel Flamboyant est agréablement tranquille. De plus, les *villas-cabinas* sont très bien conçues: de belles et grandes terrasses à l'avant bien isolées les unes des autres, une belle petite cuisine et une jolie salle de bain, le tout en carreaux de céramique propres et blancs. L'aménagement paysager est mature, ce qui protège bien l'établissement des environs potentiellement bruyants du cœur de la ville. En plus, vous avez directement accès à la plage.

Apartamentos Nicole
$$$
ec, bp, ℂ
rue principale, Jacó
☎*643-3384*
Les Apartementos Nicole, derrière les magasins du même nom, proposent des chambres avec cuisine complète dans un espace assez grand mais plutôt sombre, le tout réuni sur un petit terrain sans aménagement.

Balcón del Mar
$$$
ec, ≈, bp, ≡, ℝ
à côté de la station de police, le long de la plage, Playa Jacó
☎*⇆643-3251*
L'hôtel Balcón del Mar porte bien son nom. Il offre en effet en location sur trois étages une série

de chambres prolongées de petits balcons ayant vue sur la piscine et la plage tout près. Les balcons sont en retrait les uns par rapport aux autres pour augmenter l'intimité.

Hotel Arenal Sol
$$$
ec, ⊗
sur la plage, Playa Jacó
☎*643-3419 ou 643-3770*
⇆*643-3730*
Un petit ruisseau traverse la propriété de l'Hotel Arenal Sol, ce qui contribue à donner un beau charme à l'ensemble de l'établissement qui, par ailleurs, propose des chambres simples et jolies, sans terrasse extérieure cependant.

Hotel Mango Mar
$$$
ec, bp, ≡, ≈, ℂ
Playa Jacó
☎*⇆643-3670*
Malgré son nom, l'Hotel Mango Mar propose de petits appartements plutôt que des chambres. L'aménagement extérieur du Mango Mar est assez réussi, étant donné la relative exiguïté des lieux. Puis la piscine et la plage, tout à côté, sont invitantes.

Marparaíso
$$$
bp, ⊗, ⊛, ≈, ℜ
vers l'extrémité sud de la plage, Playa Jacó
☎*240-4053*
⇆*236-6826*
www.hotelmarparaiso.-com
Le Marparaíso est essentiellement destiné aux groupes. Les patios sont de bonnes dimensions, mais l'aménagement des chambres est assez quelconque, de même que

l'accueil. Populaire surtout auprès des *Ticos*.

Mar de Luz
$$$
ec, bp, ≡, ℂ, *≈*
sur une des rues qui part de la rue principale vers l'intérieur des terres, Jacó
☎*⇆643-3259*
Le Mar de Luz est la propriété d'un Hollandais fort sympathique qui parle le français. Son hôtel est très propre et l'aménagement de l'endroit réussi: belle utilisation du bois et de la pierre, agréable cuisinette-salle à manger dans les chambres, de même qu'un ameublement de bon goût sur les terrasses des chambres. Vous devrez marcher un peu pour vous rendre à la plage.

Paraíso del Sol
$$$
bp, ec, ⊗, ≡, ℂ, *≈*
à 100 m de la fabrique de glace, Playa Jacó
☎*643-3250*
⇆*643-3137*
Le Paraíso del Sol est un petit complexe très enserré autour d'une piscine. L'endroit risque donc de devenir bruyant lorsque plusieurs personnes se baignent à la piscine par exemple, d'autant plus que les terrasses des chambres sont peu isolées les unes des autres. Par ailleurs, l'ensemble laisse peu de place à la verdure. Service de buanderie.

Hotel Pochote Grande
$$$
ec, bp, ≈
Playa Jacó
☎*⇆643-3236*
L'Hotel Pochote Grande est reconnaissable à l'immense arbre (*pochote*) qui trône sur la propriété de l'hôtel. Les chambres

Côte Pacifique centrale

du Pochote Grande sont assez grandes, propres, simples, avec de grandes terrasses et de bonnes fenêtres. L'aménagement extérieur est très joli avec une belle végétation mature, tout à côté de la plage. Idéal pour se reposer.

Villas Estrellamar
$$$
ec, *bp*, ⊗, ≡, ≈, ℂ
Jacó
☎*643-3102*
⇄*643-3453*
Les Villas Estrellamar sont de belles grandes villas assez isolées les unes des autres, offrant tous les services nécessaires pour un séjour agréable plusieurs nuitées et accueillant jusqu'à cinq personnes chacune. Les terrasses sont de bonnes dimensions, et l'aménagement extérieur est très réussi, laissant assez de place à la nature. L'Estrellamar est d'ailleurs très couru; il faut donc réserver à l'avance. Le propriétaire parle le français. À faible distance de marche de la plage.

Cabinas El Coral
$$$
bp, ≡, ≈, ℂ, *tvc*
100 m au nord et 75 m à l'est du Supermercado Rayo Azul, Playa Jacó
☎*643-3133*
Les Cabinas El Coral proposent de belles grandes habitations avec cuisinette et salon. L'aménagement général est plutôt simple, mais le tout est propre. L'endroit risque peut-être d'être un peu bruyant, le complexe, très «béton», entourant la piscine.

Hotel Zabamar
$$$-$$$$
⊗, ≡, *ec*, *bp*, ≈, ℝ, ℜ
Playa Jacó
☎/⇄*643-3174*
Sur un petit terrain regroupant les installations, les Cabinas Zabamar sont propres et d'aménagement simple et correct.

🌴 Club del Mar
$$$-$$$$$
ec, *bp*, ≈, ≡, ℂ, ℜ
Playa Jacó
☎/⇄*643-3194*
Au sud complètement de la plage de Jacó, dans une section retirée quelque peu du tohu-bohu de la ville, l'hôtel Club del Mar propose un lieu de villégiature fort sympathique en même temps qu'un très bel aménagement. Sur un grand terrain donnant directement sur la plage, les propriétaires ont su marier la nature à leur établissement. Les chambres, de quatre types, sont décorées avec goût et possèdent pour la plupart un balcon privé. L'endroit offre même une belle grande aire de lecture pour l'ensemble des clients. L'intérêt premier de séjourner au Club del Mar est la gentillesse des propriétaires, sympathiques et discrets à la fois, ils se font un réel plaisir d'organiser des visites dans les environs pour les touristes. Le restaurant est spécialisé dans les fruits de mer et les chateaubriands.

Hotel Copacabana
$$$$-$$$$$
≡, ℂ, *bp*, *ec*
Playa Jacó
☎*643-1005*
⇄*643-3131*
www.copacabanahotel. com
L'Hotel Copacabana est tout indiqué pour les sportifs actifs et... passifs. On peut vous louer divers équipements de sport ou de détente (chaises de plage, kayaks, etc.), ou vous pouvez vous contenter de regarder différentes activités sportives à la télévision (par satellite) de l'hôtel. Possibilité de louer des appartements avec cuisinette et salon. L'hôtel vieillit quelque peu, et ses chambres sont peut-être un peu défraîchies. Le propriétaire est sympathique et contribue à faire des lieux le rendez-vous des surfeurs.

Tropical Paradise
$$$$
ec, *bp*, ≡, *tvc*, ℂ, ≈
Playa Jacó
☎*256-0091*
⇄*256-0027*
Les condominiums Tropical Paradise forment un véritable petit village quasi autonome dans la ville de Jacó, avec ses rues et son centre de services au cœur de l'agglomération. Ce sont normalement des unités d'habitation à vendre (tout équipées), mais il est possible de les louer.

Barceló Amapola
$$$$
ec, *bp*, ≡, *tvc*, ⊛, ≈, ℜ
vers la sortie sud de la ville, Jacó
☎/⇄*798-0816*
www.barcelo.com
L'hôtel Barceló Amapola propose des chambres ainsi que trois maisonnet-

tes au beau décor et au confort sans compromis. Tout l'ensemble a fait d'ailleurs l'objet d'un aménagement soigné, tant à l'intérieur (aires de séjour communes, restaurant, etc.) qu'à l'extérieur. Les terrasses des chambres sont bien isolées les unes des autres. L'Amapola abrite un restaurant italien (voir p 337). À une bonne distance de la plage (500 m) et du cœur de la ville (2 km).

Aparthotel Sole d'Oro
$$$$
bp, ec, ≡, ≈
Playa Jacó
☎*643-3172*
⇄*643-3441*
L'Aparthotel Sole d'Oro se dresse sur un terrain très exigu où se trouve une petite piscine. Peu d'aménagement extérieur par conséquent. L'intérieur est simple et propre.

Hotel Jacó Fiesta
$$$$
bp, ec, ≡, tvc, ℂ, ℝ, ≈, ℜ
Playa Jacó
☎*643-3147*
⇄*643-3148*
www.jacofiesta.co.cr
L'Hotel Jacó Fiesta s'appuie sur une renommée quelque peu surfaite, à notre avis, pour attirer sa clientèle. Les chambres sont assez ordinaires, et l'on a peine à croire que cet hôtel ait pu gagner des prix pour son volet écologique, comme le dit sa publicité. L'aménagement extérieur est correct, certes, mais ne témoigne pas particulièrement d'une préoccupation d'intégration à la nature environnante.

Hotel Tangeri
$$$$
ec, bp, ≈
rue principale, Playa Jacó
☎*643-3001*
⇄*643-3636*
www.hoteltangeri.com
L'Hotel Tangeri est étonnamment bien aménagé. Une dizaine de petites villas jolies de l'extérieur et propres à l'intérieur peuvent loger jusqu'à huit personnes chacune. Situées le long d'une belle petite allée menant à la piscine, elles réussissent à créer une ambiance de petit chalet d'été avec leur grande terrasse. Il y a même un terrain de volley-ball et une pataugeoire pour les enfants.

Villas Miramar
$$$$ pdj
ec, bp, ⊗, ℂ, ≈
Playa Jacó
☎*643-3003*
⇄*643-3617*
Les Villas Miramar sont propres, de bon goût et très isolées sur leur terrain relativement petit au cœur de la ville. L'aménagement paysager est sans faille, et le tout est très tranquille, et ce, même à deux pas de la plage. Bon rapport qualité/ prix.

Best Western Jacó Beach Resort
$$$$$
ec, bp, ≈
Playa Jacó
☎*643-1000*
⇄*643-3246*
En tant que gros complexe hôtelier de la chaîne, le Best Western Jacó Beach Resort est très fréquenté par les touristes, canadiens particulièrement. Cet hôtel est d'ailleurs souvent sur la liste des destinations à forfait des voyagistes, ce qui rend l'endroit, il faut le

dire, très affairé. La clientèle est plutôt familiale, et les services et installations de l'hôtel sont en conséquence: tables de ping-pong, jeux de flipper, courts de tennis et terrains de volley-ball, prêt de bicyclettes, etc. D'ailleurs, dans le hall, on fait jouer de la musique disco. Le terrain de l'hôtel, bien aménagé, est assez vaste et directement lié à la plage. L'hôtel est à faible distance de marche du cœur de la ville. Discothèques, salles de réunion.

Hotel Cocal
$$$$$ pdj
ec, bp, ≡, ≈
Playa Jacó
☎*643-3067*
⇄*643-3082*
www.hotelcocalandcasino.com
Les chambres de l'Hotel Cocal sont en enfilade et partagent une terrasse. Celles qui se trouvent face à la mer n'ont pas l'air conditionné. L'aménagement extérieur est bien fignolé, même si l'ensemble du complexe est enserré quelque peu autour de la piscine.

Villas Jacó Princess
$$$$$
ec, bp, tvc, ℂ, ≡, ≈
Playa Jacó
☎*220-1441 ou 643-1000*
⇄*643-3246*
Les Villas Jacó Princess sont des condominiums pouvant loger cinq personnes chacun. Outre la cuisinette, les appartements sont pourvus d'un salon et d'une terrasse privée. Les clients ont accès gratuitement à des bicyclettes de même qu'aux services du Best Western Jacó Beach Resort (voir plus haut).

Côte Pacifique centrale

Entre Jacó et Quepos

🦅 Auberge du Pélican
$$$
bp/bc, ec, ⊗, ≈, ℜ
Playa Esterillos Este
☎*778-8105*
⇄*779-9236*
Tenue par des Québécois, les sympathiques Mariette Daignault et Pierre Perron, l'Auberge du Pélican présente un excellent rapport qualité/prix. L'aménagement extérieur est joli, et les terrasses des chambres sont assez isolées les unes des autres. Les chambres sont très propres et confortables, et l'on s'endort aux bruits des vagues du Pacifique. L'auberge donne directement sur la magnifique et très tranquille Playa Esterillos Este, l'une des plus belles plages du Pacifique, où les couchers de soleil sont des plus paradisiaques! Les propriétaires se sont préoccupés de rendre accessibles deux chambres aux personnes se déplaçant en fauteuil roulant. Le site comporte une jolie piscine, un jeu de marelle (éclairé le soir), des chaises longues, des parasols et plein de hamacs où il fait bon se prélasser. Les hôtes peuvent aisément organiser une excursion de pêche en haute mer, une randonnée à cheval ou une découverte des montagnes de l'arrière-pays en véhicule à quatre roues motrices. Une seule ombre au tableau: il est malheureux que le restaurant ne soit réservé qu'à la clientèle de l'auberge, car il est adorable, et l'on y mange très bien.

Beso del Viento
$$$ pdj
bp, ec, ≈
☎*779-9674*
⇄*779-9675*
www.besodelviento.com
Dans la région de Parrita, il y a encore peu d'établissements hôteliers. À 5 km de la ville, à Playa Palo Seco, se trouve cependant le Beso del Viento, un gîte touristique, propriété de Québécois. Vous y vivrez dans une atmosphère familiale près d'une belle plage méconnue. Il est possible de louer un appartement et de prendre le repas de midi et le dîner à l'auberge.

Cabinas Vista Hermosa
$$$
bp, ℂ
Playa Hermosa
☎*643-3422*
⇄*224-3687*
Les Cabinas Vista Hermosa sont du même type que les Cabinas Las Olas (voir ci-dessous). L'endroit possède une petite salle de billard pour les jeunes du coin et les clients.

La Felicidad
$$$
ec, bp/bc, ⊗, ≈, ℜ, ℂ
Esterillos Centro
☎/⇄*779-9003 ou 778-8123*
Tenue par des Québécois, l'auberge La Felicidad est située dans un endroit tout indiqué pour la tranquillité. Certaines chambres de l'auberge disposent d'une cuisinette, et deux autres ont été adaptées pour les personnes en fauteuil roulant. Le restaurant sert des mets nationaux et internationaux. Des forfaits sont disponibles à la semaine et au mois. Accès direct à la plage.

Las Olas
$$$
bp, ec, ℂ
Playa Hermosa
☎/⇄*643-3687*
www.cabinaslasolas.com
Las Olas propose des *cabinas* avec lits superposés ou simples à l'étage d'une habitation construite en *A*. L'endroit est tout indiqué pour les surfeurs. On peut y négocier les prix de l'hébergement, particulièrement si l'on demeure plus d'une semaine.

Villa Mermosa
$$$
ec, bp, ≈, ℂ
Playa Hermosa
☎*643-3373*
⇄*643-3506*
www.surf-hermosa.com
De bel aménagement extérieur, le Villa Hermosa est un concept de *cabinas* avec cuisine complète, entourées d'une belle végétation mature. Directement sur la plage. Les clients ont accès gratuitement à la salle de gymnastique du centre commercial Plaza Jacó.

Cabinas Flor de Esterillos
$$$-$$$$
bp, ec, ℂ, ≈, ℜ
un peu plus à l'est que l'Auberge du Pélican, Esterillos Este
☎/⇄*778-8045 ou 779-9141*
Comme le Pélican et La Felicidad, les Cabinas Flor de Esterillos sont gérées par des Québécois. Toutes les *cabinas* sont équipées d'une cuisinette. L'ensemble du site est entouré de végétation, et l'accès à la plage est direct. Les propriétaires privilégient les longs séjours, en proposant des prix fort avantageux si vous y demeurez plusieurs nuitées.

Terraza del Pacífico
$$$$
ec, bp, tvc, ≡, ≈, ℜ
sur la route nationale, Playa Hermosa
☎*643-3222*
⇄*643-3424*
www.terraza-del-pacifico.com

La Terraza del Pacífico est un hôtel d'une cinquantaine de chambres réparties dans un complexe de deux étages entouré d'un aménagement paysager plutôt joli. Terrasse ou balcon pour chaque chambre. L'endroit s'anime régulièrement au son d'un orchestre ou d'événements spéciaux. L'établissement accueille chaque année un concours international de surf. Accès direct à la plage, pour les surfeurs seulement, car les vagues n'invitent pas à la baignade.

Quepos

Mis à part quelques hôtels plus économiques près de l'entrée du Parque Nacional Manuel Antonio ou dans la ville même de Quepos, sachez que la région de Quepos – Manuel Antonio accueille en général une clientèle assez fortunée. La qualité des hôtels du secteur en témoigne, tirant notamment profit d'emplacements à couper le souffle dans les collines face à la mer.

Le service d'autocar est fréquent entre Quepos et Manuel Antonio, pour le bénéfice des touristes sans voiture.

Les **Cabinas Cali** (*$$*) sont situées au fond d'une petite rue donnant sur un terrain vague, au nord du centre-ville de Quepos. Leur confort est minimal, mais leur prix pourrait plaire aux voyageurs à petit budget. Au coin de la rue, le **restaurant Las Palmas** (*$$*) loue également des *cabinas* de même nature.

Cabinas Doña Alicia
$$
bp
près de l'angle nord-est du terrain de foot
☎*777-0419*

Les Cabinas Doña Alicia sont sans prétention aucune. Pour petit budget.

Cabinas Hellen
$$
ec, bp
une rue au sud des bureaux de la Sansa
☎*777-0504*

Les chambres des Cabinas Hellen, d'un assez bon confort, ont un accès direct sur l'extérieur, sur un petit terrain aménagé très simplement. Stationnement pour les clients.

Cabinas Mary
$$
bp
en face du terrain de foot
☎*777-0128*

Les Cabinas Mary sont des *cabinas* très propres pour le prix. Les voyageurs à petit budget le savent et se pressent ici nombreux.

Cabinas Ramace
$$
ec, bp, ⊗, ℝ
☎*777-0590*

Les Cabinas Ramace sont très propres. Les sympathiques propriétaires proposent trois chambres sur leur petit terrain, simplement aménagé mais convenable.

Hotel Malinche
$$$
bp, ⊗, ≡
75 m à l'ouest de la gare d'autocars
☎*777-0093*

L'Hotel Malinche possède des chambres de deux types: les chambres avec ventilateur sont plus anciennes, mais ont ce que l'on pourrait peut-être appeler un charme suranné; les chambres avec air conditionné sont plus récentes et plus belles.

Hotel Kamuk
$$$$
ec, bp, ≡, ≈, ℜ
sur la rue principale, en face de l'océan
☎*777-0811*
⇄*777-0258*
www.kamuk.co.cr

L'Hotel Kamuk, un véritable petit hôtel urbain, fait partie de la chaîne Best Western. Ses chambres, réparties sur les trois étages d'un bâtiment situé au cœur de la ville, ont un décor qui correspond à un établissement de ce type, en plus d'être confortables et propres. Certaines ont un balcon donnant sur l'océan. La piscine est la bienvenue dans la chaleur de la ville. Casino.

Hotel Sirena
$$$$ pdj
bp, ec, ≡, ≈
50 m à l'est du Costa Rican Sportsfishing, à une rue du pont, au centre de Quepos
☎*777-0528*
⇄*777-0165*

L'environnement immédiat de l'Hotel Sirena risque d'être bruyant lorsque la piscine qu'il entoure est utilisée. Les chambres n'ont pas d'aménagement particulier, mais sont propres, et leurs fenêtres donnent sur la piscine.

Côte Pacifique centrale

Hotel Rancho Casa Grande
$$$$
bp, ec, ≡*.,* ⊗
☎*777-3130 ou 777-1646*
⇄*777-1575*

Sur la route qui se dirige vers le sud et l'aéroport se dresse un hôtel agréable. Le Rancho Casa Grande propose des *cabañas* aux jolies couleurs. Les plus grandes comportent une chambre fermée et un salon. Devant certaines, un hamac suspendu vous permettra de goûter pleinement l'ambiance de vacances qui règne sur le site. Celui-ci est entre autres parcouru de sentiers dont plusieurs, assez longs, permettent une balade intéressante. Parmi les *cabañas* se trouvent un restaurant sous un *rancho* au milieu de la végétation, ainsi qu'une toute petite piscine, malheureusement plutôt dénudée. L'accueil est des plus gentils: on mettra même un bouquet dans votre chambre avant votre arrivée.

Hotel Villa Romántica
$$$$ pdj
bp, ec, ≈
à la sortie de la ville, Quepos
☎*777-0037*
⇄*777-0604*
www.villaromantica.com

L'Hotel Villa Romántica possède de belles chambres et est assez bien caché dans la nature, favorisant ainsi l'ombre, bienvenue dans cette chaude région.

Entre Quepos et Manuel Antonio

Hotel y Restaurante Costa Linda
$
bc/bp, ℂ
sur la dernière rue perpendiculaire à la route avant le parc
☎*777-0304*

L'Hotel y Restaurante Costa Linda est une sorte d'auberge de jeunesse toute petite et vraiment sans prétention, ni charme particulier. L'endroit convient bien aux jeunes avec sac au dos.

Cabinas Ramírez
$$
bp, ⊗
tout près de l'entrée du parc, du côté de la plage Manuel Antonio
☎*777-0003 ou 777-5044*

Les Cabinas Ramírez ont deux propriétaires qui forment un couple «québéco-*tico*» sympathique. Propre, cet établissement est conseillé spécialement aux jeunes avec sac au dos. Les *cabinas*, de confort minimal, sont si près du parc Manuel Antonio!

El Mono Azul
$$
bp, ec, ⊗*,* ≈*,* ℜ*,* ≡
☎*777-2572*
⇄*777-1954*
www.monoazul.com

El Mono Azul offre une ambiance conviviale. Jennifer, la propriétaire, ses enfants et son personnel vous accueilleront gentiment dans ce petit hôtel tenu avec beaucoup d'attention. Les enfants y ont ouvert une boutique originale (voir p 342), et le restaurant sert une cuisine honnête (voir p 340). Les huit chambres font face à une toute petite piscine. Elles sont décorées simplement mais avec soin à l'aide de tissus assortis. Derrière, leurs fenêtres donnent sur un terrain encore vierge d'où rayonne la végétation. Si vous vous intéressez à l'environnement, n'hésitez pas à discuter avec Jennifer, qui a toujours plus d'un projet en vue!

Hotel Del Mar
$$$
ec, bp, ≡
sur la route Quepos – Manuel Antonio, du côté opposé à la plage, 1 km avant le parc
☎*777-0543*
⇄*777-5068*
www.hoteldelmar-costarica.com

L'Hotel Del Mar est formé de deux bâtiments. Les petites chambres, aux belles couleurs vives, sont très claires et confortables, avec de grandes fenêtres sur le devant. Les terrasses sont communes cependant. Très propre.

Hotel B&B La Colina
$$$ pdj
ec, bp, ≡*,* ℝ
à environ 3 km de Quepos, vers Manuel Antonio
☎*777-0231*
⇄*777-1553*
www.lacolina.com

L'Hotel B&B La Colina est fort sympathique et chaleureux. Il se compose de deux bâtiments accrochés dans une pente abrupte. Le tout est très compact, mais la déclivité ainsi que la végétation isolent les espaces. Le petit déjeuner offert est très varié: c'est ici que vous pourrez manger des crêpes avec du sirop!

Hotel Manuel Antonio
$$$
bp, ⊗, ℜ
tout à côté du parc
Manuel Antonio
☎*777-1237*
L'Hotel Manuel Antonio
est un petit hôtel assez
propre aux chambres pas
très grandes situées à
l'étage du bâtiment. Le
principal avantage de
l'endroit est la proximité
du parc, de la plage et de
la nature environnante.
Cela attire évidemment les
jeunes voyageurs. Restau-
rant au rez-de-chaussée.

Vela Bar
$$$
ec, bp, ⊗, ℂ, ℜ
sur la route Quepos – Manuel
Antonio, tout près de l'entrée du
parc, à 100 m de la route principale
☎*777-0413*
⇌*777-1071*
www.velabar.com
Le Vela Bar propose des
chambres sans grand
confort, plutôt petites et
un peu vieillottes, au
charme quelque peu su-
ranné. Le propriétaire est
cependant bien sympa-
thique.

El Dorado Molado
$$$ pdj
ec, bp, ≡, ℂ
sur la route Quepos – Manuel
Antonio
☎*777-0368*
⇌*777-1248*
El Dorado Molado pro-
pose des chambres sobre-
ment décorées et percées
de grandes fenêtres.

Hotel California
$$$$
ec, bp, ⊗, tv, ≈
un peu en retrait sur une route
qui rejoint la route Quepos –
Manuel Antonio
☎*777-1234*
☎/⇌*777-1062*
www.hotel-california.com
L'Hotel California, jadis la
propriété d'un Québécois
artiste peintre qui l'avait
décoré de façon originale,
entre autres avec des
murales colorées, est tenu
par une Californienne dont
la fille est aussi une artiste
et qui semble avoir beau-
coup de projets pour
réaménager l'endroit.

Karahé
$$$$
bp, ec, ≡, ≈, ⊗, ℝ, ℜ
sur la route Quepos – Manuel
Antonio
☎*777-0170*
⇌*777-1075*
www.karahe.com
Le Karahé propose trois
types de *cabinas*: les plus
anciennes sont aussi les
moins chères. Juchées sur
la colline, elles offrent
évidemment de belles
vues; mais il faut gravir une
bonne pente pour s'y
rendre; d'autres sont si-
tuées de l'autre côté de la
route; enfin les plus se
trouvent près de la plage.
Même si l'on peut prendre
le déjeuner au restaurant,
à l'étage, le repas de midi
est aussi servi sous le *ran-
cho* près de la piscine.

Casa Del Sol
$$$$
ec, bp, ℂ
sur la route Quepos – Manuel
Antonio, tout près des Cabinas
Ramírez (voir plus haut)
☎*777-1805*
⇌*777-1311*
Tenue par une Cana-
dienne, la Casa Del Sol,
dispose de vastes cham-

bres, aux chaudes teintes
ocre et de style mexicano-
californien, rencontrant
aisément les normes nord-
américaines en matière de
confort. De plus, la pro-
priétaire a de belles préoc-
cupations écologistes; on
accède en effet à la plage
par une promenade sur
pilotis pour protéger la
végétation marécageuse
qui sépare l'hôtel du bord
de la mer.

Casitas Eclipse
$$$$
bp, ec, ℂ, ⊗, ≈
sur la route Quepos –
Manuel Antonio
☎*777-0408*
⇌*777-1738*
www.casitaseclipse.com
Les Casitas Eclipse propo-
sent, en sus des chambres
standards, des maisonnet-
tes très claires, très pro-
pres et très aérées. Les
nombreuses et belles
fenêtres à carreaux ainsi
que le salon des *casitas*
(équipées d'une cuisine
complète) rehaussent la
beauté des habitations, le
tout sur un vaste terrain
offrant une très belle vue.

Mimo's Hotel
$$$$
ec, bp, ℂ, ≡, ≈
sur la route Quepos – Manuel
Antonio, à 4 km du parc
☎/⇌*777-0054*
www.hotelmimos.com
Le Mimo's Hotel est italien
et fier de l'être. Ses cham-
bres et suites ont été dé-
corées avec goût et sont
de bonnes dimensions.
L'aménagement extérieur
tient bien compte de la
présence végétale. L'hôtel
dispose d'une unité
d'habitation accessible aux
personnes en fauteuil
roulant.

El Mirador del Pacífico
$$$$
ec, bp, ≈, ℜ, ≡
sur la route Quepos – Manuel Antonio
☎**777-0119**
⇌**777-1041**
www.elmiradorcostarica. com
Le bois est très présent au El Mirador del Pacífico. Les chambres en sont grande-ment pourvues, ce qui leur donne un beau coup d'œil, avec le contraste des murs blancs. En plus, elles sont grandes et clai-res; elles partagent cepen-dant la même terrasse. Un *mirador* (d'où le nom) permet de prendre vos repas tout en jouissant d'une vue superbe sur les environs.

Hotel Playa Espadilla
$$$$ pdj
bp, ec, ≡, ≈, ℂ, ℜ
Playa Espadilla
☎**777-2350**
⇌**777-0903**
www.espadilla.com
L'Hotel Playa Espadilla propose de petits appar-tements très propres avec cuisine complète. Leur design est simple mais correct. L'aménagement paysager gagnera à devenir plus mature.

Hotel Las Tres Banderas
$$$$
bp, ec, ≡, ≈, ℜ
sur la route Quepos – Manuel Antonio
☎**777-1284 ou 777-1871**
⇌**777-1478**
L'Hotel Las Tres Banderas propose une dizaine de chambres, qui se partagent la terrasse, et une villa. Les chambres sont décorées, avec goût, de bois et de carreaux de céramique.

Hotel Villabosque
$$$$
ec, bp, ⊗, ≡, ≈, ℜ
sur la route Quepos – Manuel Antonio, quelques centaines de mètres avant l'entrée du parc et à 125 m de la plage
☎**777-0463**
⇌**777-0401**
De l'Hotel Villabosque se dégage pas mal de charme. Le bâtiment en lui-même dénote un beau design; l'aménagement paysager est réussi à l'extérieur, et les cham-bres, d'inspiration quelque peu espagnole, sont de bonnes dimensions. La piscine, sur le toit, s'avère pour le moins originale.

Villa Teca
$$$$ pdj
bp, ec, ≡, ≈, ℜ
sur la route Quepos – Manuel Antonio
☎**777-1117**
⇌**777-1578**
www.hotelvillateca.com
Le Villa Teca présente un concept de chambres (2 chambres par maison-nette) simple mais correct, chacune étant pourvue d'une petite terrasse. Tout est très propre, et l'environnement est très agréable parce que bien naturel. Le complexe est situé sur un grand terrain.

Casa Blanca
$$$$-$$$$$
bp, ec, ≡, ℝ, ≈, ℜ
sur la route Quepos – Manuel Antonio
☎**259-3262**
⇌**250-1587**
La Casa Blanca est ré-servée à la clientèle gay et lesbienne de même qu'à leurs amis.
L'aménagement des chambres, suites et appar-tements est très joli, et l'ensemble du terrain invite au plaisir et au repos. Il y a

également une maison-nette tout équipée, tout à fait indiquée pour les lunes de miel. La plage se trouve à quelque 20 min à pied de l'hôtel.

Hotel Costa Verde
$$$$-$$$$$
ec, bp, ≈, ℜ
sur la route Quepos – Manuel Antonio
☎**777-0584**
⇌**777-0560**
www.hotelcostaverde.com
L'Hotel Costa Verde offre une vue magnifique sur la mer. Il est difficile d'avoir des unités d'habitation plus aérées que celles du Costa Verde; de bonnes parties des murs des chambres sont en effet ouvertes sur l'extérieur grâce à de gran-des fenêtres et portes-fenêtres grillagées. Devant, une terrasse, relativement privée, est munie de chai-ses berçantes en cuir. De plus, l'endroit est réguliè-rement visité par une colonie de singes-écureuils absolument fascinants à observer!

Hotel Plinio
$$$$-$$$$$ pdj
ec, bp
en retrait de la route d'une centaine de mètres, à 1 km de Quepos
☎**777-0055**
⇌**777-0558**
www.hotelplinio.com
L'Hotel Plinio est très mignon avec ses bâtiments de bois qui créent un environnement rustique de bon goût. Les respon-sables ont d'ailleurs su conserver ce charme au fil des décennies. La teinte foncée du bois contribue au style des chambres dont les revêtements des murs sont en lattes. Les habitations sont sur deux

étages prolongés de grandes terrasses. Très propre.

Villas Nicolas
$$$$-$$$$$
ec, bp, ⊗, ℂ, ≈
tout à côté du complexe Si Como No, sur la route Quepos – Manuel Antonio
☎777-0481
☎/⇌777-0451
www.villasnicolas.com
Les Villas Nicolas forment un complexe de condominiums datant d'une quinzaine d'années, dont chacune des unités est offerte en location par les propriétaires lorsqu'ils s'absentent. Vous pouvez donc vous retrouver quelquefois à vivre dans un mobilier quelque peu défraîchi. Le design général de ces condominiums ne manque cependant pas de charme, tant s'en faut. La vue est magnifique sur la jungle et la mer en contrebas depuis la véranda privée. Les condominiums les plus chers sont aménagés sur deux étages, possèdent deux balcons (avec hamac), deux chambres à coucher et deux salles de bain, en plus d'offrir une cuisine tout équipée.

Hotel El Byblos
$$$$$
ec, bp, ℝ, tvc, ≡, ≈
sur la route Quepos – Manuel Antonio
☎777-0411
⇌777-0009
L'Hotel El Byblos est tenu par des Français. Bungalows et suites vous sont tous proposés avec balcon. Les uns et les autres sont de bonnes dimensions et décorés dans un style rafraîchissant (céramique, rotin, tons pastel, etc.) Le restaurant

de l'hôtel vaut la peine qu'on s'y arrête (voir p 340).

Hotel Divisamar
$$$$$
ec, bp, ≈, ≡, ℜ
sur la route Quepos – Manuel Antonio
☎777-0371
⇌777-0525
www.divisamar.com
L'Hotel Divisamar est de propriété familiale costaricienne. Les chambres partagent leur véranda au sein de bâtiments étagés; elles sont bien pourvues en fenêtres et sont propres; les couleurs pâles utilisées dans leur aménagement intérieur ajoutent agréablement à leur clarté.

Villas de La Selva
$$$$$
ec, bp, ≈, ℂ
sur la route Quepos – Manuel Antonio
☎/⇌777-1137
de San José:
☎253-4890
Les Villas de La Selva, ce sont des appartements et des *cabinas* avec terrasse privée et cuisine entièrement équipée. Leur charme est plutôt rustique mais correct; d'ailleurs, dans l'ensemble, le complexe est très joli. Vue imprenable sur la baie de Manuel Antonio. Les villas se trouvent à une certaine distance de la plage à laquelle on a accès depuis un sentier. Accessible par un chemin qui quitte la route principale. Service d'une gardienne d'enfants. Une villa et un appartement mitoyens peuvent être loués ensemble pour les groupes.

🦎 Makanda-by-the-Sea
$$$$$$ pdj
ec, bp, ℂ, ≈
à 1 km sur un chemin descendant vers le bord de la mer depuis de la route Quepos – Manuel Antonio, près du restaurant Barba Roja
☎777-0442
⇌777-1032
www.makanda.com
Ce qui frappe d'abord au Makanda-by-the-Sea, c'est l'accueil absolument parfait dont on est gratifié en arrivant. La responsable, une Américaine, a comme mot d'ordre de tout faire avec le sourire et beaucoup de gentillesse. Et il faut voir les villas tout équipées que propose le Makanda: les ouvertures sur la mer sont vraiment maximales, ce qui crée une ventilation naturelle et un contact avec l'extérieur difficiles à battre. Les hauts plafonds à poutres apparentes ainsi que le mariage du bois et de la céramique dans le design contribuent à leur beauté. Les villas ont été disposées sur le flanc de la colline de telle manière que leur isolement est assuré. À marée basse, on a accès à une petite plage où l'on peut voir de fameuses trappes à tortues précolombiennes.

La Mariposa
$$$$$$
ec, bp, ≡, ⊛, ≈, ℜ
à la bifurcation avec un chemin indiqué menant également à l'hôtel El Parador (voir ci-dessous), sur la route Quepos – Manuel Antonio
☎777-0355
⇌777-0050
www.botelmariposa.com
Ce sont de belles villas que propose La Mariposa. La vue depuis ces villas à deux étages est magnifique;

vous pouvez d'ailleurs l'admirer depuis la baignoire à remous de votre chambre! Le décor intérieur (bambou, céramique, bois) est aussi très joli. De plus, à l'hôtel Mariposa, on parle le français. Le drapeau de la fraternité gay orne l'entrée.

El Parador
$$$$$$
bp, ec, tvc, ≡, ≈
au bout du chemin indiqué menant également à La Mariposa, depuis la route Quepos – Manuel Antonio
☎777-1414
⇄777-1437
www.hotelparador.com
El Parador, c'est le grand luxe! Isolé sur son piton rocheux, le Parador offre un environnement naturel et hôtelier de premier ordre. Ses chambres et villas sont de grand confort (chacune avec terrasse), et les aires de séjour communes de l'hôtel ont été décorées avec style, ce qui invite à la flânerie. Imaginez la vue sur les environs pendant que vous prenez votre repas! Service impeccable, particulièrement courtois et empressé.

Si Como No
$$$$$$
ec, bp, ⊗, ≡, ≈, ⊛, ℜ
à 4 km de Quepos, sur la route Quepos – Manuel Antonio
☎777-0777
⇄777-1093
www.sicomono.com
Avec son architecture en gradins sur le flanc de la colline, le complexe hôtelier Si Como No est très, très... très joli, ainsi accroché à la montagne. Les vues qu'il offre à ses clients

sont absolument magnifiques. En plus, son propriétaire se soucie d'écologie: il utilise l'énergie solaire, l'eau recyclée et le bois de culture (et non le bois naturel rare du pays). Cela n'enlève absolument rien à la beauté et au confort sans compromis de l'endroit. Une navette vous emmène à la plage. Possibilité de visionner des films dans une petite salle de cinéma privée!

Tulemar Bungalows
$$$$$$ pdj
ec, bp, ≡, ≈
sur la route Quepos – Manuel Antonio
☎777-0580 ou 777-1325
⇄777-1579
www.tulemar.com
Les Tulemar Bungalows se dressent sur un grand terrain dont la majeure partie est naturelle, pour d'instructives randonnées en forêt. Les bungalows offrent beaucoup d'ouvertures sur l'extérieur; leur architecture octogonale élargit les perspectives sur les environs. Bon confort et décor agréable. L'usage de kayaks de mer est inclus dans le prix. De même, les enfants de moins de 12 ans accompagnés de leurs parents y logent gratuitement. Le Tulemar possède son propre accès à la plage Tulemar, en contrebas; à marée basse, vous pourrez voir sur la plage des trappes à tortues précolombiennes.

Restaurants

La région de Puntarenas

Il est possible de se restaurer à de multiples petits restaurants dans la ville de Puntarenas de même que dans la plupart des bons hôtels.

Pour un prix plus que raisonnable, vous pouvez manger de bons fruits de mer à la **Casa de Mariscos** (*$-$$; Puntarenas*) de même qu'au **Bar-Restaurante Cevichito** (*$-$$; Puntarenas*).

Kahite Blanco
$-$$
Av. 1, Calle 15/17, Puntarenas
☎661-2093
Le restaurant Kahite Blanco, très populaire (et très fréquenté par les *Ticos*), propose de bonnes portions de fruits de mer ainsi que de généreuses *bocas*.

Aloha
$$-$$$
à l'ouest de l'hôtel Tioga Puntarenas
☎661-0773
Le restaurant Aloha est considéré comme l'un des bons restaurants de la ville, notamment pour les fruits de mer.

La Caravelle
$$$
mar-dim
du côté de l'océan, Puntarenas
Le restaurant français La Caravelle est notamment reconnu pour ses entrées. Il peut être très fréquenté,

particulièrement durant la haute saison.

Le sud de la péninsule de Nicoya

Entre Paquera et Montezuma

Tambor

Bahía Ballena Yacht Club
$$-$$$
10h à 24h
Situé à côté du quai, le bar-restaurant Bahía Ballena Yacht Club propose au menu des mets variés inspirés du Mexique, de la Louisiane et des Antilles.

Perla Tambor
$$-$$$
Près de la mer, le bar-restaurant Perla Tambor, qui affiche les couleurs de la Suisse, prépare une cuisine internationale.

Montezuma

Plusieurs hôtels du village de Montezuma disposent d'un restaurant ouvert au public.

Face à la librairie Topsy, la **Panadería Idalie**, qui dispose d'une minuscule terrasse, fait du pain et des pâtisseries maison.

Café Montezuma
$-$$
Le Café Montezuma sert d'excellents petits déjeuners et déjeuners ainsi que de bons jus de fruits à prix modiques. Tout à côté, en soirée, s'ouvre une petite **pizzeria**.

El Caracol
$$
Lové dans une courbe de la route, le *soda* El Caracol

affiche une enseigne et un décor colorés. Quelques petites tables dehors accueillent les convives, pour le petit déjeuner ou dans la journée, venus déguster une cuisine typique de ce genre d'établissement mais teintée d'une touche nord-américaine. On y prépare une fournée de biscuits délicieux!

El Parque
$$-$$$
Près de l'Hotel Moctezuma, situé sur la plage, le restaurant El Parque propose un menu de poissons frais.

El Sano Banano
$$-$$$
☎642-0068
Depuis plus d'une décennie, El Sano Banano fait office de point de rencontre, de point de ralliement et de point de repère au centre du village de Montezuma. Ce restaurant à aire ouverte sert une cuisine végétarienne préparée à partir des meilleurs produits. Patricia, la propriétaire, met un soin particulier à choisir les ingrédients composant ses recettes. Et quel résultat! Les plats que vous dégusterez ici vous réjouiront.

Simples mais savoureux, les sandwichs (goûtez le *veggie-burger*), pâtes, soupes et salades se révèlent tous savoureux. Sans parler des douceurs telles que muffins, gâteaux et salades de fruits. Les jus frais et les laits fouettés achèveront de vous contenter. Le restaurant a été rénové à l'été 2000, et il affiche encore la même formule conviviale, présentant,

chaque soir un film sur grand écran.

Playa de las Artistas
$$$-$$$$
Au fond d'une cour près de la plage, le restaurant Playa de las Artistas semble caché par la végétation. Il niche sous un toit bas qui ajoute à l'effet enveloppant. Chacune des tables, parsemées ici et là, affiche une originalité qui lui est propre, l'une campant sous les étoiles, l'autre sur un palier plus bas, mais toutes reposant sur un plancher de… sable! Pour ajouter au caractère unique de l'endroit, le décor est truffé de jolies pièces, souvent créées à l'aide de matériaux naturels, telles que des abat-jour fait d'une noix de coco, des dessus de table posés sur des troncs d'arbre, etc.

Ce sont effectivement des artistes qui sont propriétaires des lieux et qui ont mis à contribution leurs talents. Ils sont davantage versés dans la création que dans le service aux tables, qui laisse un peu à désirer. Mais cela ne saurait gâcher une soirée dans un décor aussi envoûtant. Vous vous y régalerez de poissons, bien sûr, grillés sur un grand barbecue situé à l'écart et servis entiers sur une grande planche recouverte d'une feuille d'amandier. Délicieux!

Côte Pacifique centrale

Au sud de Montezuma

Cabuya

El Ancla De Oro
$$-$$$
☎642-0369
El Ancla De Oro demeure
l'un des bons restaurants à
fréquenter à Cabuya. Alex
Villalobos, le propriétaire,
est également un cuisinier
hors pair qui jouit d'une
réputation favorable dans
la région. Au menu, une
cuisine simple et person-
nalisée où abondent fruits
de mer, poissons et plats
végétariens à prix modi-
ques. On y trouve aussi
des *cabinas* (voir p 320).

Au nord-ouest de Cabo Blanco

Notez que la grande majo-
rité des hôtels de cette
région disposent d'un
restaurant ouvert au pu-
blic.

Malpaís

Surf Camp Resort
$-$$
☎/≈640-0061
Le **Surf Camp & Resort**
(voir p 320) dispose d'un
restaurant où l'on sert une
cuisine internationale à
petit prix. On vient y jouer
au billard ou simplement
prendre une bière au bar
en regardant des vidéos de
surf ou la télévision par
satellite.

Albimat Dulce Magia
$$-$$$
Pour de bonnes pâtes,
pizzas et fruits de mer, ou
simplement pour déguster
un bon *espresso*, le restaurant en plein air Albimat
Dulce Magia est tout désigné. Les propriétaires,
originaires de Naples, sont

particulièrement fiers de
leur fondue au poisson et
de leur *ceviche*. Le restaurant possède également un
bar très fréquenté, tant par
les touristes que par les
Costariciens.

Star Mountain Eco Resort
$$$
☎640-0102
Le Star Mountain Eco
Resort est situé en mon-
tagne à 2 km de la mer. Le
bar-restaurant, à aire ou-
verte, sert une excellente
cuisine internationale dans
une ambiance chaleu-
reuse. Les convives peu-
vent également venir pas-
ser l'après midi à la su-
perbe piscine de l'hôtel
(voir p 320).

Sunset Reef Marine Lodge
$$$
☎640-0012
Le restaurant du **Sunset
Reef Marine Lodge** (voir
p 321) propose une excel-
lente cuisine. La cuisinière,
la Belge Nathalie, prépare
de savoureux mets inter-
nationaux, européens ou
locaux. Les pêcheurs du
village accostant à quel-
ques mètres de l'hôtel, les
poissons y sont toujours
d'une fraîcheur remar-
quable.

Frank's Place
$-$$
entre Malpaís et Santa Teresa
☎640-0096
Assurément le meilleur
rapport qualité/prix dans la
région, Frank's Place est un
rendez-vous fort sympa-
thique, très achalandé
après une journée au
grand air. On y trouve des
plats locaux ainsi qu'une
variété de mets internationaux. On y déguste entre
autres d'excellentes lan-
goustines à petit prix.

Santa Teresa

Break Point
$-$$
En face des *cabinas* du
camping Zaneida's, on
trouve le *soda* Break Point.
Ce dernier a adapté une
cuisine minute à la fran-
çaise.

Tropico Latino Lodge
$$$
☎640-0062
À Santa Teresa, le Tropico
Latino Lodge dispose d'un
restaurant à aire ouverte
où l'on sert une cuisine
italienne et locale. Le pou-
let au curry y est particuliè-
rement délicieux.

Au sud de Puntarenas

La région de Jacó

Cabinas Alice
$
100 m au sud de la Croix-
Rouge, Playa Jacó
☎643-3061
Le restaurant des Cabinas
Alice propose un menu
tico dans un lieu assez
ombragé.

El Recreo
$
Jacó
☎643-3012
El Recreo sert une nourri-
ture excellente et surtout
pas chère (le prix des
crevettes y est imbattable).
Le restaurant est tranquille,
et la musique latino-améri-
caine d'ambiance est la
bienvenue.

Restaurante Clarita
$
Playa Jacó
☎643-3013
Le Restaurante Clarita,
rattaché aux *cabinas* du
même nom, est propre et

propose une cuisine essentiellement *tica* dans un décor très simple. Il a comme principal avantage d'être directement accolé à la plage.

Sunrise Grill
$
jeu-mar 7h à 12h
rue principale, Jacó
Le Sunrise Grill est un endroit idéal pour prendre un petit déjeuner à bon prix, et ce, à la manière nord-américaine (gaufres, crêpes, rôties, œufs). Comme les dirigeants le disent, *it's the breakfast place!*

Los Faroles
$$
☎643-3167
à l'angle de la rue principale et de l'entrée nord de Jacó, sur la route San José – Jacó
Los Faroles est un bar-restaurant de fruits de mer peu dispendieux pour les repas qu'il sert.

La Fiesta del Marisco/ Tico Tico
$$
un peu plus au sud que le restaurant Steve & Lisa's (voir ci-dessous) sur la route San José – Jacó, Punta Leona, au bord de la mer
La *pescadería* La Fiesta del Marisco ainsi que le restaurant Tico Tico sont spécialisés en fruits de mer et présentent un aménagement agréable.

La Hacienda
$$
rue principale, Jacó
☎643-3191
Le bar-restaurant *marisquería* La Hacienda est l'un des lieux de rencontre de la jeunesse de Jacó. Pour «voir et être vu», particu-

lièrement sur la terrasse avant.

El Riconcito Peruano
$$
Jacó
Sur la rue principale, en face de la rue aboutissant à la Discoteca La Central et à côté du Supermarché Rayo Azul, on trouve El Riconcito Peruano, qui sert de bons mets péruviens.

Steve & Lisa's
$$
au bord de la mer, sur la route San José – Jacó, Punta Leona
Le restaurant Steve & Lisa's propose un menu *tico*. Un petit *mirador* l'identifie assez aisément, et le restaurant est bien aménagé, tant à l'intérieur qu'à l'extérieur. On peut manger dehors sur un petit belvédère près de la mer.

Banana Café
$$-$$$
Playa Jacó
Le Banana Café est un restaurant d'esprit nord-américain servant notamment steaks (les meilleurs en ville selon certains), fruits de mer, sandwichs et petits déjeuners. On y fait également de la cuisine chinoise.

Rioasis
$$-$$$
☎643-3354
L'un des derniers-nés des nombreux restaurants de Jaco s'anime d'une belle ambiance. À l'intérieur, dans sa salle au décor chaleureux avec ses fenêtres à petits carreaux, comme à l'extérieur, sur sa terrasse parsemée d'*heliconias*, vous serez entouré d'un personnel souriant offrant un service soigné. Le vaste menu est

alléchant – *focaccia* aux garnitures originales, pizzas à pâte mince au four à bois, mets mexicains, etc. –, et les plats déposés devant vous le sont tout autant.

Barceló Amapola
$$$
vers la sortie sud de la ville, Jacó
☎798-0816
Le restaurant de l'hôtel Barceló Amapola est un restaurant de pizzas cuites au four à bois. Il a fait l'objet d'un aménagement soigné, comme le reste de l'hôtel.

La Bruja
$$$
Trois maisons plus au sud que La Hacienda, le bar-restaurant La Bruja, tenu par des Suisses, est un établissement très recommandable. Très propre, il sert des spécialités suisses ainsi qu'internationales.

La Ostra
$$$
à l'angle de la rue principale de Jacó et de la rue menant à Los Ranchos, Jacó
Le restaurant La Ostra propose de très bons repas variés (fruits de mer, steaks ou hamburgers), et l'aménagement y est très correct, de même que le service.

Pancho Villa
$$$
sur la rue principale, à l'angle de la rue menant à la Discoteca Los Toucanes, Jacó
☎643-3571
Il peut être également intéressant de manger au restaurant Pancho Villa, au bel aménagement.

Côte Pacifique centrale

Villa Lapas
$$$
en bas du chemin menant à la Catarata Manantial Agua Viva, sur la route San José – Jacó
☎222-5191

Vous recherchez une atmosphère spéciale pour faire un bon repas? Le restaurant de l'hôtel Villa Lapas vous la propose. L'hôtel (voir p 322) étant en effet situé au bord d'une rivière et dans une forêt très sonore, dîner à son très joli restaurant est une excellente occasion de s'entourer de tous ces bruits de la nature qui rendent le Costa Rica si séduisant. Le décor du restaurant en général et la présentation des plats ajoutent au plaisir d'y prendre son repas (cuisine internationale) tout en contemplant la nature qui l'entoure.

Entre Jacó et Quepos

Parrita

Si vous devez vous restaurer entre Jacó et Quepos, vous pouvez vous arrêter à Parrita. Le **Café Yoli** (*$$; tlj 7h à 23h; vers la sortie de la ville en direction de Jacó, sur la rue principale, Parrita*) est le meilleur endroit où se sustenter. Quoique sa propriétaire québécoise propose principalement un menu de pizzas, il est aussi possible d'y manger de bons hamburgers et des mets *ticos* de même que d'y prendre un petit déjeuner dans un bel environnement invitant.

Quepos

N'oubliez pas que le marché adjacent à la gare d'autocars est un bon endroit pour un casse-croûte.

Heladería Dani
$
tlj 10h à 23h
Un goût irrésistible de crème glacée? En ce cas, vous ne manquerez pas de remarquer le grand cornet de papier mâché campé sur le trottoir en face de la crémerie Dani. Une grande variété de parfums s'offre ici à l'amateur qui mettra de côté son bec fin pour apprécier un produit honnête et rafraîchissant!

🌴 Café Milagro
$
sur le chemin qui longe l'estuaire
☎777-1707

Le Café Milagro est un café digne de ce nom! Les desserts y sont excellents (les brownies au chocolat et au fromage, quel délice!), et le choix de cafés, de confitures, de sirops, de tasses à café et de cigares est tout à fait approprié pour un tel endroit. Le tout dans une belle atmosphère sympathique avec évidemment l'odeur du café qui s'ajoute aux arômes de l'endroit. Il est possible de s'y procurer certains magazines populaires américains (*Mademoiselle, The Enquirer* ou *Billboard*) ainsi que des quotidiens comme *USA Today*.

Punto de Encuantro Cafetería y Panadería
$
Av. Ctl, à côté des Cabinas Doña Alicia
Punto de Encuantro Cafetería y Panadería est un établissement où il est possible de déjeuner et de prendre un lait au chocolat, un thé, un café ou un jus naturel. Très sympathique.

El Pueblo
$
El Pueblo est un restaurant très populaire où l'on peut s'offrir un verre ou manger tard le soir.

Angolo
$$
Au milieu du village de Quepos, une petite boutique à l'angle d'une rue offre des produits inusités. Il s'agit en fait d'une véritable épicerie italienne, ici, à des milliers de kilomètres de la «Botte»! Pizzas, pâtes, pains, fromages (entre autres ricotta), viandes froides, marinades, tout y est pour concocter des repas gastronomiques! Quelques tables permettent aussi de s'y attarder.

Dos Locos
$$
☎777-1526
Quepos possède aussi son restaurant mexicain! Dos Locos se trouve à l'angle d'une rue et présente un bel aménagement. On y sert toutes les spécialités de la cuisine de ces voisins latins du Nord.

Gabriel's Pizza
$$
☎777-1085
À un autre angle des petites rues du village, Gabriel's Pizza une petite pizzeria très fréquentée, dégage de bonnes odeurs à toute heure. On y prépare de belles pizzas garnies de toutes les façons sur une bonne croûte. On y sert aussi du vin. La clientèle s'installe à une petite table de bois dans un décor simple.

Au rez-de-chaussée de l'**Hotel Kamuk** (*$$; rue principale, en face de l'océan,* ☎777-0911) se trouve un beau petit restaurant à l'aménagement soigné. Le Kamuk possède également un autre **restaurant** (*$$$*) au troisième étage; il est ainsi bien isolé de la circulation de la ville et offre une belle vue sur les environs. Menu international.

Restaurante Isabel
$$
tout près de La Buena Nota
À la fois tranquille et très fréquenté, le Restaurante Isabel est tout indiqué pour un bon petit repas apprêté à partir de produits de la mer. En plein cœur de Quepos.

El Gran Escape
$$$
fermé mar
☎777-0395
El Gran Escape constitue l'un des incontournables de Quepos. Ses deux grandes salles occupent un angle de la rue principale et déversent sur le trottoir une ambiance festive. Un long bar au fond et une bonne quantité de tables en bois côtoient une série d'éléments de décor, dont une fontaine, qui donnent un joli effet. Les chandelles sur les tables ajoutent une touche agréable. Le menu affiche des plats de poisson et fruits de mer, bien sûr, mais aussi des viandes, hamburgers et mets mexicains. Le tout s'avère sustentant grâce aux portions généreuses. Évitez les frites toutefois pour ne pas être déçu. On peut y venir aussi bien à deux qu'à plusieurs avec les enfants.

Entre Quepos et Manuel Antonio

On peut manger dans la plupart des restaurants des hôtels de la région, mais voici certains restaurants que vous pourriez retenir.

Café Milagro
$
Comme son frère situé au village, le Café Milagro, sur la route de Manuel Antonio, propose des petites gâteries à dévorer à toute heure du jour et, bien sûr, un café qui vous ferait parcourir des kilomètres pour une tasse! Muffins, gâteaux, *bagels* et sandwichs vous sustenteront, tandis que le choix de boissons et cafés, dont certains glacés, vous réconfortera. Le matin, on dresse un buffet de petit déjeuner qui vaut le détour; pour un prix plus que raisonnable, vous pouvez vous servir à volonté: crêpes, pain doré, œufs, jambon, bacon, mueslis, jus frais, fruits et plus encore. De quoi faire des réserves pour toute la journée! Une petite boutique attenante vend aussi de l'artisanat et… du café!

🛶 Pickles Deli
$-$$
☎777-1597
Quelle belle découverte que ce *deli!* Quoi de plus agréable que de partir en pique-nique dans la nature avec, sous le bras, un petit panier débordant de bonnes choses! À Manuel Antonio, c'est maintenant chose possible grâce à Pickles Deli, où l'on trouve de tout pour se concocter un déjeuner à son goût. Il loue même de petites glacières! Viande et poulet

marinés, légumes grillés et poissons fumés composent des sandwichs à faire craquer n'importe qui! Le sous-marin fourré de viandes froides sur pain baguette, le Veggi Grill servi dans une *foccacia*, le sandwich au *roast beef* accompagné de son jus… tous se révèlent littéralement jouissants! Accompagnez le tout d'une salade ou, pourquoi pas, de biscuits aux pépites de chocolat maison! Vous pouvez même y venir pour le petit déjeuner, deux ou trois tables le permettant, et repartir avec votre déjeuner!

Barba Roja
$-$$
mar-dim 7h30 à 24h
☎777-0331
De biais au Café Milagro, Barba Roja est à la fois un restaurant et une galerie d'art. Très populaire, il sert de la cuisine nord-américaine (hamburgers, sandwichs, steaks, certains fruits de mer, etc.), ce qui est idéal pour les mordus de ce type de nourriture.

Del Mar
$$
directement sur la plage, juste avant le parc Manuel Antonio
Le bar-restaurant Del Mar est d'atmosphère *tica* sans prétention. La musique d'ambiance est adaptée à sa clientèle plutôt jeune et dynamique qui fréquente l'endroit en fin d'après-midi ou le soir. Menu *tico*.

El Mono Loco
$$
Premier restaurant à la sortie du parc Manuel Antonio, El Mono Loco campe sous un haut et large toit de palmes. Il

donne une bonne occasion de s'arrêter quand il devient urgent de se sustenter ou de se désaltérer à la fin d'une longue journée! On y sert une cuisine internationale sur des tables vitrées entourées de fauteuils en osier.

Mar y Sombra
$$
à 500 m de l'entrée du parc Manuel Antonio
☎**777-0003**
Mar y Sombra est un restaurant populaire un peu plus important que le Del Mar (voir ci-dessus) et situé lui aussi directement sur la plage. Un peu plus de soin a été apporté à l'endroit (par rapport au Del Mar) avec un aménagement paysager tout autour. Cuisine *tica*.

Jardin Gourmet
$$-$$$
Faisant partie du complexe des **Casitas Eclipse** (voir p 331), le bar-restaurant Jardin Gourmet propose une cuisine méditerranéenne dans un décor méditerranéen. On peut y prendre le petit déjeuner, le déjeuner et le dîner. On y parle le français.

La Cantina
$$-$$$
dès 16h
☎**777-0584**
En face de l'hôtel Costa Verde et associé à celui-ci, La Cantina présente une belle ambiance de fête. Sous un toit à aire ouverte, un grand gril laisse échapper une foule d'odeurs invitantes. Quelques tables basses sont disposées tout autour et sont entourées de chaises berçantes en

cuir. Elles font face à un petit espace où se produit généralement un groupe de musiciens. Derrière, une autre salle offre un coin plus tranquille pour les dîneurs plus avides de brochettes que de musique. Au centre trône un antique wagon de train, amené jusque-là pour abriter un petit centre Internet d'où l'on peut communiquer avec le monde.

El Mono Azul
$$-$$$
tlj 7h à 22h
☎**777-1548**
Le restaurant de l'hôtel El Mono Azul sert une cuisine internationale. Dans une salle à aire ouverte, quelques tables en plastique recouvertes de nappes colorées font office de restaurant où le menu affiche pâtes, pizzas, riz, etc. Les pizzas sont bonnes et servies sur une planche. À côté, vous trouverez une petite boutique tenue par des enfants dont les profits servent à sauver la forêt tropicale (voir p 342). On fait la livraison.

Restaurante Karola
$$$
jeu-mar
entre Barba Roja et le chemin menant à Mariposa, sur la route Quepos – Manuel Antonio
☎**777-1557**
Le Restaurante Karola ouvre ses portes dès 7h le matin pour le petit déjeuner. Spécialité de tartes aux noix (*macadamia*), œufs à la *ranchero*, steaks, *enchiladas*, etc.

Hotel Plinio
$$$
en retrait de la route d'une centaine de mètres, à 1 km de Quepos
☎**777-0055**
L'Hotel Plinio abrite un très bon restaurant, maintes fois recommandé. Il peut donc être utile de réserver à l'avance. L'atmosphère de l'établissement est plus qu'agréable. Le pain maison et les plats de la table d'hôte sont délicieux; c'est d'ailleurs au Plinio que vous pourrez manger un tiramisu sans pareil au pays.

Gato Negro
$$$
☎**777-0408**
Le restaurant de l'hôtel Gato Negro se dresse en bordure de la route, à l'étage d'un bâtiment recouvert de chaux où l'on n'est pas gêné par le bruit. Il présente un décor aéré et reposant, tout en blanc, depuis les murs de stuc jusqu'au mobilier en osier. Son long menu est italien et son accueil particulièrement gentil.

Vela Bar
$$$
à 100 m de la route Quepos – Manuel Antonio, tout près de l'entrée du parc
☎**777-0413**
Le restaurant de l'hôtel Vela Bar est agréablement caché dans la nature et propose notamment un menu végétarien.

Hotel El Byblos
$$$$
sur la route Quepos – Manuel Antonio
☎**777-0411**
Le restaurant de l'Hotel El Byblos, tenu par des Fran-

çais, vous propose une vraie bonne table française dans un décor sobre et distingué. Où pourriez-vous en effet déguster ailleurs dans la région des crevettes à la provençale ou encore de véritables et succulentes profiteroles?

Richard's
$$$$
sur la route Quepos – Manuel Antonio
En face de l'hôtel El Byblos, Richard's est un restaurant de classe servant pâtes et fruits de mer.

Sorties

Au sud de Puntarenas

Jacó

Bar El Zarpe
à l'intérieur du centre commercial de Jacó
☎*643-3473*
Le Bar El Zarpe offre une belle animation le soir. L'endroit est très fréquenté et le personnel très aimable.

Il existe deux discothèques à Jacó, **La Discoteca Los Toucanes** et **La Central** (☎*643-3076*), au bout des rues du centre-ville qui mènent à la plage. La Central fait peut-être plus discothèque que l'autre. Stationnement possible à La Central.

Quepos

Pub Kamuk
rue principale, en face de l'océan
☎*777-0811*
Le Pub Kamuk de l'hôtel du même nom est un endroit où jouent des orchestres et où se rassemblent bon nombre de gens.

Bahía Azul, tout à côté de la marina de Quepos, est un restaurant et un *dancing-bar* offrant de belles ouvertures sur le port de mer. Excellente occasion de prendre l'air, un peu plus frais à cet endroit de la ville, tout en sirotant un bon cocktail.

Arco Iris, de l'autre côté du Bahía Azul, à la marina de Quepos, est une discothèque pour une clientèle dans la vingtaine.

Derrière le restaurant El Gran Escape et adjacent à celui-ci, **Epicentro** est un petit établissement qui rassemble généralement une foule de jeunes. Jeux de fléchettes et vidéos, musique rock et téléviseur satisfont ces groupes venus discuter autour d'un verre dans ce bar qui s'ouvre sur la rue grâce à trois grandes portes de grange.

Un peu plus loin, **La Taberna de Tío Fernando** est en fait tenu par Fernand, un Québécois. Derrière son bar, dans une pièce minuscule au décor intéressant, il sert une clientèle hétéroclite, venue s'asseoir un moment sur un tabouret pour boire un verre et discuter avec le voisin. La Taberna de Tío Fernando est l'un des rares endroits

où l'on peut boire une bonne bière en fût à Quepos.

Pour danser, les jeunes vont au **Bistro tropical**, une discothèque de deux étages qui attire beaucoup de monde.

Toujours à Quepos, le pub **La Boquita**, situé en face du restaurant El Pueblo, au deuxième étage, est également très populaire. Tables de billard et musique reggae. **El Banco Bar** (☎*777-0478*) est un bar très sympathique au beau look (une flopée de photos-souvenirs tapissent un coin de l'établissement). Sa clientèle est détendue. Situé en face de l'hôtel Ramus.

Achats

Le sud de la péninsule de Nicoya

Montezuma

À Montezuma, vous trouverez de nombreuses petites boutiques qui vendent des vêtements, des bijoux et des petits souvenirs du Costa Rica. Que vous cherchiez un hamac, des sandales, un chapeau ou un maillot pour pratiquer le surf, vous aurez l'embarras du choix. Entre autres, la boutique **El Hamaquero**, à côté du Café Montezuma, propose une belle gamme de vêtements, dont certains sont fabriqués au pays. On y vend également, comme

Côte Pacifique centrale

partout ailleurs au pays, beaucoup de vêtements et des bijoux qui proviennent de l'Indonésie, de l'Inde et du Guatemala.

Au sud de Puntarenas

Jacó

Jacó possède un centre commercial d'une certaine ampleur, le **Plaza Jacó**, situé en face du Best Western Jacó Beach Resort, où loge notamment une succursale du Banco de Costa Rica.

Il est possible d'acheter vins et spiritueux à la **Licorería del Mar**, un peu au sud du restaurant Killer Munchies.

Tout juste à côté du restaurant Rioasis, la **Galería de Arte La Heliconia** attire les curieux par son raffinement. Contrastant avec le grand nombre de boutiques de souvenirs de Jacó, La Heliconia vend des produits artisanaux de qualité. Céramiques aux couleurs vives, bijoux en argent, vêtements, tout y est de bon goût. À visiter même si l'on n'a rien à acheter!

Jacó abrite aussi le **Cofre de Tesoro**, qui présente une belle sélection d'artisanat ainsi que plusieurs objets importés d'un peu partout dans le monde. Meubles, bibelots, chandelles et chandeliers, etc., garnissent deux grandes pièces.

Quepos

À Quepos même, il est possible d'acheter certains magazines à la pharmacie **Botica Quepos**, à l'angle de l'Avenida 2 et de la Calle 2, en face de la lagune.

La **Galería Costa Rica**, située du côté sud du terrain de jeu, est une boutique de produits artisanaux et de vêtements d'été de couleur. Très attrayante et sympathique.

Pas très loin, la **Galería Del Sol Gift Shop**, située à côté des Cabinas Hellen, est également une boutique de souvenirs de même que de vêtements d'été de couleur.

La boutique **Uluwatu** est une autre boutique de souvenirs et de vêtements d'été aux multiples couleurs.

La boutique **Motmot**, tout à côté de l'hôtel Malinche, est une boutique fort sympathique où il est possible d'acheter des produits artisanaux, de beaux agendas, de jolis vêtements au design original, des breloques, des bijoux, des verres fumées, de jolies cartes de vœux ainsi que de belles cartes postales (ce qui n'est pas si fréquent au Costa Rica).

L'Aventura
Calle 2, Av. 2
☎777-1019
La «multi-boutique» L'Aventura vend des produits artisanaux de qualité

et est tenue par des Québécois.

Café Milagro
sur le chemin qui longe l'estuaire
☎777-1707
Il est possible d'acheter, au sympathique Café Milagro, cafés, confitures, sirops, tasses à café, cigares, etc. Il est également possible de se procurer certains magazines populaires américains (*Mademoiselle*, *The Enquirer* ou *Billboard*) ainsi que des quotidiens comme *USA Today*.

Entre Quepos et Manuel Antonio

La Buena Nota
tlj 8h à 19h
Situé 1 km avant le parc Manuel Antonio, le petit commerce La Buena Nota vend des quotidiens, des magazines, des cartes postales ainsi que quelques vêtements d'été et de plage de couleur ou aux imprimés invitants.

Amazing Arts Art Gallery
☎777-2252
Sur la route de Manuel Antonio, une petite boutique mérite un arrêt pour son originalité. Installée dans l'hôtel El Mono Azul, l'Amazing Arts Art Gallery est une boutique d'artisanat tenue par des enfants. Au départ, en janvier 1999, deux enfants de neuf ans ont commencé à vendre au public leurs créations afin de ramasser des fonds pour sauvegarder la forêt tropicale.

Aujourd'hui, l'affaire a pris de l'ampleur, et la boutique profite de la collaboration de plusieurs enfants, dont des classes entières. Les jeunes à travers le monde sont d'ailleurs invités à se joindre à cette grande collecte de fonds pour l'environnement. Ne vous attendez pas à y retrouver une grande surface bien garnie. La boutique vend seulement quelques articles, dont certains sont encore fabriqués par des enfants mais dont plusieurs font de beaux souvenirs.

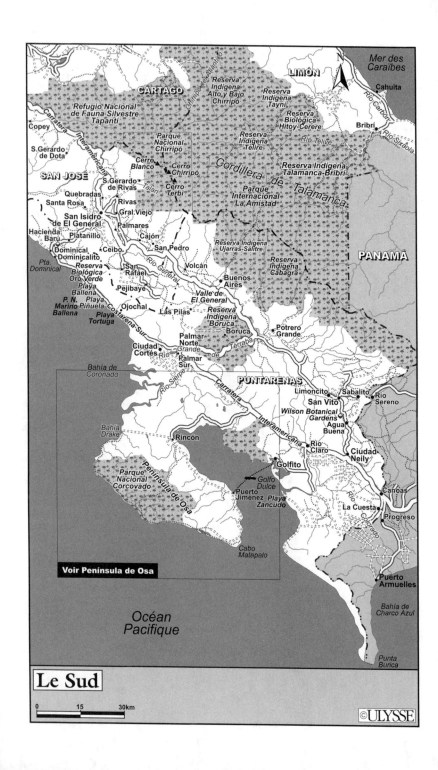

Le Sud

0   15   30km

©ULYSSE

Le sud du pays

Le sud du Costa Rica
n'est pas une destination très recherchée par les vacanciers.

Pourtant, c'est un territoire qui a beaucoup à offrir puisqu'il compte un grand nombre de zones géographiques différentes à l'intérieur de ses limites. De plus, certaines de ces zones ne sont pas encore très développées, ce qui favorise un contact plus direct avec la nature qu'en bien d'autres endroits du pays.

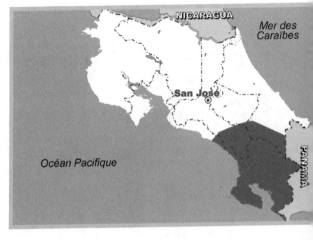

Le territoire dont il est question dans ce chapitre s'étend de la cordillère de Talamanca, au centre du pays, jusqu'à la frontière avec le Panamá, puis de cette même cordillère jusqu'à la côte Pacifique. Cette région bien desservie en infrastructure routière (l'Interaméricaine traverse toute la région) compte bon nombre des «extrêmes» du Costa Rica: la plus haute montagne du pays (le Cerro Chirripó), le plus grand parc (La Àmistad) de même que la chaleur... la plus humide de toute la côte Pacifique! Ajoutez à cela les zones de climat froid les plus grandes du pays, et cela vous donne un territoire riche et varié. On comprendra donc que les paysages y soient diversifiés, alors qu'une végétation de toundra domine les sommets montagneux du centre et que les forêts tropicales chaudes et humides parsèment la côte. Les cascades d'eaux cristallines, les plages de surf, les rivières de rafting et le quetzal y sont bien connus.

Mais ce n'est pas tout: le sud du Costa Rica, c'est également un territoire d'intérêt culturel et archéologique. Peuples autochtones et vestiges précolombiens sont là pour témoigner du lointain passé du pays.

Il n'en tient qu'à vous de visiter et de découvrir cette région: vous verrez, les possibilités de s'y reposer, de s'y récréer – et de s'y instruire – ne manquent pas.

Pour s'y retrouver sans mal

En avion

Le sud de la région

Palmar: l'aéroport se trouve à Palmar Sur, au sud du Río Grande de Térraba. Il y a toujours des taxis à l'arrivée des vols.

Golfito: des vols sont régulièrement effectués entre Golfito et San José avec **Sansa** *(lun-sam; 66$ aller simple;* ☎*221-9414)* et **Travelair** *(tlj; 84$ aller simple;* ☎*220-3054).*

Península de Osa

Puerto Jiménez: les compagnies aériennes **Sansa** *(*☎*221-9414)* et **Travelair** *(*☎*220-3054)* proposent des vols quotidiens San José – Puerto Jiménez. Le vol dure environ 1 heure 30 min et coûte autour de 150$ (aller-retour).

En voiture

Le nord de la région

La **Costanera Sur**: cette autoroute est asphaltée sur toute sa longueur. D'une largeur impressionnante, elle constitue certes l'une des routes les plus agréables du pays. Restez tout de même aux aguets car plusieurs villages se trouvent non loin de la route. Chose surprenante toute-

fois, ces villages ne sont pas indiqués. Un étrange règlement interdit en effet la pose de panneaux en bordure de la route. Ainsi, si vous êtes à la recherche de **Las Escaleras**, d'**Uvita** ou d'**Ojochal**, vous devrez demander votre chemin. Sachez que tous les villages sont à flanc de colline, au nord de la route, tandis que, du côté de la mer, on trouve les plages avec leurs petites agglomérations.

San Isidro de El General: Interaméricaine vers le sud.

San Gerardo de Dota: sortie au Km 80 de l'Interaméricaine.

Dominical: il existe une route asphaltée en assez bon état entre San Isidro de El General et Dominical. Elle louvoie entre les nombreuses collines qui sépare les deux régions. Soyez donc vigilant. Le trajet dure un peu moins d'une heure. Vous pouvez aussi rejoindre Dominical au départ de Quepos par une route en plus ou moins bon état (mais généralement pas si mauvaise) passant quelque peu à l'intérieur des terres via Savegre. Cette route aboutit à la Costarena Sur. Le trajet dure 45 min.

Parque Nacional Chirripó

De San Isidro, il faut compter 22 km pour se rendre à San Gerardo de Rivas (environ 1 heure 30 min). De San Isidro, prenez l'Interaméricaine en direction sud, passez le

pont du Río San Isidro puis celui du Río Jilguero, et, quelques centaines de mètres plus loin, empruntez la petite route qui grimpe sur la gauche (aucune indication). Cette petite route est revêtue jusqu'à Rivas seulement, puis elle devient plus étroite et cahoteuse. Passé le petit village de Canán, gardez la droite pour vous rendre à San Gerardo de Rivas (le chemin sur la gauche mène à Herradura).

Península de Osa

Puerto Jiménez: pour atteindre la **Península de Osa**, prenez l'Interaméricaine ou la route qui longe la côte, vers le sud, en direction de Palmar Norte. À 33 km au sud de Palmar Norte, à Chacarita, un panneau indique l'entrée de la petite route (près d'une station-service), sur la droite, qui mène au bout de la péninsule. De l'Interaméricaine à Puerto Jiménez, comptez environ deux heures pour franchir les 78 km de route. La route est revêtue et est en assez bon état jusqu'à Rincón (45 km), puis non revêtue mais carrossable jusqu'à Puerto Jiménez.

Bahía Drake: la baie est accessible en voiture. Juste après le village de Rincón, une route non revêtue traverse la péninsule sur sa largeur, pour aboutir de l'autre côté. Prévoyez environ 2 heures pour effectuer le trajet.

Parque Nacional Corcovado (Carate)

Une grande majorité de visiteurs accèdent au parc par l'accueil La Leona, près de Carate. De Puerto Jiménez, une petite route (43 km, environ 2 heures) mène à Carate. Cette route peut être empruntée par toutes les voitures jusqu'à Cabo Matapalo seulement (environ 20 km), mais il faut un véhicule à haut dégagement (préférablement à quatre roues motrices) pour se rendre jusqu'à Carate. Lors de notre passage, nous avons compté 13 ruisseaux à franchir à gué dont au moins 3 assez importants. À Carate, plus un point de repère qu'un village, la route s'arrête près de la petite piste d'atterrissage et de la *pulpería*. Vous devrez laisser votre véhicule à côté de la *pulpería* (2$ par jour), puis faire 2 km à pied le long de la plage pour atteindre l'entrée du parc.

Le sud de la région

Ce secteur peut être visité, pour l'essentiel, en suivant simplement l'Interaméricaine à partir de San Isidro de El General vers le sud. Cette grande route parcourt en effet la majeure partie du territoire à visiter en traversant d'abord le Valle del General dans toute sa longueur, pour bifurquer par la suite et rejoindre les basses terres de la côte jusqu'au Panamá. C'est à partir de deux routes plus régionales, auxquelles donne accès l'Interaméricaine, que vous pourrez

également rejoindre les deux sous-secteurs de Playa Tortuga et du Coto Brus (San Vito), qui complètent le tour de la région.

Palmar: vous n'avez qu'à suivre l'Interaméricaine au départ de San José ou de San Isidro de El General jusqu'à Palmar. Vous pouvez également passer par Dominical en empruntant la Costarena Sur le long de la côte Pacifique.

Sierpe: il existe un chemin d'accès vers Sierpe à partir de l'Interaméricaine, tout près de Palmar Sur. Le chemin étant mal indiqué, n'hésitez pas à demander votre route aux gens des environs.

Boruca: en retrait de l'Interaméricaine. Vous pouvez atteindre la réserve en suivant la route qui relie Boruca à l'Interaméricaine, à quelques kilomètres au sud de Curré. La route n'est pas particulièrement de tout repos, et vous aurez probablement à utiliser un véhicule à quatre roues motrices pour atteindre l'endroit durant la saison verte.

Golfito: vous n'avez qu'à suivre l'Interaméricaine au départ de San José ou de San Isidro de El General jusqu'à Río Claro. À l'endroit où Golfito sera indiquée, vous devrez quitter l'Interaméricaine pour vous engager sur un chemin vous menant vers la côte. Au départ de San José, le voyage représente environ sept heures de route.

Zancudo: il existe sur la route menant à Golfito, à partir de l'Interaméricaine, un chemin qui mène à Zancudo. Vous aurez à franchir le Río Coto Colorado par traversier afin de pouvoir continuer votre chemin jusqu'à Zancudo. Attention, le chemin est mal indiqué; n'hésitez pas à demander votre route aux gens des environs.

Pavones: Pavones est à quelque 10 km au sud de Zancudo.

San Vito: si vous arrivez de San Isidro de El General, vous devez prendre l'Interaméricaine jusqu'à Paso Real puis la route du Coto Brus (asphaltée et en assez bon état) sur votre gauche, où un pont enjambe le Río Grande de Térraba. Comptez un peu plus de deux heures pour vous rendre à San Vito. Si vous partez de Golfito, vous devez vous rendre à Ciudad Neily pour gravir la route située au nord de la ville. Attention, les coups d'œil sont magnifiques sur le littoral que vous quittez ainsi que sur les élévations que vous abordez, mais la route, relativement étroite quoique généralement asphaltée, monte souvent abruptement et comporte des virages en épingle à cheveux. Vous pourriez rencontrer de bons nids-de-poule et du brouillard épais à certains moments de l'année.

Wilson Botanical Garden: le Wilson Botanical Garden se trouve à quelque 15 min au sud de San Vito, sur le chemin menant à Ciudad Neily.

En autocar

Le nord de la région

San Isidro de El General: la gare d'autocars de San José est située sur l'Interaméricaine entre la Calle 2 et la Calle 4. La compagnie d'autocars **Vargas Rojas** (*☎222- 9763 à San José ou 771-0419 à San Isidro*) propose quatre départs pour San Isidro depuis San José (*6h30, 9h30, 12h30 et 15h30; 2$*). Même horaire pour les départs depuis San Isidro à destination de San José.

San Gerardo de Dota: de San José, prenez l'autocar pour San Isidro et demandez au chauffeur de vous laisser à l'Entrada de San Gerardo, au Km 80 de l'Interaméricaine.

Parque Nacional Chirripó

De San Isidro, un autocar (départs quotidiens à 5h et 14h) mène directement en face de l'administration du parc, à San Gerardo de Rivas. Le trajet dure environ 1 heure 30 min. Pour le retour vers San Isidro, les départs ont lieu à 7h et 16h.

Península de Osa

Puerto Jiménez: de San José, un autocar (départs quotidiens à 6h et 12h; angle Calle 12 et Av. 7) mène directement à Puerto Jiménez, principal village de la Península de Osa. Le trajet dure environ 9 heures et coûte 6$ (*Transportes Blanco-Lobo, ☎257-4121*).

Le sud de la région

Boruca: de Buenos Aires, il y a un autocar partant du Mercado Central qui se rend deux fois par jour à Boruca. Le trajet dure 1 heure 30 min et coûte à peine quelques dollars.

En bateau

Península de Osa

Golfito – Puerto Jiménez: un bac (*☎735-5017*) pour passagers seulement fait la navette entre Golfito (départ quotidien à 11h) et Puerto Jiménez (départ quotidien à 6h). Le trajet dure environ 1 heure 15 min et coûte 3$. Notez également que des bateaux-taxis (*Abocap, ☎775-0357*) peuvent vous conduire à différents endroits.

Bahía Drake – Sierpe: de Palmar Norte, comptez environ 30 min pour vous rendre à Sierpe (voiture, autocar ou taxi). Si vous avez une réservation, sachez que la plupart des hôtels de la région fournissent également le transport par bateau (aller-retour) au départ de Sierpe. Si tel n'est pas le cas, vous devrez trouver un bateau-taxi au quai. À la Pulpería Fenix ou à l'Hotel Pargo (*☎788-8111*), on peut également vous aider à trouver un bateau-taxi. Le trajet dure environ 1 heure 30 min et coûte autour de 15$ par personne (aller).

Le sud de la région

Sierpe: (voir ci-dessus).

Zancudo: il y a des départs pour Zancudo, à partir du Muellecito de Golfito, deux fois par jour. Les heures précises de départ peuvent changer; mieux vaut s'informer à l'avance.

Renseignements pratiques

San Isidro de El General, Golfito, Palmar Norte, Ciudad Neily et San Vito sont cinq endroits où l'on peut obtenir un certain nombre de services de base dans le sud du Costa Rica. C'est notamment là que l'on peut obtenir des services bancaires, au comptoir ou par le biais de guichets automatiques. Dans la **Península de Osa**, les centres de services sont beaucoup moins nombreux (sinon carrément inexistants), surtout en dehors de Puerto Jiménez.

San Isidro de El General: le Banco del Commercio est situé sur l'Avenida Central entre la Calle 2 et la Calle 4. Le Banco Popular se trouve à l'angle de l'Avenida 2 et de la Calle 1. Le Banco Nacional de Costa Rica est, quant à lui, situé à l'angle de l'Avenida 1 et de la Calle Central. Le centre de réservations touristiques **Selva Mar** (*☎771-4582*) se trouve sur la Calle Central, un peu en retrait du centre-ville, au sud de l'Avenida 10.

Palmar Norte: il y a une succursale du Banco Popular, au nord de l'Interaméricaine, dans un petit centre commercial. Le Banco Nacional est situé de l'autre côté de l'Interamericana, un peu plus à l'est.

Ciudad Neily: le centre de Ciudad Neily renferme un Supermercado Loaiza, moderne et bien approvisionné, de même qu'un *mercado*, une gare d'autocars, un Banco Popular, un Banco Nacional et un Banco de Costa Rica.

San Vito: la Licorería La Cruz, située au nord-ouest du centre-ville, vend quelques magazines en anglais. Un Supermercado B&M se trouve tout près de l'intersection principale du centre-ville. Les banques Bancrecen, Popular, Nacional et de Costa Rica disposent chacune d'une succursale à San Vito.

Golfito: le Banco de Costa Rica possède une succursale à Golfito, pas très loin du Muellecito. En outre, un guichet automatique du Banco Popular est situé sur les terrains du Deposito Libre. Deux bons *supermercados*, Granados et Consucoop, sont situés l'un près de l'autre, le long du boulevard principal de Golfito, dans le Pueblo Civil.

Excursions

Selva Mar (*San Isidro de El General,* ☎ *771-4582)* est une entreprise très importante dans la région sud pour toutes sortes d'activités de plein air, et particulièrement pour le

rafting avec guide comportant tous les degrés de difficultés. C'est également un service de réservation pour la région tant pour l'hébergement que pour planifier une randonnée équestre ou en bateau, ou pour organiser une sortie ornithologique ou même pour louer une automobile. Certains hôtels sur la côte entre Uvita et Dominical vous renverront d'ailleurs à cette agence de tourisme pour réserver.

Attraits touristiques

La région de San Isidro de El General

Le nord de la région, c'est d'abord une partie de la zone alpine de la cordillère de Talamanca, que vous avez à traverser pour vous rendre à San Isidro. Vous constaterez, au fur et à mesure que vous cheminez sur l'Interaméricaine, le changement de climat et de végétation. Vous vous élevez tellement en altitude pour atteindre le **Cerro de la Muerte ★★**, point culminant de votre déplacement avant de redescendre vers San Isidro, que, de la forêt luxuriante que vous êtes habitué de voir dans la plupart des régions du pays, vous passerez progressivement à une végétation carrément rabougrie qui rappelle quelque peu la toundra; l'effet est assez saisissant. Profitez des

quelques *miradores* sur le chemin pour saisir toute la majesté de la nature à cet endroit, notamment le **Mirador Vista del Valle**, avec son petit belvédère couvert. Les coups d'œil sont tout simplement époustouflants. Il faut voir les tapis de verdure descendre à pic (vraiment à pic!) vers le fond quasi insondable des gorges profondes tout en moulant les pentes des montagnes.

Pour un maximum de plaisir, faites le trajet de préférence tôt le matin pour éviter l'épais brouillard qui peut coiffer régulièrement ces hauteurs lorsque la journée avance. Et de grâce, n'y circulez pas la nuit! Si l'on ajoute le brouillard (ou la pluie) à la route relativement étroite, à la circulation importante de camions, au manque d'éclairage et au comportement varié des usagers de cet axe de circulation souvent privé d'accotement ou de garde-fou, le périple peut devenir dangereux.

Dans cette région de la cordillère de Talamanca, Copey de Dota et San Gerardo de Dota sont deux endroits qu'il peut être agréable de visiter. Le climat qui baigne ces deux localités et la topographie qui les caractérise (les deux endroits sont à flanc de montagne) vous assurent d'une visite «fraîchement» originale.

À **Copey** (7 km en contre-bas de l'Interaméricaine, au Km 58), l'altitude de 2 000 m favorise la culture des pommes, avocats, pêches et prunes. La rivière relativement encaissée de la vallée du village de **San Gerardo de Dota** ★ (9 km en contrebas de l'Interaméricaine, au Km 85) est à la base du tableau bucolique que la belle forêt et les verts pâturages environnants complètent. Entre autres espèces végétales, la forêt recèle de multiples types de champignons colorés. Certains chênes ont plus de 100 ans ici. Même sous la pluie, fraîche à cette altitude, le décor est invitant. Mais il faut descendre un chemin de 9 km quelquefois asphalté mais très abrupt, sinueux et étroit, qu'il est préférable de parcourir avec un véhicule à quatre roues motrices.

La **vue** ★★ que l'on peut avoir sur San Isidro de El General et sur la vallée en arrivant de Dominical ou du Cerro de la Muerte est fort agréable. Les échappées visuelles créées par les reliefs variés du milieu multiplient en effet le plaisir de découvrir une vaste région verte encadrée de monumentales montagnes.

San Isidro de El General, avec ses 40 000 habitants, est le chef-lieu et la plus grande ville de toute la région sud du pays. Bien que la ville elle-même ne recèle pas de spectaculaires attractions touristiques, il peut être agréable par exemple de se promener dans le parc central pour constater la joie de vivre des habitants ou de visiter le marché central, puisque la ville est le point de vente de la production maraîchère et agricole de la région. Il pourrait être

également intéressant d'aller visiter le petit **Museo Regional del Sur** *(lun-ven 9h à 12h et 13h à 17h; à l'intérieur du complexe culturel, ancien édifice du marché municipal, ☎771-5274)*, qui propose diverses expositions mettant en vedette la région sud du Costa Rica tant sur le plan culturel qu'écologique.

San Isidro de El General est également le point de départ pour toute une série de destinations nationales et régionales. Elle assure d'abord le lien entre la région de la capitale nationale et l'État voisin, le Panamá. Ensuite, de San Isidro rayonnent également les routes à suivre pour se rendre dans la région de Quebradas, au Cerro Chirripó, à Dominical sur la côte Pacifique, ou encore pour tout le secteur sud de la région, le long de l'Interaméricaine.

C'est ainsi qu'à 7 km au nord de San Isidro le centre biologique **Las Quebradas** ★ *(mar-jeu 8h à 14h, sam-dim 8h à 15h, fermé en oct; Quebradas, ☎771-6096)* vous invite à la réserve naturelle protégée faisant la promotion de la conservation du bassin du Río Quebradas (zone d'approvisionnement en eau potable de la région d'El General). Plusieurs activités didactiques sont offertes pour mieux comprendre la valeur naturelle de ce secteur localisé à plus de 1 000 m d'altitude, et il est possible de contempler la variété de plantes et d'animaux en se promenant sur les sentiers (2,5 km). On peut également camper et

pique-niquer sur le site. Pendant la période des pluies (septembre et octobre), il est recommandé d'utiliser un véhicule à quatre roues motrices pour se rendre sur les lieux.

La région de Rivas

À une dizaine de kilomètres au nord-est de San Isidro de El General, c'est la région de **Rivas** ★ qui vous attend. En plus d'être un lien géographique vers la région du Cerro Chirripó, la région de Rivas pourrait devenir un site archéologique de première importance au pays afin de mieux connaître les nations autochtones aujourd'hui disparues. On croit que le nombre d'objets enfouis dans le sol de la région pourrait rendre un jour Rivas aussi important «archéologiquement» que les sites de Turrialba-Guayabo. Pour vous en rendre compte par vous-même, allez visiter le **Rancho La Botija** *(5$; mar-dim 7h à 20h; à 6 km de San Isidro, sur le chemin de Rivas, ☎382-3052)*, un petit centre récréatif (espaces de jeux divers, salle de jeux de table, piscine, etc.) situé sur les lieux d'une ancienne sucrerie. Les propriétaires proposent également une petite randonnée le long de pétroglyphes précolombiens, fréquents dans la région de Rivas. Des objets anciens garnissent également le bâtiment principal, entre autres un vieux *trapiche* (moulin à sucre). Assez sympathique comme endroit. Il est également

Solidarité

Il est parfois de ces histoires qui font plaisir à entendre... Dans la région de Rivas, les citoyens ont, au début de l'an 2000, remporté une bataille qui les opposait depuis 1995 à une importante entreprise espagnole. L'histoire débute cette année-là, alors que des ingénieurs de cette entreprise viennent arpenter le Costa Rica à la recherche de rivières assez puissantes pour produire de l'hydroélectricité. Lorsqu'ils aboutissent dans la région de Rivas, ils sont choyés: cette partie du pays est irriguée par de nombreuses rivières tumultueuses. Les Espagnols décident donc de proposer à l'État costa-

ricien la construction d'un barrage sur le Río Chirripó. Le hic cependant, petit pour eux mais énorme pour d'autres, c'est que, pour ce faire, ils entendent expatrier un grand nombre de résidants du secteur. Ceux-ci, mis au courant de l'affaire, se regroupent donc et entament les procédures de ce qui sera réellement une guerre d'usure entre un géant multinational et de petits agriculteurs locaux.

Au printemps 2000 éclatent au pays d'importantes grèves et manifestations contre le projet de loi par lequel le gouvernement veut privatiser la compagnie natio-

nale d'électricité, l'ICE. Parmi les clauses de ce projet de loi, l'une vise à aider les compagnies étrangères à venir au pays construire de grands ouvrages hydroélectriques. Mais la grogne populaire bloquera le projet du gouvernement et mettra du même coup un frein aux aspirations de l'entreprise espagnole. Les citoyens de Rivas pourront donc conserver leurs terres, et le Río Chirripó pourra continuer de couler des jours paisibles dans cette magnifique région. Comme quoi la bataille en vaut parfois la chandelle, même si les forces en présence ne semblent pas égales au départ...

possible de s'acheter un casse-croûte sur le site.

La Pradera *(sur le chemin San Isidro – Rivas avant d'arriver à l'Albergue Talari, Rivas)* est un centre récréatif qui, un peu comme La Botija, possède des équipements et des installations pour toutes sortes d'activités sportives et de plein air (football et autres). Là aussi on peut

observer des pétroglyphes et contempler les environs vallonnés de Rivas.

Un peu plus loin, c'est **San Gerardo de Rivas** ★★ qui se dresse tout juste avant le Parque Nacional Chirripó. Bien que la plupart des gens passent par San Gerardo pour se rendre au parc, sachez que les environs de ce petit village sont de toute

beauté. La route serpente, accrochée aux montagnes, et croise les nombreuses rivières qui irriguent les environs. On y voit de petites maisons de bois aux jolies couleurs, des villages tranquilles, des distributrices de café perchées en bordure du chemin, tout cela au cœur d'une végétation généreuse. Une balade dans les environs vous procurera sans contredit des moments agréables, et vous y ferez des découvertes intéressantes. Entre autres, faites une halte à l'Hotel Pelicano pour voir les **œuvres du sculpteur Don Rafael Elizondo**. Le bois, habilement travaillé, prend ici des visages étonnants et amusants. Vous vous émerveillerez devant tant de talent.

Qui plus est, sur le chemin menant à **Herradura**, à 1 km de San Gerardo (ainsi qu'à 1 km sur un sentier à droite du chemin), vous pouvez vous baigner dans une **source d'eau chaude** au sommet d'une colline, après en avoir payé l'accès *(1$)* au propriétaire voisin.

Parque Nacional Chirripó

Avec de hautes montagnes dépassant les 3 000 m d'altitude, d'immenses rochers repliés, un lac glaciaire, des refuges et des sentiers balisés, le Parque Nacional Chirripó *(15$; tlj 5h à 12h; ☎771-3155, www.chirripo.com)* a vraiment tout pour plaire aux randonneurs expérimentés ainsi qu'à ceux qui désirent découvrir un petit paradis alpin dominant la forêt tropicale humide de ce minuscule pays d'Amérique centrale. En fait, non seulement le Cerro Chirripó (3 819 m) est la plus haute montagne du Costa Rica, il est également la plus haute d'Amérique centrale, en excluant le Guatemala.

Ouragans

On ne souçonne pas la force des ouragans. Saviez-vous qu'ils peuvent aller jusqu'à déplacer le lit d'une rivière? Dans le sud du Costa Rica, en 1996, l'ouragan César a, en une seule nuit, transformé le paysage. Entre 18h et 6h seulement, des pluies abondantes et des vents débridés ont entraîné, entre autres sur le Río El General, une accumulation de débris qui a contraint la rivière, devenue torrent, à sortir de son lit et à se frayer un chemin 2 km plus loin. Inutile de dire que la rivière n'a pas retrouvé son cours original et que les habitants de la région ont dû s'accommoder de cette nouvelle division de leurs terres!

D'une superficie de 50 150 ha, le parc national Chirripó est situé à 26 km au nord-est de San Isidro de El General et à 150 km de San José. L'entrée du parc se trouve dans le petit village de San Gerardo de Rivas, soit à une altitude de 1 350 m. Pour atteindre le sommet du Cerro Chirripó, il faut grimper de quelque 2 500 m

d'altitude, ce qui constitue une dénivellation fort importante et exténuante. Il vaut mieux prévoir au minimum trois jours (deux nuits) pour effectuer la randonnée, et davantage si l'on désire explorer les sommets avoisinants et profiter de conditions climatiques favorables pour les vues.

Le parc reçoit autour de 3,5 m de précipitations annuelles, et les températures oscillent entre 9°C et 20°C. Il faut donc s'attendre à tout et se munir de vêtements chauds, imperméables et résistants. De plus, comme le parc accueille près de 3 000 visiteurs par an, il est conseillé de réserver ses nuitées à l'avance dans les refuges, surtout pour les fins de semaine, et spécifiquement pour le congé pascal, pendant lequel les Costariciens viennent marcher en groupe. Le reste de l'année, alors qu'il ne pleut généralement qu'en après-midi, vous serez peut-être seul dans les sentiers et serez sûr de pouvoir obtenir une place au refuge principal. La meilleure saison pour visiter le parc est celle de l'été costaricien, plus particulièrement entre les mois de janvier et d'avril, qui jouit d'un climat sec.

Bien que la plupart des visiteurs passent quelques jours dans le parc, il est également possible et fort agréable de n'y rester qu'une journée (6$, pas de réservation, arrivez le plus tôt possible en matinée). Vous pourrez ainsi marcher dans de jolis

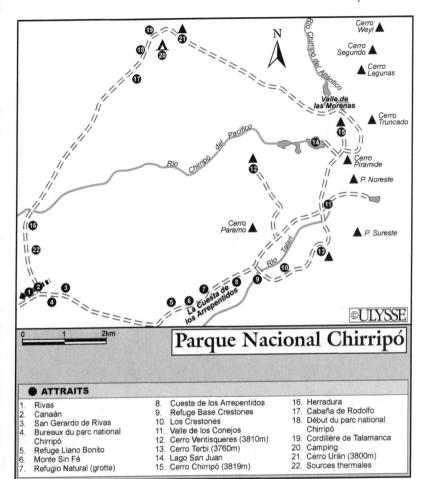

Parque Nacional Chirripó

● ATTRAITS

1. Rivas
2. Canaán
3. San Gerardo de Rivas
4. Bureaux du parc national Chirripó
5. Refuge Llano Bonito
6. Monte Sin Fé
7. Refugio Natural (grotte)
8. Cuesta de los Arrepentidos
9. Refuge Base Crestones
10. Los Crestones
11. Valle de los Conejos
12. Cerro Ventisqueres (3810m)
13. Cerro Terbi (3760m)
14. Lago San Juan
15. Cerro Chirripó (3819m)
16. Herradura
17. Cabaña de Rodolfo
18. Début du parc national Chirripó
19. Cordillère de Talamanca
20. Camping
21. Cerro Urán (3800m)
22. Sources thermales

pâturages et parcourir la forêt tropicale humide où la végétation est des plus denses, composée de nombreuses plantes épiphytes et d'arbres majestueux. Vous pourrez également observer de petits animaux, ou les traces de plus grands (tapir de Baird, puma, etc.), ainsi que plusieurs espèces d'oiseaux dont le splendide et spectaculaire quetzal. Lors d'une randonnée d'une journée, il n'est pas recommandé de grimper

plus haut que le premier refuge, dénommé **Llano Bonito**, situé à mi-chemin environ entre San Gerardo de Rivas et le refuge principal.

L'une des grandes qualités du parc est qu'il permet de franchir plusieurs types d'habitats naturels. Ainsi, après avoir passé la forêt tropicale humide, vous entrez dans une vaste zone dénudée où le vent reprend tous ses droits. S'y dévoile un type de

végétation spé-cifique aux hautes plaines humides et froides, dénommé *páramo*. Le *páramo* comprend une flore adaptée aux rigueurs climatiques ainsi que de petits arbustes rabougris. Autour du Cerro Chirripó, de même que dans les environs du Cerro de la Muerte, un peu plus à l'ouest (le long de l'Interaméricaine), on a constaté que le *páramo* andin atteignait ici sa limite nord.

Sud du pays

Le Cerro Chirripó domine la cordillère de Talamanca, qui s'étend au sud du pays. Au pied de la montagne, un joli lac aux eaux calmes et froides, le **Lago San Juan**, permet de se détendre au retour du sommet. Plus près du refuge, le massif plissé de **Los Crestones**, composé de roches calcaires et magmatiques, est d'une grande beauté. Ces deux lieux, très photogéniques, comptent parmi les destinations qui vous sont facilement accessibles si vous demeurez quelques jours au refuge sommital, dénommé **Base Crestones**.

Comme la grande majorité des touristes, si vous ne venez que pour deux ou trois semaines au Costa Rica, il peut être difficile de prévoir tout l'équipement nécessaire (anorak, sac à dos, sac de couchage, nourriture, réchaud, etc.) et d'effectuer vous-même les réservations (transport, refuge, guide, chevaux, etc.) à l'avance. Cependant, si vous séjournez à l'auberge de montagne **Talari** (voir p 377), située à Rivas, les sympathiques propriétaires Jan et

Pilar Westra, qui parlent le français, pourront vous réserver une chambre de même qu'effectuer tous les arrangements nécessaires, quelques jours ou semaines à l'avance, pour votre séjour dans le Parque Nacional Chirripó. Ainsi, vous vous éviterez bien des surprises désagréables et pourrez profiter pleinement de votre randonnée en montagne.

Lors de la saison sèche (environ de décembre à mai), il demeure possible de faire transporter ses bagages à dos de cheval. Un cheval peut transporter les bagages de trois ou quatre randonneurs, et il en coûte autour de 10$ par jour. Généralement il faut, en plus, louer les services d'un guide (environ 20$/jour). En dehors de la saison sèche, vous pouvez faire appel à des porteurs (20$/jour). À cet effet, une petite association de guides a vu le jour dans la région de San Gerardo de Rivas et de Herradura. Les guides sont des hommes de la région, et plusieurs parlent l'anglais. Ils sont sympathiques, dévoués, et connaissent très bien les sentiers du parc.

À votre arrivée à San Gerardo de Rivas, vous devez vous présenter au bureau du parc *(tlj 5h à 17h)*, que vous ayez une réservation ou non. Il est possible de laisser sa voiture près du bureau et de mettre à l'abri les bagages excédentaires, pour quelques colons. Le gardien vous remettra une petite carte (très rudimentaire) du parc et vous informera de l'état des sentiers ainsi que des dernières prévisions météorologiques. Outre le prix d'entrée, vous devrez payer pour dormir dans les refuges *(10$/pers./nuit)* ou camper *(5$/pers./nuit)* près du sommet du mont Urán, seul lieu dans le parc où l'on vous le permettra.

L'ascension du Cerro Chirripó

La première journée consiste à monter le sentier de 16 km qui sépare San Gerardo de Rivas du refuge Base Crestones. Comme la montée est relativement constante et longue, vous devrez grimper environ à 2 200 m d'altitude; il est vivement conseillé de partir le plus tôt possible en matinée, soit vers 5h ou 6h maximum. Normalement, les gardiens du parc ne vous laisseront pas commencer la randonnée s'il est passé 11h, afin que vous ne soyez pas surpris par la tombée de la nuit, qui survient toute l'année autour de 18h. Selon votre forme physique, votre expérience de la randonnée pédestre, le poids de votre sac à dos et les conditions climatiques, comptez entre

Entrée du Parque Nacional Chirripó

7 et 12 heures de marche pour franchir cette distance.

Le sentier est facile à suivre et bien indiqué. À environ tous les 2 km, vous verrez des panneaux indicateurs vous informant de l'altitude atteinte et du nombre de kilomètres à faire pour fouler le sommet du Cerro Chirripó. N'oubliez pas d'apporter suffisamment d'eau, car la première source d'eau potable se trouve seulement près du refuge Llano Bonito, soit presque à michemin. Le sentier passe par des pâturages, puis pénètre dans la basse forêt tropicale humide et la riche et dense forêt tropicale d'altitude. De nombreux oiseaux, et plus particulièrement leur chant, vous accompagneront tout au long du trajet. Près du premier refuge, il est fréquent d'apercevoir des singes.

Le premier refuge, **Llano Bonito**, sert plus de lieu de dépannage, de secours et de halte, au cas où des randonneurs éprouveraient des difficultés sérieuses, que d'un lieu de séjour. Après le refuge, le sentier grimpe constamment jusqu'à un petit mont dénommé **Monte Sin Fé**. La végétation change peu à peu, le climat demeure plus sec, et les arbres sont plus petits.

Plus loin, une petite grotte appelée *refugio natural* sert également, en cas de pépin majeur, à accueillir environ une dizaine de randonneurs pour la nuit. De la grotte, il vous reste entre une et deux heures

de marche pour atteindre le refuge principal, après avoir franchi la «côte des repentants» (*cuesta de los arrependidos*). À un certain moment, vous pourrez distinguer, au loin, d'immenses rochers pliés, tel un accordéon: **Los Crestones**. Le refuge principal, **Base Crestones** (*10$/pers./nuitée*), est ainsi dénommé parce qu'il est construit au pied des rochers. Il peut accueillir une soixantaine de personnes dans une quinzaine de chambres, et on y loue des couvertures. Notez qu'il est interdit de camper dans cette région.

Du refuge, il ne reste que 4 km à franchir pour atteindre le sommet du Cerro Chirripó (3 819 m). Étant donné que le sommet s'ennuage habituellement en début d'après-midi, nous vous recommandons d'attendre qu'advienne une matinée dégagée pour faire cette randonnée. Si le temps est incertain, vous pouvez effectuer une autre randonnée, telle celle du **Valle de los Conejos**, du **Cerro Ventisqueres** ou du **Cerro Terbi**. Pour grimper au sommet du Cerro Chirripó, comptez entre 1 heure 30 min et deux - heures de marche pour franchir la distance (aller) et gagner encore quelque 300 m d'altitude. En chemin, notez que la «vallée des lapins» (Valle de los Conejos) est désormais désertée par ce petit animal depuis le terrible incendie de 1976. Du sommet du Cerro Chirripó, si l'horizon est libre de toute masse nuageuse, il est possible de distinguer

l'océan Atlantique, vers l'est, et l'océan Pacifique, en direction ouest.

L'ascension du Cerro Urán

Le Cerro Urán est situé à une dizaine de kilomètres au nord-ouest du Cerro Chirripó. L'ascension du Cerro Urán se fait en empruntant des sentiers de pâturage au départ du petit village de Herradura.

Cette ascension permet de découvrir des vallées exquises ainsi qu'une forêt des plus magnifiques. Notez que vous devez obligatoirement faire appel au service d'un guide pour entreprendre cette randonnée de trois jours, car les sentiers ne sont pas balisés et passent parmi des fermes privées. Vous aurez le choix de camper (*1,25$/pers./nuit*) sur la cordillère, à plus de 3 000 m d'altitude, ou de dormir dans un petit refuge (*2$/pers./nuit*) dénommé la **Cabaña de Rodolfo** et situé sur la **Finca San Carlos**, soit à environ quatre heures de marche de Herradura. Nous vous conseillons fortement d'opter pour le refuge, car le camping est situé beaucoup plus loin, et vous devrez y grimper tout votre équipement, sans compter que l'endroit reçoit beaucoup de pluie.

La première journée consiste à grimper, au départ de Herradura, jusqu'au refuge. Le long des petits sentiers de pâturage, de nombreux points de vue offrent un paysage où se dessinent les vallées avoisinantes, parsemées de vaches broutant paisiblement. Vous pouvez également y admirer une vue imprenable sur le sommet du Cerro Urán. Le sentier pénètre rarement dans la forêt, et le soleil peut s'avérer de plomb.

Le lendemain matin, vous pourrez partir avec seulement un petit sac à dos d'un jour pour atteindre le sommet. Le sentier grimpe alors abruptement et traverse une superbe forêt tropicale humide où la mousse, les fougères et les plantes épiphytes se volent la vedette. Plus loin, le sentier s'unit à la cordillère de Talamanca. De là, la végétation se métamorphose pour faire place à des arbres plus petits et robustes, car ils sont sans cesse tourmentés par les vents, parfois violents. La cordillère étant aux limites de la chaîne de montagnes, le vent y souffle généralement très fort, et les nuages, en provenance de l'Atlantique, amènent brume et pluie.

L'altitude exacte du Cerro Urán ne semble pas faire l'unanimité, les textes et les cartes consultés mentionnant entre 3 600 m et 3 800 m d'altitude, soit un peu moins que le Cerro Chirripó (3 819 m).

La troisième journée est consacrée au retour vers le petit village de Herradura, où les habitants se promènent davantage à cheval qu'en voiture. Vous pouvez en profiter pour faire de l'équitation dans les environs (faites les réservations à l'avance par l'entremise de votre guide)

et découvrir la vie quotidienne de ces paysans fiers et généreux. Ainsi, notre guide, René Robles Santamaría, nous invita gentiment à dîner chez lui, dans une coquette petite maison accessible seulement à cheval ou à pied, en compagnie de sa sympathique famille.

Notez qu'il est désormais possible d'effectuer une boucle d'environ 35 km, qui passe par Herradura, le Cerro Urán, le Cerro Chirripó et San Gerardo de Rivas. Cette randonnée très difficile, où vous devrez porter en tout temps votre gros sac à dos, s'effectue en quatre ou cinq jours. Vous devrez également faire appel à un guide pour la section entre le village de Herradura et l'entrée du parc Chirripó, située entre le refuge (Cabaña de Rodolfo) et la cordillère. Vous devrez aussi faire les réservations nécessaires (au bureau du parc à San Gerardo de Rivas) pour le refuge Base Crestones et payer le droit d'entrée au parc.

La région de Dominical

Si vous vous dirigez plutôt vers Dominical en quittant San Isidro de El General, sachez que les **Cataratas Nauyaca ★** ou **Santo Cristo** *(à mi-chemin entre San Isidro et Dominical)* sont deux magnifiques chutes à ne pas manquer. Situées dans les montagnes séparant la région côtière de Dominical de celle de la vallée de San Isidro, elles font respectivement 20 m et 45 m de

haut, et tombent dans un bassin de 6 m de profondeur et de 1 000 m^2 de superficie. Superbe! Pour s'y rendre cependant, il n'y a pas de route carrossable; il faut y aller à cheval. Les propriétaires de l'endroit organisent une randonnée guidée quotidienne qui comprend l'aller-retour sur des sentiers boisés, un déjeuner avant l'excursion et un lunch au retour, la visite d'un mini-zoo et évidemment la contemplation des cascades, but ultime du voyage. Il est possible de se baigner dans les eaux cristallines de l'endroit. Le **Centro Turístico Nauyaca** (☎771-3187), qui gère le site, comprend également une petite auberge et un terrain de camping.

L'exploration de la région côtière de Dominical commence par une petite visite à l'**Hacienda Barú ★★** (voir plus loin), située à 1 km au nord du village de Dominical, le long de la côte.

Un peu plus au nord de Dominical que l'Hacienda Barú, en route vers les terres cette fois, vous verrez les **Cataratas Terciopelo ★** *(accès à cheval; réserver auprès de Selva Mar, ☎771-4582)*, d'autres très belles chutes à contempler. Avec près de 40 m de dénivelé en trois paliers, ces chutes tombent dans un plan d'eau de couleur émeraude. Ajoutez à la scène la jungle environnante, et le tableau reprend parfaitement l'idée que l'on se fait souvent d'un tel paradis.

Dominical est essentiellement une station de surf et de plage; elle attire les jeunes. Un certain nombre des établissements d'hébergement et de restauration qui ont pignon sur rue à Dominical sont d'ailleurs la propriété de ces étrangers adeptes du surf qui ont tout quitté dans leur pays – pour un temps ou pour toujours – pour venir vivre leur rêve. Dans la région immédiate de Dominical, le surf se pratique à l'embouchure du Río Barú, sur la plage même du village, ainsi qu'à **Punta Dominical**, un peu plus au sud. Il est même possible d'apprendre l'espagnol, tout en faisant du surf, à l'**Escuelita Dominical**, sur la plage.

Hacienda Barú

L'Hacienda Barú *(3$; tlj;* ☎ *787-0003, www.haciendabaru.com)*, une magnifique réserve faunique privée de 336 ha, s'étend tout juste à l'ouest et au nord-ouest de Dominical. On y trouve différents habitats, depuis la forêt primaire à la forêt secondaire, en passant par des pâturages, des mangroves, une ancienne plantation de cacao ainsi qu'une superbe plage sur le Pacifique abritant de nombreux arbres et une végétation variée.

Le parc appartient depuis une vingtaine d'années à Jack et Diane Ewing. À partir de 1972, Jack vint d'abord sur le site afin de prendre en charge un troupeau de bovins de

quelque 150 têtes. Puis, en 1978, il s'installa définitivement à la ferme avec Diane et leurs deux enfants, Natalie et Chris. Il n'y avait alors pas d'électricité, et la route n'était qu'un petit chemin. La famille Ewing tenta d'y cultiver du riz, des fèves de soya et du cacao, mais ce commerce ne s'avéra pas fructueux. Vers la fin des années 1980, la mission de la ferme devint la préservation des ressources naturelles et l'éducation des visiteurs envers cette richesse biologique. On aménagea donc le parc de façon à pouvoir accueillir des visiteurs pour la journée et également pour quelques jours *(cabinas* et tentes dans la jungle).

À partir de 1992, Steve Stroud s'associa à la famille Ewing afin d'aménager le site pour qu'il devienne un véritable lieu d'écotourisme. On y trouve donc des *cabinas* (voir p 380), un restaurant et une foule d'activités. Le visiteur de passage peut aussi venir y marcher pendant quelques heures ou la journée et en apprendre davantage sur la faune, la flore et l'histoire de ce parc modèle.

Le réseau de sentiers pédestres totalise 6 km. On vous remettra un petit feuillet présentant les sentiers qui parcourent une plantation de tecks, un canal, la mangrove, la plage et l'embouchure du Río Barú. Pour une description plus détaillée du parc (historique, faune, flore, etc.), nous vous suggérons l'achat du petit livre *Trails & Tales* (publié

par l'Hacienda Barú, 1997), écrit par Jack Ewing et illustré par sa femme Diane.

Vous pouvez également louer les services d'un des six guides *(de 15$ à 25$ par personne, selon la randonnée)* et ainsi découvrir toute la complexité et la richesse du parc. On y a recensé 311 espèces d'oiseaux, 62 espèces de mammifères, 50 espèces d'amphibiens et de reptiles et des centaines d'espèces de plantes, dont 75 espèces d'orchidées. L'endroit abrite notamment des singes capucins à face blanche, des paresseux, des coyotes, des pumas, des ocelots, des caïmans, des crocodiles et 22 espèces de chauves-souris.

Parmi les autres activités proposées sur le territoire figurent les populaires et agréables excursions dans la canopée *(35$)*, où les visiteurs (3 personnes à la fois) sont hissés sur une plate-forme accrochée à un arbre, à 34 m de hauteur. Vous pouvez aussi passer la nuit dans la jungle *(60$)*, où, de votre campement, vous entendrez dès votre réveil les bruits caractéristiques de la forêt tropicale. Vous pouvez faire de l'équitation *(25$/3 heures)* le long de la plage et de la mangrove, ou encore explorer cette dernière, à marée haute, en kayak *(35$/3 heures)*.

Costanera Sur

Dans cette section de la région sud du Costa Rica, les plages réservées à la baignade sont celles de

Hermosa et de **Ballena**. Elles sont situées cependant à quelque 20 km au sud de Dominical, le long de la Costarena Sur, en direction de Palmar et Ciudad Cortés.

La promenade que vous devez effectuer sur la **Costanera Sur ★** pour vous rendre de Dominical aux autres points d'intérêt de la côte est, en soi, très agréable. Vous traverserez de grandes régions très vallonnées, peu habitées ou encore sauvages, puisque la route praticable que l'on connaît aujourd'hui est assez nouvelle. **Las Escaleras** (les escaliers), à quelques kilomètres au sud de Dominical, sont l'un de ces secteurs qui tranquillement se développent dans les collines surplombant la côte. La **vue ★★** y est sensationnelle; vous la mériterez d'ailleurs après avoir grimpé les pentes abruptes menant aux quelques hôtels du coin.

Un peu au sud de Dominical, tout près de **Dominicalito**, **Poza Azul** peut être un endroit agréable à visiter. Il s'agit ni plus ni moins d'une piscine naturelle (*poza* signifiant «bassin de baignade» en quelque sorte) située en forêt et alimentée en eau d'un bleu profond par une chute. Le site est accessible en voiture.

La Costanera Sur sépare la côte de l'arrière-pays. À vous de décider si vous voulez jouir du littoral ou de la magnificence des forêts des terres intérieures en circulant sur cette autoroute. Par exemple, à

San Josecito de Uvita, à 3 km dans les montagnes à partir de la Costanera Sur, on trouve la **Reserva Biológica Oro Verde** (*20\$/pers. pour la visite incluant guide et repas léger; à quelques kilomètres d'Uvita; réserver auprès de Selva Mar, ☎771-4582*). Une émouvante histoire que celle de cette réserve: le propriétaire, *Macho* Duarte, est venu s'installer ici il y a plus d'une quarantaine d'années.

Aujourd'hui, *Macho* se tourne vers un certain tourisme pour réussir à sauvegarder ce qui reste de la forêt tropicale humide de sa propriété. Très retirées dans la nature en haut des montagnes surplombant la côte Pacifique, les terres de la famille Duarte ne sont accessibles qu'à cheval puis à pied. **Selva Mar** vous offre la possibilité de visiter la famille, en partageant quelques heures avec elle (vous pouvez même prendre un repas familial). Les Duarte pourront entre autres vous montrer comment on fait le sucre. Il est possible de séjourner une nuit sur les terres des Duarte dans deux petites *cabinas* (*\$\$; bp*). Inutile d'ajouter que la vue durant la balade à cheval est spectaculaire à 600 m d'altitude!

Entre la mer et la Costanera Sur, un peu plus au sud du chemin menant à Oro Verde, le **Rancho La Merced** se présente comme un refuge pour la faune sauvage en même temps qu'un ranch. Il est possible de visiter l'endroit pour la journée (*10\$ à 55\$/pers.; réserver auprès de Selva*

Mar, ☎771-4582) ou d'y séjourner la nuit dans des habitations rustiques où l'on peut vous préparer des repas *campesinos* (voir p 379). Possibilité de location de chevaux, d'escalade et de visite des environs. Au Rancho s'est ajouté le centre **Profelis**, qui vise à réintroduire dans la nature certaines espèces félines en danger. Réservez à l'avance car l'endroit est populaire même en basse saison.

Encore un peu plus au sud, c'est **Uvita** qui se présentera à vous. Le village ne vaut pas le détour: c'est essentiellement pour le Parque Nacional Marino Ballena (voir ci-dessous) que l'on se rend dans le secteur. Plus loin, quelque 25 km à l'ouest de Palmar, la région de **Playa Tortuga ★** est une région côtière relativement nouvelle qui vit depuis peu une ère de développement. En effet, il est dorénavant facile, avec la Costanera Sur, d'atteindre cet endroit. À Playa Tortuga, on renoue avec la côte Pacifique, chose impossible à faire plus à l'est étant donné la présence du delta du Río Grande de Térraba. Playa Tortuga, c'est également **Ojochal ★**, situé dans les collines de l'arrière-pays, à quelques kilomètres de la plage.

Si vous poussez encore un peu plus à l'ouest sur la Costanera Sur, vous atteindrez **Playa Piñuela**. C'est à peu près là que débute également le Parque Nacional Marino Ballena (voir ci-dessous). La plage de Piñuela n'est pas particulièrement belle car elle recèle beaucoup de cailloux, particulièrement à son extrémité nord. Mais c'est la meilleure plage dans les environs pour la baignade, avec Ballena et Uvita, plus au nord.

Parque Nacional Marino Ballena

Situé à une vingtaine de kilomètres au sud de Dominical, le Parque Nacional Marino Ballena (6$; tlj 8h à 16h; ☎735-5036) a été créé en 1990 dans le but de protéger le plus grand récif de corail de la côte Pacifique du Costa Rica. D'une superficie de 4 500 ha, ce parc marin s'étend entre Punta Uvita et Punta Piñuela, où l'on trouve 13 km de plages, de rochers et de mangroves.

Ce parc marin tire son nom du fait que ses eaux sont fréquentées par des baleines à bosse (rorquals) entre les mois de décembre et d'avril. La baleine à bosse (*Megaptera novaeangliae*) est sans contredit la plus spectaculaire baleine à observer, car elle sort sa queue hors de l'eau à chaque plongeon et peut effectuer de formidables sauts. De plus, il lui arrive fréquemment de frapper la surface de l'eau avec ses immenses nageoires pectorales, comme si elle voulait manifester une quelconque humeur. La baleine à bosse peut mesurer jusqu'à 16 m et peser jusqu'à 36 000 kg. Vivant en moyenne une quarantaine d'années, elle peut être solitaire, mais on l'observe plus souvent en groupe ou en couple.

Au centre du parc marin se dresse l'**Isla Ballena**, où l'on peut observer des frégates, des fous de Bassan bruns, des ibis, mais également des iguanes verts et des lézards basilics. Quant à la plage, elle reçoit la visite des tortues de Ridley (*Lepidochelys olivacea*) et des tortues Hawksbill (*Eretmochelys imbricata*), qui viennent y pondre leurs œufs entre les mois de mai et de novembre, et spécialement durant les mois de septembre et d'octobre.

Le parc offre, pour l'instant, peu de services aux visiteurs (le centre d'information est situé à Bahía, tout à côté d'Uvita). Mais en raison de l'ouverture de la route qui longe la côte et qui relie désormais Dominical et Palmar Norte, il est juste de croire qu'il deviendra sous peu un lieu passablement fréquenté. Outre les activités liées au camping, les eaux du parc et les récifs de corail se prêtent magnifiquement bien à la plongée sous-marine ainsi qu'à la plongée-tuba. On nous a mentionné entre autres que l'Isla Ballena et les **Rocas Las Tres Hermanas** (rochers des trois sœurs), situées en face de Playa Ballena, étaient très réputées pour la plongée sousmarine. De plus, lorsque la marée est basse, il est possible de se baigner dans l'une des piscines naturelles qui se forment au milieu des rochers.

Península de Osa

La Península de Osa s'avance dans l'océan Pacifique à l'extrême sudouest du Costa Rica. Cette région fut, durant des années, presque ignorée par les touristes qui préféraient s'en tenir aux régions situées plus près de San José, tels la côte Pacifique centrale et le Guanacaste. Devenue plus facilement accessible en autocar ou en voiture, à environ huit heures de route de San José, mais également par avion (1 heure 30 min), la Península de Osa voit croître d'année en année le nombre de «touristes-aventuriers» venus découvrir ce secret bien gardé.

Vu son isolement, cette péninsule, qui compte l'une des seules forêts tropicales humides bordant le Pacifique, jouissait, durant des siècles, d'une tranquille beauté, agrémentée d'une flore et d'une faune aussi riches que denses. Comme ce territoire n'était pas protégé, une grande entreprise d'exploitation forestière flaira l'aubaine et vint s'y installer, de même que des dizaines de colons. La coupe forestière et la chasse eurent tôt fait de nuire à la survie d'une grande quantité d'animaux sauvages qui, déjà, avaient disparu des autres régions du pays. Ne voulant pas que la Península de Osa devienne un nouveau Guanacaste, où une bonne partie de la forêt a complètement disparu, entraî-

Sud du pays

nant avec elle plusieurs espèces d'animaux ainsi qu'une élévation considérable de la température moyenne, le gouvernement décréta qu'une portion de la péninsule serait désormais protégée sous la forme d'un parc national, celui de Corcovado (41 788 ha).

D'ailleurs, le **Parque Nacional Corcovado** (voir p 363), qui a su demeurer sauvage et difficile d'accès, s'illustre ainsi auprès des touristes s'aventurant dans la péninsule d'Osa. Que l'on vienne passer quelques jours dans la région de Puerto Jiménez, de Cabo Matapalo, de Carate ou de la Bahía Drake, c'est avant tout pour explorer le merveilleux parc national, parsemé de forêts tropicales et bordé de plages paradisiaques, où l'on aura peut-être l'occasion de surprendre un jaguar, un majestueux ara écarlate (*Ara macao*) ou un sympathique toucan à carène (*Ramphastos sulfuratus*). La péninsule, qui est heureusement toujours peu habitée, est en fait une magnifique terre d'observation de la faune, abritant plus de 125 espèces de mammifères et 367 espèces d'oiseaux.

Bien qu'éloignée et sauvage, la Península de Osa offre pourtant aux visiteurs un vaste choix de séjours pour tous les goûts et pour tous les budgets. Ceux qui voyagent avec un petit budget opteront davantage pour la petite ville de Puerto Jiménez ainsi que le Parque Nacional Corcovado. En revanche, ceux qui

ont un budget moins restreint préféreront loger dans l'un des confortables et luxueux hôtels situés entre Puerto Jiménez et Carate, ou dans la superbe Bahía Drake.

La région de Puerto Jiménez

La petite ville de **Puerto Jiménez** ★ constitue la seule localité d'importance de la péninsule. On y trouve de nombreux hôtels et restaurants, des téléphones publics, des transports (autocar, traversier, taxi, aéroport), des magasins d'alimentation, un bureau de poste, des comptoirs d'information touristique, des agences de tourisme, une clinique médicale, une banque nationale, une station-service ainsi que les bureaux administratifs du Parque Nacional Corcovado (près de l'aéroport).

La ville de Puerto Jiménez possède un charme certain, avec ses petites rues tranquilles et ses habitants qui s'y baladent paisiblement, nous rappelant que l'on est passablement loin de San José. Même la douzaine de chiens qui gambadent dans la ville semble s'y plaire, dormant sur le trottoir et parfois même au beau milieu de la rue. Les touristes, quant à eux, parcourent la ville dans tous les sens, malgré une chaleur parfois accablante, à la recherche d'une activité pour le lendemain (pêche, kayak, plongée, randonnée pédestre, visite d'une mine d'or, équitation, vélo de montagne, etc.) ou d'un moyen de transport pour

se rendre au parc national. En fin d'après-midi, il n'y a rien de plus agréable que d'aller se détendre sur la **plage municipale**, située au nord-est de la ville, et de faire trempette dans le **Golfo Dulce**.

De plus, au petit matin, autour de 6h, nous y avons vécu l'un des plus fabuleux spectacles visuels et auditifs qui soient: le passage de dizaines d'aras écarlates, ces immenses perroquets (80 cm de longueur) aux couleurs éclatantes (rouge, bleu et jaune), ainsi que de centaines de perroquets verts, poussant des cris bien distincts et fort audibles, semblables au bruit strident que fait le frottement des roues d'une vieille charrette, et s'arrêtant sur la cime des arbres!

La visite du bureau d'information touristique d'**Osa Natural Tours** (*rue principale*, ☎735-5440) vous permettra de découvrir que la région est dotée de nombreuses agences de tourisme, dont plusieurs locales, qui ont à cœur de faire découvrir et apprécier les richesses naturelles de la péninsule. De l'autre côté de la rue, à l'intérieur du restaurant Carolina, l'agence **Escondido Trex** (☎735- 5210) constitue également un excellent endroit pour se renseigner sur les possibilités d'excursions dans la région, mais également sur les hôtels, restaurants, plages et autres activités des environs de Puerto Jiménez. On y parle l'anglais, et les responsables sont aussi sympathiques que dévoués.

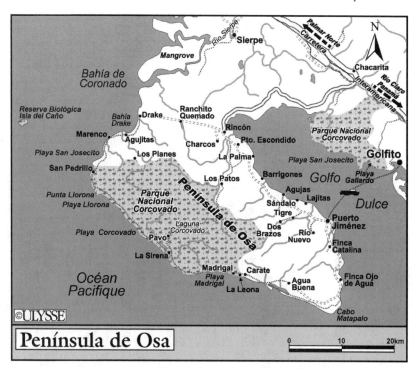

Península de Osa

© ULYSSE

0   10   20km

Ceux qui désirent visiter le Parque Nacional Corcovado, mais qui n'ont pas de véhicule à quatre roues motrices, se rendront au **Minimercado El Tigre** *(tlj 6h à 19h; rue principale,* ☎*735-5075)*, d'où, tous les matins à 6h, un ou plusieurs taxis tout-terrains font la navette entre Puerto Jiménez et Carate. Le trajet dure environ deux heures et coûte 6$ (aller). Le retour de Carate s'effectue chaque matin à 8h30. Il en coûte environ la moitié du prix si vous prévoyez plutôt descendre à Cabo Matapalo. Le reste de la journée, il est également possible de prendre un taxi pour se rendre au parc, mais le prix est fixé à 60$ (avantageux si l'on fait partie d'un groupe).

La région de Cabo Matalpo

Au sud de Puerto Jiménez s'étend la magnifique région de **Cabo Matapalo**, qui forme la pointe sud-est de la péninsule. Cette région abrite une magnifique plage bordée par la dense forêt tropicale où se dresse une jolie chute d'environ 25 m de hauteur et où il est relativement facile d'observer des singes, des coatis, des paresseux, des toucans, des aras ainsi qu'une grande variété d'oiseaux exotiques. Cabo Matapalo abrite également quelques-uns des plus luxueux hôtels de la péninsule, bien intégrés à la nature et constituant de petits paradis autonomes.

Passé Cabo Matapalo, la route devient un petit chemin qui grimpe dans la montagne et qui ne peut être emprunté que par les véhicules à quatre roues motrices, car il est souvent très boueux, et l'on doit traverser au moins une douzaine de rivières, dont quelques-unes font plusieurs mètres de largeur. Le long du parcours (environ 2 heures de Puerto Jiménez), on rencontre parfois des pâturages ainsi que quelques maisons ou petites fermes, dispersées çà et là. Le chemin s'arrête finalement à **Carate**, au bord de l'océan Pacifique. Carate se résume à une *pulpería* et à une piste d'atterrissage. Elle constitue en fait le point de départ, à pied, pour se

Sud du pays

rendre au formidable **Corcovado Lodge Tent Camp** (1,5 km) de l'agence Costa Rica Expeditions ainsi qu'à l'entrée La Leona du Parque Nacional Corcovado (2 km).

★★
Bahía Drake

La Bahía Drake se love magnifiquement dans la Península de Osa, isolée du reste du pays. C'est donc dire toute l'ambiance de bout du monde qui s'y dégage, bien que l'on y trouve un grand nombre d'établissements hôteliers, très confortables, offrant une multitude d'activités. D'ailleurs, nous vous conseillons fortement de rester au moins trois nuits (quatre jours) dans la baie afin de pouvoir découvrir à l'aise les environs, mais également afin d'avoir le temps de vous prélasser au bord de l'océan Pacifique ou de vous détendre dans un hamac en écoutant le chant des oiseaux et le bruit des vagues.

La baie est très large et ouverte sur l'océan Pacifique, qui vient y déposer ses vagues chaudes et enivrantes. La côte, quant à elle, est parsemée de riches forêts tropicales humides qui viennent embrasser la mer. Au large, la **Reserva Biológica de Isla del Caño** ★★ déploie ses trésors de richesses naturelles et historiques, en plus d'être un haut lieu de plongée sous-marine. Au creux de la baie, le petit village d'**Agujitas** dispose d'une *pulpería*, d'un téléphone public, d'une école et de

pensions à petit prix (voir p 384).

Les hôtels de la Bahía Drake sont éparpillés le long de la côte. Ils possèdent tous des bateaux et proposent le transport jusqu'à Sierpe, en plus d'offrir de multiples activités. Ainsi, vous pourrez découvrir le Río Sierpe, le Parque Nacional Corcovado, situé une dizaine de kilomètres plus au sud, ou la Reserva Biológica Isla del Caño. Vous pourrez aussi faire de la randonnée pédestre, de l'équitation, de l'ornithologie, de la plongée sous-marine, de la plongée-tuba, du kayak, de la pêche, de la baignade, etc. Bref, de quoi occuper facilement quelques journées.

Même si la route rend désormais la baie accessible par voiture, il serait dommage de se priver du plaisir qu'il y a à parcourir en bateau le Río Sierpe, qui mène du petit village du même nom à la Bahía Drake. Le long de cette rivière très large et marécageuse, vous serez ébloui par la richesse florale composée, entre autres, de jolies mangroves. Vous y surprendrez peut-être des caïmans, des singes, des paresseux, des hérons, des trogons, des aigrettes et des perroquets. Dès votre arrivée dans la Bahía Drake, baignée par l'océan Pacifique, des pélicans et parfois même des dauphins vous souhaiteront la bienvenue.

La **Reserva Biológica Marenco** (☎*221-1594*) est située au sud-ouest de la Bahía Drake et à 5 km au

Héritage

La Bahía Drake tire son nom du célèbre navigateur anglais Sir Francis Drake (1540-1596), qui aurait mouillé dans les eaux de la baie en 1579 durant le voyage dans les mers du Sud qu'il effectua de 1577 à 1580 et pendant lequel il longea, entre autres, les côtes du Chili et du Pérou. Sir Francis Drake participa également à plusieurs batailles opposant l'Angleterre à l'Espagne, et on lui attribue un rôle important dans la dispersion de *L'Invincible Armada* espagnole, cette flotte de 130 vaisseaux envoyée en Angleterre par Philippe II d'Espagne, en 1588, afin de venger l'exécution de Marie Stuart et d'y établir de nouveau le catholicisme.

nord du Parque Nacional Corcovado. L'accès à cette réserve privée, d'une superficie de 500 ha, se fait par bateau (environ 10 min de la baie). La réserve étant située tout près du parc national, le visiteur a la chance d'y observer une flore et une faune quasi identiques.

D'ailleurs, plusieurs kilomètres de sentiers sillonnent les lieux. Des biologistes y étudient la complexe et fascinante diversité écologique des environs. Sur une superficie relativement réduite, la flore et la faune sont très changeantes, selon que l'on observe la forêt tropicale, les rivières et leur embouchure, ou encore l'océan Pacifique et son rivage. La réserve possède son propre établissement d'hébergement (voir «Marenco Lodge», p 384) et propose différentes excursions, notamment au Parque Nacional Corcovado et à l'Isla del Caño.

Parque Nacional Corcovado

Le Parque Nacional Corcovado *(6$; tlj 8h à 16h; ☎735-5036)* est sans contredit l'un des plus captivants parcs nationaux du Costa Rica. D'une superficie de 41 788 ha, il protège une grande partie de la forêt tropicale humide de la Península de Osa, composée de huit habitats naturels différents. À cela s'ajoutent aussi 12 751 ha de forêts, situées de l'autre côté du Golfo Dulce (secteur Piedras Blancas), tout juste à l'ouest de Golfito. Véritable paradis ornithologique, le parc abrite 367 espèces d'oiseaux, dont le magnifique ara écarlate. De plus, on y a recensé 140 espèces de mammifères, 117 espèces d'amphibiens et de reptiles, 40 espèces de poissons d'eau douce et

quelque 6 000 espèces d'insectes!

La forêt tropicale humide, qui reçoit en moyenne 5,5 m de pluie par année, possède une richesse sylvestre insoupçonnée où l'on dénombre environ 500 essences. Parmi ces arbres, certains atteignent une hauteur de 40 m à 50 m, et le plus grand de tous, le *ceiba pentandra*, peut atteindre 70 m. Les arbres chargés de mousse, de plantes épiphytes et de lianes, combinés à l'humidité et à la chaleur, qui parfois peut être suffocante, donnent à l'endroit un petit air de bout du monde.

D'ailleurs, nous tenons à préciser que le Parque Nacional Corcovado ne plaira pas nécessairement à tous les visiteurs. Nous y avons rencontré bon nombre de touristes, dont plusieurs aînés, qui avaient décidé de visiter le parc de façon autonome et qui se plaignaient de la chaleur, de l'humidité, et surtout du fait qu'ils devaient faire plusieurs kilomètres à pied afin d'explorer les différents sites d'intérêt du parc. À ce sujet, sachez qu'il existe de nombreux tours guidés, au départ de Puerto Jiménez, de Cabo Matapalo ou de la Bahía Drake, qui proposent des visites en bateau avec des arrêts et des randonnées pédestres variant de quelques minutes à plusieurs heures.

D'un autre côté, les visiteurs qui ont l'habitude d'effectuer de longues randonnées pédestres, avec nuitées sous la tente

ou en refuge, seront comblés au Parque Nacional Corcovado. C'est d'ailleurs l'un des seuls parcs du pays à offrir un grand réseau de sentiers ainsi que des infrastructures d'accueil (aires de camping, refuges, restauration, etc.). Mais avant de vous aventurer dans le parc, il serait sage de vous rendre d'abord au bureau administratif, à Puerto Jiménez (près de l'aéroport). C'est à cet endroit que vous obtiendrez les derniers renseignements concernant le parc et que vous pourrez réserver votre place dans l'un des refuges (également appelés «stations» ou «maisons des gardiens») et planifier vos repas. Notez que vous pouvez effectuer ces réservations bien à l'avance, par téléphone, à condition de connaître votre itinéraire.

À l'intérieur des limites du parc, on compte cinq refuges (stations) dont quatre sont très fréquentés par les randonneurs (La Leona, La Sirena, San Pedrillo et Los Patos). D'ailleurs, lors de la saison sèche, qui s'étend de décembre à avril, il n'est pas rare de rencontrer jusqu'à une trentaine de randonneurs à certains endroits, notamment au refuge La Sirena, le plus fréquenté de tous. Dans les refuges, le logement est très rudimentaire, mais coûte seulement 2$ par personne par nuitée. Vous devrez avoir un sac de couchage, et il est recommandé d'apporter une moustiquaire. Si vous prévoyez plutôt camper *(2$/pers./nuit)*, vous de-

Sud du pays

vrez avoir tout l'équipement nécessaire (il est possible de louer une tente et autre équipement de camping à Puerto Jiménez, notamment au bureau de renseignements touristiques). Si vous prévoyez préparer vous-même vos repas, vous devrez apporter votre matériel (réchaud, gamelle, ustensiles).

Différents itinéraires

Le Parque Nacional Corcovado compte un très grand nombre de sentiers pédestres ainsi que trois entrées principales (**La Leona**, **Los Patos** et **San Pedrillo**), dont la plus fréquentée est celle de La Leona. Plus de 60 km de sentiers, dont une grande majorité longent la plage, permettent de relier les différents refuges (stations). À cela s'ajoutent d'autres sentiers qui parcourent les alentours des refuges menant en forêt, à la plage ou à un point de vue. Selon le nombre de journées dont vous disposez et le nombre de kilomètres que vous êtes prêt à faire à pied sous la chaleur et l'humidité, tout en portant votre sac à dos, vous pouvez tracer un itinéraire répondant à vos aspirations.

En ce qui a trait aux transports, n'ayez crainte et sachez que toutes les combinaisons sont possibles. Ainsi, de Puerto Jiménez, des taxis tout-terrains (*6$; départ à 6h en face du Minimercado El Tigre; durée: 2 heures;* ☎ *735-5075*) font la navette jusqu'à Carate, soit à 2 km de la station La Leona.

Toujours de Puerto Jiménez, un petit avion peut aller vous déposer, ou vous chercher, à la station La Sirena (*environ 200$ pour 5 passagers;* ☎ *735-5178*). Du village de La Palma, il est possible de prendre un taxi tout-terrain qui vous amènera à environ 3 km de la station Los Patos. De la Bahía Drake (Agujitas), il est relativement facile de trouver un bateau qui se rend jusqu'à la station San Pedrillo.

Bien qu'une grande majorité de randonneurs passent trois ou quatre nuits dans le parc, plusieurs autres n'y font qu'un saut d'une journée, le plus souvent dans le secteur La Leona, alors que d'autres y passent plus d'une semaine, prenant le temps nécessaire pour découvrir la faune et la flore du parc tout en s'octroyant des journées de repos. Si vous avez l'intention d'effectuer de longues randonnées dans le parc, nous vous recommandons fortement de vous joindre à un groupe (voir p 374), d'abord pour enrichir vos connaissances par l'entremise d'un guide expérimenté et ensuite pour des raisons de sécurité. Sans être alarmiste, il faut mentionner que le parc est immense et qu'il peut être facile de s'y perdre. De plus, on y trouve un très grand nombre de serpents venimeux, dont le redoutable «fer-de-lance». Sans compter les bandes de pécaris, sorte de sangliers, qui, à l'occasion, peuvent charger les randonneurs (auquel cas il faut grimper

à un arbre), ou les insectes, qui sont parfois d'une voracité redoutable (n'oubliez pas votre insectifuge).

Le secteur **La Sirena** est, de loin, le plus fréquenté par les randonneurs, car il constitue le point de rencontre obligé de ceux qui proviennent d'autres secteurs. De plus, on y trouve une station biologique qui reçoit des scientifiques venus étudier la flore et la faune de la forêt tropicale humide. Les parcours décrits plus loin mènent donc tous à ce secteur, ce qui permet de se faire une bonne idée des distances à parcourir dans le parc. À partir de ces données, vous êtes en mesure de choisir entre un aller-retour (ex.: Carate – La Sirena – Carate; 36 km) et un aller simple (ex.: Los Patos – La Sirena – Carate; 41 km). Tout au long de ces sentiers, de petits ruisseaux permettent de s'abreuver, mais, comme il peut faire chaud et très humide, il est primordial d'emporter au moins 2 l d'eau par personne.

Avant d'entrer dans le parc, il faut d'abord parcourir les 2 km de plage qui séparent Carate de la station La Leona. Si vous passez la nuit à cette station, ou que vous n'y venez que pour la journée, nous vous suggérons de suivre le sentier dénommé **Río Madrigal**. Ce sentier, très étroit, débute près de la station, puis grimpe dans la forêt tropicale, pour ensuite redescendre jusqu'au Río Madrigal. De là, pieds nus dans l'eau, vous suivrez le cours de cette fabuleuse rivière jusqu'à l'embouchure du Pacifique, puis reviendrez par la plage. En marchant calmement dans l'eau rafraîchissante du Río Madrigal, vous pourrez facilement observer bon nombre d'oiseaux et d'autres animaux.

De La Leona à La Sirena (16 km): de La Leona (information, refuge, camping, repas, etc.), un sentier de 16 km mène à La Sirena. Il suit le rivage en parcourant la plage et en vous obligeant à franchir à gué quelques rivières. À maint endroit, il faut pénétrer dans la forêt, car les rochers empêchent de marcher au bord de l'océan. Il y a aussi cinq sentiers secondaires qui suivent en parallèle la plage en passant par la forêt. De plus, il faut tenir compte des marées (informez-vous auprès du gardien à la station La Leona), car certains passages, notamment entre Punta Chancha et Punta Salsiquedes, sont infranchissables à marée haute. Environ 2 km avant La Sirena, le Río Claro peut être difficile à franchir lorsque la marée est haute. Auquel cas il faut remonter la rivière pendant environ 200 m, là où elle est moins profonde (maximum 1 m), pour la traverser sans danger.

De Los Patos à La Sirena (20 km): si vous vous rendez dans le secteur de Los Patos avec un véhicule à quatre roues motrices, sachez que le petit chemin peut être difficilement carrossable et que vous devrez franchir de nombreux cours d'eau. Environ

13 km séparent la communauté de **La Palma** de la station **Los Patos**. Après environ 30 min de voiture, il faut marcher pendant 45 min pour rejoindre la station. En dehors de la saison sèche, les rivières, aux eaux abondantes, peuvent devenir des obstacles importants. Pour plus de sûreté, demandez au bar de La Palma; des tracteurs font parfois la route jusqu'à Los Patos.

Les alentours de la station Los Patos ont vu défiler de nombreux *oreros*, ces chercheurs d'or qui parcouraient les rivières de la péninsule à la recherche du précieux métal jaune. Si peu de ces prospecteurs devinrent riches, beaucoup réussirent à vivre modestement de leurs trouvailles. On dit même qu'au milieu des années 1980 les *oreros* étaient si nombreux dans la région que cela menaçait d'envasement les rivières et la *laguna* du parc Corcovado. À 2 km de l'entrée Los Patos, le **Cerro de Oro** témoigne de l'intense activité minière qui y régnait avant que l'on n'interdise cette forme d'exploitation dans le parc. La coopérative minière **Coope Unioro**, qui exploitait cette «montagne d'or», a cessé ses activités, et l'on peut y observer de la machinerie laissée à l'abandon de même que des montagnes de gravier au bord de la rivière. Grâce aux connaissances qu'ils possèdent de la forêt tropicale humide, plusieurs *oreros* sont devenus d'excellents guides. À Puerto Jiménez, différents tours guidés ont pour

thème l'extraction de l'or dans la péninsule (voir p 376).

De la station Los Patos, le sentier **El Mirador** (14 km aller-retour) mène à un excellent point de vue sur les plaines du Parque Nacional Corcovado. Il traverse la forêt primaire et grimpe à une altitude maximale de 225 m. Pour parcourir ce sentier, prévoyez passer plus d'une nuit à cette station, car les distances sont relativement longues, la randonnée vers la station La Sirena demandant la journée.

Le sentier menant à la station La Sirena fait 20 km (aller) et demande près de six heures de marche, en plus des fréquents arrêts pour observer la faune et la flore ainsi que pour se reposer. Le sentier traverse d'abord une forêt primaire, puis une forêt secondaire plus dégagée. Il est relativement plat, l'altitude maximale atteignant 140 m, et n'offre pas de difficulté particulière, sinon deux rivières à franchir. Le sentier est généralement bien indiqué et facile à suivre. Selon la saison, on y trouve énormément de moustiques, et un insectifuge s'avère essentiel. Le long du sentier, plusieurs espèces d'oiseaux peuvent être facilement observées, de même que des papillons, des grenouilles et des singes. Il n'est pas rare, non plus, de voir les traces d'un tapir (de Baird) ou d'un ocelot.

De San Pedrillo à La Sirena (24 km): la station San Pedrillo est située au nord-ouest du Parque Nacional

...vado, à seulement une dizaine de kilomètres de la Bahía Drake. Il est donc possible d'y venir à pied, bien que la majorité des randonneurs optent plutôt pour se faire conduire en bateau jusqu'à la station ou jusqu'à Playa Llorona. Notez que le sentier reliant San Pedrillo et La Sirena est fermé durant la saison des pluies, soit entre mai et décembre.

Ce sentier de 24 km (aller) demande plus de sept heures de marche, auxquelles il faut ajouter quelques heures pour la baignade, les repos et le déjeuner. Prévoyez donc une journée entière pour effectuer ce trajet, et partez le plus tôt possible afin de vous arrêter aussi souvent que vous le souhaitez. Vous aurez également à franchir trois rivières et devrez tenir compte des marées (demandez les horaires des marées au gardien de la station). Les premiers 7 km de sentier sillonnent la forêt qui longe le rivage, puis après il devient possible de marcher sur la plage. À **Playa Llorona**, vous pourrez admirer une superbe chute de 30 m de hauteur qui plonge directement vers la plage. Plus au sud, un petit sentier secondaire mène à une rivière où la baignade est des plus rafraîchissantes. Plus loin encore, vous aurez à franchir les rivières Llorona, Corcovado et Sirena. Le Río Sirena, à environ deux heures de marche du Río Corcovado, est la plus profonde des rivières que vous aurez à franchir. De plus, comme le courant y

est assez fort et que l'embouchure reçoit occasionnellement la visite de requins et de crocodiles, il est préférable de la traverser le plus loin possible de la côte. Passé le Río Sirena, il ne reste qu'environ 1 km à faire avant d'atteindre la station du même nom.

Reserva Biológica Isla del Caño

La Reserva Biológica Isla del Caño (6$; tlj 8h à 16h; ☎735-5036), située à moins de 20 km au large de la Península de Osa, près de la Bahía Drake, permet de passer une journée agréable et riche en découvertes de toutes sortes. Cette île de 300 ha constitue un véritable petit paradis terrestre où la végétation luxuriante est prédominante. Entourée de petites plages, d'au plus 100 m de long, de rochers, de récifs de corail et d'une mer à l'eau aussi chaude que limpide, l'Isla del Caño fut rapidement perçue comme un lieu touristique d'importance qu'il fallait développer. Fort heureusement, l'île ne devint non pas un lieu de séjour pour touristes fortunés, mais une réserve écologique où tout un chacun peut venir profiter des lieux sans trop d'impacts sur l'écosystème existant.

Après avoir créé la Reserva Biológica Isla del Caño en 1978, on protégea également l'étendue marine de 2 700 ha qui entoure l'île, composée,

entre autres, de 15 espèces de coraux. L'endroit est d'ailleurs fort réputé pour la plongée sous-marine et surtout pour la plongée-tuba, car les eaux turquoise y sont d'une clarté si étonnante que vous pouvez demeurer à la surface tout en admirant les splendeurs océaniques qui vous entourent. Notez que la plupart des hôtels de la Península de Osa, et particulièrement ceux de la Bahía Drake, proposent des excursions à l'Isla del Caño. Ne manquez surtout pas une telle excursion car, en plus de la plongée-tuba et de la baignade, vous découvrirez une île aux mille trésors et charmes envoûtants.

La Reserva Biológica Isla del Caño, qui relève du service des parcs nationaux, fait 3 km de longueur sur 1,5 km de largeur, et ses côtes émergent de l'océan à près de 70 m. L'endroit le plus élevé de l'île atteint 110 m, mais l'île est surtout constituée d'un immense plateau forestier qui se trouve à environ 90 m d'altitude. Ce plateau abrite une riche et dense forêt tropicale humide qui reçoit entre 4 m et 5 m de pluie annuellement. Les arbres y atteignent des hauteurs considérables, dépassant régulièrement les 50 m. On y trouve une espèce d'arbre appelée *vaco* (arbre laitier), en raison du liquide laiteux (latex) et comestible qu'il produit. Parmi les autres essences rencontrées figurent le figuier, le cacaotier sauvage et l'arbre à caoutchouc. Quant à certains arbres fruitiers, tels le manguier, l'oranger et le bananier, ils ne sont pas spécifiques à l'île et ont probablement été introduits par l'homme. À cela s'ajoutent 158 espèces de plantes et de fougères.

La forêt de l'île abrite 10 espèces d'oiseaux, dont le héron garde-bœuf (*Bubulcus ibis*), le faucon noir (*Buteogallus anthracinus*) et le balbuzard fluviatile (*Pandion haliaetus*). Le reste de la population animale y est peu nombreuse, mais on observe à l'occasion de petits rongeurs, des chauves-souris, des lézards, des grenouilles, de petits serpents ainsi que le boa constricteur.

On vient également à l'Isla del Caño pour visiter le cimetière précolombien et admirer les sphères de pierre qu'on peut aussi apercevoir à Palmar. Ces pierres rondes, dont le diamètre varie de 10 cm à 2 m, servaient, selon la légende, à indiquer le rang social des défunts, bien que leur signification exacte n'ait toujours pas été révélée. Les archéologues croient également qu'elles étaient d'abord taillées dans les communautés de la Península de Osa, puis transportées par bateau jusqu'à l'île, où elles étaient roulées jusqu'au cimetière. Les fouilles archéologiques ont permis de découvrir de nombreuses pièces de poterie provenant des périodes dites d'Aguas Buenas (du IIIe siècle au IXe siècle) et de Chiriquí (du IXe siècle au XVIe siècle).

Héron garde-bœuf

Du côté nord-ouest de l'île se trouve le poste des gardiens de la réserve, qui sert également le centre d'accueil et de bureau d'information. Parmi les services offerts figurent les toilettes, les douches, l'eau potable et les aires de pique-nique sur la plage. Deux sentiers parcourent la forêt de l'île: celui du **Sitio Arqueológico** (2 km aller-retour), qui conduit au cimetière précolombien et à ses sphères de pierre, et celui d'**El Mirador** (3 km aller-retour), qui mène à un point de vue donnant sur la mer et où il est possible d'admirer de grands arbres ainsi que différentes espèces d'oiseaux.

Au nord de Palmar

En cheminant sur l'Interaméricaine, en direction de Palmar, vous remarquerez que le **Río Ceibo** entre Buenos Aires et San Isidro de El General offre, à partir de l'autoroute, le spectacle du mélange coloré de deux types d'eaux, eaux de surface charriant la terre volcanique d'une part et eaux souterraines d'autre part.

Un peu plus en aval, alors que vous passez dans le secteur de Paso Real, vous pouvez visiter, à 8 km dans la montagne, **Boruca**, une petite réserve amérindienne réputée pour son artisanat (masques de bois, napperons et ceintures de coton, gourdes) où le visiteur est le bienvenu pour une visite des environs (ce qui n'est pas toujours le cas dans les réserves autochtones). Les Boruca vivent paisiblement d'agriculture. Il existe un **musée** dans la réserve montrant entre autres ce à quoi peut ressembler l'architecture indigène, ce que peuvent être les produits artisanaux de la communauté de même que ce qu'il est possible de faire avec certaines plantes à des fins textiles et médicinales. Attention, la route qui y mène devient souvent impraticable après la pluie.

Autour du Nouvel An, les Boruca célèbrent la **Fiesta de los Diablitos** (la fête des petits démons), pendant laquelle ils simulent une bataille les opposant aux conquistadors espagnols d'où ils sortent victorieux. Les costumes et les masques portés par les acteurs de ce drame sont flamboyants, et la fête dure trois jours.

La région de Palmar

Outre le fait qu'on y trouve un aéroport régional desservant tout le secteur de la vallée de Diquis (à Palmar Sur précisément), la région immédiate de **Palmar** n'a d'intéressant que la présence sur son territoire d'un grand nombre de ces **sphères de pierre ★** datant de l'époque précolombienne qui font tant de mystère encore de nos jours. En effet, on ne peut toujours pas s'expliquer la parfaite sphéricité de ces objets de toutes dimensions (certains pouvant avoir un diamètre de plus d'un mètre!) que l'on retrouve également à l'Isla del Caño. Les sphères de Palmar sont localisées à différents endroits dans la ville, même dans la cour de certaines résidences. Demandez à la ronde d'en voir quelques- unes.

C'est à Palmar également que commence l'autoroute Costanera Sur, qui longe la côte Pacifique vers le nord-ouest pour traverser la région de Playa Tortuga avant de rejoindre Dominical. L'ensemble de ce secteur peut donc être visité dorénavant au départ de Dominical.

Nous nous permettons de vous mentionner l'existence de **Ciudad Cortés ★** sur le chemin menant à Playa Tortuga. Si vous en avez le temps, faites un détour par ce village, qui est plus beau que Palmar. Une certaine partie de la ville fut construite d'un même élan au début du XXᵉ siècle, ce qui donne une certaine homogénéité ainsi qu'une architecture unifiée à un bon nombre de constructions du coin. Cette architecture est d'ailleurs toute

simple mais de caractère, au cœur de la ville. Le bois y est omniprésent, et les couleurs des revêtements s'harmonisent à la végétation, ce que l'on savait faire quelquefois à l'époque de la colonisation sous les tropiques à la fin du XIXᵉ siècle et au début du XXᵉ siècle. Même les rues ont un aménagement paysager qui n'est pas sans intérêt (ce qui n'est pas nécessairement très fréquent au pays). Mis en valeur, ce petit village pourrait certainement avoir beaucoup à offrir à court terme au touriste en quête d'un milieu de vie différent pour ses vacances.

Au sud de Palmar, l'Interaméricaine traverse la région chaude et humide de la vallée de Diquis. C'est par là que vous atteignez en voiture les secteurs de la Península de Osa, de Golfito, de Ciudad Neily, et ultimement le Panamá. Quoique vous puissiez atteindre San Vito par la vallée de Coto Brus, avant de croiser Palmar, ce secteur est également accessible par une route partant au nord de Ciudad Neily. C'est par ce chemin que nous vous proposons la visite de ce dernier secteur.

En traversant la vallée de Diquis, on est à même de constater les ravages potentiels d'une exploitation agricole intensive sur le paysage. On remarquera en effet, au fur et à mesure que l'on chemine sur l'Interaméricaine, de larges espaces dénudés voués à l'agriculture et à l'élevage, espaces qui en période d'été apparaissent jaunes

et desséchés (quelquefois même en période des pluies), ce qui n'est pas le propre de la jungle qui préexistait à cet endroit. On ne peut que se réjouir que les autorités aient décidé de protéger ce qui était resté en l'état dans la région par le biais du **Parque Nacional Corcovado** (voir p 363), dans la Península de Osa.

Immédiatement au sud de Palmar, vous pouvez découvrir une région particulièrement intéressante sur le plan faunique et floristique. Il s'agit de la région de Sierpe, caractérisée par son accès aux **mangroves** *(possibilité de randonnées avec Selva Mar,* ☎ *771-4582)* situées à l'embouchure du Río Sierpe, sur l'océan Pacifique.

Le petit village de **Sierpe**, situé au bord de la rivière du même nom, constitue un lieu de passage obligatoire pour la grande majorité des touristes qui se dirigent vers la Bahía Drake. On y trouve un parc, un magasin général, des téléphones publics, quelques hôtels (dont plusieurs en dehors du village) ainsi que des quais. La région de Sierpe devient de plus en plus populaire auprès des ornithologues et des amateurs de pêche sportive qui parcourent autant les rivières avoisinantes que l'océan Pacifique.

Un peu avant Piedras Blancas, vous verrez un chemin bifurquant vers la droite depuis l'Interaméricaine. Ce chemin rejoint la Península de Osa.

La région de Golfito

La ville de Golfito, pour sa part, se trouve également au bout d'un chemin qui bifurque vers la droite à partir de l'Interaméricaine, mais qui débute au Río Claro. Quoique le chemin soit signalé, vous saurez que vous êtes sur la bonne route en constatant les innombrables plantations de palmiers qui encadrent le paysage, de même que les nombreux panneaux publicitaires vantant les mérites de telle ou telle marque de produits disponibles au Depósito Libre de Golfito.

Golfito ★ est un petit golfe dans un golfe. La ville de Golfito est en effet au fond d'un golfe de petite dimension s'ouvrant sur le grand Golfo Dulce, qui, quant à lui, crée en quelque sorte la Península de Osa. On comprendra alors que les eaux de la mer sont très calmes au fond de ces deux golfes, ce qui est idéal pour des activités portuaires. C'est pourquoi Golfito est avant tout un port de mer. Ce fut, pendant les belles années de la United Fruit, le point de transbordement par excellence de la production fruitière (surtout bananière) de la compagnie, du pays vers l'étranger. Mais la compagnie a cessé ses activités au milieu des années 1980, après le cumul d'un certain nombre de problèmes dans la production au fil du temps (augmentations des taxes à l'exportation, problèmes syndicaux, chute des prix, maladies des végétaux, etc.). La ville peine encore aujourd'hui pour se relever de cet arrêt qui mit fin à la période faste.

Deux choses sont venues en partie régler le problème: la constitution d'une zone de port franc à l'extrémité de la ville (le Depósito Libre) et l'accroissement de l'attrait de la région sur les marchés touristiques du pays et de l'étranger avec Corcovado, le Wilson Botanical Garden, etc. À tel point qu'il vous faudra – particulièrement en haute saison et durant les fins de semaine toute l'année – réserver à l'avance votre hébergement dans les environs immédiats de la ville.

Malgré tout cela, Golfito demeure encore une ville d'importance pour la région. Elle possède d'ailleurs un aéroport utile pour qui veut atteindre rapidement les principaux points d'intérêt de cette région de l'extrême sud du pays.

Géographiquement, Golfito s'est urbanisée sur un espace plat relativement peu large le long de la baie et adossé à des montagnes vertes et arborées. La ville est en réalité composée de trois grands secteurs: la Zona Americana (zone américaine) à l'extrémité nord, qui logeait jadis les responsables de la United Fruit, le Pueblo Civil au centre, où se trouve le quai (*muelle*) principal de Golfito, et le secteur du *muellecito* (petit quai), plus loin. Au total, la ville est longue de près de 7 km, traversée par une rue principale qui lie chacune de ses parties. Des autobus font régulièrement le trajet, aux 15 min environ pendant le jour. Vous trouverez également de nombreux taxis.

En tant que secteur résidentiel des dirigeants de la United Fruit, on comprendra que la **Zona Americana** soit le secteur le plus joli de Golfito. La composition architecturale assez riche des maisons, associée à des aménagements paysagers étudiés sur le pourtour des résidences, donne en effet un chic certain à l'ensemble du secteur, quoique l'on puisse sentir une certaine difficulté à entretenir ces dispendieuses demeures maintenant que les propriétaires d'origine les ont quittées. La Zona Americana abrite également l'aéroport et le **Depósito Libre**. Le Depósito Libre est une zone déclarée «port franc» depuis 1990 où il est possible d'acheter pour un peu moins cher qu'ailleurs au Costa Rica toutes sortes de produits de consommation courante (allant des jeans aux appareils ménagers). Ce Depósito Libre anime énormément le coin, surtout les fins de semaine. Les *Ticos* – à qui le relatif rabais peut être utile – profitent en effet très souvent de leur repos hebdomadaire pour le fréquenter. Il est donc préférable d'aller visiter le Depósito Libre en semaine. Sachez qu'il faut payer un droit d'entrée de quelques dollars pour y accéder.

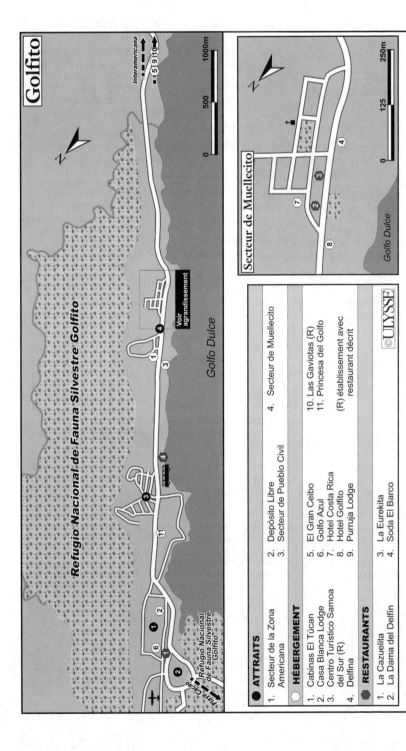

Golfito

Refugio Nacional de Fauna Silvestre Golfito

Golfo Dulce

Voir agrandissement

Interamericana → ■ 5 9 10

0   500   1000m

Refugio Nacional
de Fauna Silvestre
Golfito

Playa Cacao →

Secteur de Muellecito

Golfo Dulce

0   125   250m

● ATTRAITS

1. Secteur de la Zona Americana
2. Depósito Libre
3. Secteur de Pueblo Civil
4. Secteur de Muellecito

◯ HÉBERGEMENT

1. Cabinas El Túcan
2. Casa Blanca Lodge
3. Centro Turístico Samoa del Sur (R)
4. Delfina
5. El Gran Ceibo
6. Golfo Azul
7. Hotel Costa Rica
8. Hotel Golfito
9. Purruja Lodge
10. Las Gaviotas (R)
11. Princesa del Golfo

(R) établissement avec restaurant décrit

⬣ RESTAURANTS

1. La Cazuelita
2. La Dama del Delfín
3. La Eurekita
4. Soda El Barco

©ULYSSE

Le **Pueblo Civil**, c'est le pendant ouvrier de la Zona Americana. L'architecture y est évidemment moins intéressante, mais ce sont l'animation du quartier et la relative profusion d'établissements de restauration qui sauront séduire le touriste en visite. On y trouve beaucoup de constructions en bois.

Le secteur du *muellecito* est peut-être un rien moins important, mais il est possible d'y trouver également de bons petits endroits où se restaurer et se loger.

L'essentiel de la nature qui enserre la ville de Golfito est maintenant une réserve faunique. Vous pouvez accéder à cette réserve par un certain nombre de pistes (notamment au départ de la Zona Americana), et les sentiers qui la parcourent vous permettent de faire des promenades de longueurs variées.

Si vous désirez faire une excursion dans la baie ou sur la mer, vous pouvez louer un bateau au *muelle* du Pueblo Civil ou près de l'ancien quai de la United Fruit, ou encore participer aux expéditions que certains organismes de la région préparent à l'intention des touristes. Vous pouvez accéder aux plages de Pavones, de Zancudo et de Cacao également par voie de mer à partir des quais de Golfito. Enfin, Golfito est également un point d'ancrage pour les yachts de plaisance en provenance de l'extérieur.

En face de Golfito et surtout le pourtour de l'avancée de terre qui se trouve à cet endroit, vous pouvez aussi accéder à quelques plages pour bénéficier des eaux de la baie. La première en lice est la plage de **Cacao**, d'où vous pouvez admirer Golfito, mais il existe également la plage de **Gallardo** et la plage de **San Josecito**, un peu plus à l'ouest.

La plage de **Zancudo** est une plage de sable noir s'étendant sur plusieurs kilomètres au sud-est de Golfito, sur une pointe formée par le Río Coto Colorado, qui se jette à cet endroit dans l'océan Pacifique. C'est une plage populaire durant la haute saison et plutôt tranquille pendant la saison verte. On peut aussi bien s'y baigner qu'y faire du surf facile. L'endroit semble même populaire pour les pêcheurs du coin.

La plage de **Pavones**, elle aussi au sud-est de Golfito, est beaucoup plus populaire pour les amateurs de surf «sérieux». C'est d'ailleurs la principale raison pour se rendre à Pavones. Vous serez alors entre «initiés» et «fanas» du surf, que cela vous plaise ou non. Et les fanas peuvent être nombreux sur la plage, particulièrement pendant la saison des pluies, au moment où, dit-on, les vagues sont les plus longues.

La région de Ciudad Neily

Dernière grande ville avant le Panamá, **Ciudad Neily** n'est pas une grande destination vacances. Elle sert plutôt d'alternative à la route du Coto Brus (situé à l'est de Palmar) pour atteindre San Vito. La ville n'est cependant pas vilaine, particulièrement ses deux artères commerciales en son centre qui lui confèrent une animation agréable. Le parc Ricardo Neilly, également au cœur de la ville, est idéal pour se rafraîchir hors de la forte chaleur qui règne souvent dans la région. Ses nombreux bancs favorisent la socialisation. Vous comprendrez que Ciudad Neily se présente comme une bonne occasion pour se mêler au quotidien des *Ticos*.

La région de San Vito

Vous cherchez à vous imprégner d'un panorama grandiose avant de quitter la région de la côte Pacifique? La **vue** ★★ à laquelle on a droit depuis cette côte à partir du chemin qui quitte Ciudad Neily pour monter vers San Vito est tout indiquée. C'est que vous vous retrouvez en peu de temps à plus de 1 000 m d'altitude! La raideur de la route est telle que vous serez surpris de constater que la température chaude et humide de Ciudad Neily fait assez vite place au climat plus doux et brumeux de la région de San Vito. Cependant la route est sinueuse avec, notamment, un certain nombre de virages à 90°! De plus, quoique asphaltée, elle est étroite, sans accotement, et peut être parsemée de quelques trous... vus évidemment à la dernière minute! Alors attention, interdit au conducteur d'admirer le paysage!

À la station d'études biologiques de Las Cruces, le **Wilson Botanical Garden ★★★** *(5$ une demi-journée, 8$ une journée; demi-prix pour les enfants de 6 à 12 ans ; les visites guidées coûtent 35$ et durent 2 heures; fermé lun; à 5 km de San Vito sur le chemin Ciudad Neily – San Vito; ☎773-4004)*, propriété de l'Organization for Tropical Studies (OTS), est de mission on ne peut plus noble. Pour faire connaître la végétation tropicale (particulièrement celle de la forêt montagneuse), le jardin abrite en effet la collection botanique la plus importante d'Amérique centrale; de plus, une des missions de la station est de préserver les plantes menacées par la destruction de leur habitat; enfin, de nouvelles plantes y sont étudiées, notamment pour l'horticulture.

D'abord créé par les Américains Robert et Catherine Wilson au début des années 1960, le site est devenu propriété de l'OTS quelque 10 ans plus tard. En tant qu'un des trois sites appartenant à l'organisme, le jardin Wilson est donc un centre de recherche et d'éducation. L'UNESCO l'a même reconnu en tant que partie du vaste espace protégé que sont le Parque Internacional La Amistad et ses dépendances au début des années 1980 (472 000 ha!). Visiter ce jardin, c'est faire connaissance avec quelques milliers d'espèces végétales (dont 700 types de palmiers), de centaines d'oiseaux, de reptiles et de mammifères. On dit que plus de 3 000 espèces de papillons peuplent le jardin, c'est tout dire!

À l'aide de la documentation produite par le centre (en vente), vous pouvez à votre aise faire par vous-même la visite des lieux, selon les multiples parcours thématiques proposés (le jardin botanique Wilson, les arbres du jardin Wilson, le tour des palmiers, la liste des oiseaux de Las Cruces, la piste des orchidées, le jardin des colibris, les plantes médicinales), ou participer à une visite commentée. Certains guides peuvent s'exprimer en français; l'ensemble du personnel est très affable et sympathique. Une certaine partie de la documentation est disponible dans la langue de Molière. Une visite guidée pour personnes à mobilité réduite peut être planifiée. Vous pouvez également passer la nuit au jardin Wilson (voir p 389).

À quelques kilomètres au nord-est du Wilson Botanical Garden vers San Vito, les dirigeants du jardin Wilson ont acheté et commencé l'aménagement depuis 1994 de la **Finca Cántaros**. Ouvert au public, le site doit à court terme offrir l'occasion de faire de la reforestation tout en éduquant. Par ailleurs, avec son beau décor calme et vallonné, on aménage tranquillement l'endroit afin d'en tirer profit pour la détente (tables de pique-nique, lac et *mirador*).

Quelques kilomètres passé le jardin Wilson et la Finca Cántaros vers le nord, **San Vito ★** s'offre à vous. San Vito est une petite ville qui a été fondée dans les années 1950 par des immigrants italiens désireux d'améliorer leur sort. La ville, qui compte aujourd'hui près de 40 000 habitants, s'éloigne peu à peu de son passé italien avec l'afflux sur son territoire des hispanophones du reste du pays. Mais, si vous le désirez, vous pouvez visiter la Cámara de Turismo (l'office de tourisme) de Coto Brus, appelée Catubrus *(☎773-3570)*, située au cœur de la ville à l'intersection principale. Vous y verrez des photos et des textes relatant l'époque de la colonisation de San Vito. Il est possible également de prendre un bon repas italien dans certains restaurants.

Enfin, la ville est belle en soi et fraîche surtout, ce qu'on apprécie après un séjour sur la côte. Le brouillard, auquel on peut avoir droit d'ailleurs dans les hauteurs de San Vito, est fascinant, épais comme il peut l'être. Il est de plus assez fréquent, ce qui devrait valoir à la ville le privilège d'être dénommée San Vito-les-nuages à notre avis. Enfin, San Vito donne accès en partie au Parque Internacional La Amistad via Las Mellizas, à la frontière avec le Panamá.

Parque Internacional La Amistad

Le Parque Internacional La Amistad *(6$; tlj 6h à 17h; ☎771-3297 ou 730-0846)* constitue davantage une immense zone de protection qu'un parc; on n'y trouve pas d'installations servant à accueillir les visiteurs, et il n'est pas facile d'y pratiquer des activités de plein air. D'une superficie de 193 929 ha, il est le plus grand parc du Costa Rica et s'étend du parc national Chirripó jusqu'à la frontière avec le Panamá. Il protège donc une grande partie de la Cordillera de Talamanca, avec ses hauts sommets dépassant les 3 000 m d'altitude, ainsi que les forêts du centre-sud du Costa Rica. Il est international par son prolongement au Panamá (plus de 400 000 ha), ce qui en fait l'une des plus vastes étendues protégées d'Amérique centrale.

Plus spécifiquement, le Parque Internacional La Amistad (le parc international de l'Amitié) fait partie de la **réserve de la biosphère La Amistad**, d'une superficie totale de 248 337 ha, qui englobe également les parcs nationaux Tapantí et Chirripó, la Reserva Biológica Hitoy Cerere, en plus de quelques réserves forestières ainsi que des communautés autochtones. Cette immense région sauvage, comptant huit zones de vie et abritant l'un des plus imposants écosystèmes d'Amérique centrale, fut déclarée «réserve de la biosphère» par l'UNESCO en 1982.

Le Parque Internacional La Amistad abrite également une faune très diversifiée où l'on a recensé plus de 400 espèces d'oiseaux ainsi que 263 espèces d'amphibiens et de reptiles. On estime qu'il comprend 60% de toutes les espèces de vertébrés et d'invertébrés du Costa Rica. Grâce à l'immensité de son territoire, il constitue l'un des seuls endroits du pays assez vaste pour que les grands félins, tels le jaguar, le puma et l'ocelot, puissent chasser et se reproduire en toute quiétude. Le jaguar, par exemple, qui peut peser autour de 150 kg, nécessite des centaines d'hectares pour se déplacer et chasser les agoutis, les pécaris et les cerfs dont il a besoin pour se nourrir.

Le parc offre, pour l'instant, très peu de sentiers pédestres et d'infrastructures pouvant accueillir les touristes de passage. Il n'en demeure pas moins un lieu magique où les plus intrépides aventuriers, accompagnés de guides locaux habitués à de longs déplacements dans la dense forêt tropicale humide, peuvent escalader des sommets de 3 000 m d'altitude et surprendre bon nombre d'animaux difficilement observables ailleurs au pays. Les amateurs d'ornithologie y verront également un terrain de jeu formidable et peu fréquenté, où la possibilité d'observer le quetzal est réputée être excellente. La région protégée de **Las Tablas**, située au nord-est de San Vito et adjacente à la frontière panaméenne, semble avoir la préférence de plusieurs visiteurs, notamment en raison des hôtels et des services de guides.

Quoi qu'il en soit, avant de vous rendre dans un des trois secteurs du parc (Tres Colinas, Estación Pittier et Altamira), il vous est fortement recommandé de communiquer avec le service des parcs nationaux *(☎283-8004)* ou avec la Fundación de Parques Nacionales *(☎257-2239)*, tous deux situés à San José, afin d'obtenir les plus récents renseignements. Lors de notre passage, il n'y avait pas encore de plans détaillés des régions du parc, ni de documentation servant à renseigner et à diriger le visiteur.

Activités de plein air

Randonnée pédestre

Si vous désirez atteindre le plus haut sommet du Costa Rica, le Cerro Chirripó (3 819 m), vous devez vous rendre au magnifique **Parque Nacional Chirripó** (voir p 352), tout juste au nord de San Isidro de El General. Un refuge construit en altitude permet d'accueillir pour la nuit une soixantaine de randonneurs. Outre le sommet principal, plusieurs autres randonnées sont possibles. Le Parque Nacional Chirripó s'adresse aux randonneurs expérimentés possédant tout l'équipement nécessaire à un séjour en haute montagne.

L'**Hacienda Barú** (voir p 357) propose 6 km de sentiers pédestres dans la forêt tropicale et le long d'une magnifique plage.

Tout près du village d'Ojochal, sur la côte Pacifique Sud, un projet écologique est en train de voir le jour. Le projet **Syntonia** (☎ 788-8351, embrujodelpacifico@yahoo.com) promet de belles expériences en contact avec la nature. Vous pouvez d'ores et déjà prendre part à l'une de leurs randonnées dans la montagne en compagnie d'un guide qui vous fera découvrir la faune et la flore, entre autres les différentes espèces d'arbres et les plantes médicinales. On y propose aussi une journée en mer avec les pêcheurs des environs ainsi qu'une journée dans la réserve amérindienne de Boruca.

Le **Parque Nacional Corcovado** (voir p 363) dispose de plus de 80 km de sentiers, dont une grande majorité suivent la plage, permettant de relier les différents secteurs et refuges. En raison de l'isolement des lieux, de la dense végétation et de la chaleur, les longues randonnées (avec coucher en refuge) s'adressent davantage aux randonneurs expérimentés possédant

une certaine expérience de la forêt tropicale humide. Si vous désirez louer les services d'un guide, contactez l'une de ces agences: **Escondido Trex** (☎735-5210); **Proyecto Osa Natural** (☎735-5440); **Corcovado Tours** (☎735-5062); **True Local Guide Organizer** (Fernando et Carlos Quintero, ☎735-5216).

La **Reserva Biológica Isla del Caño** (voir p 366), située à moins de 20 km au large de la Península de Osa, près de la Bahía Drake, offre deux courts sentiers en forêt.

Plongée sous-marine et plongée-tuba

La plongée sous-marine et la plongée-tuba sont réputées être excellentes dans les eaux du **Parque Nacional Marino Ballena** (voir p 359) et ses environs. Pour une excursion en bateau, avec plongée-tuba, contactez l'agence **FDW Tres Marinos** (☎771-1903) et, si vous désirez suivre un cours de plongée sous-marine, faites appel à **Gino Salotti** (☎256-9996) à Ojochal.

La **Península de Osa**, et plus particulièrement le golfe Dulce, se prêtent magnifiquement bien à la plongée sous-marine et à la plongée-tuba. Les agences **Osatours** (☎786-6534), **Osa Tropical** (☎735-5062), **Aquatic Tours** (☎735-5262) et

Proyecto Osa Natural (☎735-5440) proposent toutes des sorties dans la région.

Au nord-ouest de la Península de Osa, la **Bahía Drake** (voir p 362) et la **Reserva Biológica Isla del Caño** (voir p 366) sont reconnues comme étant d'excellents lieux de plongée sous-marine et de plongée-tuba. Les eaux turquoise de la réserve sont d'une limpidité remarquable, et l'on y observe 15 espèces de coraux. La très grande majorité des hôtels de la Bahía Drake proposent des excursions de plongée.

Pêche sportive

Dans la région du parc national marin Ballena, des pêcheurs d'**Uvita** (☎771-1903) vous proposeront des sorties en mer.

Autour de la Península de Osa, Jeff Lantz et Stig Hanson de l'**Iguana Lodge** (Puerto Jiménez, ☎735-5205) jouissent désormais d'une réputation internationale en ce qui a trait à l'organisation d'excursions de pêche sportive. Il en va de même pour Bob Baker et Jerry Cooper du **Golfito Sportfishing** (☎382-2716). D'autres agences, telles **Osatours** (☎786-6534), **Osa Tropical** (☎735-5062), **Aquatic Tours** (☎735-5262) et **Proyecto Osa Natural** (☎735-5440), proposent également des excursions de pêche.

Kayak

L'**Hacienda Barú** (voir p 357) propose des excursions en kayak le long des mangroves.

Au sud du Parque Nacional Marino Ballena, l'entreprise **Kayak Joe** (☎788-8210) vous emmène en kayak de mer sur la côte et dans ses nombreuses cavernes.

Pour une excursion d'une ou de plusieurs journées autour de la Península de Osa, prenez contact avec l'agence **Escondido Trex** (*Puerto Viejo*, ☎735-5210). Les agences **Osa Tropical** (☎735-5062) et **Iguana Lodge** (*Puerto Jiménez*, ☎735-5205) proposent également des sorties en mer ou sur rivière.

Surf

Dominical est considéré comme l'un des hauts lieux du surf le long de la côte Pacifique. Les vagues y sont parfois démentes et viennent se fracasser tout près de la plage. Les courants sont aussi reconnus pour être forts et sournois, ce qui cause malheureusement plusieurs noyades chaque année parmi les baigneurs. Le bar-restaurant San Clemente est incontestablement le lieu de rendez-vous et d'information générale des adeptes du surf du monde entier.

Les amateurs de surf ne manqueront pas la **plage de Pavones**, au sud de Golfito, réputée pour ses très longues vagues (*left-brake*) qui compteraient même parmi les plus longues au monde.

À **Cabo Matapalo**, qui forme la pointe sud-est de la Península de Osa, ainsi que dans la **Bahía Drake**, les vagues sont également propices à la pratique de cette activité enivrante.

Équitation

Dans la région d'**Uvita**, la **famille Duarte** organise des excursions guidées dans la réserve privée d'Oro Verde et dans ses environs. Tout près, le **Rancho La Merced** propose aussi des randonnées, mais également la possibilité d'être «cow-boy d'un jour» en participant à différentes tâches à la ferme. Pour vous renseigner ou réserver, communiquez avec l'agence **Selva Mar** (☎771-1903) à Dominical.

Dans la **Península de Osa**, les agences **Osatours** (☎786-6534), **Corcovado Tours** (☎735-5062) et **True Local Guide Organizer** (☎735-5216) proposent des excursions guidées d'une ou plusieurs journées. À maint endroit, vous pouvez louer des chevaux à l'heure ou à la journée: renseignez-vous auprès du personnel du bureau d'information touristique **Proyecto Osa**

Natural (☎735-5440), au centre de Puerto Jiménez.

Vélo de montagne

La **Península de Osa** se prête à merveille à la pratique du vélo de montagne. De Puerto Jiménez, vous pouvez vous rendre, en direction sud, jusqu'à Carate et au Parque Nacional Corcovado (43 km). Vers le nord, la petite route est non revêtue et tranquille jusqu'à Rincón (35 km); certains petits chemins mènent à l'intérieur des terres, notamment dans les régions de Dos Brazos et de Los Patos. Près du Río Tigre (Puerto Jiménez), **La Llanta Picante** (☎735-5414) organise des excursions à vélo de montagne, en plus de faire la location de vélos de montagne, d'excellente qualité et bien entretenus.

Sports nautiques

À Golfito, on peut amarrer son bateau à l'**Eagle's Roost Marina** (☎775-0838 *ou par radio VHF 12*) ou à la **Sanbar Marina** (☎775-0735 *ou* 775-0874).

Excursions dans la canopée

L'**Hacienda Barú** (voir p 357) propose des excur-

Sud du pays

sions d'observation de la canopée du haut d'une plate-forme.

Visite de mines d'or

La **Península de Osa** attira durant un grand nombre d'années, et jusqu'à tout récemment, des chercheurs d'or, dénommés *oreros*, qui vinrent s'installer dans la région. Autour de Puerto Jiménez, et particulièrement dans la région de **Dos Brazos**, il est désormais possible de visiter et même de devenir pour quelques heures chercheur d'or, histoire de découvrir les rudiments du métier. Des visites guidées sont proposées, au départ de Puerto Jiménez, par les agences **Escondido Trex** (☎735-5210), **Proyecto Osa Natural** (☎735-5440), **Corcovado Tours** (☎735-5062) et **True Local Guide Organizer** (*Fernando et Carlos Quintero*, ☎735-5216).

Hébergement

La région de San Isidro de El General

Cerro de la Muerte et San Gerardo de Dota

Dans ces sous-régions, la température n'est pas celle des abords de la côte. Il serait bon que vous prévoyiez quelques vêtements de surplus, car il peut faire frais, particulièrement le soir venu, surtout si vous logez en haute altitude (dans la région de San Gerardo de Dota, par exemple).

Cabinas El Quetzal
$$$ pc
San Gerardo de Dota
☎771-2077 ou 740-1036
Les Cabinas El Quetzal sont en réalité trois maisonnettes en bordure de la rivière que loue un jeune couple sympathique. L'aménagement est très familial, et il est possible de choisir sa maisonnette avec foyer et poêle à bois! Le couple peut évidemment organiser des tours guidés et des randonnées en forêt pour leurs hôtes.

Trogón Lodge
$$$$
bp, ec, ℜ
San Gerardo de Dota
☎233-2421
⇌222-5463
www.grupomawamba.com
Situé au bord de la rivière, le très joli Trogón Lodge appartient au groupe Mawamba, qui possède d'autres établissements hôteliers, sur la côte Caraïbe notamment. Le recours au bois pour concevoir les bâtiments est une très bonne idée dans ce coin bucolique. L'endroit se trouve à une certaine distance des autres établissements hôteliers du secteur, au début de la route quittant San Gerardo en grimpant vers l'Interaméricaine. Idéal pour ceux qui recherchent un certain isolement dans une nature mi-domestiquée, mi-sauvage. On peut prendre ses trois repas dans la salle à manger de l'établissement. Chauffé.

Albergue de Montaña Savegre
$$$$$ pc
ec, bp, ℜ
au Km 80 sur l'Interaméricaine puis 9 km de route descendante San Gerardo de Dota
☎740-1028
⇌740-1027
www.savegre.co.cr
Très propre sur un beau terrain dont l'aménagement paysager s'inscrit bien dans la nature environnante, l'Albergue de Montaña Savegre tient compte de sa situation sur un coteau qu'une belle rivière de montagne traverse. Les chambres, de design assez simple, sont relativement grandes et pourvues d'un chauffage d'appoint. Les terrasses sont communes. La salle à manger du complexe (où l'on prend les trois repas) est très sympathique et chaleureuse. Avec toutes les activités que propose l'*albergue* à sa clientèle – l'ornithologie, la pêche, les randonnées à pied, en bateau, à cheval – et ce, dans un environnement de fraîche vallée verdoyante comme l'est San Gerardo de Dota, que demander de plus?

San Isidro de El General

El Valle
$$
bp, tv, ⊗, ec
au-dessus de la quincaillerie Núñez
☎771-0246
⇌771-0220
Les chambres y sont simples et assez propres.

Petits hôtels urbains de province, l'hôtel **Chirripó** (**$$-$$$**; *ec, bp;* ☎771-0529) et l'hôtel **Amaneli** (**$**; *ec, bp, ℜ, ⊗, tv;* ☎771-0352) proposent des chambres simples et propres. Amaneli possède un restaurant au rez-de-chaussée.

Iguazu
$$
bc/bp, ⊗, ec
au-dessus du magasin Super Lido
☎*771-2571*
Le petit hôtel urbain Iguazu propose de petites chambres sans prétention mais pas de mauvais goût. Leur point fort est leur grande propreté, ce qui fait de cet hôtel un bon choix si vous devez demeurer dans la ville de San Isidro. Son grand désavantage est qu'il est localisé tout près de l'Interaméricaine, avec le trafic et les bruits que cela suppose.

Hotel del Sur
$$$
bp, ec, tv, ⊗, ≡, ℜ, ≈
6 km au sud de San Isidro sur l'Interaméricaine
☎*771-3033*
⇄*771-0527*
www.hoteldelsur.com
L'Hotel del Sur est l'hôtel de la meilleure qualité quant aux installations et services à San Isidro. Les chambres sont modernes – on propose également des maisonnettes avec petit salon et salle à manger –, et l'hôtel abrite jardins, piscine, terrains de jeu (volley-ball, basketball), courts de tennis et salles de conférences sur un vaste terrain qui permet d'isoler assez efficacement le complexe des bruits de la grande route.

La région de Rivas

Cabinas Uran
$
bc, ℜ
☎*388-2333*
⇄*771-8841*
Situées à 50 m de l'entrée du sentier gravissant le Cerro Chirripó, les Cabinas Uran, au prix plus qu'abordable, permettent de partir de bon matin ou de se reposer dès le retour! Elles sont neuves, propres et fonctionnelles. Une dizaine de chambres, au plancher de béton, s'alignent de chaque côté d'un couloir, certaines abritant un grand lit, d'autres un petit lit et d'autres encore deux petits lits. Au fond, deux douches et deux cabinets de toilette servent pour tous. Vous aurez deviné que la décoration est minimale, mais, dans un décor extérieur aussi grandiose, qui s'en souciera? Un petit chalet peut aussi accueillir cinq personnes dans quatre lits. Ne manquez pas de visiter le *soda* de don Ulysses.

Talari Albergue de Montaña
$$$
bp, ec, ⊗, ℝ, ≈, ℜ
☎/⇄*771-0341*
www.talari.co.cr
À 30 min du Parque Nacional Chirripó, le Talari Albergue de Montaña est un très joli domaine de 8 ha, un lieu de détente et de tranquillité que borde la rivière El General. Les huit chambres sobrement décorées sont propres et confortables. Tout autour s'étend la forêt, en partie reboisée, sillonnée par de petits sentiers qui côtoient des dizaines d'espèces, d'arbres fruitiers, de plantes et de fleurs. Cette diversité horticole a porté fruit puisqu'on y a recensé jusqu'à présent 143 espèces d'oiseaux. Les propriétaires, Pilar et Jan, qui parlent le français et qui sont éminemment charmants, font eux-mêmes la cuisine au restaurant de l'auberge, situé à l'entrée du domaine. Dans un décor chaleureux, vous y dégusterez de succulents plats composés de produits frais. Une minuscule boutique de souvenirs vend des objets fabriqués par la communauté boruca. À l'auberge, on vous aidera également à préparer votre séjour dans le Parque National Chirripó (réservations, transports, guide, nourriture, équipement, conseils judicieux, etc.). De plus, demandez à Pilar et à Jan ce qu'ils savent de leur région d'adoption qu'ils chérissent et auprès de laquelle ils sont très impliqués.

La région de Dominical

Dominical

Cabinas San Clemente
$$
bp, ec, ≡
sur la plage de Dominical
☎*787-0026*
⇄*787-0055*
Les Cabinas San Clemente sont, comme le **San Clemente Bar & Grill** (voir p 390), tout à fait appropriées pour le touriste cool venu dans la région pour le surf et la détente. Le propriétaire, un Américain, peut également vous offrir en location de petites

maisons tout équipées, sur la plage. Service de buanderie.

🚢 Cabinas Punta Dominical
$$$
ec, bp, ⊗, ℜ
4 km au sud de Dominical
☎787-0016
⇄787-0240

Un beau petit coup de cœur que sont les Cabinas Punta Dominical, situées sur une avancée de terre dans la mer! Les maisonnettes offertes en location, rustiques et très propres, sont grandement ouvertes vers l'extérieur sur leurs quatre façades. Ce concept est fort intéressant puisqu'il tire profit du fait que l'on peut admirer la mer des deux côtés de la pointe à cet endroit, d'où la multiplication de belles perspectives et la présence saisissante du bruit des vagues. L'établissement est en plus à une certaine distance de Dominical, ce qui peut être une bonne valeur pour ceux qui préfèrent la tranquillité à l'animation des surfeurs. Le restaurant **Punta Dominical** (voir p 390) est adjacent aux *cabinas*.

🚢 Las Casitas de Puertocito
$$$
ec, bp, ℜ, ⊗
9 km au sud de Dominical; réserver auprès de Selva Mar
☎393-4327
⇄743-8150
www.lascasitashotel.com

Las Casitas de Puertocito se définit comme un concept d'espaces naturels dotés de petites maisonnettes proprettes et mignonnes (qui ont déjà fait l'objet de tournages de films) le long de la côte

(1 200 m de façade sur la mer!). Les *cabinas*, à la décoration «tropicale» (fameux toits de palmes), sont spacieuses, et chacune possède un grand porche. L'établissement bénéficie d'un restaurant italien. Le site regorge de cours d'eau naturels, de cascades et évidemment d'une végétation luxuriante.

Villas Río Mar
$$$$$
ec, bp, ℜ, ⊗, ≈, ⊗
800 m sur un chemin signalé à l'entrée de Dominical, juste après le pont du Río Barú
☎787-0052 ou 787-0053
⇄787-0054
www.villasriomar.com

Les Villas Río Mar offrent en location quelque 40 bungalows joliment conçus, sur un beau grand terrain dont l'aménagement paysager est bien fait. Chaque bungalow dispose d'une large terrasse fort appréciée des vacanciers et protégée par une moustiquaire. Il y a un restaurant sur place (cuisine internationale et locale) ainsi qu'un court de tennis.

Las Escaleras

Les quelques hôtels qui suivent se trouvent dans Las Escaleras, une petite région dans les montagnes, immédiatement au sud de Dominical. Évidemment, si vous décidez de séjourner à cet endroit, vous aurez droit à des vues superbes sur les environs et à un rien de fraîcheur pour votre agrément le soir venu. Mais attention, les divers chemins qui mènent aux hôtels qui sont juchés dans ces hauteurs sont

généralement assez ardus à gravir. Il est recommandé d'utiliser un véhicule à quatre roues motrices, d'autant plus que l'état des chemins peut changer d'une saison – si ce n'est d'un jour – à l'autre.

Pacific Edge
$$$
ec, bp, ℂ
Dominicalito; réserver auprès de Selva Mar
☎381-4369

Le Pacific Edge est un endroit de repos dans les Escaleras de Dominical, à 200 m d'altitude. Les *cabinas* de bois offrent salle de séjour, cuisinette, chambre et balcon (avec hamac il va sans dire). En face du site, il y a la mer et ses bruits apaisants; derrière, c'est la forêt humide et les cris de ses habitants; avouez que c'est intéressant pour le touriste désireux d'un dépaysement idyllique. Un panneau indique le chemin qui se trouve à 100 m au sud du pont de Dominicalito.

Villas Escaleras
☎/⇄(773) 883-1047
(aux É.-U.)
www.villas-escaleras.com

L'ancien Escaleras Inn a été transformé en Villas Escaleras, c'est-à-dire en concept de villas tout équipées pour location. Pourvues chacune d'une cuisine complète, trois villas vous sont proposées: la principale *(300$ par nuitée pour 8 pers. ou moins)*, qui abritait auparavant l'essentiel de l'auberge, se compose notamment de trois chambres à coucher, de cinq salles d'eau (!), d'un salon et d'une bibliothèque, d'une piscine, d'une galerie et d'une terrasse panoramiques; la petite villa d'amis *(125$ pour 2 pers.)*, sorte de dépendance de la villa principale quoique isolée sur son terrain et ayant sa propre entrée, comporte notamment une chambre à coucher, une salle de bain, une salle de séjour, un balcon et une terrasse; quant à la Villa II *(200$ par nuitée pour 4 pers. ou moins)*, solution intermédiaire aux deux premières, elle propose deux chambres à coucher, deux salles de bain, une salle de séjour et sa propre piscine dans un décor de carreaux et de bois sur deux étages. Les propriétaires, américains, fournissent gratuitement le service de ménage, le café et la literie.

Uvita

À Uvita même, il existe peu d'établissements où se loger offrant un grand confort. Le **Cocotico Lodge** et les **Cabinas Los Laureles** *($$; bp/bc, ≈; sur un chemin qui part de la route nationale Uvita – Dominical et qui se dirige vers les terres,* ☎*743-8008)* proposent des chambres à l'aménagement très simple et sont situés dans la banlieue d'Uvita. Le propriétaire des Cabinas Los Laureles peut vous préparer des repas maison. Possibilité de randonnées à cheval dans les forêts humides des environs pour faire l'observation des oiseaux ou contempler des chutes.

Cabinas Flamingo
$$
bp, ec, ℜ
sur la côte vis-à-vis du Parque Nacional Marino Ballena
☎*771-8078*
⇌*787-0116*
Au sud d'Uvita, sur la Costanera Sur, les Cabinas Flamingo vous proposent un petit restaurant en pleine nature ainsi que deux chambres dans un petit bâtiment à deux étages, lesquelles peuvent loger six personnes. L'aménagement se limite aux lits, mais tout est propre et confortable. Flamingo possède un accès direct à la plage du Parque Nacional Marino Ballena.

Rancho La Merced
$$$
réserver auprès de Selva Mar
☎*771-4582*
⇌*771-8841*
Entre la mer et la Costanera Sur, un peu au sud du chemin menant à Oro Verde, le Rancho La Merced peut vous héberger dans des habitations rustiques où l'on peut vous préparer des repas *campesinos ($$$)*. Le Rancho est à la fois un refuge pour la faune sauvage et un ranch (voir p 358). Réservez à l'avance car l'endroit est populaire, même en basse saison.

Ojochal

Les télécommunications à Ojochal sont encore assez difficiles. Les hôteliers et habitants se servent d'un seul fax et d'une seule adresse électronique. Si vous voulez faire une réservation dans un des hôtels du village, vous pouvez envoyer un message par fax au ⇌786-6358

ou par courriel *(sindys@racsa.co.cr)*.

El Perezoso
$$$ pdj
bp, ec
www.elperezoso.net
L'auberge El Perezoso est la propriété de Québécois. Après avoir quitté la Costanera Sur pour Ojochal, vous remarquerez un chemin allant vers la droite un peu avant les Cabinas Papagayo. Attention, il faut traverser à gué une petite rivière.

Lookout at Turtle Beach
$$$
bp, ec, ℜ, ≈
☎*950-9013 ou 378-7473*
www.hotelcostarica.com
Dans les hauteurs d'Ojochal, il y a également le Paraíso del Pacífico. Le concept du Paraíso est d'offrir dans de petits bâtiments assez rapprochés les uns des autres deux chambres qui disposent chacune d'un coin salon (ce qui peut être utile lorsque l'on séjourne quelque temps au même endroit) et d'une terrasse extérieure quelque peu isolée. L'aménagement général est relativement simple, mais permet une vue agréable sur les environs étant donné la localisation du complexe, sur le sommet d'une colline. Une petite navette amène les vacanciers à la plage, puisque le site en est à une certaine distance. Pension complète disponible.

Rancho Soluna
$$$
ℜ
⇌*788-8210*
Le petit Rancho Soluna ressemble à une petite auberge familiale. Les chaleureux propriétaires

Léo et Michèle, des Québécois, proposent deux chambres pour l'instant, d'aménagement correct et avec terrasse partagée. Possibilité de camping sur le terrain avec électricité et eau *(2,50$ par personne sans rancho; 7$ par personne sous rancho)*. Michèle tient le petit restaurant chaleureux et intimiste de l'endroit (voir p 391).

Último Refugio
$$$
℟
500 m au sud de l'école primaire du village d'Ojochal
⇐*786-6358*
L'Ultimo Refugio, tenu par des Québécois, est à la fois un restaurant, une boutique de souvenirs et un gîte. Quoique situé sur un terrain relativement petit, le bâtiment est quelque peu caché de la rue par un fourré, ce qui enjolive son aménagement général. L'endroit est fort sympathique et le bâtiment de bon goût.

Playa Tortuga

Posada Playa Tortuga
$$$ pdj
bp, ec, ⊗, ≈
☎*384-5489*
www.hotel-posada.com
Surplombant de haut la Playa Tortuga, le gîte éponyme s'imprègne d'une ambiance qui y fait écho. La mer et la plage que l'on aperçoit depuis le pas de la porte des chambres dictent en effet un rythme de vacances. L'endroit, magnifique, se pare d'une belle végétation. Les 10 chambres s'alignent à la manière d'un motel, sur deux étages, et présentent une décoration simple et

un mobilier confortable. Leurs dimensions et leurs deux fenêtres donnant de chaque côté du bâtiment procurent une bonne aération. L'hôtel appartient à un sympathique couple américain qui possède déjà, depuis plusieurs années, la célèbre pizzeria Gringo Mike's. Ils connaissent donc bien la région, et ils l'aiment! Ils mettent tout en œuvre pour vous offrir un séjour agréable, en commençant par un buffet petit déjeuner des plus copieux et par un accueil chaleureux, aidés en cela par leurs deux chats et leurs deux énormes chiens, toujours prêts à jouer avec les hôtes!

Si vous êtes un tant soit peu musicien, demandez à la patronne qu'elle vous montre ses trésors... Pour vous y rendre, empruntez le chemin qui monte sur la gauche quand vous bifurquez de la Costanera Sur vers Playa Tortuga.

Villas Gaia
$$$$
ec, bp, ⊗, ≈, ℟
☎/⇐*256-9996*
www.villasgaia.com
L'hôtel Villas Gaia loue de belles *cabinas* individuelles en bois, égayées sobrement de couleurs chaudes des tropiques. Chaque *cabina* possède un balcon privé. La piscine, sur un promontoire, offre une belle vue sur l'océan. L'aménagement général, le confort et le design des *cabinas*, la nourriture du restaurant, le service et ses attributs, tout y est impeccable. De plus, certains membres du personnel parlent le français. Évidemment, on peut organiser

toutes sortes de tours guidés dans les environs.

Hacienda Barú

Hacienda Barú
$$$ pdj
ec, bp, ⊗, ℂ
sur la droite juste avant le village de Dominical en venant de Quepos
☎*787-0003*
⇐*787-0004*
www.haciendabaru.com
Sur le littoral pacifique, l'Hacienda Barú offre à la fois l'occasion de visiter une belle réserve privée (voir p 357) et, si vous le désirez, de séjourner dans de bonnes maisonnettes (avec salle de séjour et cuisinette) pas très loin de la plage. Un petit porche vous permettra de profiter privément de l'extérieur. Rappelons que, en marge des visites guidées du site, des sentiers de randonnée parcourent les environs des maisonnettes et de la plage.

Península de Osa

La région de Puerto Jiménez

Cañaza

Cañaza Lodge
$$$$ pc/pers.
bp
☎*735-5062*
⇐*735-5045*
www.canaza.com
Les deux maisonnettes du Cañaza Lodge sont enfouies, comme le reste de la propriété et même de la péninsule, dans une végétation abondante et fascinante. Il s'agit en fait de campements à aire ouverte qui vous permet-

tent de ne jamais perdre le contact avec la nature! Deux murs de bois se referment sur un toit en pignon couvert de palmes cueillies un peu plus loin dans le jardin. La maison principale, plus imposante, vous accueille pour les trois repas pris en commun avec les hôtes, dans une ambiance conviviale à souhait. Les propriétaires, des Franco-Québécois, sont amoureux de la région depuis belle lurette et travaillent avec acharnement à connaître et à planter arbres, plantes et fleurs, ce qui a pour résultat de donner une propriété riche en découvertes qui vous offrira de belles balades. Les possibilités d'activités sont assez nombreuses, surtout en raison de la proximité du golfe, juste de l'autre côté de la plantation d'arbres fruitiers...

Dos Brazos

Bosque de Río Tigre Sanctuary & Lodge
$$
bp/bc
☎*735-5725*
⇋*735-5045*
www.osaadventures.com
Le Bosque de Río Tigre Sanctuary & Lodge se présente avant tout comme le paradis des ornithologues. Se trouvant près du Río Tigre, l'endroit possède de petits sentiers de randonnée pédestre, qui conduisent notamment à une chute de 15 m et qui permettent d'explorer tranquillement les environs. Différents bâtiments sont aménagés pour recevoir les visiteurs, dont le bâtiment principal, où l'on

trouve quatre chambres à l'étage.

Puerto Jiménez

Faire du **camping** est possible au **El Bambú**, à 1 km au nord de Puerto Jiménez, ainsi qu'au **Bosque Mar** (☎*/⇋735-5440*), à quelques kilomètres au sud du village. On vous fera visiter le magnifique jardin de plantes et d'arbres fruitiers. Un petit sentier mène à la plage.

Cabinas Carolina
$
bp, ℜ
☎*735-5185*
Également au cœur du village, les Cabinas Carolina proposent cinq chambres assez grandes et propres pour seulement 5$ par personne. Tout à côté se trouve l'excellent restaurant du même nom, très fréquenté, où il est facile d'obtenir des renseignements sur la région.

Cabinas Marcelina
$
bp, ⊗
☎*735-5007*
⇋*735-5045*
Situées au centre du village, les Cabinas Marcelina proposent des chambres simples mais propres. La propriétaire, Lidiette Franceschi, organise des excursions à cheval ou à pied.

Cabinas Puerto Jiménez
$
bp, ⊗
☎*735-5090*
Situées près du restaurant-bar El Rancho, les Cabinas Puerto Jiménez sont peu chères et propres. Les fins de semaine, le coin est cependant assez bruyant.

Hotel Oro Verde
$$
bp, ec, ⊗
☎*/⇋735-5241*
L'Hotel Oro Verde, situé au centre du village, est propre et accueillant. Les 10 grandes chambres se trouvent à l'étage et profitent de la brise.

Cabinas Agua Luna
$$-$$$
bp, ec, ≡, ℝ, tv, ℜ
☎*/⇋735-5393*
Les Cabinas Agua Luna constituent l'un des plus luxueux établissements du village et le seul à offrir l'air conditionné. Situé face à la mer, à deux pas du débarcadère du traversier en provenance de Golfito, il dispose de chambres propres et jolies. Le restaurant est à une centaine de mètres en direction du village.

★ **Cabinas Eylin**
$$$
bp, tv
☎*735-5465*
Quelque peu en retrait du village, à environ 300 m au sud de la station d'essence, les Cabinas Eylin disposent de trois chambres, jolies et propres, à petit prix. Deux chambres peuvent accueillir jusqu'à quatre personnes, alors que la troisième, plus petite, loge une ou deux personnes. L'ambiance y est très familiale et cordiale. Il est également possible d'y prendre ses repas, ou simplement un café, avec les membres de la famille de M. William.

🏨 Iguana Lodge

$$$
bp, ⊗, ℜ
☎ *735-5205*
⇌ *735-5043*
www.iguanalodge.com

L'Iguana Lodge propose des *cabinas* confortables près de la superbe plage de Platanares et juste assez en retrait de Puerto Jiménez pour assurer la tranquillité. Les *cabinas* sont faites de bois et sont surélevées afin que la brise du large vienne y rafraîchir les nuits, en plus d'offrir un joli point de vue sur la mer. L'énergie solaire est utilisée pour la pompe, l'éclairage, les ventilateurs et les autres appareils électriques. Les propriétaires, Jeff Lantz et Stig Hanson, ont quitté leur Californie du Sud en 1993 afin de venir construire ici un hôtel et organiser des excursions de pêche et de découverte de la nature. La pêche y est une passion, et les propriétaires se feront un plaisir de vous faire découvrir les plus beaux coins de la Península de Osa et du golfe Dulce à bord d'un bateau luxueux, moderne et entièrement équipé. La pension complète, avec d'excellents repas de type buffet, est également disponible.

Playa Preciosa Lodge

$$$$
bp, ⊗, ℜ
☎ *735-5062*
⇌ *735-5043*
www.playa-preciosa-lodge.de

À environ 6 km à l'est de l'aéroport, le Playa Preciosa Lodge dispose de huit jolies *cabinas* avec terrasse et hamacs. Un restaurant, un jardin fruitier et un sentier pédestre ajoutent au décor. Différentes excursions y sont également organisées.

Cabo Matapalo

🏨 Bosque del Cabo

$$$$ pc
bp, ≈, ℂ, ℜ, ✠
☎/⇌ *735-5206*
www.bosquedelcabo.com

Situé à l'extrémité sud de la péninsule, là où l'océan Pacifique rencontre le golfe Dulce, le Bosque del Cabo bénéficie d'un des plus beaux sites naturels de la région. Les lieux respirent la tranquillité et la fraîcheur. Le terrain est vaste et superbement entretenu. Beaucoup de gazon, de fleurs, de plantes et d'arbres agrémentent le décor. Des sentiers pédestres mènent en forêt, à une chute, au bord du Pacifique ou du golfe Dulce. L'endroit est réputé pour l'observation de différentes espèces de mammifères, d'oiseaux et de reptiles. Les sept *cabinas* sont joliment aménagées, confortables et aérées. Les plus luxueuses ont l'électricité produite par énergie solaire et de grands lits, tandis que les *cabinas* standards possèdent deux lits doubles et sont éclairées à la bougie. De chacune d'elles, on peut contempler la mer. Il est également possible d'y louer une maison charmante, la Casa Blanca, avec deux chambres à coucher et une cuisine entièrement équipée. Le Bosque del Cabo possède aussi un restaurant servant une cuisine locale ou internationale. La pension complète est également proposée.

🏨 Hacienda Bahía Esmeralda

$$$$$ pc
bp, ⊗, ≈, ℜ
☎ *381-8521*
⇌ *735-5045*

L'établissement niche en pleine forêt tropicale humide, avec vue sur le Golfo Dulce. Derrière l'hacienda, une jolie piscine en pierres est alimentée en eau fraîche arrivant de la montagne. Le bâtiment principal abrite trois luxueuses chambres avec salle de bain privée et deux grands lits orthopédiques. Tout à côté se dressent trois *cabinas* confortables avec terrasse permettant aux voyageurs de contempler une vue magnifique. La cuisine est réputée être excellente et variée (italienne, espagnole, thaïlandaise, indienne, mexicaine, chinoise et française), sans oublier les grillades maison. La pension complète inclut les transports à Puerto Jiménez.

🏨 Lapa Ríos

$$$$$ pc
bp, ec, ⊗, ≈, ℜ, ✠
☎ *735-5130*
⇌ *735-5179*
www.laparios.com

Juchés à plus de 100 m au-dessus du niveau de la mer, les 14 bungalows du Lapa Ríos proposent un séjour sans contrainte au milieu de forêts tropicales humides primaire et secondaire. Conçu en 1993 par un couple originaire du Minnesota, John et Karen Lewis, le Lapa Ríos constitue un modèle en matière d'écotourisme pour des vacances... de luxe! Chaque bungalow au toit de chaume crée une atmosphère romantique avec vue sur la mer. Le restaurant, situé dans le bâtiment principal, dispose d'un escalier circulaire donnant accès à une magnifique vue sur le Golfo Dulce. Quelques sentiers pédestres sillonnent les alentours, permettant ainsi l'observation de la flore et de la faune. Une multitude de tours guidés sont proposés aux touristes.

Tierra de Milagros
$$$$$$ pc
bc
☎*735-5062*
⇌*735-5043*
www.tierrademilagros. com

À environ 20 km de Puerto Jiménez, le Tierra de Milagros se présente comme un lieu où l'on exerce différentes activités liées au «nouvel âge» (yoga, tai chi, etc.). Les installations sont toutefois très simples et rudimentaires, à l'image du mode de vie prôné par les propriétaires. Ces derniers servent une cuisine végétarienne à laquelle tous sont conviés à participer à la préparation.

La région de Carate

Cabins Carate Jungle Camp
$-$$
bc, ⚄
☎*735-5211*
⇌*735-5049*

Les Cabins Carate Jungle Camp sont situées en forêt près de Carate. L'établissement dispose d'une *cabina* avec douche à l'extérieur et de trois chambres très modestes comprenant un grand lit entouré d'une moustiquaire. La pension complète, incluant le coucher

et les trois repas, coûte environ 30$ par personne par jour. Il est également permis d'y apporter sa nourriture.

🛶 Corcovado Lodge Tent Camp
$$$
bc, ⚄
☎*257-0766*
⇌*257-1655*

Appartenant à l'agence Costa Rica Expeditions, le Corcovado Lodge Tent Camp se trouve à quelques minutes à pied du Parque Nacional Corcovado. Ce séjour est une expérience unique, car il permet un contact intime avec une nature sauvage et préservée. Ici, les efforts fournis pour respecter l'environnement sont louables. Les installations sont modestes et ne font pas obstacle à l'harmonie des lieux. Arrivé à Carate (par avion ou en tout-terrain), on doit marcher de 30 min à 40 min sur la plage afin d'atteindre ce petit paradis terrestre. Une voiturette, tirée par un cheval, transporte les bagages jusqu'au camp. Le Corcovado Lodge possède 20 grandes tentes de toile (3 m sur 3 m) montées sur des plates-formes de bois, avec vue sur la mer. Chaque tente, bien aérée, compte deux lits simples et une petite table d'appoint. La plate-forme est prolongée par une petite terrasse avec deux chaises. Le soir venu, les campeurs s'éclairent à la chandelle. On invite d'ailleurs les visiteurs à apporter leur lampe de poche afin de circuler la nuit. Quelque peu à l'écart, un bâtiment renferme les installations

sanitaires. Les douches n'ont pas l'eau chaude, inutile, car seule l'eau froide vient à bout de la chaleur parfois accablante des lieux. La salle à manger à aire ouverte abrite de grandes tables où tous les vacanciers se rassemblent pour partager les aventures de la journée. La nourriture qu'on y sert est excellente, saine et variée, malgré l'absence de menu. Dans un autre bâtiment, les visiteurs peuvent se prélasser dans des hamacs, discuter au bar ou profiter de la vue exceptionnelle de la terrasse. On y présente parfois des diaporamas portant sur la faune et la flore de la région. Derrière le bâtiment réservé à la détente, un sentier grimpe dans la riche et dense forêt tropicale humide, où l'on peut facilement observer des singes hurleurs, des agoutis, des coatis, des papillons et de nombreuses espèces d'oiseaux. C'est également dans cette forêt que l'on peut vivre une expérience inoubliable, celle d'être hissé au sommet d'un imposant arbre de 40 m de hauteur. Bien harnaché à la plate-forme, le visiteur observe, grâce aux précieuses connaissances du guide, la canopée et ses habitants. On peut également y vivre la même expérience de nuit. La randonnée pédestre guidée dans le parc Corcovado s'effectue par un petit sentier dans la forêt tropicale humide menant au Río Madrigal. Enfin, il est possible de pratiquer l'équitation, qui saura plaire aux cavaliers expérimentés.

Sud du pays

The Lookout Inn
$$$$ pc
bp, ec, ℜ, ☺
le bureau se trouve à côté de la
pâtisserie de Puerto Jiménez
☎*735-5431*
www.lookout-inn.com
Située en montagne, à
quelques minutes en voi-
ture du petit aéroport de
Carate, l'auberge The
Lookout Inn dispose de
trois chambres avec salle
de bain privée et eau
chaude. Chaque chambre
a son balcon avec vue sur
le Pacifique. Les chambres
sont meublées avec un
grand lit, une armoire, une
table et des chaises. À
l'étage, on trouve entre
autres une salle de détente
avec chaîne stéréo, téléviseur, magnétoscope et
bibliothèque. Les clients
peuvent profiter gratuitement des kayaks et des
canots, du matériel de
pêche, des vélos de mon-
tagne et des appareils de
conditionnement phy-
sique.

Bahía Drake

Pour ceux qui voyagent à
petit budget, les **Cabinas
Cecilia** (*$$ pc; bc; laissez
un message au* ☎*771-
2336*), les **Cabinas y Res-
taurante Jade Mar** (*$$$ pc;*
☎*384-6681,* ⇌ *786-6358*) et
le **Mirador Lodge** (*$$$ pc;
bp;* ☎*494-4337,* ⇌ *786-
7292*) comptent parmi les
moins dispendieux.

Rancho Corcovado
$$-$$$ pc
bp, ℜ
☎*788-8111 ou 241-0441*
Le Rancho Corcovado
dispose de chambres fort
simples près de la plage. Il
est également possible de
camper pour 6$ par

personne par jour, dîner
inclus.

Cabinas Las Caletas
$$-$$$ pc
bc/bp, ℜ
☎*381-4052*
⇌*224-8269*
www.caletas.co.cr
Les Cabinas Las Caletas
offrent aux vacanciers un
séjour synonyme de calme
et de repos. C'est pour-
quoi les propriétaires
David et Yolanda ne reçoi-
vent que quelques visiteurs
à la fois. Deux formules
d'hébergement sont offer-
tes: des chambres dans la
maison des propriétaires
et des *cabinas* avec salle
de bain privée et petite
terrasse. Le menu pré-
sente des spécialités costa-
riciennes et européennes
incluant des produits frais
provenant de la propriété.

Cocalito Lodge
$$-$$$$
bc/bp, ℜ
☎/⇌*786-6150*
au Canada
☎*(519) 782-3978*
Le Cocalito Lodge est tenu
par les Canadiens Marna
et Mike Berry. Ils ont aménagé leur environnement
afin d'être «*en harmonie
avec la nature*». Ils comptent parmi leurs réalisa-
tions un jardin de culture
biologique où poussent
des herbes en tous genres
et des légumes qui attirent,
sans contredit, des mam-
mifères et des oiseaux.
Des chambres et des
cabinas simples, mais très
propres, sont mises à la
disposition des visiteurs. Le
soir venu, les pensionnai-
res s'éclairent à la chandelle. Les propriétaires
disposent aussi de trois
tentes tout équipées. Il est
possible de camper avec
son propre équipement de

camping (*$*). Une plage
située à proximité permet
de nager en toute sécurité.
Le restaurant (*5h30 à 21h*)
propose un menu varié
composé de grillades et de
fruits de mer, agrémenté
des herbes et légumes
fraîchement cueillis du
jardin.

**Corcovado Adventures
Tent Camp**
$$$ pc
bc, ℜ
☎*372-4877*
⇌*257-4201*
www.corcovado.com
Situé quelque peu à l'écart
de la Bahía Drake, à envi-
ron 45 min à pied, le Cor-
covado Adventures Tent
Camp dispose de tentes
de toile montées sur des
plates-formes de bois et
recouvertes d'un toit de
chaume. On y trouve un
grand lit, un petit lit ainsi
qu'une petite terrasse. Les
salles d'eau sont commu-
nes. Outre la baignade, la
pêche, le kayak de mer et
le surf peuvent être prati-
qués tout près. Une ba-
lade à pied, d'environ
30 min, mène jusqu'au Río
Claro, non loin du Maren-
co Lodge et du Parque
National Corcovado.

Marenco Lodge
$$$ pc
bp, ℜ
☎*258-1919*
⇌*255-1346*
www.marencolodge.com
Presque à mi-distance
entre la Bahía Drake et le
Parque National Corcova-
do, le Marenco Lodge est
une réserve privée vouée
à la préservation de la
forêt tropicale humide. On
y trouve des *cabinas* rustiques et des bungalows,
ainsi qu'une salle à manger
et une petite bibliothèque.
Plusieurs excursions, no-

tamment sur la découverte de la nature, y sont proposées.

Albergue Jinetes de Osa
$$$-$$$$
bc/bp, ℜ
☎*371-1598*
⇆*253-6909*
www.costaricadiving.com
L'Albergue Jinetes de Osa est située du côté ouest de la baie, au-dessus de la plage de sable noir. L'auberge, entourée d'arbres fruitiers et d'une grande variété de fleurs, et d'où l'on peut observer des aras, compte neuf chambres avec salle de bain commune ou privée. L'entreprise Costa Rica Adventure Divers propose diverses activités liées à la plongée sous-marine.

Casa Corcovado Jungle Lodge
$$$-$$$$ pc
bp/bc, ec, ⊗, ℜ, ♯
☎*256-3181*
⇆*256-7409*
www.casacorcovado.co.cr
Le Casa Corcovado Jungle Lodge, juché au haut de la plage, a été conçu et construit par un naturaliste américain. Situé tout près du Parque Nacional Corcovado, il possède des chambres jolies et confortables qui permettent aux visiteurs d'apprécier un séjour dans la forêt tropicale humide. Des sentiers pédestres parcourent les environs, dont l'un mène, en moins d'une demi-heure, à l'entrée San Pedrillo du Parque Nacional Corcovado. C'est un endroit propice à l'observation des oiseaux, à la photographie, à la pêche, au kayak ainsi qu'à la plongée. Des tours guidés sont organisés dans le parc national et à l'Isla Caño.

Drake Bay Wilderness Resort
$$$-$$$$ pc
bc/bp, ec, ⊗, ℜ
☎/⇆*771-2436*
www.drakebay.com
Le Drake Bay Wilderness Resort, bordé par le Río Agujitas et l'océan Pacifique, propose aux visiteurs un séjour familial et convivial pendant lequel il est facile d'apprécier les richesses de la Bahía Drake. L'endroit compte 20 *cabinas* joliment décorées renfermant de grands lits, en plus d'une salle de bain privée et d'une terrasse avec vue sur la baie et la forêt tropicale humide. Les vacanciers peuvent aussi loger dans quatre grandes tentes de toile avec petit lit, électricité, ventilateur et installations sanitaires à partager. À quelques pas du Pacifique, le restaurant sert une cuisine composée de fruits de mer, avec pain et desserts maison. De nombreux tours guidés sont proposés, tels que randonnée pédestre en forêt, canot et kayak de mer, plongée-tuba, ornithologie et pêche. On peut également se baigner dans la piscine naturelle formée de roches. La pension complète coûte de 55$ (tente) à 75$ (*cabina*) par personne par jour.

La Paloma Lodge
$$$$ pc
bp, ec,
≈, ℜ, ♯
☎*293-7502*
☎/⇆*239-0954*
www.lapalomalodge.com
Le La Paloma Lodge est niché en haut d'une colline dominant la mer, offrant ainsi une vue spectaculaire. Chaque *cabina*, au toit de palmes, avec balcon et hamacs, est surélevée et profite de la brise rafraîchissante du large. De plus, on y trouve des *ranchos* plus spacieux pouvant loger jusqu'à cinq personnes. Les propriétaires, Sue et Mike Kalmbach, s'efforcent d'offrir un service personnalisé à leur clientèle. Des guides naturalistes sont sur place afin de partager leurs connaissances avec les visiteurs. La plongée-tuba et la plongée sous-marine occupent une place de choix parmi les activités proposées.

Aguila de Osa Inn
$$$$$ pc
bp, ec, ⊗, ℜ
☎*296-2190*
⇆*232-7722*
www.aguiladeosa.com
L'Aguila de Osa Inn se présente comme la plus luxueuse auberge de la Bahía Drake. Les chambres y sont spacieuses, richement décorées et confortables. Le restaurant a une bonne réputation grâce à son chef Edgar Coolson, surnommé *Cookie*, qui y prépare une fine cuisine internationale. Différentes activités liées à la pêche et à la plongée sous-marine y sont proposées.

La région de Palmar

Palmar Norte

Casa Amarilla
$$
bp, ⊗
en face du terrain de jeu
☎*786-6251*
Si vous devez dormir à Palmar, descendez à la Casa Amarilla, au cœur de la ville. Les chambres à l'étage ont des balcons. En

tant que meilleur établissement où loger, l'hôtel est souvent plein, même en basse saison; mieux vaut réserver à l'avance.

Sierpe

Río Sierpe Lodge
$$$$ pc
bp, ec, ⊗, ℜ
☎*384-5595*
⇄*786-6291*
Tout comme le Mapache Lodge (voir plus loin), le Río Sierpe Lodge est uniquement accessible par bateau. On y trouve une vingtaine de grandes chambres très simples. Ici également, de petits sentiers pédestres sillonnent les lieux. Une foule d'activités, allant de la pêche à la plongée sous-marine, en passant par la randonnée pédestre dans le Parque Nacional Corcovado et l'équitation, y sont proposées. Les sorties à caractère ornithologique, notamment sur les îles Caño et Violines, sont fort appréciées des visiteurs. La pension complète inclut le transport aller-retour sur Sierpe.

Eco-Manglares Lodge
$$$$ pdj
bp, ec, ℜ
☎*786-7414 ou 786-7441*
Situé 2 km avant le village de Sierpe, au bord du Río Estero Azul, l'Eco-Manglares Lodge propose des *cabinas* au cachet rustique, bien ventilées, confortables, avec une petite terrasse. Le restaurant se spécialise dans la cuisine italienne. Des sentiers parcourent la forêt avoisinante. L'établissement organise également des excursions sur la rivière.

Estero Azul Lodge
$$$$ pc
bp, ec, ⊗, ℜ
☎*786-7422*
www.samplecostarica.com
Tout près de l'Eco-Manglares Lodge, l'Estero Azul Lodge fait également la location de jolies *cabinas* en bois, bien aménagées, pouvant abriter jusqu'à quatre personnes. Le restaurant est à proximité des *cabinas* et sert entre autres des plats locaux à base de poisson et de fruits de mer.
L'établissement organise également des excursions sur la rivière et sur la côte Pacifique à bord d'un bateau de 6 m.

Mapache Lodge
$$$$ pc
bc/bp, tv, ≈, ℜ
☎*786-6565*
⇄*786-6458*
Situé à environ 12 km de Sierpe, dont l'accès se fait uniquement par bateau, le Mapache Lodge est planté sur un terrain de 45 ha de nature vierge à l'embouchure du Río Taboga. On y offre trois formules d'hébergement: deux chambres avec salle de bain privée situées dans la maison des propriétaires, Guilio et Giuseppina; trois chambres avec salle de bain commune; ainsi que de grandes tentes de toile sur plate-forme de bois. Le restaurant sert des spécialités italiennes telles que pâtes et fruits de mer. De petits sentiers permettent de se balader et d'observer certaines des 160 espèces d'oiseaux répertoriées. Différentes activités y sont proposées: équitation, kayak, randonnée pédestre. La pension complète inclut le

transport aller-retour sur Sierpe.

La région de Golfito

Casa Blanca Lodge
$
bp
300 m au sud du Depósito Libre, Golfito
☎*775-0124*
Le Casa Blanca Lodge offre en location de petites chambres (avec lits seulement) à l'étage d'une maison isolée sur son terrain, un peu comme le Princesa del Golfo (voir plus bas). On a ajouté sur le terrain quelques unités d'habitation de type motel. Les chambres du motel sont plus modernes et un peu plus chères. Tranquille, le tout est sur un terrain ombragé.

Cabinas Isabel
$
bp, ⊗
centre de Golfito
☎*775-1774*
Les Cabinas Isabel proposent des chambres avec lits seulement, mais dans un petit édifice qui possède un certain charme. On y trouve une salle de séjour commune sympathique à l'étage. Les chambres sont réparties sur les deux étages du bâtiment, mais toutes leurs fenêtres donnent cependant sur un corridor intérieur.

Cabinas El Tucán
$
bp, ⊗
en face du stade Los Bruncas, Golfito
☎*775-0553*
Les Cabinas El Tucán proposent de petites chambres avec commode et fenêtre donnant sur

l'extérieur. Bref, assez exigüe mais propre. On se targue même de respecter la plus grande hygiène dans les chambres!

Delfina
$
200 m au sud du quai, Pueblo Civil, Golfito
☎ *775-0043*
L'hôtel Delfina est un autre de ces hôtels urbains de province que l'on retrouve en assez grand nombre à Golfito. Les petites chambres sont à l'étage d'un bâtiment de bois. L'hôtel donne sur le golfe, mais il est malheureusement accolé à d'autres habitations, ce qui empêche certaines chambres d'avoir une vue.

Hotel Golfito
$
bp, ⊗
25 m au sud du quai municipal, Golfito
☎ *775-0047 ou 775-0034*
Les chambres de l'Hotel Golfito se trouvent sur le pourtour du bâtiment de bois situé sur le golfe, mais les fenêtres givrées n'établissent pas de contact à proprement dit avec l'extérieur. Seules les salles d'eau ont une ouverture sur l'extérieur! De plus, les chambres n'ont qu'un lit et une salle de bain, et l'accueil est des plus ordinaires.

Princesa del Golfo
$
bp, ⊗
de biais avec l'édifice du Banco Nacional, Golfito
☎ *775-0442*
☎ *775-0243*
Les chambres du Princesa del Golfo sont aménagées dans la maison des anciens propriétaires américains,

isolée sur son terrain. Cela lui confère un certain charme au cœur de l'agglomération urbaine. Les chambres du rez-de-chaussée ont une entrée privée. L'aménagement de toutes les chambres est minimal: lit et salle de bain.

Cabinas y Restaurante Mar y Luna
$$
à l'entrée de Golfito
☎ *775-0192*
⇌ *775-1049*
Les Cabinas y Restaurante Mar y Luna proposent des chambres avec lits seulement et terrasse commune dans un bâtiment donnant sur le golfe.

La Purruja Lodge
$$
ℜ
Golfito
☎/⇌ *775-1054*
www.purruja.com
Le La Purruja Lodge est d'atmosphère plutôt familiale. Les petites chambres n'ont pas d'aménagement particulier, mais sont propres et logent dans une *casita* qui en contient deux. Les terrasses sont communes.
L'aménagement paysager extérieur est assez joli. Possibilité de manger au restaurant de l'endroit.

Hotel Costa Rica
$$
ec, bc/bp, ⊗, ≡
Pueblo Civil, Golfito
☎/⇌ *775-0034*
L'Hotel Costa Rica est un autre hôtel urbain de province proposant des chambres dont les ouvertures donnent sur un corridor intérieur. Certaines chambres ont l'air conditionné;

sous la chaleur de Golfito, pensez-y!

El Gran Ceibo
$$$
bp, ec, ≡, ⊗, ℜ, *tv,* ≈
à l'entrée de Golfito
☎/⇌ *775-0403*
El Gran Ceibo est un des quelques hôtels de la ville de Golfito offrant avec un certain confort quelques-uns des services hôteliers de base pour un séjour touristique de plus d'une journée, dont une piscine. Les chambres, propres, présentent un assez bel aménagement.

Cabinas Los Cocos
$$$
ec, bp, ℂ, ⊗
Playa Zancudo
☎/⇌ *776-0012*
www.loscocos.com
Les Cabinas Los Cocos proposent quatre *cabinas* avec petit jardin et évidemment la mer comme cour avant. Ces maisonnettes ont une véranda couverte avec hamac. Possibilité de divers tours guidés pour visiter les environs. Un bateau-taxi viendra vous chercher à Golfito.

Cabinas Sol y Mar
$$$
bp, ec, ⊗
à 25 min de marche au sud de Playa Zancudo
☎ *776-0014*
⇌ *776-0015*
www.zancudo.com
Les Cabinas Sol y Mar, ce sont d'abord quatre *cabinas* au bord de la plage. Une petite maison à trois niveaux équipée d'une cuisine peut également accueillir six personnes.

Golfo Azul
$$$
ec, bp, ℜ
Depósito Libre, Golfito
☎**775-0871**
⇄**775-1849**
Le Golfo Azul est un hôtel-restaurant. Les chambres se trouvent dans un édifice moderne de type motel à l'arrière de l'édifice principal qui, pour sa part, abrite le restaurant. L'aménagement extérieur n'est pas inintéressant, mais laisse beaucoup de place au revêtement sur ce grand terrain. De dimensions standards, les chambres se partagent la galerie qui court devant le bâtiment.

Centro Turístico Samoa del Sur
$$$
bp, tv, ℜ
Golfito
☎**775-0233**
☎**775-0573**
Le Centro Turístico Samoa del Sur, tenu par des Français, est un centre touristique situé sur le rivage du golfe. C'est en fait un motel, de bonne catégorie pour les environs. L'ameublement des chambres est moderne, et l'ensemble est très propre. Les terrasses sont communes puisque les unités d'habitation sont situées dans un seul bâtiment s'avançant dans l'eau. L'aménagement paysager est de bon goût, sur un assez grand terrain (rappelons que nous sommes dans la zone la plus urbanisée de la ville de Golfito), ce qui permet à l'ensemble des constructions d'être en retrait par rapport à la rue et d'offrir de bons dégagements entre les bâtiments. Une bonne adresse pour le coin, parti-

culièrement avec le restaurant (voir p 393).

Las Gaviotas
$$$
ec, bp, tv, ≡, ≈, ℂ, ℜ
à l'entrée de Golfito
☎**775-0062**
⇄**775-0544**
Las Gaviotas est l'une des bonnes adresses de la ville. Trois bungalows (avec cuisinette) et 18 chambres occupent un terrain par ailleurs très bien aménagé et bien ombragé. Quoique les chambres soient en enfilade dans un long bâtiment, les terrasses de chacune d'entre elles sont assez grandes et surtout privées, ce qui est un bon point. Inutile de vous préciser qu'en plus les piscines de l'établissement sont appréciées! Le restaurant est également une bonne adresse (voir p 393). Bar.

🚢 Esquinas Rainforest Lodge
$$$$$ pc
bp, ec, ⊗, ℜ
La Gamba, à 4 km de l'Interaméricaine au Km 37, près de Golfito
☎**775-0901**
www.esquinaslodge.com
L'Esquinas Rainforest Lodge, dont les revenus tirés de sa fréquentation touristique retournent à des activités de protection de la nature et au mieux-être de la collectivité des environs, est l'un de ces hôtels vraiment préoccupés par l'écotourisme. Le projet a été financé au départ par le gouvernement autrichien afin de tester un modèle combinant la recherche, la conservation de la nature et l'aide au développement. L'endroit est très

joli, mettant en évidence une architecture de bois et un aménagement tout en douceur avec l'environnement naturel. Le bâtiment principal est à aire ouverte, et les salles de séjour et de restauration invitent à la détente. Les *cabinas* ont une belle véranda avec chaise berçante en bambou. Le menu est international, en même temps qu'il met un petit accent sur la cuisine viennoise. Sur le terrain, une piscine est alimentée par un petit cours d'eau limpide et un étang; des jardins fruitiers ajoutent au décor. Un réseau de sentiers mène les invités à travers la forêt tropicale vers des cavernes et des cascades. On peut aller chercher gratuitement les clients (qui ont réservé) à l'aéroport de Golfito. Attention, la route n'est pas toujours en bon état, mais vous ne devriez pas avoir besoin d'un véhicule à quatre roues motrices. Le prix de la location d'une chambre comprend une excursion à Piedras Blancas.

La région de Ciudad Neily

Andrea
$$$
⊗, ≡, *bp*
Ciudad Neily
☎/⇄**783-3784**
☎/⇄**783-5340**
Exception faite de l'absence d'une piscine (grave lacune à notre sens dans cette région), l'hôtel Andrea serait tout indiqué pour loger à Ciudad Neily. Les chambres sont propres et même jolies; toutes sont situées dans un

bâtiment qui possède une grande galerie courant sur les deux niveaux de sa façade. Le terrain est grand et très propre. Autre désavantage cependant: deux chambres seulement ont l'eau chaude (un moindre mal) et l'air conditionné (incroyable!).

Centro Turístico Neily
$$$
≡, ≈, ℜ
Ciudad Neily
☎*783-3301*

Une idée qui peut valoir la peine d'être considérée si vous devez demeurer à Ciudad Neily, c'est de louer au Centro Turístico Neily l'une des quelque 20 unités d'habitation de type motel situées sur un grand terrain. Pas tant pour la qualité de l'aménagement des chambres – elles ne sont pas excessivement grandes, les fenêtres donnent sur l'arrière, et il y a peu de terrasse à l'extérieur –, mais pour la propriété elle-même, relativement bien aménagée et qui comprend deux piscines bien ombragées (une bénédiction!), un restaurant et une discothèque.

La région de San Vito

Centro Turístico Las Huacas
$
ec, bp
à l'entrée de la ville par la route du Coto Brus, San Vito
☎*773-3115*

Le Centro Turístico Las Huacas est à la fois une salle communautaire offrant les services de bar et de discothèque les fins de semaine et un établissement d'hébergement

(tout à côté). Les chambres, à l'aménagement *tico*, sont relativement propres, sans beaucoup d'autre mobilier que les lits, cependant.

Hotel Rino
$
ec, bp
centre commercial Al Pizar, au cœur de la ville, San Vito
☎*773-3071 ou 773-4030*

Tout petit, l'Hotel Rino propose des chambres propres.

El Ceibo
$$
bp, ec, tvc, ℜ
à quelques pas du palais municipal, San Vito
☎*773-3025*
≈*773-5025*

L'hôtel El Ceibo, de propriété italienne, est l'un des meilleurs hôtels de San Vito. Les chambres donnent sur un petit bois à l'arrière par une porte malheureusement petite, sans oublier leur petit balcon à l'italienne. Elles sont d'aménagement très simple, pas très grandes mais propres. Attention, l'hôtel est quelque peu caché derrière une lisière de végétation tout de suite sur la gauche sur le chemin quittant le carrefour pour aller au palais municipal.

🦜 Wilson Botanical Garden
$$$$$ pc
bp, ec
réservations auprès de l'Organisation pour les études tropicales
☎*240-6696*
≈*240-6783*

Il est possible de dormir sur le site du Wilson Botanical Garden. C'est d'ailleurs l'un des meilleurs endroits pour passer la nuit dans les environs. Les

cabinas sont jolies et d'une propreté impeccable, et la vue sur les environs depuis les fenêtres est magnifique. En plus, vous êtes assuré d'une sainte paix pour dormir, au milieu de ce jardin, et de bons repas. Bref, le paradis! Il existe même deux chambres pour personnes à mobilité réduite. Faites vos réservations tôt dans la saison, car l'endroit est très couru.

La Amistad Lodge
$$$$$ pc
bc/bp, ec
à quelque 3 km de Las Mellizas, au nord-est de San Vito
☎*233-8228*
≈*773-3193*

Le La Amistad Lodge est peut-être ce qui se fait de plus éloigné géographiquement en matière de complexe hôtelier par rapport aux circuits récréotouristiques standards du pays. Tout près de la frontière avec le Panamá, au nord-est de San Vito, le La Amistad Lodge se trouve dans la région du petit village de Las Mellizas. Vous devrez peut-être faire une partie du chemin à pied au départ de Las Mellizas, surtout si vous n'avez pas de véhicule à quatre roues motrices pour vous déplacer. Le La Amistad Lodge, c'est l'histoire d'une auberge gérée par une famille désireuse d'exploiter les capacités écotouristiques de ses terres qui jouxtent le parc de La Amistad. En fait, le prix de la pension complète inclut les sercices d'un guide. L'essentiel de ces terres est en effet recouvert de forêt vierge, et de nombreux sentiers permettent, avec l'aide d'un guide, de mieux en connaître les qualités floristiques et fauniques à cette altitude. Une section des terres fut consacrée à la culture biologique du café. L'association des deux activités au même endroit rend le séjour à La Amistad assurément agréable. Les chambres sont correctes, et leur aménagement se révèle simple et propre.

Restaurants

La région de San Isidro de El General

San Gerardo de Dota

Los Lagos
$$
☎771-2077
À San Gerardo de Dota, le fort sympathique restaurant Los Lagos propose essentiellement un menu de truite. Avec les rivières qui coulent dans le coin, vous êtes assuré de la fraîcheur du poisson. Possibilité de petit déjeuner également. La salle à manger, grande, est toute simple; c'est l'environnement extérieur du restaurant qui est grandiose, avec le Río Savegre qui coule tout à côté. Une fontaine vient compléter le décor de façon plaisante.

Région de Rivas

San Gerardo de Rivas

Soda Don Ulysses
$
Presque juste au pied du sentier qui dégringole du Cerro Chirripó, ce petit *soda* se fait parfois providentiel! Campé dans un décor époustouflant, au bout d'une route impossible à s'imaginer, ce petit casse-croûte, avec ces tables communes recouvertes de nappes de plastique fleuries, constitue une merveilleuse halte. Don Ulysses, qui a derrière lui quelques années et plusieurs ascensions du *cerro*, ajoute à l'authenticité du décor et pourra vous raconter ses histoires si le cœur vous en dit et si votre oreille peut suivre son parler. Le *soda* fait aussi office de *pulpería*; il est donc possible d'y faire quelques provisions. Vous pourrez aussi, si vous êtes venu jusqu'ici en voiture, la garer devant, moyennant légère contribution, pendant votre balade dans le parc.

La région de Dominical

Kardigui
$
Invitant et d'aménagement *tico*, le bar-restaurant Kardigui, situé au bord de la mer entre Uvita et Dominical, sert des mets *ticos* à prix très raisonnables. L'édifice est doté de grands espaces ouverts, et son bar est pourvu d'un toit de tôle rouge.

Soda Nanyoa
$
Dominical
Le Soda Nanyoa propose de la nourriture *tica* à prix populaire. Son aménagement est également *tico*.

Thrusters
$$
☎787-0127
Rendez-vous par excellence des nombreux surfeurs qui campent dans la région, le bar-restaurant Thrusters sert des plats propres à les rassasier. Des mets mexicains côtoient les incontournables hamburgers sur le menu. Le tout s'avère assez bien apprêté.

Punta Dominical
$$
4 km au sud de Dominical
☎787-0016
Le bar-restaurant Punta Dominical, tout à côté des *cabinas* du même nom, est un endroit formidable. Allez-y le soir (pour prendre un verre ou savourer une nourriture *tica* ou internationale), et vous serez saisi par le «son en stéréo» de la mer qui frappe les deux côtés de l'étroite pointe où est situé le restaurant. Dans le noir de la nuit, le résultat est saisissant et très agréable.

San Clemente Bar & Grill
$$
tlj 7h à 2h
Dominical
Accolé au Dominical Info Center se trouve le San Clemente Bar & Grill, dont le propriétaire est le même que celui des Cabinas San Clemente, situées, quant à elles, le long de la mer. La cuisine y est à la fois *tica* et nord-américaine, et elle est principale-

ment axée sur les grillades, bien évidemment. Le samedi, le restaurant se transforme en bar et discothèque. Atmosphère très décontractée avec les jeux de table et de billard, ainsi que télévision par satellite pour écouter toutes sortes d'émissions de sport. Le San Clemente Bar & Grill constitue, à Dominical, l'endroit à fréquenter le soir.

La Campanna
$$-$$$
☎787-0072
Au beau milieu de nulle part, semble-t-il, là où vous ne vous attendriez pas à pouvoir faire ripaille, La Campanna vous surprendra agréablement. Ce resto italien, tenu par trois sympathiques Italiens voyageurs qui ont roulé leur bosse jusqu'ici, est à essayer sans faute si vous restez dans les environs de Dominical. Logé sous un toit de palmes, il abrite quelques tables de bois devant une cuisine à aire ouverte. Sur ces tables, de jolis porte-serviettes côtoient des chandelles qui brûlent en prenant des formes diverses. L'atmosphère qui se dégage de tout cela s'avère propre à la causerie, aux soirées qui s'étirent. Derrière le comptoir de la cuisine, Fabio, le chef, concocte une fine cuisine préparée avec soin et présentée avec goût. Pizzas, poissons, viandes (dont de délicieuses escalopes) et pâtes (dont une divine lasagne végétarienne sauce au *pesto*) feront le bonheur de vos papilles. On sert même de petits morceaux de *pita* à l'ail comme amuse-gueule!

Ojochal

Comme nous l'avons dit, Ojochal abrite une très importante communauté francophone d'Europe, du Québec et des Caraïbes. Imaginez le résultat quand tous ces gens décident d'ouvrir des restaurants! Vous trouverez dans ce petit village une telle densité de bons restaurants que vous devriez déjà prévoir y rester quelques jours…

Demandez aux habitants où se cache la **boulangerie de Frank**, qui apprête une excellente fournée.

El Gringo Mike's Pizza & Café
$$
El Gringo Mike's Pizza & Café est un point de chute pour nombre de villégiateurs des environs de Playa Tortuga, le soir venu. On y sert, vous l'aurez deviné, de la pizza et des mets typiques de la restauration rapide nord-américaine. Mike, le prorio, est établi dans les environs depuis des années: il pourra vous renseigner sur ce qu'il y a à voir.

Rancho Soluna
$$
☎788-8210
Le petit Rancho Soluna est à la fois un restaurant et une petite auberge (voir p 379) auxquels se consacrent avec beaucoup de dévouement les propriétaires Léo et Michèle, des Québécois d'origine. Le restaurant chaleureux et intimiste sert même de la poutine, des spaghettis, de la pizza, des hamburgers ainsi que de bons desserts nord-américains préparés par la propriétaire! Idéal

pour se ressourcer en français!

Chez elle
$$
Chez elle, la patronne bretonne prépare de belles crêpes minces, dorées à point et délicieuses, malgré l'absence de farine de sarrasin. Salées (florentines, forestières, marines, etc.) ou sucrées (aux fruits caramélisés, flambées au rhum, etc.), toutes vous feront passer un bon moment. D'autant plus que les quelques tables de la crêperie sont dressées dans un environnement magnifique, en surplomb sur un petit ruisseau, au milieu d'un jardin exubérant. C'est d'ailleurs dans ce jardin que son mari récolte les condiments qui lui serviront à ajouter à votre assiette une présentation aussi belle qu'odorante…

Dulce Lucy
$$
Au bord de la route, l'établissement du Québécois Robert Gravel voit passer beaucoup de monde à Ojochal. Bien sûr en raison de son emplacement et parce qu'il propose, aux habitants, quelques services Internet, mais c'est surtout à cause de son menu appétissant qu'on le visite. Ce vaste menu est servi dans un établissement tout petit constitué d'un comptoir et de trois ou quatre tables en terrasse. Les sandwichs sur baguette accompagnés de *chips*, les sandwichs sur pain *pita*, les pizzas à pâte mince et même les plats chauds, tous affichent une certaine originalité et surtout un souci de

l'ingrédient juste pour donner le meilleur goût. Et vous serez surpris de la variété de ces ingrédients! Accompagnez le tout d'une bière belge bien froide, et bon appétit!

Exo-Tica
$$$

El Complejo Diquis, comme plusieurs établissements d'Ojochal, a changé de mains. Dans ce cas-ci, il s'agit d'une bien heureuse transaction puisqu'elle a amené aux fourneaux du restaurant Exo-Tica un chef remarquable, Marcella, qui cumule différentes nationalités et qui a travaillé un peu partout dans le monde. Le décor du restaurant et son emplacement ne vous laisseront pas soupçonner que se cache ici une telle perle. Sur du mobilier en plastique dressé au bord d'une piscine, on vous servira des assiettes dont la composition vous réjouira. Les plats, qui s'inspirent à la fois des produits disponibles au pays et des idées qu'a récoltées Marcella dans ses voyages, se révèlent être d'une grande finesse. Gaspacho piquant à la tomate et à la mangue, salade d'avocat et d'ananas, poitrine de poulet aux pruneaux et à la crème, filets de poisson présentés de diverses façons, par exemple recouverts d'une sauce aux bananes et au curry, bouillabaisse assaisonnée d'une touche de lait de coco… un régal! Attendez-vous à avoir envie de commander plus de plats que vous ne pourrez en manger, mais il est fort probable qu'aucun ne vous décevra. Le ser-

vice s'avère aussi des plus attentionnés.

Último Refugio
$$$
500 m au sud de l'école primaire du village d'Ojochal
⇆ *786-6358*

L'Último Refugio, tenu par des Québécois, est à la fois un restaurant, une boutique de souvenirs et un gîte. L'endroit est fort sympathique et de bon goût, caché qu'il est par un fourré.

Península de Osa

Comme les déplacements sont plutôt difficiles à l'intérieur de la Península de Osa, la grande majorité des hôtels, auberges et *cabinas* ont leur propre salle à manger afin de satisfaire leur clients et quelquefois les visiteurs de passage. Puerto Jiménez est l'endroit où l'on trouve le plus grand choix de restaurants, notamment plusieurs excellents petits *sodas* à prix modique.

La région de Puerto Jiménez

Ventana al Golfo
$

Sur la route juste avant Rincón à partir du continent, une maison se dresse en hauteur sur la droite. Elle loge le sympathique restaurant Ventana al Golfo, qui porte magnifiquement son nom et qui offre, depuis sa terrasse à l'avant, une belle vue sur le golfe. On y sert une cuisine *tica* typique des *sodas*.

Sabores del Golfo
$
tlj 6h à 21h

Au sud de La Palma, en direction de Puerto Jiménez, le restaurant Sabores del Golfo propose une excellente cuisine locale dans une ambiance familiale et à petit prix.

Puerto Jiménez

Jardín del Buho
$

À l'entrée du village, la maison abritant le Jardín del Buho se cache au bout d'une allée. Son mignon décor est rehaussé d'un mobilier en osier blanc et de plantes vertes. Son menu (présenté sur des chemises de bureau!) se compose de plats de viande et de poisson typiques de la cuisine *tica*.

Agua Luna
$-$$
☎ *735-5034 ou 735-5033*

Le restaurant Agua Luna se trouve en face du Golfo Dulce, juste à côté du ruisseau Cacao et près du débarcadère du traversier en provenance de Golfito. Dans ce très vaste restaurant bien aéré, on prépare une excellente cuisine locale et internationale, notamment de bons fruits de mer.

Carolina
$-$$
tlj 7h à 22h
☎ *735-5185*

Au cœur de Puerto Jiménez, le bar-restaurant Carolina est très rarement désert. On y vient pour prendre une boisson gazeuse, un café ou une bière et discuter entre amis, ou simplement pour passer le temps. On y vient également pour glaner des informations sur la région, l'agence Escondido Trex étant située au fond du restaurant. La nourriture y est aussi variée qu'excellente, et les prix s'avèrent très corrects.

La région de Palmar

En route vers Golfito ou Ciudad Neily au départ de Palmar, vous trouverez deux comptoir de restauration rapide abordables au carrefour de la route menant à Puerto Jiménez depuis l'Interaméricaine. L'un s'appelle **Corcovado** et l'autre **Carratera Chacarita**.

La région de Golfito

La Dama del Delfín
☎**775-0235**
À Golfito, pour environ 5$, le restaurant et boutique de souvenirs La Dama del Delfín propose de bons petits plats du jour. De plus, l'endroit bénéficie d'une belle vue sur la partie du Pueblo Civil de la ville de Golfito et sur le golfe. La propriétaire peut vous donner toutes sortes de renseignements sur les environs.

Soda El Barco
$
Golfito
Le Soda El Barco est un tout petit *soda* sympathique, également à prix *tico*.

La Cazuelita
$$
200 m à l'ouest du Depósito Libre, Golfito
☎**775-0921**
Le restaurant La Cazuelita propose un menu chinois dans un décor simple et sympathique.

La Eurekita
$$
☎**775-1616**
Le petit restaurant La Eurekita est ouvert des deux côtés du bâtiment qu'il occupe, de manière à donner une vue à la fois sur le golfe et sur une des rues principales du Pueblo Civil de Golfito. On y sert des mets *ticos* et de restauration rapide, et l'atmosphère y est sympathique. Un des restaurants les plus grands du Pueblo Civil, il est également l'un des plus fréquentés le midi.

Las Gaviotas
$$
à l'entrée de Golfito
☎**775-0062**
Le restaurant de l'hôtel Las Gaviotas est un bon restaurant de fruits de mer. Aménagé à l'extérieur, tout en étant couvert, il permet un contact très agréable avec l'environnement de l'hôtel en offrant de plus une belle vue sur la baie.

Centro Turístico Samoa del Sur
$$$
Golfito
☎**775-0233**
Le restaurant du Centro Turístico Samoa del Sur est un bar-restaurant accolé à l'hôtel éponyme (voir p 388). La nourriture que l'on y prépare est très bonne (c'est à la fois une

pizzeria et un restaurant de fruits de mer et de cuisine *tica*; essayez le *ceviche* par exemple ou les *patacones con frijoles molidos*). Sous une grande hutte invitante, on peut également prendre un verre le soir dans une belle atmosphère gaie où émissions de télé et vidéos sont en compétition. L'endroit est également tout indiqué pour y siroter un succulent jus de fruits en fin d'après-midi.

La région de Ciudad Neily

Soda La Cuchara de Margoth
$
Ciudad Neily
À Ciudad Neily, le Soda La Cuchara de Margoth est au bord d'une toute petite rivière traversant la ville. Très joli et sympathique pour un repas léger.

Soda El Parque
$
Ciudad Neily
Un peu plus bas que le Soda La Cuchara de Margoth vers le cœur de la ville, il y a le Soda El Parque, tout propre avec ses belles nappes blanches sous plastique. Cuisine *tica*.

La Moderna
$$
Ciudad Neily
☎**783-3097**
Le restaurant La Moderna est l'un des meilleurs restaurants de Ciudad Neily. La cuisine y est variée, tant *tica* qu'internationale.

La région de San Vito

Liliana
$$
San Vito
☎ *773-3080*
Le restaurant Liliana propose des spécialités italiennes. Le décor de l'établissement est un rien italianisant, comme il se doit. Très bonne adresse.

Restaurante Neilly
$$
San Vito
Pour de la cuisine *tica*, le Restaurante Neilly est fortement recommandé par les citoyens de San Vito. Sa salle à manger est effectivement très propre, et son aménagement est simple mais invitant.

Jimar
$$
San Vito
Dans la même veine, le restaurant Jimar est très recommandable. Sa petite terrasse offre une belle vue sur les environs. Très fréquenté.

El Ceibo
$$
à quelques pas du palais municipal, San Vito
☎ *773-3025*
Le restaurant de l'hôtel El Ceibo, de propriété italienne, sert une nourriture honnête, tant costaricienne qu'italienne, dans un décor très simple, agrémenté de la télévision, bien sûr!

Sorties

Bars

La région de Dominical

Thrusters
☎ *787-0127*
Le bar-restaurant Thrusters joue le rôle de point de ralliement pour les surfeurs de la région, qui viennent prendre un verre en discutant au bar ou en jouant au billard. Tous les soirs, vous pourrez côtoyer cette faune racontant ses exploits de la journée.

Achats

La région de Dominical

Plaza Pacífica Supermarket – Dos Hermanos
immédiatement à la sortie du village sur la grande route qui mène à Uvita
À Dominical, le supermarché Plaza Pacífica – Dos Hermanos est juché sur un petit monticule.

Funky Orchid
Dominical
La boutique Funky Orchid s'annonce comme un *surf shop*, vocation du village oblige! Vous y trouverez aussi divers souvenirs.

Costanera Sur

Último Refugio
500 m au sud de l'école primaire du village d'Ojochal
⇄ *786-6358*
À Ojochal, rendez-vous à l'Último Refugio si vous désirez vous offrir un cadeau de la région.

La région de Palmar

Palmar Norte possède un petit *abastecedor* (sorte de dépanneur) du nom de **Tonio,** situé pas très loin de l'Interaméricaine. C'est là notamment que les propriétaires d'auberge ou de restaurant de la région s'approvisionnent. Tonio vend quelques denrées exotiques, plutôt variées pour l'endroit.

La région de Golfito

Dans la région sud du pays se trouve une zone déclarée «port franc» où il est possible d'acheter pour un peu moins cher qu'ailleurs au Costa Rica toutes sortes de produits de consommation courante. Il s'agit du secteur **Depósito Libre** de la ville de Golfito, reconnu comme tel depuis 1990. Il faut cependant payer un droit d'entrée pour y accéder.

Sachez qu'il est préférable de visiter le Depósito Libre en semaine, car les *Ticos* – à qui le relatif rabais peut être utile – profitent très souvent de leur congé de la fin de semaine pour aller y faire leurs emplettes, ce qui rend l'endroit et les hôtels du coin bondés. Toutes sortes de produits sont proposés au Depósito Libre; vous verrez d'ailleurs au fur et à mesure que vous vous approchez de la ville de Golfito

la multiplication des panneaux publicitaires vantant les mérites de tel ou tel article disponible dans le secteur.

La région de San Vito

Il n'est pas facile de trouver des périodiques de langue française dans la région. À San Vito, vous trouverez certains périodiques de langue anglaise à la **Librería La Cruz**, au cœur de la ville.

Lexique

Quelques indications sur la prononciation de l'espagnol en Amérique latine.

Consonnes

c Tout comme en français, le *c* est doux devant *i* et *e*, et se prononce alors comme un **s**: *cerro* (serro). Devant les autres voyelles, il est dur: *carro* (karro). Le **c** est également dur devant les consonnes, sauf devant le **h** (voir plus bas).

g De même que pour le **c**, devant **i** et **e** le **g** est doux, c'est-à-dire qu'il est comme un souffle d'air qui vient du fond de la gorge: *gente* (hhente).

   Devant les autres voyelles, il est dur: *golf* (se prononce comme en français). Le **g** est également dur devant les consonnes.

ch Se prononce **tch**, comme dans «Tchad»: *leche* (letche). Tout comme pour le *ll*, c'est comme s'il s'agissait d'une autre lettre, listée à part dans les dictionnaires et dans l'annuaire du téléphone.

h Ne se prononce pas: *hora* (ora).

j Se prononce comme le **r** de «crabe», un **r** du fond de la gorge, sans excès: *jugo* (rrugo).

ll Se prononce comme le **y** dans «yen»: *llamar* (yamar). Dans certaines régions, par exemple le centre de la Colombie, **ll** se prononce comme **j** de «jujube» (*Medellín* se prononce Medejin). Tout comme pour le **ch**, c'est comme s'il s'agissait d'une autre lettre, listée à part dans les dictionnaires et dans l'annuaire du téléphone.

ñ Se prononce comme le **gn** de «beigne»: *señora* (segnora).

r Plus roulé et moins guttural qu'en français, comme en italien.

s Toujours **s** comme dans «singe»: *casa* (cassa).

v Se prononce comme un **b**: *vino* (bino).

z Comme un **z**: *paz* (pass).

Voyelles

e Toujours comme un **é**: *helado* (élado) sauf lorsqu'il précède deux consonnes, alors il se prononce comme un **è**: *encontrar* (èncontrar)

u Toujours comme **ou**: *cuenta* (couenta)

y Comme un **i**: *y* (i)

Toutes les autres lettres se prononcent comme en français.

Accent tonique

En espagnol, chaque mot comporte une syllabe plus accentuée. Cet accent tonique est très important en espagnol et s'avère souvent nécessaire pour sa compréhension par vos interlocuteurs. Si, dans un mot, une voyelle porte un accent aigu (le seul utilisé en espagnol), c'est cette syllabe qui doit être accentuée. S'il n'y a pas d'accent sur le mot, il faut suivre la simple règle suivante:

On doit accentuer l'avant-dernière syllabe de tout mot qui se termine par une voyelle: *amigo*.

On doit accentuer la dernière syllabe de tout mot qui se termine par une consonne sauf *s* (pluriel des noms et adjectifs) ou *n* (pluriel des verbes): *usted* (mais *amigos*, *hablan*).

Présentations

au revoir	*adiós, hasta luego*
bon après-midi ou bonsoir	*buenas tardes*
bonjour (forme familière)	*hola*
bonjour (le matin)	*buenos días*
bonne nuit	*buenas noches*
célibataire (m/f)	*soltero/a*
comment allez-vous?	*¿cómo esta usted?*
copain/copine	*amigo/a*
de rien	*de nada*
divorcé(e)	*divorciado /a*
enfant (garçon/fille)	*niño/a*
époux, épouse	*esposo/a*
excusez-moi	*perdone/a*
frère, sœur	*hermano/a*
je suis...	*Soy...*
belge	*belga*
canadien(ne)	*canadiense*
français(e)	*francés/a*
québécois(e)	*quebequense*
suisse	*suizo*
je suis un(e) touriste	*Soy turista*
je suis désolé, je ne parle pas espagnol	*Lo siento, no hablo español*
je vais bien	*estoy bien*
marié(e)	*casado/a*
merci	*gracias*
mère	*madre*
mon nom de famille est...	*mi apellido es...*
mon prénom est...	*mi nombre es...*
non	*no*
oui	*sí*
parlez-vous français?	*¿habla usted francés?*
père	*padre*
plus lentement s'il vous plaît	*más despacio, por favor*
quel est votre nom?	*¿cómo se llama usted?*
s'il vous plaît	*por favor*
veuf(ve)	*viudo/a*

Direction

à côté de	*al lado de*
à droite	*a la derecha*
à gauche	*a la izquierda*

dans, dedans	*dentro*
derrière	*detrás*
devant	*delante*
en dehors	*fuera*
entre	*entre*
ici	*aquí*
il n'y a pas...	*no hay...*
là-bas	*allí*
loin de	*lejos de*
où se trouve ... ?	*¿dónde está ... ?*
pour se rendre à...?	*¿para ir a...?*
près de	*cerca de*
tout droit	*todo recto*
y a-t-il un bureau de tourisme ici?	*¿hay aquí una oficina de turismo?*

L'argent

argent	*dinero/plata*
carte de crédit	*tarjeta de crédito*
change	*cambio*
chèque de voyage	*cheque de viaje*
je n'ai pas d'argent	*no tengo dinero*
l'addition, s'il vous plaît	*la cuenta, por favor*
reçu	*recibo*

Les achats

acheter	*comprar*
appareil photo	*cámara*
argent	*plata*
artisanat typique	*artesanía típica*
bijoux	*joyeros*
cadeaux	*regalos*
combien cela coûte-t-il?	*¿cuánto es?*
cosmétiques et parfums	*cosméticos y perfumes*
disques, cassettes	*discos, casetas*
en/de coton	*de algodón*
en/de cuir	*de cuero/piel*
en/de laine	*de lana*
en/de toile	*de tela*
fermé	*cerrado/a*
film, pellicule photographique	*rollo/film*
j'ai besoin de ...	*necesito ...*
je voudrais	*quisiera...*
journaux	*periódicos/diarios*
la blouse	*la blusa*
la chemise	*la camisa*
la jupe	*la falda/la pollera*
la veste	*la chaqueta*
le chapeau	*el sombrero*
le client, la cliente	*el/la cliente*
le jean	*los tejanos/los vaqueros/los jeans*
le marché	*mercado*
le pantalon	*los pantalones*
le t-shirt	*la camiseta*
le vendeur, la vendeuse	*dependiente*
le vendeur, la vendeuse	*vendedor/a*
les chaussures	*los zapatos*
les lunettes	*las gafas*

les sandales	*las sandalias*
montre-bracelet	*el reloj(es)*
or	*oro*
ouvert	*abierto/a*
pierres précieuses	*piedras preciosas*
piles	*pilas*
produits solaires	*productos solares*
revues	*revistas*
un grand magasin	*almacén*
un magasin	*una tienda*
un sac à main	*una bolsa de mano*
vendre	*vender*

Divers

beau	*hermoso*
beaucoup	*mucho*
bon	*bueno*
bon marché	*barato*
chaud	*caliente*
cher	*caro*
clair	*claro*
court	*corto*
court (pour une personne petite)	*bajo*
étroit	*estrecho*
foncé	*oscuro*
froid	*frío*
grand	*grande*
gros	*gordo*
j'ai faim	*tengo hambre*
j'ai soif	*tengo sed*
je suis malade	*estoy enfermo/a*
joli	*bonito*
laid	*feo*
large	*ancho*
lentement	*despacio*
mauvais	*malo*
mince, maigre	*delgado*
moins	*menos*
ne pas toucher	*no tocar*
nouveau	*nuevo*
où?	*¿dónde?*
petit	*pequeño*
peu	*poco*
plus	*más*
qu'est-ce que c'est?	*¿qué es esto?*
quand	*¿cuando?*
quelque chose	*algo*
rapidement	*rápidamente*
rien	*nada*
vieux	*viejo*

La température

il fait chaud	*hace calor*
il fait froid	*hace frío*
nuages	*nubes*
pluie	*lluvia*
soleil	*sol*

Le temps

année	*año*
après-midi, soir	*tarde*
aujourd'hui	*hoy*
demain	*mañana*
heure	*hora*
hier	*ayer*
jamais	*jamás, nunca*
jour	*día*
maintenant	*ahora*
minute	*minuto*
mois	*mes*
janvier	*enero*
février	*febrero*
mars	*marzo*
avril	*abril*
mai	*mayo*
juin	*junio*
juillet	*julio*
août	*agosto*
septembre	*septiembre*
octobre	*octubre*
novembre	*noviembre*
décembre	*diciembre*
nuit	*noche*
pendant le matin	*por la mañana*
quelle heure est-il?	*¿qué hora es?*
semaine	*semana*
dimanche	*domingo*
lundi	*lunes*
mardi	*martes*
mercredi	*miércoles*
jeudi	*jueves*
vendredi	*viernes*
samedi	*sábado*

Les communications

appel à frais virés (PCV)	*llamada por cobrar*
attendre la tonalité	*esperar la señal*
composer le préfixe	*marcar el prefijo*
courrier par avion	*correo aéreo*
enveloppe	*sobre*
interurbain	*larga distancia*
la poste et l'office des télégrammes	*correos y telégrafos*
le bureau de poste	*la oficina de correos*
les timbres	*estampillas/sellos*
tarif	*tarifa*
télécopie (fax)	*telecopia*
télégramme	*telegrama*
un annuaire de téléphone	*un botín de teléfonos*

Les activités

musée ou galerie	*museo*
nager	*nadar*
plage	*playa*
plongée sous-marine	*buceo*
se promener	*pasear*

Les transports

à l'heure prévue	*a la hora*
aéroport	*aeropuerto*
aller simple	*ida*
aller-retour	*ida y vuelta*
annulé	*annular*
arrivée	*llegada*
avenue	*avenida*
bagages	*equipajes*
coin	*esquina*
départ	*salida*
est	*este*
gare, station	*estación*
horaire	*horario*
l'arrêt d'autobus	*una parada de autobús*
l'autobus	*el bus*
l'avion	*el avión*
la bicyclette	*la bicicleta*
la voiture	*el coche, el carro*
le bateau	*el barco*
le train	*el tren*
nord	*norte*
ouest	*oeste*
passage de chemin de fer	*crucero ferrocarril*
rapide	*rápido*
retour	*regreso*
rue	*calle*
sud	*sur*
sûr, sans danger	*seguro/a*
taxi collectif	*taxi colectivo*

La voiture

à louer	*alquilar*
arrêt	*alto*
arrêtez	*pare*
attention, prenez garde	*cuidado*
autoroute	*autopista*
défense de doubler	*no adelantar*
défense de stationner	*prohibido aparcar o estacionar*
essence	*petróleo, gasolina*
feu de circulation	*semáforo*
interdit de passer, route fermée	*no hay paso*
limite de vitesse	*velocidad permitida*
piétons	*peatones*
ralentissez	*reduzca velocidad*
station-service	*servicentro*
stationnement	*parqueo, estacionamiento*

L'hébergement

air conditionné	*aire acondicionado*
ascenseur	*ascensor*
avec salle de bain privée	*con baño privado*
basse saison	*temporada baja*
chalet (de plage), bungalow	*cabaña*
chambre	*habitación*
double, pour deux personnes	*doble*
eau chaude	*agua caliente*

étage	*piso*
gérant, patron	*gerente, jefe*
hébergement	*alojamiento*
lit	*cama*
petit déjeuner	*desayuno*
piscine	*piscina*
rez-de-chaussée	*planta baja*
simple, pour une personne	*sencillo*
toilettes, cabinets	*baños*
ventilateur	*ventilador*

Les nombres

0	*cero*
1	*uno, una*
2	*dos*
3	*tres*
4	*cuatro*
5	*cinco*
6	*seis*
7	*siete*
8	*ocho*
9	*nueve*
10	*diez*
11	*once*
12	*doce*
13	*trece*
14	*catorce*
15	*quince*
16	*dieciséis*
17	*diecisiete*
18	*dieciocho*
19	*diecinueve*
20	*veinte*
21	*veintiuno*
22	*veintidos*
23	*veintitrés*
24	*veinticuatro*
25	*veinticinco*
26	*veintiséis*
27	*veintisiete*
28	*veintiocho*
29	*veintinueve*
30	*treinta*
31	*treinta y uno*
32	*treinta y dos*
40	*cuarenta*
50	*cincuenta*
60	*sesenta*
70	*setenta*
80	*ochenta*
90	*noventa*
100	*cien, ciento*
200	*doscientos, doscientas*
500	*quinientos, quinientas*
1 000	*mil*
10 000	*diez mil*
1 000 000	*un millón*

Index

Index

Index

Index

Index

Bon de commande Ulysse

Guides de voyage

☐	Abitibi-Témiscamingue et Grand Nord	22,95 $	20,58 €
☐	Acapulco	14,95 $	13,57 €
☐	Arizona et Grand Canyon	24,95 $	19,99 €
☐	Bahamas	24,95 $	19,67 €
☐	Belize	16,95 $	15,09 €
☐	Boston	17,95 $	13,99 €
☐	Calgary	16,95 $	15,09 €
☐	Californie	29,95 $	19,67 €
☐	Canada	29,95 $	22,99 €
☐	Cancún et la Riviera Maya	19,95 $	13,99 €
☐	Cape Cod – Nantucket – Martha's Vineyard	17,95 $	13,57 €
☐	Carthagène (Colombie)	12,95 $	10,67 €
☐	Chicago	22,95 $	17,99 €
☐	Chili	27,95 $	19,67 €
☐	Colombie	29,95 $	22,11 €
☐	Costa Rica	27,95 $	19,67 €
☐	Cuba	24,95 $	19,99 €
☐	Délices et séjours de charme au Québec	14,95 $	13,99 €
☐	Disney World	19,95 $	14,99 €
☐	Équateur – Îles Galápagos	24,95 $	19,67 €
☐	Floride	29,95 $	19,67 €
☐	Gaspésie – Bas-Saint-Laurent – Îles de la Madeleine	22,95 $	17,99 €
☐	Gîtes et Auberges du Passant au Québec	17,95 $	14,99 €
☐	Guadalajara	17,95 $	13,57 €
☐	Guadeloupe	24,95 $	15,09 €
☐	Guatemala	24,95 $	19,67 €
☐	Haïti	24,95 $	22,99 €
☐	Hawaii	29,95 $	19,67 €
☐	Honduras	24,95 $	19,67 €
☐	Huatulco et Puerto Escondido	14,95 $	13,57 €
☐	Jamaïque	24,95 $	22,99 €
☐	La Havane	17,95 $	14,99 €
☐	La Nouvelle-Orléans	17,95 $	13,57 €
☐	Las Vegas	17,95 $	13,57 €
☐	Lisbonne	18,95 $	12,99 €
☐	Los Angeles	19,95 $	14,99 €
☐	Los Cabos et La Paz	14,95 $	13,57 €
☐	Louisiane	29,95 $	19,67 €
☐	Martinique	24,95 $	14,99 €
☐	Miami	17,95 $	15,09 €
☐	Montréal	19,95 $	17,99 €
☐	Montréal pour enfants	19,95 $	17,84 €
☐	New York	19,95 $	15,09 €
☐	Nicaragua	24,95 $	22,99 €

Guides de voyage (suite)

☐	Nouvelle-Angleterre	29,95 $	22,99 €
☐	Ontario	27,95 $	19,67 €
☐	Ottawa – Hull	14,95 $	13,57 €
☐	Ouest canadien	29,95 $	22,99 €
☐	Ouest des États-Unis	29,95 $	19,67 €
☐	Panamá	27,95 $	22,99 €
☐	Pérou	27,95 $	19,99 €
☐	Phoenix	16,95 $	13,57 €
☐	Porto	17,95 $	12,04 €
☐	Portugal	24,95 $	19,67 €
☐	Provence – Côte d'Azur	29,95 $	19,99 €
☐	Provinces atlantiques du Canada	24,95 $	19,99 €
☐	Puerto Plata – Sosua	14,95 $	12,04 €
☐	Puerto Rico	24,95 $	21,19 €
☐	Puerto Vallarta	14,95 $	15,09 €
☐	Le Québec	29,95 $	22,99 €
☐	Québec et Ontario	29,95 $	19,99 €
☐	République dominicaine	24,95 $	19,99 €
☐	Sainte-Lucie	17,95 $	14,99 €
☐	Saint-Martin – Saint-Barthélemy	17,95 $	13,99 €
☐	San Diego	17,95 $	13,99 €
☐	San Francisco	17,95 $	15,09 €
☐	Seattle	17,95 $	15,09 €
☐	Toronto	18,95 $	14,99 €
☐	Tunisie	27,95 $	19,67 €
☐	Vancouver et Victoria	19,95 $	17,99 €
☐	Venezuela	29,95 $	19,67 €
☐	Ville de Québec	17,95 $	14,99 €
☐	Washington, D.C.	19,95 $	15,09 €

Espaces verts

☐	Cyclotourisme au Québec	24,95 $	19,99 €
☐	Cyclotourisme en France	22,95 $	15,09 €
☐	Randonnée pédestre Montréal et environs	19,95 $	19,99 €
☐	Randonnée pédestre Nord-Est États-Unis	22,95 $	19,67 €
☐	Randonnée pédestre au Québec	22,95 $	19,67 €
☐	Randonnée pédestre dans les Rocheuses canadiennes	22,95 $	19,99 €
☐	Le Québec cyclable	19,95 $	15,09 €
☐	Le Sentier transcanadien au Québec	24,95 $	22,99 €
☐	Ski de fond et raquette au Québec	22,95 $	19,99 €

Guides de conversation

☐	L'Allemand pour mieux voyager	9,95 $	6,99 €
☐	L'Anglais pour mieux voyager en Amérique	9,95 $	6,99 €
☐	L'Anglais pour mieux voyager en Grande-Bretagne	9,95 $	6,99 €
☐	Le Brésilien pour mieux voyager	9,95 $	6,99 €

Guides de conversation (suite)

- ☐ L'Espagnol pour mieux voyager en Amérique latine — 9,95 $ — 6,99
- ☐ L'Espagnol pour mieux voyager en Espagne — 9,95 $ — 6,99
- ☐ L'Italien pour mieux voyager — 9,95 $ — 6,99
- ☐ Le Portugais pour mieux voyager — 9,95 $ — 6,99
- ☐ Le Québécois pour mieux voyager — 9,95 $ — 6,99

Journaux

- ☐ Jou ... ,95 $ — 12,95

budget
- ☐ Sta ... ,95 $ — 13,57

		Total

Nom:

Adresse

Tél.:

Courrie

Paiemer

N° de c

tion

Signatur

4,75$/2,

Guides de voyage Ulysse
4176, rue Saint-Denis,
Montréal (Québec)
H2W 2M5
☎(514) 843-9447,
Sans frais : ☎1-877-542-7247
Fax : (514) 843-9448
info@ulysse.ca

En Europe:

Les Guides de voyage Ulysse, SARL
127, rue Amelot
75011 Paris
☎01.43.38.89.50
Fax : 01.43.38.89.52
voyage@ulysse.ca

Consultez notre site : www.guidesulysse.com